Psychologie gérontologique

Jean Vézina
Philippe Cappeliez
Philippe Landreville

Psychologie gérontologique

gaëtan morin éditeur

Montréal □ Paris

Données de catalogage avant publication (Canada)

Vézina, Jean, 1956-

Psychologie gérontologique

Comprend des réf. bibliogr. et des index.

ISBN 2-89105-405-9

1. Personnes âgées–Psychologie. 2. Vieillissement–Aspect psychologique. 3. Personnes âgées–Santé mentale. 4. Personnes âgées–Psychopathologie. 5. Gérontologie. I. Cappeliez, Philippe, 1951- . II. Landreville, Philippe, 1961- . III. Titre.

BF724.8.V49 2000 155.67 C94-940502-7

Tableau de la couverture: ***Harmonie***
Œuvre de **Lise Lacaille**

Lise Lacaille est née à Saint-Hubert en 1958 et habite maintenant Saint-Bruno. Le besoin de s'exprimer par le biais du dessin et de la peinture s'est manifesté chez elle dès la petite enfance. À l'âge de quinze ans, elle ébauche ses premières toiles. En 1973, elle s'initie à la peinture en s'inscrivant au programme d'arts plastiques de l'Université du Québec à Montréal. Après une année d'études, c'est en autodidacte qu'elle poursuit sa démarche artistique. Ce n'est cependant qu'en 1981, après avoir côtoyé différents artistes et avoir été en contact avec plusieurs professeurs qualifiés, qu'elle décide d'orienter définitivement sa carrière vers la peinture. Lise Lacaille enseigne aussi la peinture en atelier.

En 1988, la municipalité de Boucherville, à l'occasion d'un jumelage avec la commune guadeloupéenne des Abymes, achète un des tableaux de Lise Lacaille et l'offre aux autorités de cette ancienne colonie française. Depuis, on retrouve ses œuvres dans de nombreuses expositions.

On peut voir les œuvres de Lise Lacaille à la Galerie Le balcon d'arts à Saint-Lambert.

Montréal, Gaëtan Morin Éditeur ltée
171, boul. de Mortagne, Boucherville (Québec), Canada J4B 6G4
Tél.: (450) 449-2369

Paris, Gaëtan Morin Éditeur, Europe
105, rue Jules-Guesde, 92300 Levallois-Perret, France. Tél.: 01.41.40.49.19

Nous reconnaissons l'aide financière du gouvernement du Canada par l'entremise du Programme d'aide au développement de l'industrie de l'édition (PADIÉ) pour nos activités d'édition.-

Révision linguistique: Ghislaine Archambault

Imprimé au Canada 4 5 6 7 8 9 0 1 2 3 09 08 07 06 05 04 03 02 01 00

Dépôt légal 3e trimestre 1994 – Bibliothèque nationale du Québec – Bibliothèque nationale du Canada

À ma mère, Rita Chevalier, et à mon père Robert.
Jean Vézina

À Patricia, Sarah et Maxime.
Philippe Cappeliez

À Marielle.
Philippe Landreville

Avertissement

Dans cet ouvrage, le masculin est utilisé comme représentant des deux sexes, sans discrimination à l'égard des hommes et des femmes et dans le seul but d'alléger le texte.

Avant-propos

Nous avons écrit ce livre parce que le moment était venu de doter les lecteurs francophones d'un ouvrage de calibre universitaire qui fasse adéquatement le point sur les grandes questions qui animent la psychologie gérontologique. Plusieurs années d'enseignement de la psychologie du vieillissement dans nos établissements respectifs, l'Université Laval, l'Université d'Ottawa et l'Université du Québec à Trois-Rivières, nous ont confrontés au besoin des étudiants de disposer d'un livre de référence en français, bien charpenté et largement documenté, qui puisse les aider dans leur cheminement intellectuel. Cette expérience collective d'enseignement nous a tout naturellement conduits à concevoir le projet d'un livre traitant de l'ensemble des sujets habituellement étudiés dans un cours de premier cycle en psychologie. Lors de la rédaction, nous avons aussi pris en considération l'intérêt qu'un tel livre pouvait susciter non seulement auprès des étudiants mais aussi auprès des chercheurs et des praticiens de différentes disciplines des sciences sociales, des sciences humaines et des sciences de la santé.

Ce livre se distingue des autres ouvrages parus dans ce domaine, sur plusieurs points. Il s'offre comme une présentation critique des thèmes principaux de la psychologie gérontologique, présentation fondée sur une synthèse des connaissances actuelles issues des recherches. Plusieurs ouvrages qui traitent de la psychologie du vieillissement, ainsi que la grande majorité des livres de base en langue anglaise, portent sur la vie adulte dans son ensemble. Une telle perspective présente certes l'avantage de concevoir les questions de la vieillesse dans la continuité de la vie adulte. Par contre, elle limite le niveau d'approfondissement des thèmes propres à la dernière phase de la vie et peut frustrer le lecteur spécifiquement intéressé à la gérontologie. Ce livre se distingue également par son choix de traiter d'une série de sujets directement pertinents à la phase la plus avancée de la vie adulte. Il nous est apparu opportun de sélectionner douze grands thèmes parmi les plus fondamentaux et les plus représentatifs du savoir actuel en psychologie gérontologique. Il est clair que, avec les progrès des connaissances dans cette discipline en pleine croissance, ce texte de base exigera des révisions et des additions au cours des prochaines années.

Le chapitre 1 situe l'étude des processus psychologiques du vieillissement dans le contexte global de la percée démographique actuelle et future des couches les plus âgées de notre société. Ce chapitre dresse un tableau des facteurs reliés au vieillissement de la population et il en envisage les conséquences majeures. Les attitudes entretenues envers les personnes âgées sont aussi abordées dans ce chapitre. Le chapitre 2 traite des influences du vieillissement sur les processus sensoriels, en particulier la vision et l'audition. Cette évolution constitue certes un intérêt majeur des gérontologues dans la mesure où les sens représentent les fondements de la communication avec le milieu, le milieu social en particulier. Ce chapitre considère aussi les conséquences de ces changements liés à l'âge sur le vécu de la personne âgée. Le chapitre 3 porte entièrement sur la sexualité, sujet plutôt négligé dans l'étude du vieillissement psychologique et d'ailleurs peu développé dans les ouvrages généraux sur le vieillissement. Ce chapitre aborde les aspects physiologiques, psychologiques et sociaux de la sexualité à l'âge adulte avancé, en milieu familial et en établissement. Deux chapitres d'envergure, consacrés à l'intelligence et à la mémoire, lui font suite. Les inquiétudes de tout un chacun concernant le devenir des fonctions intellectuelles et mnésiques avec le vieillissement ont toujours animé les débats et suscité un intérêt tout particulier pour ces questions de recherche. Ces deux grands sujets continuent de constituer une part importante et représentative des recherches en psychologie gérontologique. À ce titre, ces deux chapitres permettent un bref parcours historique dans le champ de la psychologie gérontologique, ainsi qu'un examen de ses projets de recherche les plus caractéristiques. Le chapitre 4 examine attentivement les facteurs concernés dans la pleine expression de l'intelligence et les moyens qui ont été proposés pour la favoriser chez le plus grand nombre de personnes âgées possible. Le chapitre 5 aide à décrire et à comprendre le vieillissement de la mémoire dans ses formes normales et pathologiques en fonction des théories contemporaines en psychologie cognitive.

Les chapitres suivants, pour leur part, abordent des questions d'ordre personnel et social touchant la personne âgée. Ainsi, le chapitre 6 remet en question, à la lumière des recherches, toute une série d'idées reçues concernant la personnalité des personnes âgées. Le chapitre 7 analyse les facteurs psychologiques qui déterminent le sentiment de bien-être des personnes âgées, sujet très populaire en gérontologie au cours des trente dernières années. Le chapitre 8, qui porte sur les transitions, examine une série d'événements majeurs de la vie, propres à la phase avancée de la vie adulte, comme la retraite, la mort du conjoint, le relogement et la maladie, qui peuvent poser à la personne âgée un problème d'adaptation. Comme le chapitre précédent, le chapitre 9 développe un sujet, la solitude, qui est habituellement peu traité dans les ouvrages consacrés au vieillissement. Ce chapitre vise à cerner l'étendue du problème et les facteurs qui l'expliquent.

Enfin, les trois derniers chapitres du livre abordent chacun un aspect pathologique du vieillissement. La dépression est le sujet du chapitre 10, qui en définit les manifestations, les causes potentielles et les traitements. Le chapitre 11 traite du suicide parmi les personnes âgées en étudiant l'ampleur du problème, les facteurs concernés et la prévention. Le dernier chapitre, le chapitre 12, porte sur les pathologies cérébrales organiques, en particulier les démences de type Alzheimer. Ce chapitre fait un tour d'horizon complet des hypothèses sur les causes des démences et les facteurs de risque, ainsi que sur les interventions.

Le lecteur aura l'occasion de remarquer que les auteurs ont tenté de maintenir tout au long du livre une structure uniforme. Ainsi, tous les chapitres commencent par une brève introduction situant le sujet dans un contexte plus large. Puisque tous les lecteurs n'ont pas nécessairement des connaissances de base en psychologie, il nous est apparu pertinent de revenir sommairement sur les fondements du sujet abordé. Par la suite, ce dernier est abordé dans une perspective résolument gérontologique où il est fait mention des résultats découlant de la recherche la plus représentative qui soit. De plus, il nous est apparu nécessaire d'inclure, là où c'était approprié, une section sur les interventions ou les traitements. L'objectif est d'informer le lecteur qu'il est possible d'intervenir auprès des personnes âgées. Ce livre a également l'avantage d'offrir à la fin de chaque chapitre une section qui fait, en quelques lignes, le résumé des points les plus importants. Pour le lecteur désireux d'en connaître davantage, on a cru bon de suggérer des lectures supplémentaires. Finalement, une autre caractéristique de ce livre est que les chapitres sont complets en eux-mêmes, ce qui permet au lecteur d'aller d'un chapitre à l'autre sans difficulté.

Remerciements

Nous remercions les membres du personnel de Gaëtan Morin Éditeur, qui nous ont accordé leur confiance et leur assistance experte à toutes les étapes du projet. Plusieurs fois leur enthousiasme pour le livre et leur immense patience ont relancé nos efforts. Nous profitons de cette occasion pour remercier toutes les personnes qui ont contribué à divers titres à l'aboutissement de ce projet. Nous rendons hommage à la patience, à la fidélité, et à la méticulosité des membres de nos personnels administratifs, et en particulier Gisèle Filion-Charlebois, Constance Martin, Kibeza Kasubi et Jeannine Cameron, qui ont grandement facilité l'accomplissement des diverses étapes et l'atteinte d'un haut niveau de qualité dans un esprit de collaboration et la bonne humeur. Nous remercions aussi les étudiantes et étudiants de nos cours, qui ont été nos premiers critiques et qui nous ont aidés à orienter le contenu du livre. Des remerciements sont aussi adressés à Chantal Beaumont, Marie-France Cimon, Geneviève Dupont, Nicole Dutil, Annie Stipaninic et Joël Tremblay pour leur aide tout au long de la rédaction.

Table des matières

Chapitre 3
Sexualité

Chapitre 4
Intelligence

Chapitre 5
Mémoire

Chapitre 6
Personnalité

Chapitre 7
Bien-être

Chapitre 8
Transitions

Chapitre 9
Solitude

Chapitre 10
Dépression

Chapitre 11
Suicide

Chapitre 12
Désordres cérébraux organiques

Chapitre 1

Démographie

1.1 INTRODUCTION

À première vue, il peut paraître déplacé, dans un livre traitant de la psychologie de la personne âgée, d'aborder la question du vieillissement démographique de la population. Pourtant, plusieurs raisons le justifient. L'intérêt aujourd'hui manifesté pour les questions relatives aux personnes âgées est dû aux démographes qui ont contribué à l'avènement et au développement de la gérontologie (Paillat, 1988). Plus précisément, ce sont les démographes qui nous informent que le taux de natalité est à son plus bas, que la société dans laquelle nous vivons est de plus en plus vieillissante et que les personnes âgées constitueront dans l'avenir une fraction très importante de la population. En outre, on entend périodiquement des discours, souvent alarmistes, annonçant que cette transformation inexorable de la population aura des conséquences sérieuses sur les politiques sociales, sanitaires et économiques. Mais au-delà de ces constatations générales, l'importance du vieillissement démographique, son origine et ses répercussions potentielles restent, pour la plupart, encore obscures.

Il est légitime et même nécessaire de se questionner sur les conséquences qu'entraîne ce vieillissement de la population sur la vie de tous les jours. Mais avant de tenter de répondre à ces questions, il est impératif de mieux connaître la situation démographique. En effet, une meilleure connaissance de cette dernière permettra à tous ceux qui sont concernés de mieux planifier les actions à entreprendre (McDaniel, 1986). Une telle optique appelle l'interdisciplinarité et ne concerne pas seulement les politiciens, les actuaires, les économistes et les gestionnaires, mais aussi les professionnels de la santé et des services sociaux, y compris les psychologues.

À l'instar des représentants de l'École nationale de la santé publique de Paris (1988), on peut mentionner qu'une compréhension adéquate de la situation démographique permettra d'éviter l'apparition d'attitudes extrémistes indésirables. À un extrême, une attitude de crise consisterait à voir dans le vieillissement de la population une véritable catastrophe qui amènera incontestablement la faillite du régime. Ceux qui adoptent une telle attitude affirment qu'une société constituée d'un trop grand nombre de personnes âgées ne pourrait être aussi productive et compétitive ; que les caisses de retraite seraient en péril devant l'ascension de la proportion de retraités ; que les travailleurs, déjà surtaxés et dont dépend la disponibilité des fonds, ne seraient plus aptes ou plus disposés à soutenir cette population financièrement dépendante ; que les systèmes de santé et social ne pourraient plus répondre aux demandes sans cesse croissantes d'une population vieillissante aux prises avec des incapacités ou des maladies chroniques, etc. Il faut aussi éviter, à un autre extrême, l'apparition d'une attitude passive caractérisée par de l'insouciance devant le vieillissement de la population. L'inaction engendrée par une telle attitude se traduirait immanquablement par une crise qu'on aurait pu éviter si des actions concrètes avaient été décidées au départ. L'une comme l'autre de ces attitudes sont la conséquence d'une méconnaissance de la question du vieillissement démographique.

Ce chapitre a pour objectif de mieux faire connaître la situation démographique en brossant un tableau de la conjoncture actuelle et future, de préciser les causes du vieillissement démographique, et d'aborder la question des répercussions de cette métamorphose. Le sujet des attitudes adoptées envers les personnes âgées sera aussi abordé dans ce chapitre.

1.2 INDICES DU VIEILLISSEMENT DE LA POPULATION

Il existe, somme toute, plusieurs façons d'estimer le vieillissement d'une population. Il est possible :

- de simplement compter le nombre de personnes âgées ;
- d'en estimer la proportion par rapport à la population qui n'a pas atteint cet âge ;
- de calculer l'âge médian de la population.

Ces indices, à l'exception de l'âge médian, ont en commun l'utilisation de l'**âge chronologique** de 65 ans comme point de référence de la vieillesse. Rappelons que l'âge chronologique représente le nombre d'années écoulées depuis la naissance. Si on utilise l'âge de 65 ans plutôt qu'un autre, c'est parce que cet âge est, ou était, intimement associé à la prise de la retraite. C'est au chancelier allemand Otto von Bismarck que revient le mérite d'avoir fixé le premier par décret, à la fin du XIXe siècle, l'âge de la retraite à 65 ans, à une époque où d'ailleurs peu de personnes vivaient aussi longtemps (Woodruff-Pak, 1988). Depuis lors, cet âge est devenu la charnière qui sépare une « vieille » personne des personnes plus jeunes.

Il est toutefois important de garder à l'esprit que, si le recours à l'âge chronologique a l'avantage de faciliter le repérage, il s'agit d'un critère purement arbitraire, fixé par convention sociale dans les pays industrialisés (McDaniel, 1986) mais qui informe peu sur l'état physique ou mental de la personne. Il faut bien avouer qu'il ne suffit pas d'atteindre cet âge pour devenir subitement vieux. Mishara et Riedel (1984, p. 12) se demandent d'ailleurs à juste titre : « [...] quelle différence y a-t-il entre le fait d'avoir 65 ans et d'être classé parmi les vieux, et celui d'avoir 64 ans et d'être encore parmi les gens d'âge mûr ? » Vraisemblablement aucune, si ce n'est qu'il est plus probable que la personne de 65 ans soit à la retraite.

Depuis que l'âge obligatoire de la retraite est remis en question[1] – voire aboli dans certains cas – et depuis qu'un nombre croissant de personnes prennent une retraite anticipée, il ne semble plus approprié de baser la définition de la personne âgée sur l'âge de la retraite. Si plusieurs auteurs sont également de cet avis, il faut pourtant déplorer qu'il n'existe en ce moment aucun autre critère de remplacement satisfaisant, bien que des suggestions pour définir la personne âgée selon des critères biologiques, sociaux ou psychologiques aient été proposées. Par conséquent, et en dépit du fait qu'il s'agit d'un critère imparfait, la personne âgée est ici définie comme la personne qui a atteint l'âge de 65 ans.

---

1. Selon un jugement de la Cour suprême du Canada, la retraite obligatoire à 65 ans dans les universités et les hôpitaux ne va pas à l'encontre de la Charte canadienne des droits et libertés, contrairement à ce qu'affirmaient les plaignants. Il faut toutefois noter qu'au Manitoba et au Québec la retraite n'est plus obligatoire pour les professeurs d'université.

1.2.1 Nombre de personnes âgées

Un coup d'œil aux figures 1.1 et 1.2 fait clairement voir que le nombre de personnes âgées s'est accru de manière importante entre le recensement de 1921 et celui de 1986. Plus précisément, en 1921, l'effectif des personnes âgées atteignait 420 000 au Canada, dont 108 000 au Québec, et l'effectif grimpait en 1986 à 2,7 millions au Canada, dont 650 000 au Québec (Statistique Canada, 1987a).

Il n'est pas approprié de se fier à l'augmentation du nombre de personnes âgées pour exprimer le vieillissement de la population, puisque cette croissance peut être uniquement le reflet de l'augmentation totale de la population (Paillat, 1987). Toutefois, il est intéressant d'observer que, de 1921 à 1986, c'est la cohorte des personnes âgées qui enregistre le plus haut taux de croissance au Canada et au Québec. Ainsi, l'effectif de ce groupe s'y est multiplié par six, alors que pendant cette même période l'effectif des moins de 65 ans s'y multipliait par trois. Des projections laissent entrevoir que le nombre de personnes âgées ira en augmentant jusqu'en 2031, pour ensuite subir une diminution (McDaniel, 1986).

Figure 1.1 Progression des effectifs de la population de 1921 à 1986, au Canada

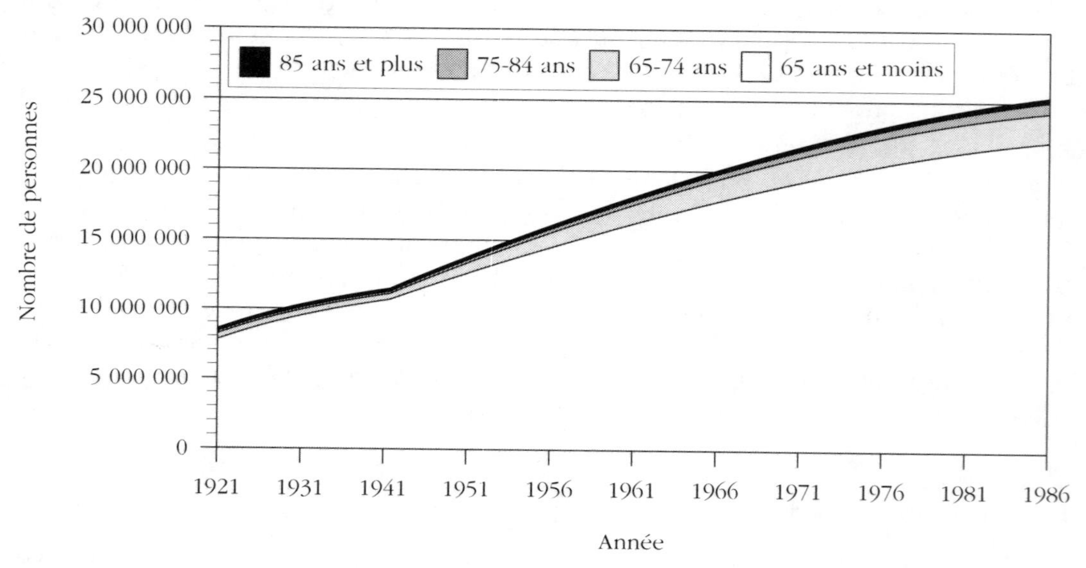

Source: Statistique Canada, catalogue 93-101.

Figure 1.2 Progression des effectifs de la population de 1921 à 1986, au Québec

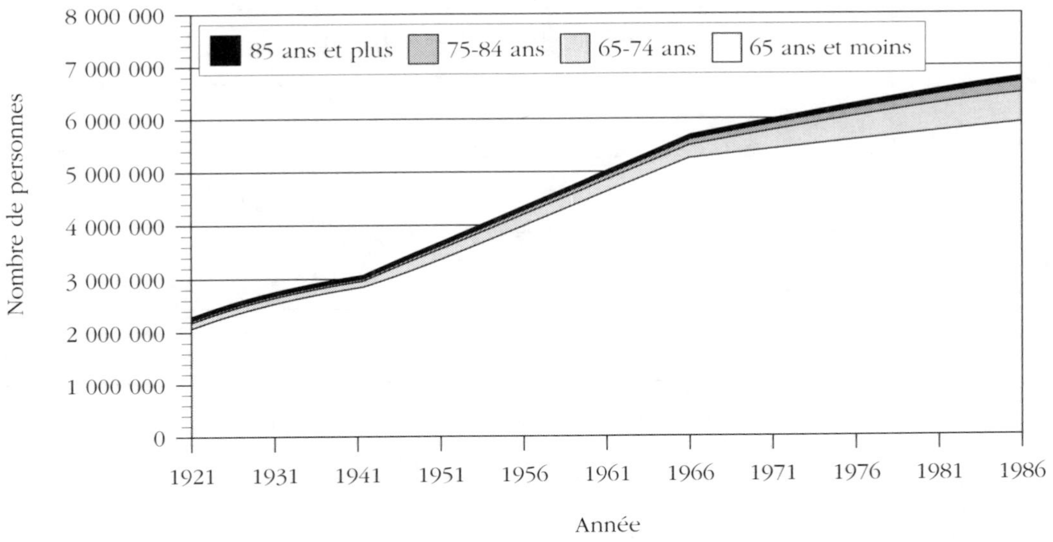

Source: Statistique Canada, catalogue 93-101.

1.2.2 Pourcentage de personnes âgées

Le pourcentage de personnes âgées constituant la population est la manière privilégiée d'exprimer le vieillissement de la population. Il suffit de regarder les données démographiques pour constater qu'il y a une proportion croissante des personnes de 65 ans et plus. La figure 1.3 illustre cette progression dans le pourcentage des personnes âgées au Canada et au Québec. Ainsi, on remarque que, en 1921, un peu moins de 5 % de la population était âgée de plus de 65 ans. Ce pourcentage est resté relativement stable jusqu'aux années 1970, après quoi la proportion a augmenté de façon rapide.

À l'heure actuelle, l'effectif des personnes âgées atteint au Canada près de 11 % de la population, alors que le Québec a un taux légèrement inférieur, avec 10,2 %. La figure 1.3 illustre également le pourcentage prévu de personnes âgées. À l'examen de cette figure, on peut se rendre compte que la proportion doublera au cours des 30 prochaines années, en raison de l'arrivée massive de la génération de l'après-guerre au stade de la vieillesse, génération qui est, faut-il le rappeler, la plus nombreuse.

Figure 1.3 Évolution de la proportion des personnes âgées au Québec et au Canada

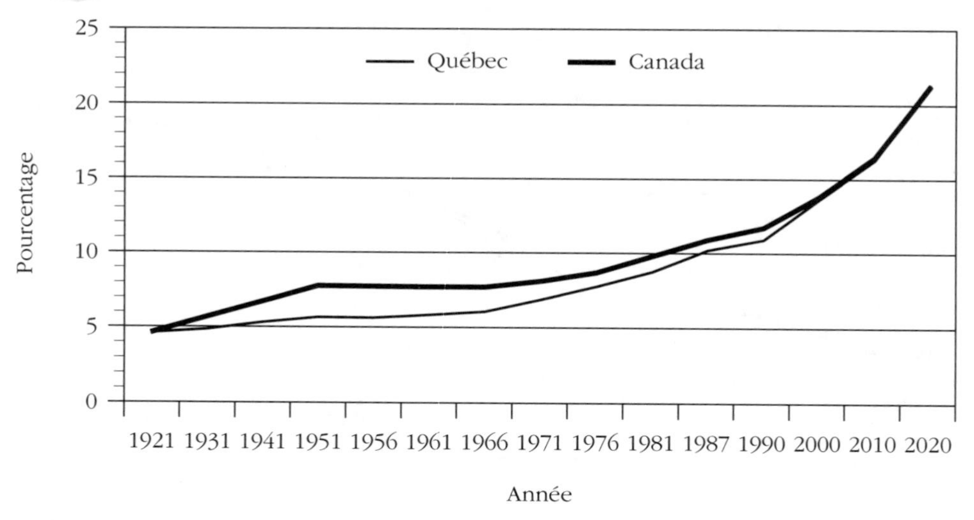

Source: Statistique Canada, catalogue 93-101.

Mais quelle est la signification de ce pourcentage? La société dans laquelle nous vivons actuellement peut-elle être qualifiée de jeune ou doit-elle être qualifiée de vieille? En fait, cela dépend de la perspective adoptée. Si on compare le pourcentage des personnes âgées d'ici à ceux de certains autres pays industrialisés, on peut dire que le pays est encore relativement jeune. La figure 1.4 met en parallèle les chiffres de pourcentage de la population âgée dans différents pays. Le Royaume-Uni et l'Allemagne (15,2%), la Belgique (14,2%), la France (13,3%), le Luxembourg (13,1%) et même les États-Unis (12,1%) sont tous, d'un point de vue démographique, plus vieux que le Canada et le Québec. Par contre, si on compare la proportion des personnes âgées d'aujourd'hui à celle qui existait au début du siècle, il faut reconnaître que le pays est plus vieux que dans le passé. L'examen de la figure 1.4 permet de tirer un autre enseignement, à savoir que le vieillissement de notre population n'est pas en soi un phénomène particulier, mais qu'il est le lot de nombreuses autres nations industrialisées.

Les démographes de l'ONU (Organisation des Nations Unies) considèrent, pour leur part, qu'une société est jeune lorsque moins de 4% de sa population est constituée de personnes âgées, mûre lorsque celles-ci composent entre 4 à 7% de sa population et vieille lorsque plus de 7% de sa population est formée de personnes âgées (Havens, 1982). Il est dès lors possible d'affirmer, selon la perspective onusienne, que le Canada et le Québec ont rejoint les vieilles nations au début des années 1970. Le vieillissement de notre population est donc un phénomène récent.

Figure 1.4 Pourcentage de la population âgée dans différents pays industrialisés

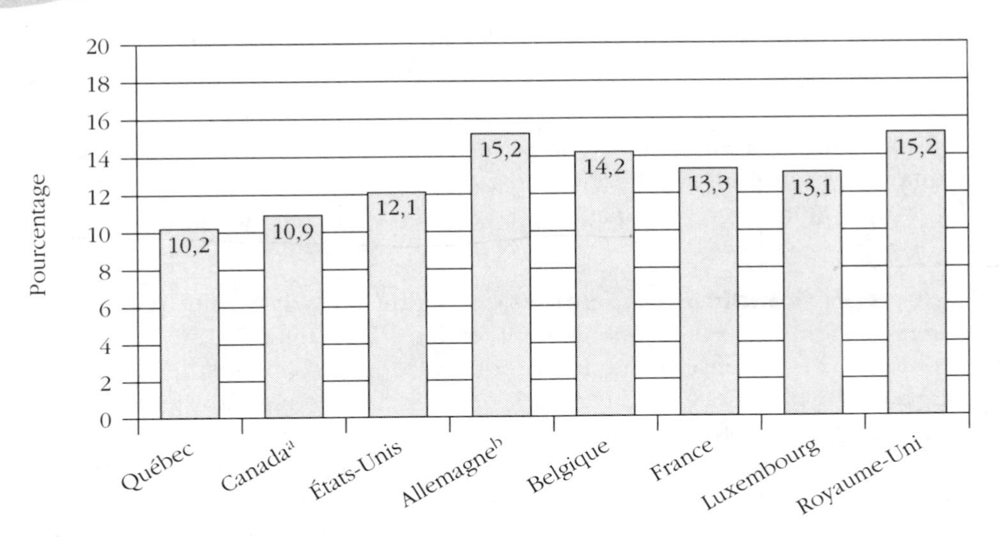

a. Le Québec est inclus.
b. Avant la réunification.

Sources: Statistique Canada, catalogue 91-210 ; Eurostat, *Statistiques démographiques*, 1988 ; ONU, *Annuaire démographique*, 1986, tableau 7, p. 202-303.

1.2.3 Âge médian de la population

De même que le nombre et le pourcentage des personnes âgées, l'âge médian sert d'indice du vieillissement de la population. En statistique, le médian se définit comme un point au-dessous ou au-dessus duquel la moitié des autres points se situent. L'âge médian représente donc l'âge qui sépare la population en deux groupes égaux. Selon McDaniel (1986), les populations où l'âge médian est supérieur à 30 ans sont considérées comme vieilles, alors que celles où l'âge médian est inférieur à 20 ans sont perçues comme jeunes. Au Canada, l'âge médian de la population n'a jamais été aussi élevé, atteignant 31,6 ans en 1986, alors qu'il était de 24,8 ans en 1931, de 27,7 ans en 1951 et de 29,6 en 1981. Au Québec, l'âge médian était de 29,7 ans en 1981 et de 32,0 ans en 1986 (Statistique Canada, 1987a). Autrement dit, plus de la moitié de la population a maintenant plus de 32 ans. Selon certaines estimations, l'âge médian de la population continuera d'augmenter, pour atteindre 41 ans en 2006 et 48 ans en 2031 (McDaniel, 1986).

1.2.4 Profil des personnes âgées

Avant de clore cette section, il convient de dresser un profil plus circonstancié de la population âgée. Bien que succincte, la description qui suit permettra néanmoins de constater :

- d'une part, que le vieillissement de la population est un phénomène qui touche davantage les femmes que les hommes ;
- d'autre part, qu'il existe un vieillissement à l'intérieur même du groupe des personnes âgées.

La **surreprésentation des femmes** se traduit dans la réalité par un nombre plus élevé de femmes âgées que d'hommes âgés. Les figures 1.5 et 1.6 illustrent, à travers les divers recensements, le rapport entre les hommes et les femmes selon le groupe d'âge pour le Canada et le Québec respectivement. L'étude de ces figures révèle qu'en 1986 il y avait 72 hommes pour 100 femmes au Canada (voir figure 1.5), alors qu'au Québec le nombre d'hommes était légèrement inférieur, soit 68 hommes pour 100 femmes (voir figure 1.6). On découvre également que si le nombre de femmes dépasse, à l'heure actuelle, celui des hommes, cette **féminisation de la vieillesse** est un phénomène assez récent. En effet, de 1921 à 1956,

Figure 1.5 Nombre d'hommes par rapport au nombre de femmes selon le groupe d'âge et l'année du recensement, au Canada

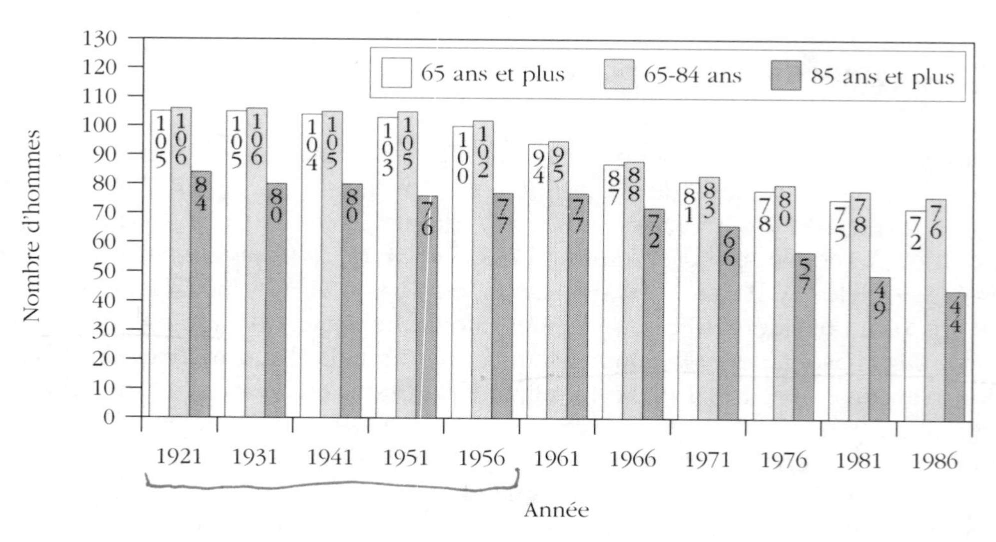

Source : Statistique Canada, catalogue 93-101.

Figure 1.6 Nombre d'hommes par rapport au nombre de femmes selon le groupe d'âge et l'année du recensement, au Québec

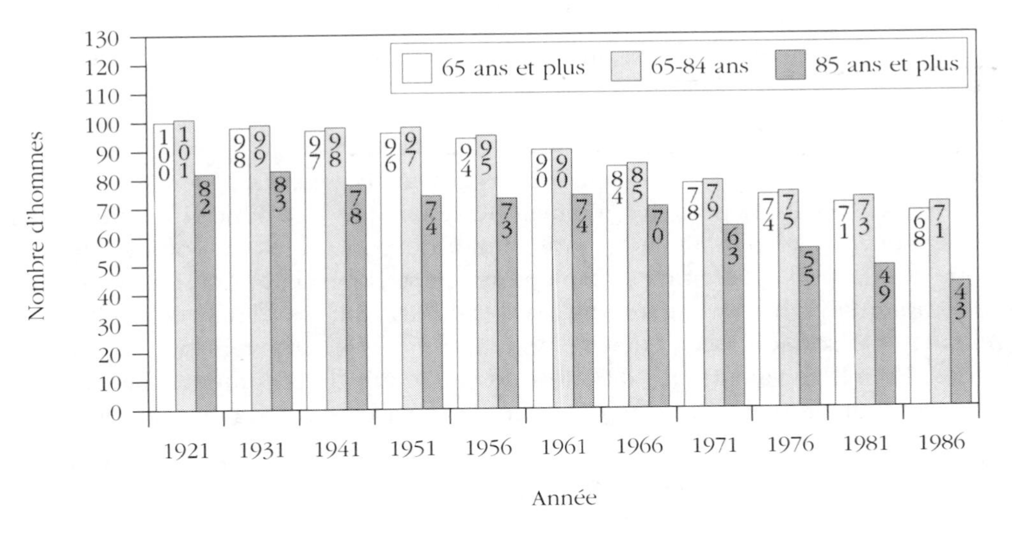

Source: Statistique Canada, catalogue 93-101.

au Canada du moins, il y avait autant, sinon plus, d'hommes que de femmes. C'est seulement vers les années 1960 que le rapport hommes/femmes a basculé pour atteindre la proportion actuelle. Au Québec, quoique le profil soit sensiblement le même, la diminution du nombre d'hommes par rapport à celui des femmes est apparue dès les années 1930, mais ce mouvement s'est par contre intensifié dans les années 1960.

En outre, cette féminisation de la vieillesse est d'autant plus manifeste que les personnes avancent en âge. Alors qu'en 1986, pour la cohorte des 65-84 ans, il y avait respectivement 76 et 71 hommes pour 100 femmes au Canada et au Québec, on voit que ce rapport chute de façon dramatique après l'âge de 85 ans, pour atteindre respectivement 44 et 43 hommes pour 100 femmes (voir figures 1.5 et 1.6). Ces chiffres laissent entrevoir qu'avec l'avancement en âge les sexes ne sont pas égaux face à la mort : les hommes meurent en plus grand nombre et plus précocement que les femmes.

Cette mortalité masculine plus élevée se reflète sans surprise dans les données sur l'**état matrimonial**. En 1986, au Canada, alors que seulement 13,5 % des hommes âgés de plus de 65 ans étaient veufs, près de la moitié (48,2 %) des femmes étaient veuves. Le profil des personnes âgées québécoises est similaire, comme en témoigne la comparaison des figures 1.7 et 1.8. Trois raisons sont habituellement avancées pour expliquer cette situation :

- la femme vit plus longtemps que l'homme et survit donc au décès de son mari ;
- l'homme est généralement plus âgé que sa femme et risque donc de mourir avant elle ;
- les veufs se remarient plus souvent que les veuves.

Le dernier élément tient au fait qu'avec l'avancement en âge il y a moins de partenaires disponibles pour les femmes, le remariage s'avérant ainsi plus difficile pour les veuves âgées. Mais le nombre limité de partenaires disponibles n'est pas l'unique explication. Les femmes peuvent mieux se débrouiller une fois seules, pouvant compter sur un meilleur réseau social, tandis que les veufs recherchent dans le remariage le soutien logistique et émotionnel qu'ils ne trouvent pas dans d'autres relations. Enfin, les valeurs personnelles de beaucoup de ces femmes âgées ne leur permettent tout simplement pas d'envisager le remariage à cette époque de leur vie.

Le deuxième constat digne de mention est certes le **survieillissement** de la population âgée, c'est-à-dire le vieillissement à l'intérieur même du groupe des per-

Figure 1.7 Répartition de l'état matrimonial pour les hommes et les femmes âgés en 1986, au Canada

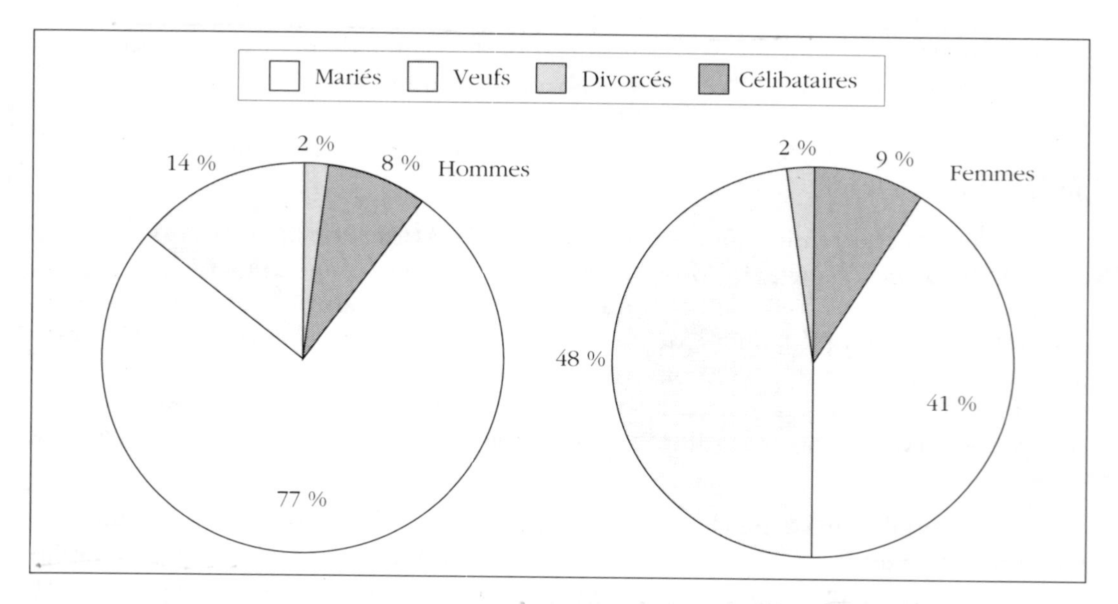

Source : Statistique Canada, catalogue 93-519.

Figure 1.8 Répartition de l'état matrimonial pour les hommes et les femmes âgés en 1986, au Québec

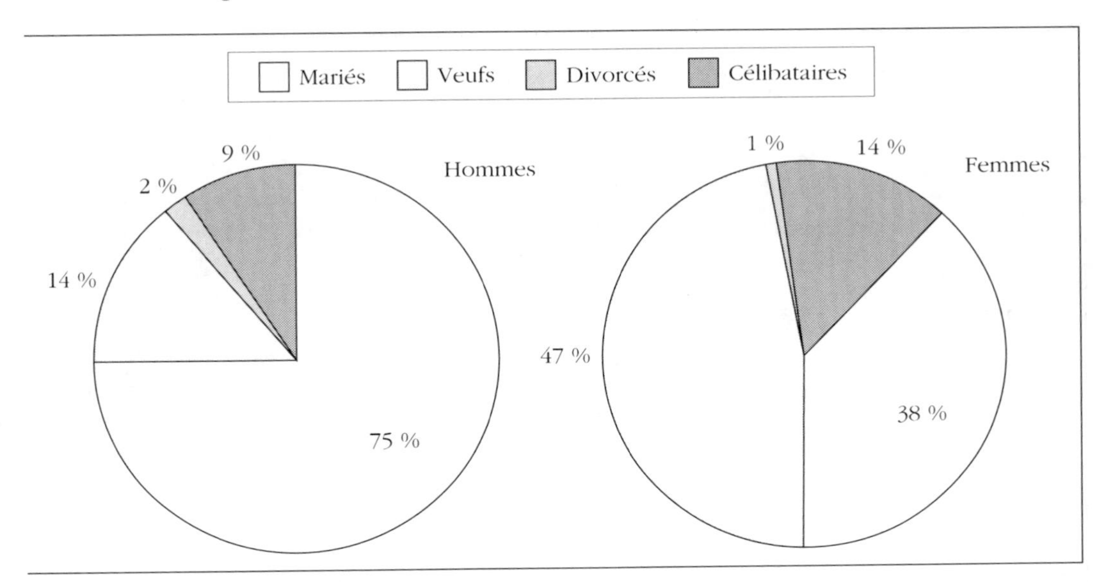

Source: Statistique Canada, catalogue 93-519.

sonnes de plus de 65 ans (voir tableau 1.1). Les données démographiques sont éloquentes à ce propos, bien qu'elles soient trop souvent masquées lorsque l'on considère simplement la progression, en nombre et en pourcentage, de l'ensemble des personnes de plus de 65 ans. C'est seulement lorsque cette cohorte est décomposée en deux sous-ensembles, les « jeunes vieux », c'est-à-dire les personnes âgées entre 65 ans et 74 ans, et les « vieux vieux », c'est-à-dire les 75 ans et plus, que le phénomène devient évident. Cette distinction entre les « jeunes vieux » et les « vieux vieux » a été proposée par Neugarten (1974). On constate que, depuis le recensement de 1921, à l'époque où les 65-74 ans constituaient respectivement 69 % et 70 % des personnes âgées au Canada et au Québec, la proportion de ce groupe d'âge n'a cessé de diminuer au profit des 75 ans et plus, pour atteindre respectivement 62 % et 63 % en 1986. En d'autres mots, la proportion des 75 ans et plus a augmenté et est passée de 30 % et 31 % à 37 % et 38 % en 1986. On prévoit que cette tendance ira en s'intensifiant, si bien qu'à l'aube du prochain millénaire le groupe des 65-74 ans représentera 53 % de la population âgée totale, comparativement à 47 % pour le groupe des 75 ans et plus. Il y aura donc presque autant de personnes très âgées que de « jeunes vieux ».

Tableau 1.1 Pourcentage des personnes âgées selon qu'elles sont âgées de 65 à 74 ans ou de 75 ans et plus, au Canada et au Québec

	Canada		Québec	
	65-74 ans	75 ans et plus	65-74 ans	75 ans et plus
1921	69 %	31 %	70 %	30 %
1931	70 %	30 %	69 %	31 %
1941	68 %	32 %	69 %	31 %
1951	69 %	31 %	69 %	31 %
1956	67 %	33 %	68 %	32 %
1961	64 %	36 %	67 %	33 %
1966	62 %	38 %	67 %	33 %
1971	62 %	38 %	66 %	34 %
1976	63 %	37 %	67 %	33 %
1981	63 %	37 %	66 %	34 %
1986	62 %	38 %	63 %	37 %

Source: Statistique Canada, catalogue 93-101.

De prime abord, ce constat du survieillissement de la population âgée peut paraître secondaire, mais il devient au contraire très important lorsque l'on considère que ce sont justement les personnes de plus de 75 ans qui souffrent davantage d'invalidité physique ou mentale et qui sont en perte d'autonomie. L'accroissement spectaculaire de la proportion des personnes très âgées devrait nous inciter à nous demander si la façon dont nos systèmes de santé sont structurés permettra d'affronter cette nouvelle réalité qui se profile à l'horizon.

Après avoir démontré, au moyen de différents paramètres, que la population est vieillissante, que les femmes sont surreprésentées parmi les personnes âgées et que ce sont les personnes très âgées qui connaissent la plus forte progression démographique, il convient de mettre en lumière les facteurs qui sont responsables de cette mutation.

1.3 CAUSES DU VIEILLISSEMENT

Les démographes considèrent que la structure de la population est tributaire, à des degrés divers, de la *fluctuation* de trois forces indépendantes (Myers, 1990). Pour

McDaniel (1986), il est capital de savoir prédire leurs tendances futures afin de se préparer aux défis qu'il faudra dominer dans l'avenir. Ces trois forces sont :

- la mortalité ;
- la natalité ;
- la migration.

Des trois, seules les deux premières seront l'objet d'une attention particulière, la migration jouant un rôle plus modeste dans le vieillissement de la population.

Le Canada et le Québec comptaient parmi les nations ayant l'un des **taux de mortalité** les plus bas du monde. Au Canada, ce taux est passé de 11,6 ‰ en 1921 à 7,0 ‰ en 1986 ; au Québec, il atteignait 7,2 ‰ en 1986, comparativement à 14,2 ‰ en 1921.

Une autre façon d'exprimer la mortalité est d'estimer l'**espérance de vie** d'une personne. L'espérance de vie se définit comme le nombre moyen d'années qu'il reste à vivre à une personne depuis la naissance ou à un anniversaire, par exemple 65 ans, si les conditions de mortalité servant à son calcul ne se modifient pas.

L'espérance de vie à la naissance n'a cessé de s'accroître de génération en génération. Ainsi, un enfant né en 1931 pouvait espérer vivre jusqu'à l'âge de 60 ans s'il était de sexe masculin, et jusqu'à l'âge de 62 ans s'il était de sexe féminin, alors qu'un enfant né en 1986 pouvait espérer vivre jusqu'à l'âge de 73 ans pour un homme et jusqu'à l'âge de 80 ans pour une femme. En d'autres mots, sur une période de plus de 50 ans, l'espérance de vie à la naissance s'est accrue respectivement de 13 ans et de 18 ans pour les hommes et les femmes.

Si la longévité atteint actuellement, dans les pays développés tout au moins, un niveau inégalé dans l'histoire de l'humanité (l'espérance de vie au Moyen Âge ne dépassait pas 30 ans *en moyenne*), cela signifie qu'un ensemble de conditions favorables ont été réunies. Cet accroissement de l'espérance de vie et son corollaire, la diminution du taux de mortalité, ne sont pas le fruit du hasard, mais sont attribuables aux progrès réalisés dans l'ensemble des sphères d'activité économiques, sociales et médicales. Les dernières décennies ont été témoins d'une amélioration importante des conditions de vie et d'hygiène, elles-mêmes liées à une forte croissance économique. Par exemple, la quantité et la qualité des aliments, la décontamination de l'eau, l'élimination des déchets, la qualité des habitations et la qualité des services de santé et sociaux, de même que l'accessibilité de ces services, se sont grandement améliorées. Ces progrès se traduisent également par l'élimination des causes de mortalité périnatale et infantile, par la vaccination de masse, qui élimine les maladies infectieuses et transmissibles, par la mise au point de nouveaux médicaments et de nouvelles techniques médicales, etc. (Simmons-Tropea & Osborn, 1987).

D'aucuns semblent convaincus que le vieillissement accéléré de la population est la conséquence directe du déclin important du taux de mortalité et de l'accroissement de l'espérance de vie. Les démographes ont toutefois une position plus nuancée et allèguent que la mortalité n'est pas le facteur le plus déterminant du vieillissement de la population (McDaniel, 1986). Si le progrès réalisé jusqu'à aujourd'hui a contribué à faire chuter la mortalité et à augmenter la longévité, il faut cependant ajouter que cela s'est fait de manière inégale. La victoire sur la mort n'est pas la même pour tous. Un coup d'œil sur les figures 1.9 et 1.10 est instructif à ce propos. Premièrement, en comparant (voir figure 1.9) les tables de mortalité disponibles depuis les 50 dernières années, on peut constater qu'il y a eu régression de la mortalité, mais surtout chez les enfants naissants (Dufour & Péron, 1979). En effet, entre 1931 et 1981, le taux de mortalité à la naissance, au Québec, est passé de 109 ‰ à 9,3 ‰, alors que le taux de mortalité pour les personnes âgées de 65 ans et plus est passé de 72 ‰ à 49 ‰ (Roy, 1983). En d'autres mots, sur une période d'un demi-siècle, la mortalité a chuté de 85 % chez les jeunes enfants, comparativement à une diminution de 32 % pour les personnes âgées. Deuxièmement, et comme le montre la figure 1.10, on constate une progression de l'espérance de vie à 65 ans, mais cette progression est moins spectaculaire que celle enregistrée à la naissance. Plus précisément, de 1931 à 1986, l'espérance de vie à la naissance a fait un bond de 13 ans pour les hommes et de 18 ans pour les femmes. Pendant la même période, la longévité à 65 ans a fait un gain plus modeste,

Figure 1.9 Évolution du taux de mortalité de 1931 à 1981 à la naissance et à 65 ans et plus, au Québec

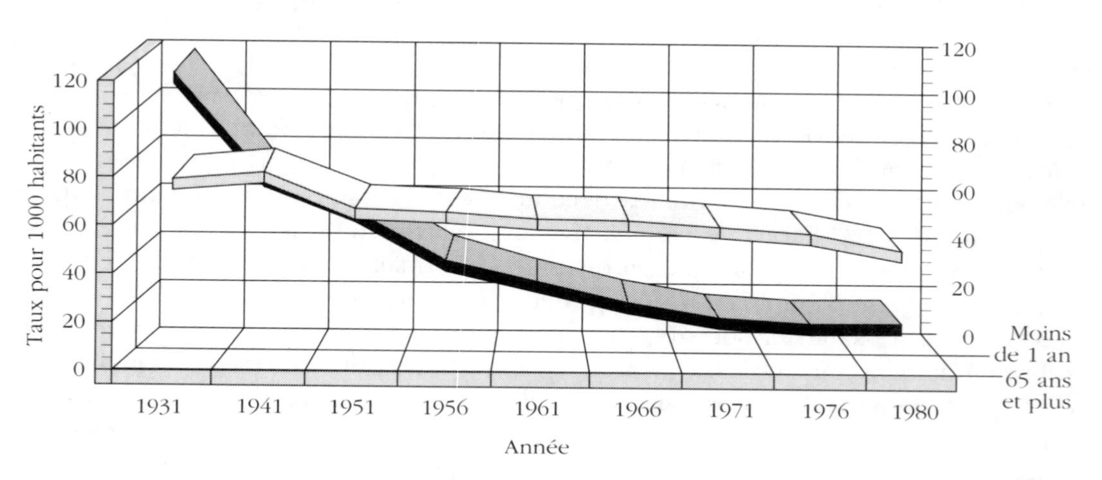

Source: Roy (1983).

Figure 1.10 Évolution de l'espérance de vie à la naissance et à 65 ans pour les hommes et les femmes, au Canada

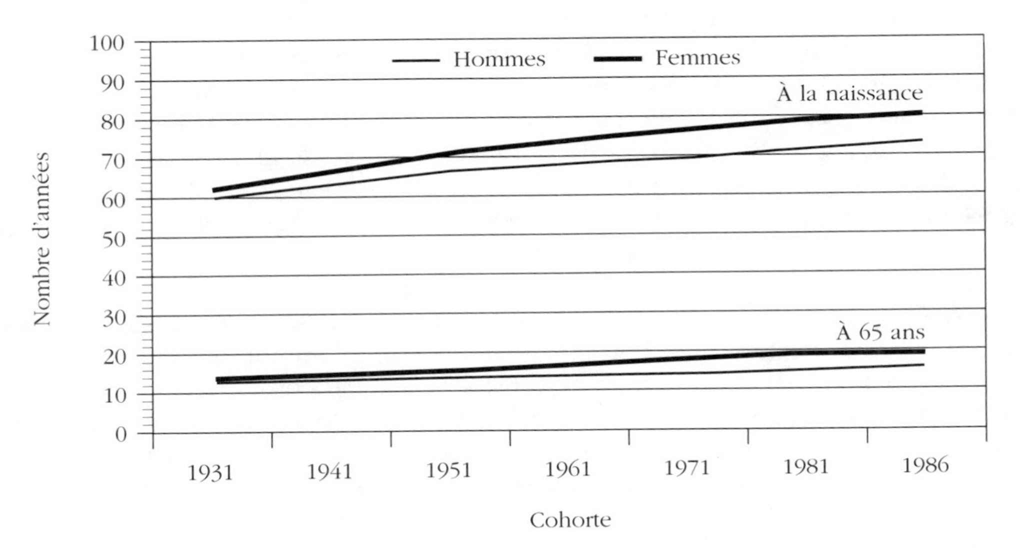

Source: Statistique Canada, catalogue 89-506.

d'un peu moins de 2 ans pour les hommes et de 5 ans pour les femmes. Ce résultat renforce la première allégation selon laquelle ce sont surtout les jeunes qui ont bénéficié des progrès réalisés.

Deux raisons peuvent expliquer pourquoi les personnes âgées ont moins profité du déclin du taux de mortalité et de l'augmentation de l'espérance de vie. Premièrement, on a pu éliminer plusieurs facteurs responsables des décès infantiles, tandis que, inversement, les principales causes de décès chez les personnes âgées, c'est-à-dire les affections cardio-vasculaires et les différentes formes de cancers, ont résisté aux efforts destinés à les faire disparaître (McDaniel, 1986). Deuxièmement, l'amélioration des conditions environnementales n'a fait que comprimer l'écart nous séparant d'un âge limite maximal. Or, malgré les progrès accomplis, cette « longévité maximale de l'espèce humaine qui paraît génétiquement déterminée » (Robert, 1989) n'a pu être repoussée, et la mort de l'individu qui s'en rapproche est inéluctable.

Il convient, ici, de faire une digression et de mentionner que si la *durée* de la vie a augmenté au cours du XXe siècle, cela n'a pas été accompagné d'une hausse comparable de sa *qualité*. Encore aujourd'hui, entre 20 % et 25 % des personnes de plus de 65 ans présentent des limitations fonctionnelles. La ventilation de ce taux indique que le pourcentage augmente rapidement avec l'âge, pour atteindre 12,6 % chez les 65-74 ans, 25 % chez les 75-84 ans et, finalement, 46 % chez les personnes de 85 ans et plus (Trahan, 1989). Une autre manière d'apprécier ce point de vue est de regarder ce qu'on appelle l'**espérance de vie sans incapacité**. Les études sur l'espérance de vie sans incapacité laissent croire que, si la longévité a augmenté pour les deux sexes, la moitié seulement de ces années supplémentaires seront libres d'incapacités. En d'autres mots, l'homme et la femme vivent sans doute aujourd'hui plus longtemps, mais il est probable que beaucoup de ces personnes vivent plus longtemps avec des problèmes de santé (Longino *et al.*, 1990). Cette dernière remarque est importante pour la planification future des prestations des soins : si la tendance actuelle se poursuit, cela signifie que, en raison du vieillissement de la population, un nombre toujours plus imposant de personnes âgées vivront avec des incapacités chroniques requérant et mobilisant des ressources humaines, matérielles et économiques considérables. Par conséquent, le défi le plus important des prochaines années sera d'augmenter la qualité de ces années de vie supplémentaires (Beregi, 1987). Toutefois, tous ne sont pas d'accord. Ainsi, Fries (1980, 1983) prévoit au contraire que les prochaines générations de personnes âgées seront libres d'incapacités.

Si la mortalité n'est pas le principal facteur du vieillissement de la population, comment les démographes expliquent-ils ce dernier ? La réponse à cette question nous vient de l'Organisation des Nations Unies qui, dès 1954, après une démonstration éloquente, conclut sans équivoque :

> *On pense souvent, et à tort, que le vieillissement d'une population est dû, principalement sinon exclusivement, à une diminution du taux de mortalité.* [...] *C'est le taux de natalité, et non le taux de mortalité, qui est le principal facteur déterminant de la structure d'une population* (Organisation des Nations Unies, Division de la population, 1954, p. 32).

Paillat (1988) résume en une seule phrase toute l'importance de ce facteur lorsqu'il affirme : « Il n'y a pas d'exception ni d'échappatoire : toute population dont la fécondité baisse pendant une longue période vieillit » (p. 11).

Or, le taux de natalité ou de fécondité, défini comme le rapport du nombre de naissances en fonction du nombre de femmes en âge de procréer, c'est-à-dire âgées de 15 à 49 ans, ne cesse justement de diminuer au Québec et au Canada, ainsi que dans l'ensemble des pays industrialisés, depuis les 20 dernières années. Après l'explosion des naissances qui a suivi la Seconde Guerre mondiale, soit les années 1945 à 1960, nous avons été témoins d'une période caractérisée par ce que l'on pourrait qualifier d'« implosion » des naissances. Ainsi, en 1986, l'indice synthétique de fécondité s'élevait au Québec à 1,4 et au Canada à 1,7 (Statistique Canada, 1990), comparativement à un indice variant entre 1,8 et 1,9 pour la France (Paillat,

1988). Il faut bien se rendre compte que ces taux ne sont même pas suffisants pour renouveler la population, le taux naturel de remplacement étant de 2,1 enfants par femme. Cette dénatalité fait d'ailleurs craindre à certains que la croissance de la population soit nulle dans quelques années, ce qui mettrait en danger l'existence même de la nation, quelle qu'elle soit.

Mais comment le phénomène de la dénatalité contribue-t-il au vieillissement de la population? À première vue, il peut paraître paradoxal d'affirmer que le taux de fécondité et le vieillissement de la population sont intimement liés. On exprime souvent le vieillissement de la population par la proportion, ou le pourcentage, des personnes âgées par rapport au reste de la population. La baisse de natalité, sur une longue période, amène une diminution du nombre d'enfants ; bien que le nombre de personnes âgées puisse ne pas changer, la proportion de celles-ci sera forcément plus élevée, et la population sera donc considérée comme plus vieille. C'est pour cette raison que McDaniel (1986) affirme que le vieillissement de la population est le sous-produit de la planification des naissances. À l'inverse, combinée à une augmentation du taux de fécondité, la diminution du taux de mortalité infantile devrait gonfler l'effectif des jeunes et ainsi rajeunir la structure d'âge de la population (Paillat, 1988).

Devant l'état actuel de la situation, on peut se demander si la tendance se renversera dans un avenir rapproché. De l'avis de plusieurs démographes, il est peu probable que cela se produise. La seule mesure vraiment efficace qui pourrait inverser la présente tendance, ou du moins la ralentir, serait une deuxième explosion des naissances comme celle que l'on a connue durant la période 1945-1960. Cependant, une nouvelle explosion démographique serait de courte durée et ne ferait que reproduire la situation présente, où l'on voit que le rajeunissement de la structure d'âge entraîné par une arrivée massive de jeunes enfants a été suivi d'un vieillissement accéléré de la population. La solution durable réside dans un taux de fécondité situé au-delà du seuil de remplacement, sur une base continue.

Il est peu probable que les membres de cette cohorte de 1945-1960 changent radicalement leur comportement, d'autant plus que beaucoup de femmes de ce groupe approchent de l'âge biologique limite. Il est toutefois possible, précisément pour cette raison, que l'on assiste prochainement à une mini-explosion des naissances. Dans ce cas, il ne faudrait pas conclure trop hâtivement à un renversement de la situation. Cette mini-explosion refléterait simplement le fait que des femmes profiteraient de leur dernière chance avant qu'il ne soit trop tard.

Finalement, il faut se demander pourquoi la population continue de croître même si la dénatalité atteint un niveau jamais égalé. Une partie de la réponse réside dans la force du nombre. S'il est exact d'affirmer que le taux de fécondité a diminué, il demeure que le nombre de femmes en mesure de procréer n'a jamais été aussi élevé. Au total, le nombre de naissances surpasse, pour l'instant, le nombre de décès, ce qui donne un bilan démographique positif. À cela, il faut ajouter l'apport des nouveaux arrivants, qui compense pour ceux qui partent soit par décès ou par émigration. En somme, le vieillissement de la population, dont nous sommes aujourd'hui témoins mais demain acteurs, est une réalité avec laquelle il faut compter pour de nombreuses années encore.

Maintenant, comment expliquer la **surreprésentation des femmes** dans ce processus de vieillissement ? La figure 1.10 présente un élément de réponse. On y remarque que l'espérance de vie à la naissance est plus longue pour les femmes que pour les hommes, et que cet écart s'est constamment élargi avec les années. À l'heure actuelle, l'espérance de vie des femmes est d'environ 80 ans et celle des hommes, de 73 ans. Cette différence de 7 ans a été attribuée à une multiplicité de facteurs tant environnementaux que génétiques. Afin de répondre plus précisément à cette question, Waldron (1985) passe en revue l'ensemble des recherches qui ont été effectuées sur la différenciation sexuelle dans la mortalité. Il ressort de cette analyse que la surmortalité masculine est attribuable au fait que plus d'hommes que de femmes meurent :

- d'accidents mortels et d'autres morts violentes ;
- d'affections cardiaques ischémiques ;
- de divers types de cancers.

Mais pour quelles raisons les hommes sont-ils plus vulnérables à ces causes de décès que les femmes ? Cette vulnérabilité découle, avant toute chose, d'un mode de vie différent. Il a été démontré, entre autres, que les hommes :

- conduisent plus vite et moins prudemment, enfreignent plus souvent le Code de la route et sont plus fréquemment victimes d'accidents mortels de la circulation, par kilomètre conduit, que les femmes ;
- occupent des emplois physiquement plus dangereux ;
- sont davantage exposés dans leur travail à la pollution industrielle, donc à des substances cancérigènes ;
- consomment plus d'alcool et fument davantage que les femmes.

Dans une étude exhaustive et fort intéressante, le Secrétariat des Nations Unies (1988) a récemment estimé la contribution relative des causes de décès à l'écart entre les espérances de vie masculine et féminine dans différents pays. Pour le Canada, le Secrétariat estime que l'écart de 7 ans d'espérance de vie peut se ventiler de la manière suivante :

- 3 ans d'espérance de vie en raison de maladies de l'appareil circulatoire (ischémies cardiaques, cérébro-vasculaires) ;

- 1,3 an en raison de tumeurs (principalement le cancer des voies respiratoires);
- 1,3 an en raison de causes dites externes (accidents, actes de violence et suicide);
- 0,7 an en raison de maladies des voies respiratoires (bronchites, emphysème et asthme);
- 0,7 an en raison d'autres causes.

Le fait d'observer que même les hommes ayant un mode de vie comparable à celui des femmes vivaient moins longtemps peut laisser présager une influence génétique. Bien que cette hypothèse soit séduisante, elle est peu probable, pour les deux raisons suivantes. D'une part, parce que la longévité plus grande des femmes est un phénomène très contemporain dans l'histoire démographique des pays industrialisés (Secrétariat des Nations Unies, 1988). Pour nous en convaincre, il suffit de retourner à la figure 1.10. Cette figure nous révèle qu'en 1931 l'écart d'espérance de vie entre les hommes et les femmes n'était que de 2 ans. D'autre part, il y a surmortalité féminine dans certaines cultures. Pour Waldron (1985), l'influence génétique est encore obscure, mais, en contrepartie, l'importance des facteurs environnementaux dans l'explication de cette différenciation sexuelle est incontestable. Il est d'ailleurs remarquable de constater que cet écart est assez stable entre les pays industrialisés, comme en témoigne la figure 1.11.

1.4 RÉPERCUSSIONS FUTURES DU VIEILLISSEMENT

L'intention, ici, n'est pas de jouer au futurologue ni de faire une analyse détaillée des répercussions futures du vieillissement de la population, mais plutôt de jeter un regard nouveau sur cette question. Si certains sont très songeurs, voire inquiets, devant cet accroissement inéluctable de la population âgée et se questionnent sur notre capacité à satisfaire les besoins qui iront en augmentant, d'autres, au contraire, sont plus optimistes et sont d'avis qu'il y aura certes des ajustements à faire, mais qu'ils se feront sans trop de heurts. La raison de cette divergence vient sans aucun doute du fait qu'il existe beaucoup d'impondérables lorsque vient le moment de faire des projections à long terme. L'un de ces impondérables est la situation de la personne âgée de demain. Lorsque les planificateurs tentent de prévoir les effets du vieillissement démographique, la façon la plus simple est de prendre la situation telle qu'elle se présente aujourd'hui et de la transposer dans l'avenir (Myers, 1987). Cependant, certains doutent de la légitimité d'une telle démarche et mentionnent que rien ne nous assure qu'il en sera vraiment ainsi. Quand on considère, l'espace d'un instant, la possibilité que les générations futures de personnes âgées soient en meilleure santé ou plus scolarisées que celles d'aujourd'hui, cette

Figure 1.11 Expérance de vie à la naissance et à 65 ans pour les hommes (H) et les femmes (F), dans différents pays

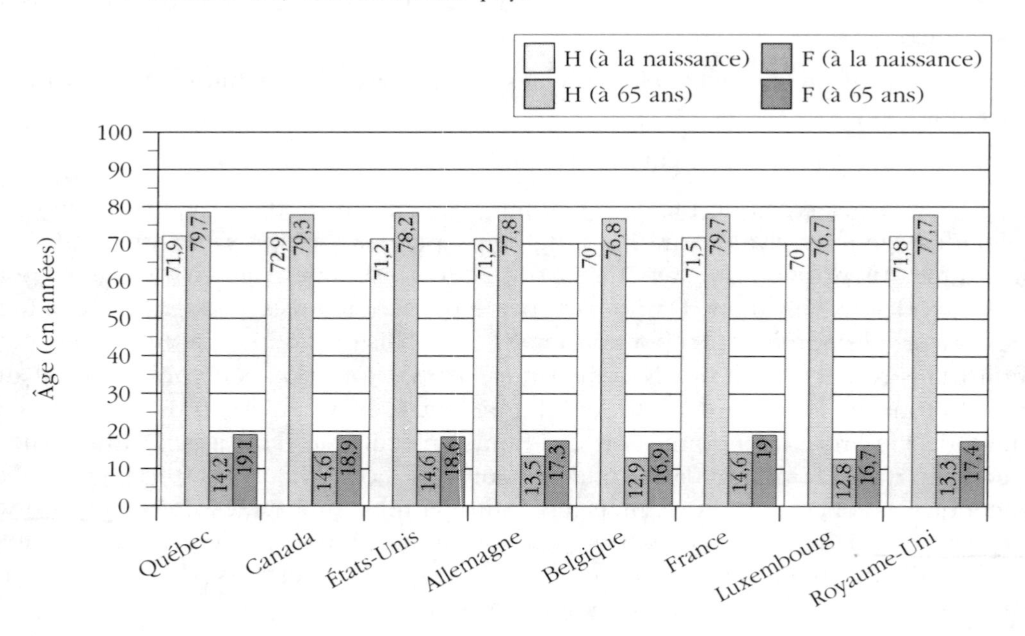

Sources: Statistique Canada, *Canada Year Book*, 1988; Eurostat, *Statistiques démographiques*, 1988; Organisation des Nations Unies, *Annuaire démographique*, 1986 (tableau 16).

éventualité change radicalement la façon d'envisager les répercussions du vieillissement de la population. Il n'en demeure pas moins que la préoccupation relative au vieillissement est avant tout économique (McDaniel, 1986), car même les services sociaux ou de santé sont intrinsèquement liés à l'économie.

Un discours maintes fois entendu est que la productivité des travailleurs âgés est moindre parce qu'ils s'absentent plus souvent pour des raisons de santé, qu'ils sont plus exposés aux accidents de travail, qu'ils manquent d'idées nouvelles, qu'ils ont plus de difficultés à s'adapter aux changements ou que leurs connaissances sont périmées, etc. (Peterson & Coberly, 1988). En outre, et en raison de leur ancienneté, ajoute-t-on, les travailleurs âgés commandent un plus haut salaire, sans égard à leur productivité; ils nuisent à l'avancement des autres employés et ils empêchent les jeunes d'accéder au marché du travail. Le vieillissement des travailleurs, dont l'âge médian atteindra 41 ans en 2006 et 48 ans en 2031, suscite donc la crainte d'une future stagnation économique. Devant de telles assertions, il ne serait pas surprenant que des individus réclament leur retraite afin de permettre le renouvellement des idées, de favoriser plus de dynamisme et de compétitivité, et de diminuer le chômage.

À la lumière des résultats d'études accumulés depuis les 30 dernières années, il paraît évident que les allégations précédentes sont sans fondement (Peterson & Coberly, 1988). De plus, le fait de mettre un travailleur à la retraite sous prétexte que la conjoncture économique est incertaine, qu'il faut rationaliser l'entreprise ou diminuer les dépenses, n'implique pas que le poste devenu vacant soit comblé *illico*.

Loin d'être une solution, le fait d'inciter les travailleurs à prendre leur retraite pourrait être une autre source de préoccupation, car cela aurait pour conséquence de gonfler le nombre toujours croissant des retraités. En effet, lorsque la génération de l'après-guerre atteindra l'âge de la retraite vers les années 2010-2025 – et à la condition qu'elle la prenne à 65 ans, ce qui irait à l'encontre de la tendance actuelle, qui est de prendre sa retraite plus tôt –, cela amènera un contingent impressionnant de nouveaux retraités. Puisque les pensions sont basées sur l'idée que la génération présente doit soutenir la génération précédente, certains affirment qu'il n'y aura donc pas suffisamment de travailleurs-cotisants pour soutenir financièrement ces retraités. Et ce problème devient plus aigu lorsque le taux de chômage est élevé. Devant une telle situation, on pourrait envisager trois options. La première serait de demander aux travailleurs de contribuer financièrement davantage. Ces contribuables, moins nombreux, pourraient alors s'insurger contre la lourdeur du fardeau économique imposé par ce nombre important de pensionnés. Les deux autres options seraient soit de diminuer les prestations des pensions, soit encore d'augmenter l'âge d'admissibilité à la retraite. L'adoption de l'une et l'autre option aurait pour conséquence de maintenir au travail une main-d'œuvre vieillissante, ce qui empêcherait les jeunes d'accéder au marché du travail (Myles, 1982), conséquence que d'aucuns veulent justement éviter.

Il est d'usage de se baser sur ce que l'on appelle le **rapport de dépendance** pour appuyer cette idée que l'augmentation du nombre de personnes âgées accentuera le fardeau économique de la collectivité. Le rapport de dépendance représente le nombre de personnes âgées de plus de 65 ans, divisé par le nombre de ceux qui sont en âge de travailler, c'est-à-dire les 20-64 ans. Le calcul d'un tel rapport de dépendance démontre que les travailleurs-cotisants auront, dans les prochaines années, à prendre en charge une portion de plus en plus grande de pensionnés. Cependant, ce rapport de dépendance a été critiqué. Pour McDaniel (1986), le rapport de dépendance, tel que défini plus haut, n'est pas un indice fiable de la charge économique causée par une population vieillissante. Il serait en effet plus juste de considérer la dépendance dans sa totalité, c'est-à-dire de tenir compte à la fois des personnes de plus de 65 ans et de celles qui ont moins de

19 ans, qui peuvent aussi être qualifiées de dépendantes. La figure 1.12 illustre la proportion des travailleurs par rapport à celle des personnes âgées et des moins de 19 ans pour les prochaines années. Une analyse de cette figure montre que :

- en 1981, il y avait 17 personnes âgées pour 100 travailleurs ;
- il y aura 50 personnes âgées pour 100 travailleurs en 2041 ;
- réciproquement à cette augmentation, on observe une diminution du rapport de dépendance chez les moins de 20 ans, ce rapport passant de 55 jeunes pour 100 travailleurs en 1981 à 29 jeunes pour 100 travailleurs en 2041 ;
- globalement, on note une inversion des rapports de dépendance des jeunes et des personnes âgées dans les prochaines décennies.

Pour McDaniel (1986), il est clair que le vieillissement de la population ne saurait être en lui-même un poids économique pour le reste de la population, puisque, globalement, le rapport de dépendance restera sensiblement le même. Cette affirmation repose sur l'hypothèse qu'il y aura un transfert des ressources allant des enfants vers les personnes âgées. Par exemple, les sommes actuellement affectées à l'éducation pourraient être réorientées vers la santé. À l'instar de Paillat (1987), plusieurs auteurs croient qu'il est naïf de penser ainsi. Comme le rappelle Myles (1982), il s'est dépensé beaucoup d'argent dans les années 1960 pour construire

Figure 1.12 Rapport de dépendance des moins de 19 ans et des 65 ans et plus pour les prochaines années

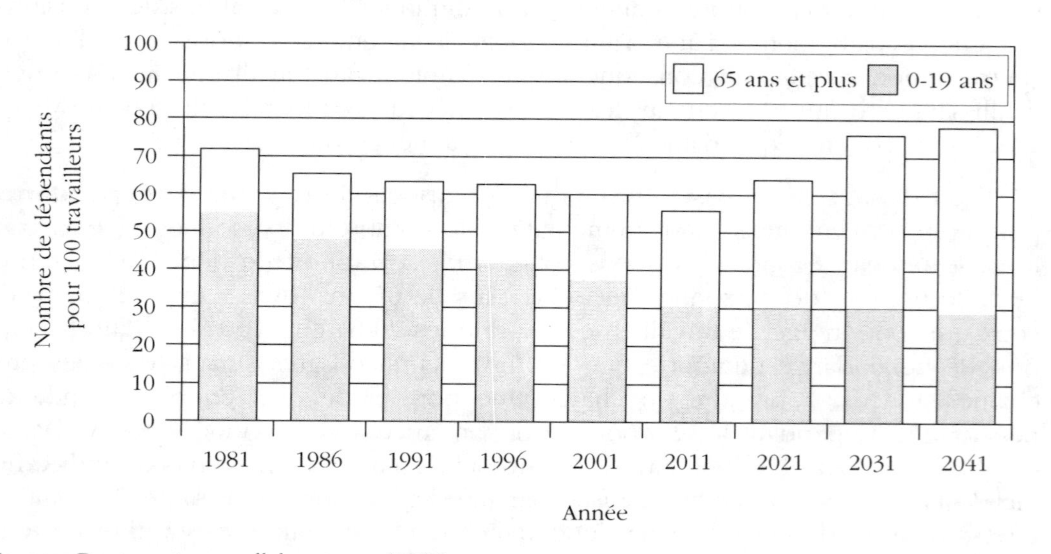

Source: Denton et ses collaborateurs (1987).

des infrastructures – les écoles, par exemple – répondant aux besoins de la génération de l'après-guerre. Maintenant, les dirigeants de ces infrastructures se battront farouchement afin de préserver leurs acquis et leur pouvoir (Myles, 1982). En contrepartie, ce segment de la population constituera une force politique importante, le pouvoir gris, qui pourrait bien influencer les décisions en sa faveur.

En outre, la nature de la dépendance des personnes âgées est différente de celle des enfants. On pense, à tort, que la dépendance des jeunes est largement assumée par la famille, donc plus facilement acceptée, alors que la charge des personnes âgées repose sur les épaules de la société et que cela implique une plus grande intervention de l'État (Myles, 1982). Selon Myles, si on considère les coûts directs et indirects, s'occuper d'un enfant pourrait s'avérer plus coûteux que de soutenir une personne âgée. Pour appuyer cette affirmation, Myles (1982) cite une étude allemande qui conclut que le coût total de l'éducation d'un enfant, de la naissance jusqu'à l'âge de 20 ans, est de 25 % à 30 % plus élevé que le coût à payer pour soutenir une personne âgée de plus de 60 ans jusqu'à la fin de ses jours!

On prévoit généralement que les coûts des services de santé augmenteront avec le vieillissement et le survieillissement de la population, ce qui suscite la crainte d'un effondrement du système (Denton *et al.*, 1987). Cette préoccupation a souvent comme prémisses que la mauvaise santé accompagne le vieillissement, que les personnes âgées sont placées dans un établissement et, par conséquent, qu'il est coûteux de prendre soin des personnes âgées. Il est vrai que les personnes âgées ont davantage de problèmes de santé et que ces problèmes sont plus chroniques. Par contre, il ne faut pas oublier que la majorité de ces personnes ont une bonne santé physique, qu'elles restent fonctionnelles jusqu'à un âge très avancé et que seulement une minorité d'entre elles, soit 9 %, sont placées dans des établissements (Gouvernement du Canada, 1990). Hertzman et Hayes (1985) mettent en comparaison deux scénarios. Le premier est constitué par la continuité de ce qui se passe actuellement, c'est-à-dire que les problèmes de santé et l'espérance de vie sans incapacité resteront inchangés. Selon le second scénario, l'espérance de vie sans incapacité sera plus grande, l'apparition des premières incapacités se fera plus tardivement, ce qui limitera la durée des incapacités et, donc, exigera moins longtemps des soins. Selon le premier scénario, les coûts des services sociaux et de santé augmenteront de 200 %, tandis qu'ils augmenteront d'environ 10 % selon le second scénario.

En bref, l'exercice, ici, n'était pas de faire une analyse détaillée des effets du vieillissement démographique, mais plutôt de démontrer que plusieurs impondérables peuvent modifier la situation quant à l'état de crise prévu et que plusieurs éléments souvent négligés peuvent donner une dimension différente à cette problématique. Il ne faut pas oublier que le vieillissement de la population s'échelonnera sur plusieurs décennies, ce qui nous laisse du temps pour nous ajuster (McDaniel, 1986), à la condition, toutefois, d'être vigilants et d'apporter graduellement les correctifs nécessaires. En examinant comment d'autres pays plus vieux que le nôtre, notamment la France et l'Allemagne, se sont adaptés à cette situation, nous constaterons que le vieillissement de la population n'est pas synonyme de catastrophe inéluctable.

1.5 STÉRÉOTYPES ET ATTITUDES ENVERS LES PERSONNES ÂGÉES

À l'aide de plusieurs indices, nous venons de démontrer que le vieillissement de la population, en raison de la baisse du taux de natalité, est un phénomène bien ancré et qu'il nous accompagnera dans les prochaines décennies. Cette transformation sociale n'est pas étrangère à l'intérêt croissant pour toutes les questions relatives au vieillissement en général et aux personnes âgées en particulier. Cet intérêt a d'ailleurs donné lieu à une prolifération de travaux qui se traduit par la publication de plus de 1 000 articles ou chapitres par année dans le domaine de la gérontologie (Birren *et al.*, 1983). L'ensemble de ces travaux nous permet d'avoir une connaissance plus adéquate, bien qu'encore incomplète, de ce champ d'étude.

Malheureusement et malgré l'accumulation de données empiriques, le vieillissement et les personnes âgées sont toujours l'objet de nombreux mythes, clichés ou fausses croyances. Les croyances concernant les personnes âgées sont nombreuses. Ainsi, certains s'imaginent facilement qu'elles ont des troubles de mémoire et que la sénilité est une conséquence inévitable de la vieillesse, qu'elles sont en mauvaise santé et souffrent de problèmes de santé chroniques, qu'elles sont toujours fatiguées, qu'elles vivent dans des établissements spécialisés, qu'elles n'ont pas de vie sexuelle, qu'elles n'ont rien à faire sauf se plaindre et maugréer, qu'elles sont irritables. D'autres sont aussi d'avis qu'elles ne peuvent plus apprendre, s'adapter à de nouvelles situations, qu'elles sont inflexibles et font preuve de conservatisme, qu'elles ne s'intéressent à rien sauf à elles-mêmes, n'écoutent pas ce que les autres ont à dire, parlent constamment de leurs vieux souvenirs et rappellent sans cesse comment la vie était différente « dans leur temps ».

La psychologie sociale nomme l'ensemble de ces idées préconçues des **stéréotypes**[2]. Les stéréotypes peuvent se définir comme l'ensemble des **croyances** ou opinions, souvent fausses, attribuées de manière généralisée à l'ensemble des mem-

---

2. *Stéréotype* vient du mot grec *stereos*, qui signifie solide, et de *tupos*, qui signifie empreinte.

bres d'un même groupe. Ainsi, nous avons tous un portrait type des politiciens, des militaires, des avocats ou encore des Italiennes, des Américains, des Japonais, etc. La fonction des stéréotypes est avant tout d'acquérir sans effort une connaissance de quelqu'un que nous ne connaissons pas suffisamment (Hooyman & Kiyak, 1988). Pour Brubaker et Powers (1976), les individus attribuent aux autres des caractéristiques pour minimiser l'ambiguïté causée par le manque de connaissance, pour augmenter leur estime de soi ou leur contrôle social.

Puisque, par définition, ils constituent des croyances attribuées de manière généralisée à l'ensemble des membres d'un même groupe, les stéréotypes minimisent les différences individuelles et considèrent les personnes âgées de façon identique. Cela est contraire à la réalité, puisque ces dernières se distinguent considérablement entre elles. Une autre particularité des stéréotypes est leur résistance aux contradictions : on est tellement convaincu de leur authenticité que les caractéristiques ne collant pas aux stéréotypes sont systématiquement ignorées et que seuls les indices qui les confirment sont retenus (Kimmel, 1990). Par exemple, pour un individu qui a la certitude que les personnes âgées sont en mauvaise santé, rencontrer une personne âgée bien portante entrera en contradiction avec sa croyance. Plutôt que de changer son opinion, cet individu percevra la personne âgée en bonne santé comme un cas d'exception, hors du commun, et la considérera comme peu représentative de l'ensemble des personnes âgées, maintenant ainsi le stéréotype initial (Gatz & Pearson, 1988).

La démonstration de l'existence de ces stéréotypes liés au vieillissement et aux personnes âgées est due, entre autres, aux travaux de Tuckman (Tuckman & Lorge, 1953) et de Kogan (Kogan & Shelton, 1962), aux résultats de l'enquête publique de Harris (1975) et à Palmore (Palmore, 1977) avec son *Facts on Aging Quiz*. Ce dernier est un test comportant 25 questions portant sur des conceptions erronées. Voici un exemple : « Au moins 10 % des personnes âgées sont placées dans un établissement. Vrai ou faux ? » « Si vous avez répondu "vrai" à cette question, vous entretenez une croyance fautive. »

Par ailleurs, un nombre appréciable de travaux – dont on trouve une recension complète dans Lusky (1980) et McTavish (1971) – ont établi que, à l'instar des stéréotypes, des **attitudes négatives** envers les personnes âgées et le vieillissement sont aussi largement répandues au sein de la population. Toutefois, si la présence de telles attitudes est incontestable, leur étendue a été dramatisée, selon Lusky (1980). Après avoir fait une analyse critique de ces travaux, Lusky arrive à la conclusion que la population a une attitude neutre ou positive plutôt que négative à l'égard du vieillissement et des personnes âgées.

Il ne faut pas penser que les professionnels ou les para-professionnels, qu'ils soient médecins, psychiatres, infirmières, travailleurs sociaux ou psychologues, sont immunisés contre les attitudes négatives (Lusky, 1980). Une formation professionnelle déficiente en ce qui concerne l'étude du processus du vieillissement et des personnes âgées expliquerait l'existence de ces attitudes négatives. Heureusement, il semble que ceux qui sont appelés à travailler auprès des personnes âgées ont une opinion plus positive que ceux qui n'ont pas de contacts réguliers avec cette population. En contrepartie, si on est en relation avec un segment particulier de la population âgée, les personnes qui sont placées dans des établissements, par exemple, il y a le danger de considérer leurs caractéristiques propres comme étant représentatives de l'ensemble de la population âgée.

Quelles sont les conséquences de l'adoption de ces stéréotypes et de ces attitudes négatives? Selon Rodin et Langer (1980), ces croyances erronées et ces attitudes négatives ont un effet néfaste sur l'estime et le concept de soi des personnes âgées. Conscientes que les jeunes sont davantage valorisés, certaines personnes feraient n'importe quoi pour ne pas vieillir, ou pour garder une apparence jeune. D'autres seraient portées à intérioriser ces croyances et ces attitudes et à agir en conformité avec celles-ci, manifestant ainsi un sentiment de résignation. Une personne âgée peut être tellement convaincue que son humeur dépressive est normale, compte tenu de son âge, qu'elle ne cherchera pas à remédier à sa situation. Il est à noter que son entourage et même les professionnels qui en prennent soin peuvent partager cette croyance et renoncer à faire quoi que se soit. Ou encore, une personne qui croit que sa santé ne peut s'améliorer manquera de motivation pour changer sa situation, ce qui confirmera le stéréotype voulant que le pronostic chez les personnes âgées soit pauvre. Cependant, pour Brubaker et Powers (1976), l'affirmation voulant que les personnes âgées acceptent et intériorisent les stéréotypes négatifs n'a aucun fondement.

Une autre conséquence de ces stéréotypes est qu'ils peuvent mener à un ensemble de comportements discriminatoires : l'**âgisme**. Cette expression – sur le modèle de *racisme* ou de *sexisme* – a été proposée par Butler (1969) afin de décrire l'ensemble des **attitudes préjudiciables** et des **pratiques discriminatoires** adoptées envers une personne en raison de son âge. Tous les individus en ont fait l'expérience à un moment ou à un autre de leur vie (Kimmel, 1988). Si une personne n'a pas le droit de voter, de consommer de l'alcool ou d'avoir un permis de conduire parce qu'elle est trop jeune ou si elle doit prendre sa retraite uniquement en raison de son âge, elle est victime d'âgisme. Les programmes basés sur l'âge, plutôt que sur les besoins, manifestent aussi de l'âgisme. Un programme qui permet à une personne âgée, en raison de son âge, d'avoir accès à un service à un tarif préférentiel, est un programme discriminatoire, car il exclut les personnes non âgées (Kimmel, 1988) ! Si des individus affirment que les personnes âgées sont un fardeau pour la collectivité, qu'elles utilisent des services pour lesquels elles ne payent pas et qui devraient profiter aux membres les plus productifs de la société, que leur passé est derrière elles et que par conséquent elles n'ont plus rien à offrir, qu'elles reçoivent plus qu'elles peuvent donner, que les soins accordés à ces personnes devraient être limités à l'essentiel car de toute façon elles sont sur le point de mourir, ces individus tiennent un discours teinté d'âgisme.

RÉSUMÉ

- Il est purement arbitraire de définir la personne âgée en fonction de l'âge chronologique de 65 ans.
- Le nombre de personnes âgées s'est accru entre 1921 et 1986, et c'est la cohorte des personnes âgées qui enregistre le plus haut taux de croissance dans la population.
- 11 % des Canadiens et 10,2 % des Québécois étaient âgés de plus de 65 ans en 1986.
- Le quart de la population sera constitué de personnes âgées en 2020.
- L'âge médian atteignait 32 ans en 1986 et continuera d'augmenter.
- Le vieillissement de la population se caractérise en outre par la féminisation de la vieillesse et un survieillissement de la population âgée.
- Près de 50 % des femmes âgées sont veuves.
- Le vieillissement démographique est tributaire de trois forces : la mortalité, la natalité et la migration.
- L'espérance de vie à la naissance est de 73 ans pour les hommes et de 80 ans pour les femmes.
- La régression du taux de mortalité a surtout été profitable aux jeunes enfants, alors que l'espérance de vie à 65 ans a progressé plus modestement, tandis que la baisse du taux de natalité est responsable du vieillissement de la population.
- La question des répercussions du vieillissement de la population est controversée et dépend de nombreux impondérables. Certains pensent que nous allons vers une crise, d'autres croient que des ajustements seront possibles.
- Les personnes âgées et le vieillissement sont l'objet de nombreux stéréotypes et de nombreuses attitudes négatives.
- Les attitudes négatives et les comportements discriminatoires à l'égard des personnes âgées constituent de l'âgisme.

LECTURES SUGGÉRÉES

Butler, R. (1969). Ageism : Another form of bigotry. *The Gerontologist, 9*, 243-246.

McDaniel, S.A. (1986). *Canada's aging population.* Toronto : Butterworths.

Paillat, P. (1988). Apports de la démographie à la gérontologie. Dans R. Grumbach (dir.), *Gériatrie pratique* (p. 5-14). Paris : Doin éditeur.

RÉFÉRENCES

Beregi, E. (1987). Prospects for research and technology development by the year 2000. Dans G.L. Maddox & E.W. Busse (dir.), *Aging : The universal human experience* (p. 254-259). New York : Springer Publishing Company.

Birren, J.E., Cunningham, W.R., & Yamamoto, K. (1983). Psychology of adult development and aging. *Annual Review of Psychology, 34*, 543-575.

Brubaker, T.H., & Powers, E.A. (1976). The stereotype of « old » : A review and alternative approach. *Journal of Gerontology, 31*, 441-447.

Butler, R. (1969). Ageism : Another form of bigotry. *The Gerontologist, 9*, 243-246.

Denton, F.T., Nemo, L.S., & Spencer, B.G. (1987). How will population aging affect the futur costs of maintaining health-care standards ? Dans V.W. Marshall (dir.), *Aging in Canada : Social perspectives* (p. 553-597). Markman : Fitzhenry & Whiteside.

Dufour, D., & Péron, Y. (1979). *Vingt ans de mortalité au Québec : les causes de décès 1951-1971.* Montréal : Les Presses de l'Université de Montréal.

École nationale de la santé publique (1988). *Séminaires interprofessionnels 1987 : projections démographiques et scénarios d'évolution de la situation des personnes âgées.* Rennes : Éditions E.N.S.P., Collection Rapports de séminaires.

Fries, J.F. (1980). Aging, natural death, and the compression of morbidity. *New England Journal of Medicine, 303*, 130-135.

Fries, J.F. (1983). The compression of morbidity. *Milbank Memorial Fund Quarterly, 61*, 397-419.

Gatz, M., & Pearson, C.G. (1988). Ageism revised and the provision of psychological services. *American Psychologist, 43*, 184-188.

Gouvernement du Canada (1990). *Les aîné(e)s du Canada : une vie active et engagée.* Ottawa : Ministre des Approvisionnements et Services Canada.

Harris, L., et Associés (1975). *The myth and reality of aging in America.* Washington, DC : National Council on Aging.

Havens, B. (1982). Populations projections : Certainties and uncertainties. Dans G.M. Gutman (dir.), *Canada's changing age structure : Implications for the future* (p. 1-31). Burnaby, BC : SFU Publications.

Hertzman, C., & Hayes, M. (1985). Will the elderly really bankrupt us with increased health care costs ? *Canadian Journal of Public Health, 76*, 373-377.

Hooyman, N.R., & Kiyak, H.A. (1988). *Social gerontology : A multidisciplinary perspective.* Boston, MA : Allyn and Bacon, Inc.

Kimmel, D.C. (1988). Ageism, psychology, and public policy. *American Psychologist, 43*, 175-178.

Kimmel, D.C. (1990). *Adulthood and aging : An interdisciplinary, developmental view.* New York : John Wiley and Sons.

Kogan, N., & Shelton, F.C. (1962). Beliefs about « old people » : A comparative study of older and younger samples. *Journal of Genetic Psychology, 100*, 93-111.

Longino, C.F., Soldo, B.J., & Manton, K. (1990). Demography of aging in the United States. Dans K.F. Ferraro (dir.), *Gerontology : Perspectives and issues* (p. 19-41). New York : Springer Publishing Company.

Lusky, N.S. (1980). Attitudes toward old age and elderly persons. *Annual Review of Gerontology and Geriatrics, 1*, 287-336.

McDaniel, S.A. (1986). *Canada's aging population.* Toronto : Butterworths.

McTavish, D.G. (1971). Perceptions of old people : A review of research methodologies and findings. *Gerontologist, 11*, 90-101.

Mishara, B., & Riedel, R.G. (1984). *Le vieillissement.* Paris : PUF.

Myers, G.C. (1987). Demography. Dans G.L. Maddox (dir.), *The encyclopedia of aging* (p. 164-167). New York : Springer Publishing Company.

Myers, G.C. (1990). Demography of aging. Dans R.H. Binstock & L.K. George (dir.), *Handbook of aging and the social sciences* (3e éd., p. 19-44). New York : Academic Press, Inc.

Myles, J.F. (1982). Social implications of Canada's changing age structure. Dans G.M. Guttman (dir.), Canada's changing age structure : Implications for the future (p. 33-58). Burnaby, BC : Simon Fraser University Publications.

Neugarten, B. (1974). Age groups in American society and the rise of the young-old. *Annals of the American Academy of Political and Social Science* (sept.), 197-198.

Organisation des Nations Unies, Division de la population (1954). La cause du vieillissement des populations : diminution de la mortalité ou diminution de la fécondité ? *Bulletin démographique des Nations Unies, 4,* 32-42.

Paillat, P. (1987). Le vieillissement de la population : défi et contradiction. *Espace – Populations – Sociétés, 2,* 311-315.

Paillat, P. (1988). Apports de la démographie à la gérontologie. Dans R. Grumbach (dir.), *Gériatrie pratique* (p. 5-14). Paris : Doin éditeur.

Palmore, E. (1977). Facts on aging : A short quiz. *The Gerontologist, 17,* 315-320.

Peterson, D.A., & Coberly, S. (1988). The older worker : Myths and realities. Dans R. Morris & S.A. Bass (dir.), *Retirement reconsidered : Economic and social roles for older people* (p. 116-127). New York : Springer Publishing Company.

Robert, L. (1989). *Les horloges biologiques.* Paris : Flammarion.

Rodin, J., & Langer, E. (1980). Aging labels : The decline of control and the fall of self-esteem. *Journal of Social Issues, 36,* 12-29.

Roy, L. (1983). *Des victoires sur la mort.* Québec : Éditeur officiel du Québec.

Secrétariat des Nations Unies (1988). Influences de l'âge et des causes de décès sur les écarts entre espérances de vie et mortalité masculine et féminine dans les pays développés, analysés d'après des données récentes et plus anciennes. *Bulletin démographique des Nations Unies, 25,* 78-127.

Simmons-Tropea, D., & Osborn, R. (1987). Disease, survival and death : The health status of Canada's elderly. Dans Victor V.W. Marshall (dir.), *Aging in Canada : Social perspectives* (p. 399-423). Markam : Fitzhenry & Whiteside.

Statistique Canada (1982). *Longévité et tables de mortalité chronologiques (abrégées) 1921-1981 : Canada et provinces* (catalogue 89-506). Ottawa : Ministre des Approvisionnements et Services Canada.

Statistique Canada (1987a). *Caractéristiques de la population et des logements : âge, sexe et état matrimonial* (catalogue 93-101). Ottawa : Ministre des Approvisionnements et Services Canada.

Statistique Canada (1987b). *Conjoncture démographique : rapport sur l'état de la population du Canada 1986* (catalogue 91-209F). Ottawa : Ministre des Approvisionnements et Services Canada.

Statistique Canada (1988a). *Canada Year Book 1988.* Ottawa : Ministre des Approvisionnements et Services Canada.

Statistique Canada (1988b). *Estimations intercensitaires annuelles de la population selon le sexe et l'âge, Canada, provinces et territoires (1981-1986)* (catalogue 91-518). Ottawa : Ministre des Approvisionnements et Services Canada.

Statistique Canada (1988c). *Estimations intercensitaires annuelles de la population suivant l'état matrimonial, l'âge et le sexe, Canada, provinces et territoires* (3e éd., 1981-1986) (catalogue 91-519). Ottawa : Ministre des Approvisionnements et Services Canada.

Statistique Canada (1990). *Annuaire du Canada.* Ottawa : Ministre des Approvisionnements et Services Canada.

Trahan, L. (1989). *Les facteurs de prédiction de l'hébergement en milieu institutionnel : une revue de la littérature.* Québec : Ministère de la Santé et des Services sociaux.

Tuckman, J., & Lorge, I. (1953). Attitudes toward old people. *Journal of Social Psychology, 37,* 249-260.

Waldron, I. (1985). Que savons-nous de la différenciation sexuelle dans la mortalité ? Aperçu bibliographique. *Bulletin démographique des Nations Unies, 18,* 67-87.

Woodruff-Pak, D.S. (1988). *Psychology and aging.* Englewood Cliffs, NJ : Prentice-Hall.

Chapitre 2

Changements sensoriels

2.1 INTRODUCTION

La seule façon d'interagir efficacement avec notre environnement est de pouvoir adéquatement détecter et interpréter les informations sensorielles nous parvenant et de pouvoir y répondre correctement (Kline & Schieber, 1985). Ainsi, toute altération sensorielle dépassant une certaine limite risque d'entraver le fonctionnement de la personne âgée. En général, il est bien établi que toutes les fonctions sensorielles diminuent avec l'âge et que cette diminution tend à s'accélérer après la soixantaine. Cependant, la vitesse du ralentissement observé n'est pas uniforme à l'intérieur d'une structure sensorielle donnée et varie beaucoup d'une personne à une autre. Pour certaines personnes âgées, ces changements peuvent avoir une influence négative sur l'estime de soi, les relations avec autrui et l'habileté à accomplir intégralement les activités nécessaires à l'autonomie, altérant ainsi leur qualité de vie.

Dans ce chapitre, il sera question des modifications sensorielles liées à l'âge, principalement de celles concernant la vision et l'audition qui, à l'instar des autres fonctions du corps en général, subissent au fil du temps les assauts du vieillissement. Après avoir fait une brève description de la structure visuelle et auditive ainsi que des altérations survenant dans chacune de ses structures, nous tenterons de faire la lumière sur un certain nombre de conséquences qu'entraînent ces changements dans la vie de la personne âgée.

2.2 VISION

L'œil est l'organe sensoriel responsable de la vision. Sa structure étant complexe, le vieillissement de l'une ou l'autre de ses composantes pourra altérer la qualité de la vue. De fait, la très grande majorité des troubles de la vision dérivent d'une transformation, souvent graduelle, de la structure de l'œil. Mais, plus récemment, on a avancé que des facteurs centraux étaient à l'origine de certains problèmes de vision des personnes âgées. Sur quoi repose cette affirmation ? On a constaté que, même lorsque la structure oculaire est intacte, il peut exister des difficultés perceptuelles. En effet, avoir une bonne vision ne consiste pas seulement à bien voir, mais aussi à bien percevoir. Or, la perception visuelle dépend de processus centraux qui régissent l'information sensorielle atteignant l'œil.

Deux changements visuels sont particulièrement notables chez les personnes âgées. Le premier est la **diminution de l'acuité visuelle** et le second est la difficulté de voir avec clarté des objets rapprochés, ou **presbyopie**. Mais ces changements visuels ne sont pas les seuls à survenir. Ainsi, une observation attentive des personnes âgées nous permet de remarquer qu'elles ont également de la **difficulté à s'adapter à l'obscurité**, qu'elles sont sensibles à l'**éblouissement par la lumière**, ou encore, que les **couleurs** n'ont plus pour elles l'éclat qu'elles avaient jadis. À ces changements visuels liés au vieillissement normal, il faut ajouter des maladies oculaires survenant fréquemment à la vieillesse, notamment le **glaucome**, les **cataractes** et la **dégénérescence maculaire**.

Il faut immédiatement souligner que, si la très grande majorité des personnes âgées seront touchées par des changements visuels, une minorité seulement seront toutefois affectées à un point tel que la poursuite des activités sera devenue impossible (Kline *et al.*, 1982). Néanmoins, l'étude des altérations visuelles, même modérées, est d'intérêt, puisque celles-ci pourraient avoir un impact sur le bien-être général des personnes âgées. On peut facilement imaginer que, si l'âge amène une diminution de la vision, cette diminution pourrait influer sur l'habileté de la personne âgée à accomplir ses activités quotidiennes, même les plus simples, cette habileté étant essentielle à son indépendance ou à son sentiment de compétence.

Cette section a pour objectif de décrire brièvement les changements visuels survenant avec l'âge et d'estimer les conséquences de ces altérations pour les personnes âgées. Les lecteurs sont fortement invités à consulter la recension de Verrillo et Verrillo (1985), le chapitre sur la vision du livre de Whitbourne (1985) ainsi que l'ouvrage de Sekuler et ses collaborateurs (1982), spécialement consacré à la vision.

2.2.1 Structure de l'œil

Afin de mieux comprendre les troubles visuels pouvant apparaître à la vieillesse, il convient, à ce moment-ci, de faire un rappel sommaire de la structure de l'œil. La figure 2.1 illustre une coupe de l'œil et laisse découvrir ses principaux éléments.

Figure 2.1 L'œil

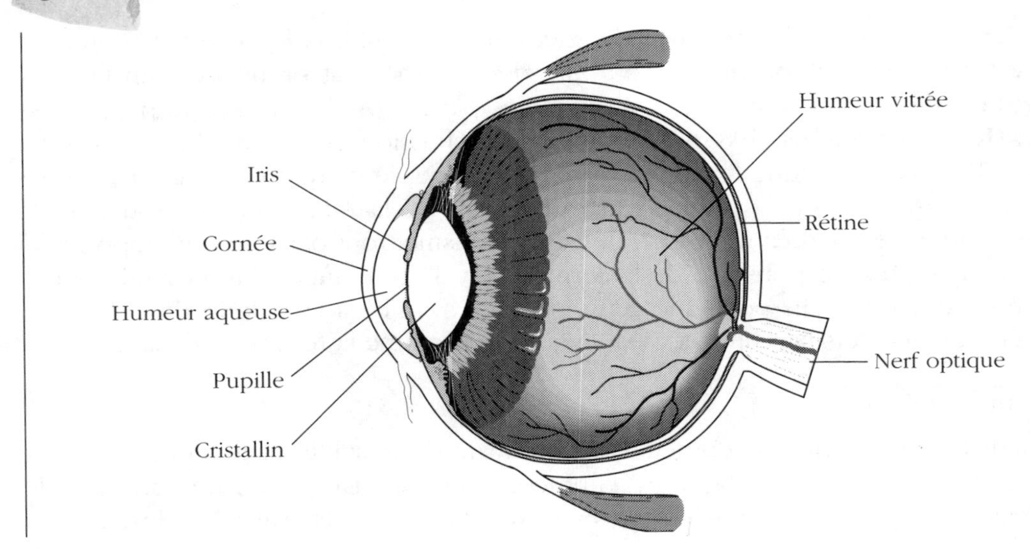

On y distingue le système périphérique et le système central. Le système périphérique peut se diviser en deux parties, la section antérieure et la section postérieure.

La section antérieure comprend, entre autres :

- la cornée ;
- l'humeur aqueuse ;
- l'iris et la pupille ;
- le cristallin.

Quant à la section postérieure, elle renferme :

- l'humeur vitrée ;
- la rétine.

Le système central comprend le nerf optique, le chiasma optique et le cortex occipital.

Avec le vieillissement, il est possible que l'une ou l'autre de ces composantes subisse des altérations qui troublent, à des degrés divers, la vision (Verrillo & Verrillo, 1985). Certains de ces troubles visuels peuvent être facilement corrigés, alors que d'autres ont des conséquences plus sérieuses pour la personne qui en est atteinte, pouvant même amener la cécité dans certains cas.

– Cornée

La cornée, qui est le prolongement du tissu conjonctif de couleur blanche, la sclérotique, est une membrane transparente à travers laquelle, comme par une fenêtre, la lumière doit passer pour pénétrer dans l'œil. Le tissu conjonctif sert à maintenir la forme de l'œil et à le protéger des atteintes extérieures.

Mais la principale fonction de la cornée est de réfléchir la lumière vers la rétine, et c'est pour cette raison que la courbure de la cornée est prononcée. En fait, les deux tiers de la réfraction totale sont assumés par la cornée, et le reste par le cristallin (Kline & Schieber, 1985). Ce pouvoir de réfraction est essentiel à une bonne vision. En effet, pour que l'on voie bien, une image de ce que l'on regarde doit se placer précisément sur la rétine. C'est au niveau de la rétine que se trouvent les cellules qui recevront les stimuli et, de là, les transmettront par le chemin approprié au cortex cérébral responsable de l'interprétation de cette image, afin de lui donner un sens pertinent. Mais pour que cette image se forme, la trajectoire de la lumière doit être dirigée vers la rétine, et c'est ce que l'on nomme la réfraction de la lumière.

– Humeur aqueuse

Immédiatement derrière la cornée, mais en avant du cristallin et de l'iris, se trouve une cavité contenant un liquide : l'humeur aqueuse. La principale fonction de l'humeur aqueuse est de transporter les éléments nutritifs et d'éliminer les déchets venant de la cornée et du cristallin, puisque ceux-ci ne contiennent pas de vaisseaux sanguins qui, normalement, devraient assumer cette fonction (Spector, 1982).

L'humeur aqueuse a aussi pour fonction de maintenir constante la pression à l'intérieur de l'œil. Une certaine pression est en effet nécessaire pour donner à l'œil une certaine tonicité, sans quoi il pourrait complètement s'effondrer. Un changement dans la pression de l'œil peut créer un problème visuel très grave : le **glaucome**.

– Iris et pupille

L'iris est un mince diaphragme musculaire pigmenté qui donne aux yeux leur couleur. Dans son centre se trouve un orifice : la pupille. La fonction la plus connue de l'iris est de régulariser la quantité de lumière atteignant la rétine. Pour remplir cette fonction, l'iris se contracte ou se dilate selon la luminosité ambiante. Le diamètre de la pupille est en relation inverse avec la quantité de lumière qui pénètre dans l'œil ; la pupille se contracte devant trop de lumière mais se dilate lorsqu'il n'y en a pas assez.

Une autre fonction moins connue de l'iris est de maintenir la profondeur du champ à son maximum selon les conditions lumineuses qui existent. La profondeur du champ augmente quand la pupille se contracte (Gardner & Shoch, 1987). Parce que l'iris est avant tout un muscle, il est vulnérable aux effets du vieillissement (Kline & Schieber, 1985).

– Cristallin

Immédiatement derrière l'iris et la pupille se trouve une structure qui, de par sa composition, sa forme et ses propriétés, joue un rôle de premier plan dans la vision : le cristallin. Le cristallin, à la manière d'un oignon, est composé de nombreuses couches de fibres transparentes qui se superposent pour former une lentille biconvexe (voir figure 2.1).

Comme nous l'avons mentionné précédemment, pour que la vision soit adéquate, l'image de ce que nous regardons doit être placée sur la rétine. La lumière, après avoir été réfractée une première fois par la cornée, est réfractée de nouveau par le cristallin. Pour assumer adéquatement cette fonction, le cristallin ne doit pas seulement être convexe, mais il doit aussi être suffisamment élastique pour être en mesure de changer sa forme et ainsi, comme le ferait une lentille d'appareil photo, de faire une mise au point précise sur un objet à différentes distances. Ce processus se nomme l'**accommodation.** De par son importance, on peut déjà deviner qu'il sera en cause dans plusieurs troubles visuels chez les personnes âgées. Le cristallin est également le siège d'une affection prédominante pouvant provoquer la cécité : les **cataractes**.

– Humeur vitrée

L'humeur vitrée est située dans la section postérieure de l'œil, c'est-à-dire entre le cristallin et la rétine. Il s'agit d'une substance gélatineuse, transparente, qui contribue à maintenir la forme de l'œil et à retenir la rétine contre la paroi interne de l'organe (Gardner & Shoch, 1987). L'humeur vitrée représente les deux tiers du volume et du poids de l'œil. Contrairement à l'humeur aqueuse, elle n'est jamais remplacée tout au long de la vie.

– Rétine

C'est au niveau de la rétine que les informations visuelles sont reçues et sont transmises aux zones du cerveau responsables de leur traitement. La rétine couvre les deux tiers de la surface interne de l'œil et est constituée de plusieurs couches spécialisées de cellules. Les plus importantes, les cellules photoréceptrices, sont les cônes et les bâtonnets, qui sont nommés ainsi en raison de leur forme distinctive.

Les cônes réagissent seulement en présence d'une forte luminosité et sont spécialisés dans la vision des couleurs ainsi que dans la discrimination des détails fins, nécessaire à certaines activités, comme la lecture. Ils sont davantage concentrés dans une région de la rétine ne contenant que des cônes et où la vision est par conséquent la plus précise : la macula. Cette région peut être affectée par ce que l'on nomme la **dégénérescence maculaire**. Les bâtonnets, situés à la périphérie de la rétine, réagissent quant à eux à un très faible niveau d'intensité de lumière. C'est pourquoi ils jouent un rôle essentiel dans la vision nocturne ainsi que dans l'orientation visuelle ; ils permettent, par exemple, de fixer un objet même si ce dernier est en mouvement.

Cette brève description de la structure de l'œil nous rappelle que, avant d'atteindre les photorécepteurs de la rétine et, de là, le cerveau, la lumière doit passer à travers plusieurs éléments : la cornée, l'humeur aqueuse, la pupille, le cristallin et l'humeur vitrée. On peut facilement imaginer qu'une atteinte à l'intégrité de l'une ou l'autre de ces parties pourrait avoir une conséquence sur la vision. Dans la prochaine section, nous nous efforcerons de décrire comment le vieillissement affecte cette structure et quelles fonctions visuelles sont par conséquent altérées.

2.2.2 Conséquences structurales et fonctionnelles du vieillissement

Pour bien réfracter la lumière, la cornée doit être homogène et claire. Mais avec le vieillissement, elle subit plusieurs transformations qui altèrent ses qualités optiques.

Ainsi, la cornée perd de son lustre, devient plus brumeuse et perd de sa courbure, pour s'aplatir (Kline & Schieber, 1985). La décoloration de la cornée n'a pas seulement un effet purement esthétique, mais aussi un effet fonctionnel non négligeable : puisque la lumière doit en tout premier lieu passer à travers la cornée, si cette dernière devient moins transparente, la quantité de lumière qui atteindra la rétine s'en trouvera réduite par le fait même. L'image ainsi formée sur la rétine sera moins claire, moins nette. En outre, non seulement la lumière ne passera pas aussi facilement à travers la cornée, mais elle sera aussi plus diffuse. On peut utiliser une analogie pour expliquer le phénomène de la diffusion de la lumière sur la cornée. Plusieurs d'entre nous ont déjà remarqué que la lumière passe facilement à travers une fenêtre propre, alors qu'elle tend à s'étaler sur une fenêtre sale ; le même phénomène s'applique à la cornée.

Cette diffusion de la lumière sur la cornée a également pour conséquence qu'une moins grande quantité de lumière atteindra un point précis sur la rétine. Après la quarantaine, on peut observer à la périphérie de la cornée, entre l'iris et le blanc de l'œil, la formation d'un anneau grisâtre, opaque, appelée **arc sénile**. L'arc sénile semble être le résultat d'une accumulation de lipide. Au-delà de l'aspect esthétique, l'effet fonctionnel de l'arc sénile reste encore à déterminer (Kline & Schieber, 1985).

L'humeur aqueuse est le siège d'une maladie fortement associée au vieillissement : le **glaucome**. Gardner et Shoch (1987) rappellent que le glaucome est un terme générique, signifiant par là qu'il en existe plusieurs formes partageant le trait commun d'augmenter la pression interne de l'œil. On sait que l'incidence du glaucome augmente avec l'âge. Ainsi, le glaucome affecte près de 2 % de la population âgée de plus de 40 ans, alors que près de 5 % des personnes de plus de 65 ans en sont atteintes (Greenberg & Branch, 1982). Il touche indifféremment les hommes et les femmes. Pour bien comprendre ce désordre oculaire, il faut connaître la dynamique circulatoire de l'humeur aqueuse. Il faut savoir que cette dernière est sécrétée continuellement par le corps ciliaire (voir figure 2.1), qu'elle circule entre l'iris, le cristallin et la cavité antérieure de l'œil et qu'elle est drainée dans le système sanguin par des cavités poreuses se trouvant à l'intersection de l'iris et de la cornée. Ce mouvement circulatoire sert à transporter les substances nutritionnelles vers la cornée et le cristallin ainsi qu'à maintenir la pression oculaire entre 10 mm Hg et 20 mm Hg.

Cependant, il faut se demander ce qu'il advient lorsque le drainage à l'extérieur de la chambre antérieure est partiellement ou complètement entravé. Dans cette condition, la pression intra-oculaire augmente anormalement. En effet, l'humeur aqueuse qui est constamment sécrétée s'accumule dans la chambre antérieure et crée par le fait même une pression plus grande. Cette pression inhabituelle, si elle n'est pas corrigée, peut être suffisamment grande pour causer des dommages aux cellules de la rétine et, dans sa forme la plus sévère, peut entraîner la cécité.

Avec le vieillissement, le diamètre pupillaire est réduit en raison d'une certaine atrophie des muscles de l'iris qui contrôlent la grandeur de la pupille. Cette diminution de la pupille, associée au changement déjà noté au niveau de la cornée, a pour effet qu'une moins grande quantité de lumière atteint la rétine. Weale (1963) a estimé que seulement le tiers de la lumière disponible atteignait la rétine d'une personne âgée de 60 ans, comparativement à un adulte de 20 ans. Par conséquent, l'image est moins claire, ce qui entraîne une **diminution de l'acuité visuelle** (Pitts, 1982). On mesure habituellement l'acuité visuelle en demandant à un individu de nommer, sur une carte contenant des lettres, les plus petites lettres possibles, à une distance donnée. Comme le montre la figure 2.2, l'acuité visuelle diminue vers l'âge de 40 ans, phénomène qui s'accélère par la suite, surtout après l'âge de 65 ans. Cette diminution de l'acuité visuelle est plus marquée lorsque la luminosité ambiante est déjà faible et que la pupille devrait s'ouvrir au maximum pour laisser passer le plus de lumière possible (Carter, 1982).

Figure 2.2 Acuité visuelle selon les groupes d'âge

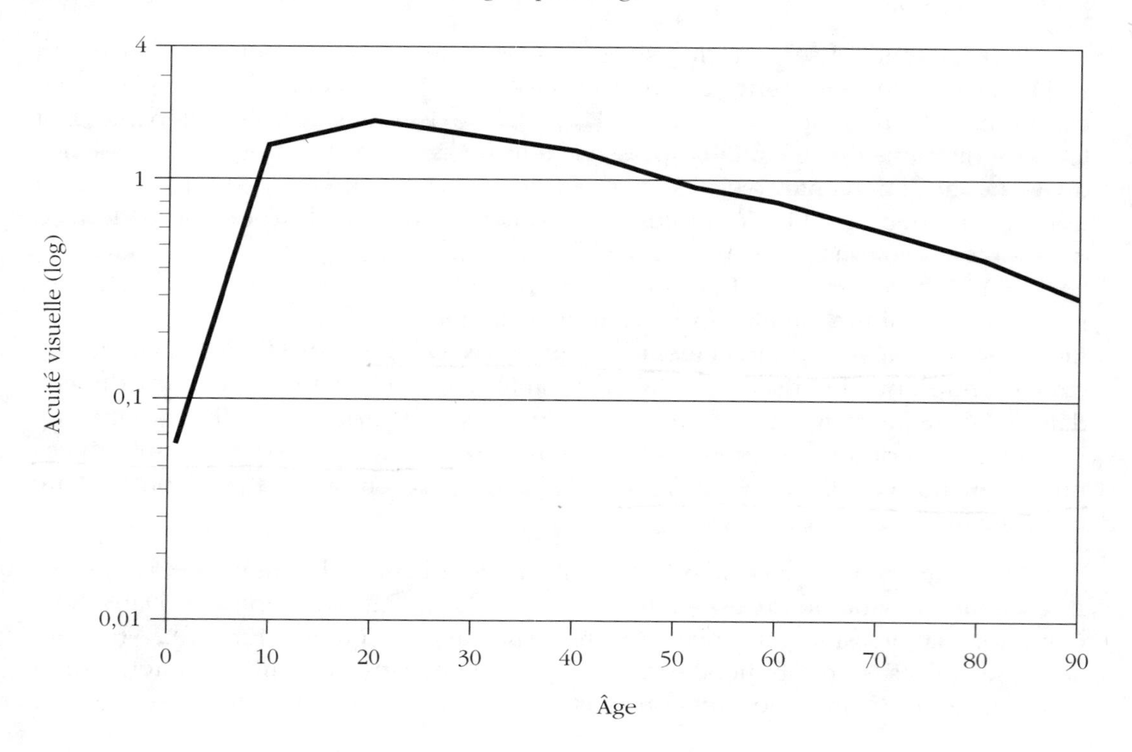

Une particularité du cristallin est que les fibres le composant se développent continuellement tout au long de la vie. On pourrait penser que cette particularité est un avantage pour les personnes âgées, mais il n'en est rien. Cela s'explique par le fait que les vieilles fibres ne sont pas éliminées et que les nouvelles couches fibrillaires se superposent constamment aux plus vieilles (Spector, 1982). Le cristallin devient alors plus dense puisqu'il continue de se développer, ce qui explique pourquoi son élasticité diminue graduellement avec l'âge. En outre, les muscles qui exercent une action sur le cristallin lors de l'accommodation deviennent moins performants. L'**accommodation** est le processus par lequel se maintient une image rétinienne claire, et elle est obtenue en changeant le pouvoir de réfraction du cristallin. Pour la vision rapprochée, le cristallin change sa forme pour devenir plus convexe, de façon que la lumière réfléchie par des objets rapprochés soit réfractée davantage (Carter, 1982).

Cette perte d'élasticité interfère avec le pouvoir d'accommodation nécessaire pour la vision rapprochée. Ainsi, la majorité des personnes qui ont dépassé 50 ans ne sont plus en mesure de voir clairement les objets rapprochés et ont besoin de verres correcteurs pour voir de près. Cette condition se nomme la **presbyopie**. C'est pour cette raison que l'on voit souvent, par exemple, une personne âgée tenir un journal à bout de bras pour lire.

Le cristallin perd de sa transparence avec le vieillissement. L'arrivée des nouvelles cellules pousse les plus vieilles vers l'intérieur du cristallin et celles-ci dégénèrent, faute de soutien nutritionnel. Comme nous l'avons vu pour la cornée, cette perte de transparence rend la lumière atteignant la rétine plus diffuse. Ce changement, associé avec la diminution de la pupille et la décoloration de la cornée, entraîne une **diminution de l'acuité visuelle**. Pour compenser, les personnes âgées ont donc besoin de plus de lumière pour maintenir le même degré de discrimination visuelle. De plus, le jaunissement du cristallin agit comme un filtre qui absorbe la lumière (Gardner & Shoch, 1987). Par conséquent, les personnes âgées ont plus de **difficulté à discriminer certaines couleurs**, notamment celles qui se trouvent dans le spectre des basses longueurs d'onde, comme le vert, le bleu et le violet. Ce phénomène serait accentué par la diminution du diamètre de la pupille, ce qui empêcherait la majeure partie de la lumière de pénétrer dans l'œil (Carter, 1982). Cette difficulté à discriminer correctement les couleurs s'observerait donc particulièrement lorsque le milieu est déjà peu éclairé.

Comme nous l'avons mentionné précédemment, avec l'âge le cristallin perd progressivement de sa transparence, devient plus opaque. La condition extrême de cette situation cause une pathologie importante de l'œil : les **cataractes**. Par définition, les cataractes sont une diminution, importante ou non, de la transparence du cristallin (Gardner & Shoch, 1987), ce qui entraîne une baisse de l'acuité visuelle

(Pitts, 1982). La formation des cataractes serait liée, entre autres, à une trop longue exposition aux rayons ultraviolets. Les cataractes constituent un problème oculaire très commun avec l'âge, affectant 1 personne âgée de 65 ans et plus sur 20 (Greenberg & Branch, 1982). Selon la localisation et l'étendue de l'opacité du cristallin, les cataractes entraînent une baisse de l'acuité visuelle, une vision trouble, un éblouissement par la lumière et une restriction du champ de vision. Lorsque le cristallin est complètement opaque, cette affection est une cause majeure de cécité chez les personnes âgées (Corso, 1981).

Les conducteurs âgés se plaignent souvent qu'ils sont facilement dérangés par les phares d'une autre voiture. En outre, ils ont l'impression qu'ils ont besoin de plus de temps pour retrouver une vision normale. Ces conducteurs âgés font ainsi l'expérience de l'**éblouissement par la lumière**, situation dans laquelle la lumière réfléchie vers la personne est trop intense, ce qui entraîne un aveuglement temporaire. Cette situation est prononcée après l'âge de 40 ans et pourrait avoir son origine dans l'opacification du cristallin. Les photorécepteurs de la rétine seraient également concernés (Carter, 1982).

Avec le temps, l'humeur vitrée dégénère, devenant alors moins transparente, ce qui diminue aussi la quantité de lumière atteignant la rétine. La composition gélatineuse qui la caractérise se liquéfie et peut se détacher de la paroi rétinienne. Ce détachement exerce une traction sur la rétine (Balazs & Denlinger, 1982). Les personnes atteintes ont alors une vision troublée, notent la présence de particules qui semblent flotter à l'intérieur de l'œil et l'apparition d'éclairs lumineux (Gardner & Shoch, 1987). Les éclairs lumineux viennent de cette pression mécanique sur la rétine, alors que les particules ou « mouches », comme on les appelle communément, sont des débris qui passent dans l'axe visuel. Il est important de noter que les « mouches » ne sont pas toujours un signe de détachement du vitré.

L'**adaptation à l'obscurité**, c'est-à-dire l'habileté à ajuster sa vision lorsqu'on se déplace d'un endroit très éclairé vers un endroit moins éclairé, est compromise avec l'âge. Tout le monde a vécu l'expérience de passer d'un milieu très éclairé à un endroit sombre, tel qu'une salle de cinéma. Pendant une brève période, on ne peut voir quoi que ce soit, le temps de s'adapter à cette nouvelle situation. L'adaptation complète à l'obscurité prend généralement 40 minutes. Avec l'âge, le temps requis pour s'adapter à cette soudaine obscurité augmente, alors que la qualité de l'adaptation décroît. Les facteurs responsables de cette diminution sont nombreux et peuvent être le fait de la pupille, qui ne laisse pas passer suffisamment de lumière, du cristallin, qui bloque partiellement la lumière, et des photorécepteurs rétiniens, les bâtonnets, qui ne sont plus aussi fonctionnels. La figure 2.3 illustre la capacité d'adaptation à l'obscurité, selon l'âge.

Figure 2.3 Représentation graphique de l'adaptation à l'obscurité, selon l'âge

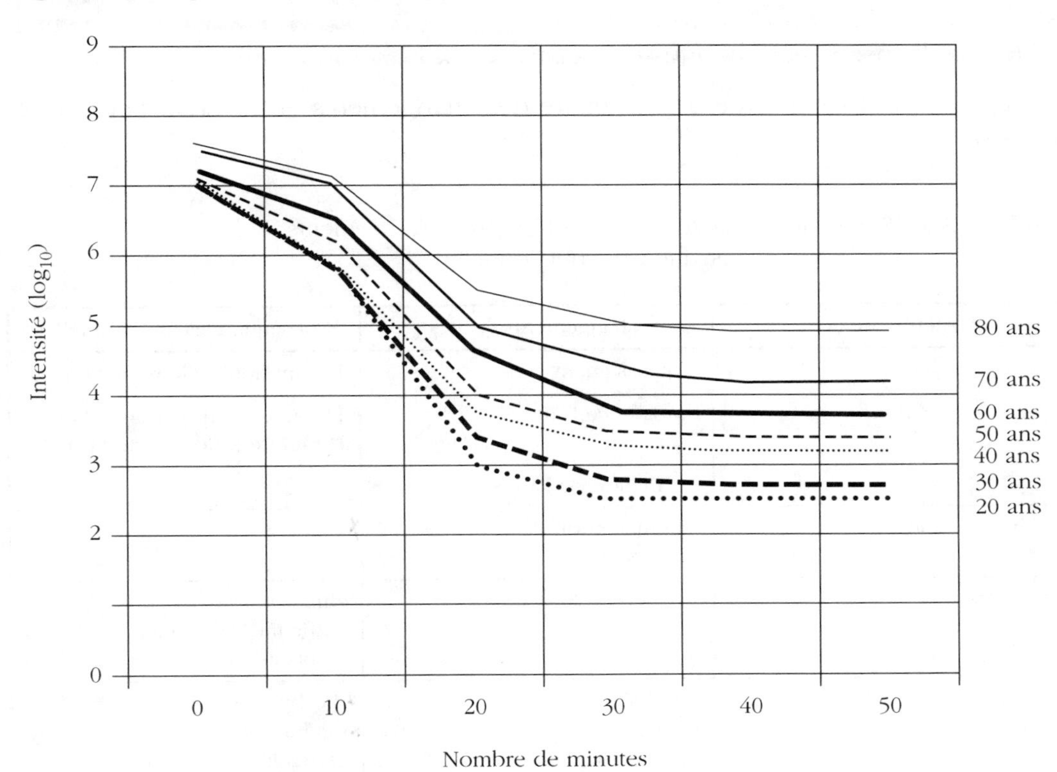

Finalement, la rétine n'est pas à l'abri du vieillissement. Ainsi, on a observé une diminution des photorécepteurs avec l'âge. On ne connaît pas encore la cause de ce phénomène, mais les raisons les plus invoquées sont un manque d'apport sanguin ou une trop longue exposition à la lumière. Puisque c'est au niveau de la rétine que l'information visuelle est reçue et transmise au cerveau, on pourrait penser que cela entraîne des conséquences sérieuses. Toutefois, il semblerait que cette diminution « normale » des cellules n'affecte pas outre mesure la vision. La rétine posséderait en effet probablement plus de cellules qu'elle n'en a besoin pour fonctionner.

La rétine peut toutefois être le siège d'une maladie très sérieuse constituant une cause majeure de cécité chez les personnes âgées : la **dégénérescence maculaire liée à l'âge** (Gardner & Shoch, 1987). Rappelons ici que la macula est une zone de la rétine contenant seulement les cônes et l'endroit où la vision est la plus précise. Une insuffisance vasculaire au niveau de la rétine endommage les cellules. Si cela se produit, on observe une diminution de l'acuité visuelle avec la particularité que la vision périphérique est relativement bien préservée.

Le tableau 2.1 constitue un sommaire des changements visuels reliés aux structures de l'œil.

Tableau 2.1 Sommaire de la structure de l'œil, des changements visuels et de leurs conséquences fonctionnelles

Structure de l'œil	Changements visuels	Conséquences fonctionnelles
Cornée	Aplatissement Apparence brumeuse Formation de l'arc sénile	Diminution de la réfraction Éblouissement par la lumière Diminution de l'acuité visuelle ?
Humeur aqueuse	Augmentation de la pression intra-oculaire	Glaucome
Iris et pupille	Réduction du diamètre	Diminution de l'acuité visuelle Difficulté d'adaptation à l'obscurité
Cristallin	Rigidité Opacité Jaunissement	Presbyopie Cataractes Difficulté à discriminer certaines couleurs Diminution de l'acuité visuelle Éblouissement par la lumière
Humeur vitrée	Gel moins transparent Liquéfaction	Diffusion de la lumière « Mouches volantes »
Rétine	Dégénérescence des photorécepteurs	Diminution de l'acuité visuelle Difficulté d'adaptation à l'obscurité Dégénérescence maculaire Difficulté à discriminer certaines couleurs

2.2.3 Conséquences sur le bien-être de la personne âgée

Dans la section précédente, la description des principaux changements visuels liés à l'âge est fondée sur des évaluations effectuées en laboratoire. Si ces évaluations indiquent la capacité visuelle des personnes âgées, elles nous renseignent finalement très peu sur la façon dont cela se traduit dans leur environnement naturel. Pour déterminer l'effet des changements visuels sur l'habileté des personnes âgées à accomplir des tâches quotidiennes, Kosnik et ses collaborateurs (1988) ont réalisé deux sondages auprès de personnes âgées de plus de 18 ans. Les résultats de ces sondages révèlent que les personnes âgées mentionnent avoir plus de difficulté à réaliser des tâches de la vie quotidienne. Entre autres, elles mettent plus de temps à effectuer des tâches impliquant la vision et ont des problèmes avec la lumière intense, l'obscurité et la vision rapprochée. Les résultats de ces sondages confirment donc les données obtenues en laboratoire, mais soulignent également que les personnes âgées sont conscientes des restrictions imposées par le déclin de leur vision dans l'accomplissement de leurs tâches.

Quant à savoir si un changement visuel amène un handicap suffisamment important pour qu'il trouble le bien-être de la personne âgée, il s'agit d'une autre question. Birren et Williams (1982) rappellent que cela dépend en grande partie des pressions environnementales exercées sur la personne. En clair, cela signifie que deux personnes âgées ayant une baisse visuelle équivalente, par exemple, ne ressentiront pas nécessairement les mêmes effets. Si les auteurs semblent unanimes à affirmer que les restrictions imposées par une moins bonne vision ont une influence négative sur le bien-être de la personne âgée, il faut bien admettre que :

- peu d'efforts ont été investis pour savoir quelles étaient réellement ces conséquences ;
- les évidences acquises sont lacunaires au point de vue méthodologique.

Alors, puisque nos connaissances sur l'impact de ces modifications restent encore à ce jour largement inexplorées, il serait préférable d'user de prudence dans nos conclusions, aussi longtemps que les preuves ne sont pas mieux documentées et les affirmations, mieux appuyées.

Il est en effet surprenant et décevant à la fois de constater que, si les changements structuraux et fonctionnels de l'œil ont été jusqu'à présent assez bien étudiés, l'impact de ces changements sur la personne âgée n'a pas encore capté suffisamment l'attention des chercheurs (Kline *et al.*, 1982). Lors d'un symposium tenu à Washington en 1981, Kline et ses collaborateurs avaient exprimé l'avis qu'il y avait très peu de recherches concernant les effets du déclin de la vision sur le bien-être des personnes âgées et sur leur capacité d'accomplir les activités quotidiennes. Il est évident que la même réalité prévaut 10 ans plus tard. Puisque le vieillissement normal entraîne des changements dans la vision et vu l'augmentation démographique chez les personnes âgées (voir chapitre 1), il est urgent d'étudier avec plus de précision les conséquences de ces changements sur la vie quotidienne des personnes âgées, les conditions de leur manifestation et les moyens d'y remédier.

En outre, la grande majorité des cas de séquelles potentielles décelés proviennent principalement de rapports cliniques ou d'études exploratoires portant sur un nombre assez restreint de sujets (Branch *et al.*, 1989), dont la représentativité est douteuse. Ces différentes études suggèrent néanmoins, à l'intérieur de leurs limites, que l'altération de la vision peut avoir des conséquences sérieuses. Les personnes âgées vivraient, entre autres, de la peur, de l'anxiété, des sentiments dépressifs, une diminution de la maîtrise sur l'environnement, de l'estime de soi et du bien-être de même qu'elles se sentiraient plus isolées socialement.

Mais qu'en est-il réellement ? Afin de déterminer comment le fonctionnement des personnes âgées est compromis par la diminution de la vision, Branch et ses collaborateurs (1989) ont analysé deux groupes d'individus en puisant aux données d'une étude longitudinale, la *Massachusetts Health Care Panel Study*. Cette étude commencée en 1974 concerne plus de 1 600 personnes âgées non placées dans des établissements. Ces sujets ont été revus par la suite en 1976 et en 1981. Le premier groupe comprend tous ceux et celles qui, entre 1976 et 1981, mentionnent que leur vision est encore excellente ou bonne, alors que le second groupe renferme les sujets affirmant que, au cours de cette période de cinq ans, leur vision est passée d'excellente à bonne. Les résultats de cette étude montrent que les personnes âgées qui ont subi une diminution de leur vision ont davantage besoin d'aide pour faire leur épicerie, payer leurs factures, monter les escaliers et accomplir des tâches ménagères, restreignent leurs sorties et utilisent moins souvent leur voiture. Ces personnes manifestent une moins grande satisfaction à l'égard de la vie, obtiennent un résultat plus élevé sur une échelle de dépression et considèrent leur santé physique comme moins bonne. Cependant, elles ne font pas état de modifications notables dans leurs contacts sociaux. Anderson et Palmore (1974) mentionnent aussi que les personnes ayant une pauvre acuité visuelle se sentent sans valeur, plus anxieuses, et ont moins d'activités de loisirs.

Mais il semble que ce ne soient pas toutes les activités qui sont touchées. De quelle façon la diminution de la vision normale influe-t-elle sur la participation aux activités de loisirs ? Voilà la question à laquelle Heinemann et ses collaborateurs (1988) ont voulu répondre. Les activités de loisirs qui ont été le plus négativement touchées sont évidemment celles qui exigent une bonne acuité visuelle, comme la cuisine, le jardinage, la couture et le tricot, l'écriture ; les autres activités, telles que les sports de participation, l'activité de regarder la télévision, les visites amicales, la participation à des clubs ou à des organisations, ou le bénévolat ne semblent pas être, du moins pour les sujets de cette étude, aussi touchées.

Finalement, certains travaux ont démontré qu'une altération de la vision augmentait la probabilité de faire des chutes et contribuait ainsi à l'augmentation des fractures de la hanche. Felson et ses collaborateurs (1989) ont examiné cette association en utilisant les sujets de la *Framinghan Eye Study*. Cette étude concerne plus de 2 600 sujets, hommes et femmes, tous âgés de 50 ans et plus, qui ont été suivis pendant une période de 10 ans. Au cours de cette période, 110 personnes ont subi des fractures à la hanche. Les auteurs ont remarqué que ces dernières se rencontraient plus fréquemment chez ceux et celles qui avaient des problèmes de vision.

En somme, les quelques exemples précédents suggèrent qu'une diminution de la vision entraîne certaines conséquences psychologiques, physiques et sociales. On a aussi avancé qu'il existait une relation entre l'état mental et la vision. Parmi plusieurs auteurs, Snyder et ses collaborateurs (1976) ont remarqué que des personnes âgées placées dans des établissements et ayant une pauvre acuité visuelle obtenaient un résultat beaucoup plus faible dans un test sur l'état mental. Mais doit-on en conclure que la baisse visuelle entraîne une détérioration mentale, et, dans l'affirmative, pour quelle raison ?

Il semble prématuré à ce moment-ci de conclure que la baisse d'acuité visuelle cause une détérioration de l'état mental, puisque d'autres facteurs concourants peuvent être présents et s'avérer les véritables responsables de la détérioration mentale observée. Il faut considérer que la très grande majorité des études qui démontrent une association entre une faible vision et une détérioration de l'état mental sont de nature *corrélationnelle*. Or, une corrélation n'est pas synonyme de cause. Trop souvent, les troubles visuels en particulier et la diminution sensorielle en général sont sous-estimés. On oublie facilement qu'une personne âgée ayant un trouble de la vue peut être défavorisée lors de tests visant à évaluer son état mental, et conclure trop rapidement que sa performance reflète véritablement sa capacité. Bref, les facteurs visuels ne peuvent pas être ignorés lors de l'évaluation de la personne âgée. Bennet et Eklund (1983) sont d'avis que les troubles de la vue expliquent en grande partie les déficits intellectuels observés chez certaines personnes âgées, déficits qui sont souvent attribués à d'autres facteurs tels que la fatigue, la motivation, l'attitude à l'égard du test, etc.

On peut cependant expliquer cette association de la manière suivante : une vision plus limitée restreint la stimulation cognitive des personnes âgées (Bennet & Eklund, 1983) ; ou encore, les limitations de la fonction visuelle amènent une perte d'intérêt pour les stimuli environnementaux. Constatant qu'elle ne peut interagir efficacement avec son milieu, la personne âgée se désengagerait. Ce désengagement ou cette résignation aurait une influence négative sur son bien-être et son état mental. Il est toutefois possible d'éviter une telle situation, comme on le verra dans la section suivante, constituée de certaines considérations pratiques pouvant aider la personne âgée à s'ajuster.

2.2.4 Quelques considérations pratiques

Il faut toujours garder à l'esprit que le vieillissement normal touche aussi la vision ; par conséquent, lorsque nous sommes en relation avec une personne âgée, il faut faire en sorte de lui offrir un environnement optimal. Trop souvent, en effet, ceux qui côtoient les personnes âgées oublient facilement la simple réalité suivante : ces personnes n'ont plus nécessairement la vue qu'elles avaient dans le passé. Cette constatation devrait dicter une conduite appropriée.

Il est évident que les changements visuels, même mineurs, appellent à une modification de l'environnement. Le milieu dans lequel la personne âgée se trouve le plus souvent devrait être conçu de façon à compenser pour les troubles de la vue, et ainsi permettre une optimisation de son fonctionnement. Ainsi, on estime que la rétine d'une personne âgée reçoit moins du tiers de la lumière que reçoit un adulte (Weale, 1963). Cette constatation devrait nous inciter à fournir aux personnes âgées un éclairage adéquat en augmentant l'intensité de la lumière, afin de compenser pour la diminution naturelle de lumière. Il faudrait donc être vigilant et s'assurer que les escaliers, les corridors et toutes les zones importantes de la maison ou de l'établissement sont éclairés à leur convenance. Il faut se souvenir qu'une pièce adéquatement éclairée pour un adulte est, pour une personne âgée, plus sombre.

Il ne faut pas oublier non plus que les personnes âgées sont vulnérables à l'éblouissement par la lumière. Il faut donc éviter de placer des objets ou des meubles très brillants comme des accessoires en chrome ou en plastique ainsi que des surfaces vitrées près d'une source de lumière. On peut imaginer ici un plancher fraîchement lavé et ciré sur lequel une fenêtre laisse passer la lumière du jour. La lumière réfléchie par le plancher peut aveugler la personne âgée et l'empêcher de bien voir les obstacles sur son chemin. C'est pourquoi il serait alors préférable d'utiliser un recouvrement de plancher non réfléchissant. Le changement dans la perception de certaines couleurs doit aussi être pris en considération. De même, il serait sans doute préférable d'utiliser des pictogrammes très contrastés plutôt que des symboles de couleurs ou des indications écrites. Il serait opportun d'écrire en gros caractères les prescriptions, le contenu des étiquettes ou toute autre indication, afin d'éviter des erreurs pouvant être néfastes à une personne âgée, ou tout simplement pour lui redonner un sentiment de compétence vis-à-vis d'un environnement de plus en plus inaccessible.

2.3 AUDITION

Comme le rappelle Whitbourne (1985), l'audition est la fonction qui gouverne l'habileté de l'individu à communiquer avec autrui et à apprécier une grande variété de sons qui forment la matrice de la vie de tous les jours. Pour saisir toute son importance, il suffit de s'arrêter un bref instant pour penser à toutes les situations de la vie quotidienne qui font appel à la fonction auditive. Or, on sait depuis fort longtemps qu'une diminution graduelle de la sensibilité auditive, spécialement pour les tonalités aiguës, commence dès l'âge adulte et que cette diminution s'accentue progressivement avec l'âge. Cette situation particulière est appelée la **presbyacousie**. La presbyacousie a été observée pour la première fois par sir Francis Galton lors de l'Exposition internationale de la santé, tenue à Londres en 1884, après qu'il eut évalué près de 10 000 hommes et femmes âgés de 5 à 80 ans (Bergman, 1980). Depuis lors, les preuves de ce phénomène lié au vieillissement abondent.

Il est assez hasardeux d'estimer avec précision la prévalence des troubles de l'audition puisque les critères varient d'une étude à l'autre. Certains chercheurs demandent aux personnes interrogées de juger elles-mêmes si elles ont des problèmes auditifs alors que d'autres, plus rares, utilisent les résultats objectifs des tests auditifs. Cependant, les différentes études qui ont porté sur cette question démontrent qu'entre 23 % à 40 % de toutes les personnes de plus de 65 ans ont des incapacités auditives à des degrés divers (Schow *et al.*, 1978). À la suite de l'enquête nationale sur l'état de santé des Canadiens, menée en 1978 et en 1979, Santé et Bien-être social Canada (1981) indique que 34 % des personnes âgées, dont 21 % d'hommes, mentionnent avoir des troubles de l'audition. Ce taux de prévalence pourrait être plus élevé pour les personnes de plus de 75 ans et pour celles placées dans des établissements (Voeks *et al.*, 1990).

Cette section a pour objectif de décrire les différentes structures de l'oreille et le rôle joué par celles-ci, d'établir les modifications structurales et fonctionnelles liées au vieillissement ainsi que de faire un bref bilan des conséquences potentielles des troubles de l'audition pour la personne âgée. En effet, l'impact de ces changements sur le bien-être physique, psychologique et social de la personne âgée est régulièrement mentionné (Mulrow *et al.*, 1990). Pour une analyse plus spécialisée et plus détaillée de l'audition, le lecteur est fortement invité à consulter les ouvrages de Bergman (1980) et de Hinchcliffe (1983).

2.3.1 Structure de l'oreille

Comme pour la vision, une révision sommaire de la structure de l'oreille est nécessaire pour une compréhension plus globale des troubles de l'ouïe liés au vieillissement. L'oreille, dans une certaine mesure, possède une mécanique plus complexe que celle de l'œil, mais, comparativement à la vision, l'effet du vieillissement sur l'audition semble être mieux localisé. En effet, si les changements de la vue intéressaient un ensemble d'éléments structuraux, ceux de l'audition concernent davantage les récepteurs nerveux. Deux systèmes sont en fonction dans l'audition : un système périphérique ainsi qu'un système central. Les parties périphériques servent à recevoir les stimuli auditifs transmis sous forme d'énergie acoustique, l'**onde sonore**, et à les convertir en énergie vibratoire. Cette dernière énergie sera elle-même convertie en influx nerveux (Schow *et al.*, 1978). L'influx nerveux sera par la suite retransmis aux aires du cortex cérébral, dans le système central, responsable de la perception auditive. C'est dans le système central que les sons prendront un sens intelligible et qu'ils seront interprétés comme de la parole, de la musique ou encore des bruits.

Le système périphérique tel qu'il est illustré à la figure 2.4 comprend trois grandes sections : l'oreille externe, l'oreille moyenne et l'oreille interne. Chacune de ces sections comprend des éléments distincts qui ont un rôle bien précis à jouer. Pour les besoins du présent exposé, nous nous limiterons aux suivants :

- L'oreille externe :
  - le pavillon ;
  - le canal auditif.
- L'oreille moyenne :
  - le tympan ;
  - la trompe d'Eustache ;
  - les osselets ;
  - les fenêtres ronde et ovale.

Figure 2.4 L'oreille

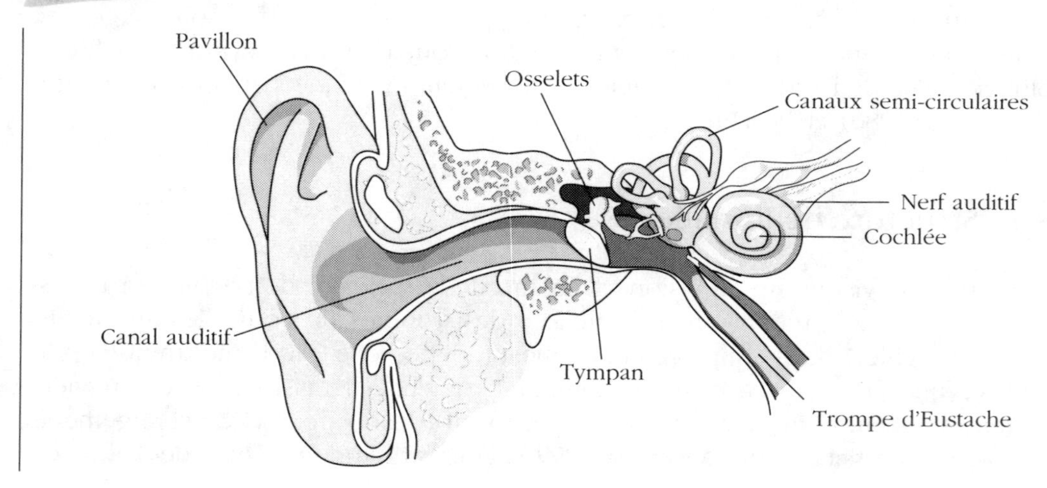

- L'oreille interne :
  - la cochlée ;
  - le vestibule ;
  - les canaux semi-circulaires.

Le système central comprend, entre autres, le nerf cochléovestibulaire (nerf crânien VIII) et le lobe temporal.

– Oreille externe

La structure la plus visible de l'oreille est le **pavillon**, qui est composé de tissu conjonctif, le cartilage, recouvert de peau (Schow *et al.*, 1978). Le pavillon remplit deux fonctions : la première est de recueillir la source de l'onde sonore ; la seconde est de diriger celle-ci vers le **canal auditif** (Manley, 1983). Le canal auditif a pour sa part comme principale mission d'amener l'onde sonore jusqu'au tympan. La partie la plus extérieure du canal auditif, celle qui est en contact avec le pavillon, contient des poils et des glandes sébacées qui sécrètent le cérumen ou la cire. Les poils et la cire jouent une fonction bien particulière : prévenir l'intrusion de corps étrangers dans l'oreille.

– Oreille moyenne

L'oreille moyenne est une cavité remplie d'air qui a pour tâche de transmettre l'onde sonore de l'oreille externe vers l'oreille interne. C'est pour cette raison que l'oreille moyenne joue un rôle important dans l'audition. C'est en effet dans cette partie de l'oreille que l'onde sonore, jusque-là véhiculée dans l'air, est amplifiée. Cette amplification est essentielle car, sans elle, le son serait absorbé par le liquide contenu dans l'oreille interne (Manley, 1983).

L'onde sonore, après avoir traversé l'oreille externe, rencontre sur son passage une fine membrane légèrement tendue appelée le **tympan**. Attachée à la membrane tympanique se trouve une chaîne mobile de trois petits os : les **osselets**. Le premier de ces os, le **marteau**, est relié au tympan et le dernier, l'**étrier**, communique avec la **fenêtre ovale**, alors que l'**enclume** fait la liaison entre le marteau et l'étrier. Ces trois petits os relient donc le tympan à la fenêtre ovale de l'oreille interne. Puisque l'oreille moyenne est une cavité remplie d'air, il doit y avoir une structure qui a pour rôle de maintenir la pression de l'oreille moyenne égale à la pression extérieure. La **trompe d'Eustache** s'acquitte de cette fonction.

– Oreille interne

L'oreille interne est divisée en trois parties : le **vestibule**, les **canaux semi-circulaires** et la **cochlée**. Les psychologues se sont particulièrement intéressés à cette dernière, puisque c'est dans la cochlée que les ondes sonores sont converties en signaux électriques, tandis que les deux premières parties concernent davantage le sens de l'équilibre. La cochlée est un tube osseux, enroulé en spirale à la façon d'un escargot et rempli de liquide. Une coupe de la cochlée révèle que celle-ci est divisée à l'intérieur en trois sections : la rampe vestibulaire, la rampe tympanique et le canal cochléaire. Dans le canal cochléaire se trouve l'organe de Corti, qui contient les récepteurs auditifs, les cellules ciliées, appelées ainsi en raison de leur forme, et d'autres cellules de soutien. La cochlée est une structure très spécialisée. Ainsi, à la base de celle-ci, les récepteurs répondent aux sons qui sont émis à de hautes fréquences alors que, à l'autre extrémité, ils réagissent plus fortement aux sons émis à de basses fréquences.

Maintenant que les principaux acteurs de l'audition ont été brièvement décrits, nous pourrons, dans la prochaine section, nous attarder aux effets du vieillissement sur l'intégrité de ces structures. Mais avant, il serait opportun de faire un court rappel de la mécanique de l'audition. En effet, cette dernière est une mécanique complexe dans laquelle les acteurs précédents travaillent en complémentarité. Sous l'effet de l'onde sonore arrivant de l'oreille externe, la membrane tympanique vibre et amplifie cette onde sonore, la vibration du tympan faisant mouvoir les trois osselets. Cette vibration est ensuite transmise à une membrane qui sépare l'oreille moyenne de l'oreille interne : la fenêtre ovale. Le mouvement vibratoire de la fenêtre ovale crée alors une vague à partir du liquide contenu dans la cochlée, ce qui cause un déplacement de la membrane basilaire se répercutant jusqu'à la fenêtre ronde. Le mouvement de la membrane basilaire stimule les récepteurs auditifs situés dans l'organe de Corti et, de là, l'influx nerveux se dirige vers le nerf auditif où les informations sont acheminées vers les zones cérébrales chargées de leur interprétation. On comprend maintenant mieux que le son, avant d'être déchiffré, passe à travers une multitude de structures.

2.3.2 Conséquences structurales et fonctionnelles du vieillissement

Avec l'âge, le pavillon de l'oreille perd de sa flexibilité, devient légèrement plus long et plus large. De plus, le canal auditif tend aussi à devenir plus grand, la peau le recouvrant devient plus mince et les poils s'y épaississent. Ces changements sont purement esthétiques et ne semblent pas avoir beaucoup d'effet sur l'audition. Le seul changement notable qui peut effectivement avoir une conséquence sur l'ouïe est une accumulation excessive de cérumen. La cire peut alors former un bouchon qui empêche la transmission de l'onde sonore jusqu'au tympan. Cette sorte de surdité est appelée **surdité de conduction**. Un trouble de conduction survient au moment où l'onde sonore n'est pas en mesure de voyager librement à travers l'oreille externe ou moyenne vers l'oreille interne (Schow *et al.*, 1978). Dans une surdité de conduction, les sons émis à de basses fréquences sont particulièrement touchés.

Il faut donc se demander si les troubles de l'ouïe ont pour origine l'oreille moyenne, puisqu'elle joue un rôle important dans l'audition. Mais avant de répondre à cette question, il faut d'abord connaître quels sont les effets du vieillissement sur cette structure. Avec l'âge, la membrane tympanique devient plus mince et moins tendue, alors que les osselets deviennent moins mobiles avec le processus de la calcification (Schow *et al.*, 1978). Cette calcification des osselets a pour conséquence de diminuer leur capacité à transporter efficacement l'onde sonore du tympan à la fenêtre ovale. D'un point de vue strictement fonctionnel, la perte normale de tension de la membrane tympanique et la calcification des osselets n'ont que peu d'effet sur l'audition de la personne âgée (Whitbourne, 1985). Toutefois, dans certains cas extrêmes, les deux conditions précédentes pourraient entraîner un trouble de conduction. Un trouble de conduction touche, faut-il le rappeler, les sons émis à de basses fréquences mais n'explique pas le phénomène généralement observé chez les personnes âgées, soit une diminution de la capacité à entendre les sons émis à de hautes fréquences. C'est donc au-delà de l'oreille externe et moyenne qu'il faut chercher l'origine de la presbyacousie.

Schuknecht (1964) a observé que le vieillissement pouvait produire une multitude d'altérations de l'oreille interne, dont une dégénérescence de l'organe de Corti, une perte des neurones du chemin auditif, une atrophie des vaisseaux sanguins qui irriguent la cochlée et, finalement, une rigidité de la membrane basilaire. Ces diverses altérations aboutissent à différentes sortes de presbyacousie : sensorielle, neuronale, métabolique et mécanique. Chacune a des particularités fonctionnelles qui lui sont propres mais qui diminuent, somme toute, la sensibilité auditive.

La sensibilité auditive est à l'oreille ce que l'acuité visuelle est à l'œil. Elle se définit donc par la manière dont un son émis à une fréquence donnée peut et doit être entendu (Whitbourne, 1985). Pour évaluer la sensibilité auditive, on fait habituellement entendre à la personne des sons purs émis à des fréquences de 250, 500, 1 000, 2 000, 4 000 et 8 000 hertz. Plus la fréquence d'un son est élevée, exprimée ici en cycles par seconde ou hertz (Hz), plus le son est aigu. Ces sons de différentes fréquences sont présentés en variant l'intensité, afin de déterminer la force la plus basse que la personne est en mesure d'entendre. L'intensité ou la force du son est représentée en décibels (dB). Un nombre peu élevé de décibels signifie par conséquent une meilleure sensibilité auditive puisque la personne peut entendre un son faible.

Comme nous l'avons déjà mentionné, une particularité importante du trouble de l'ouïe est que, dans la très grande majorité des cas, c'est la perception des sons de haute fréquence qui se détériore en premier avec l'âge et plus sévèrement que celle des sons de basse fréquence. Un coup d'œil à la figure 2.5 montre clairement que, avec l'avancement en âge, les sons de haute fréquence doivent être présentés avec plus d'intensité pour être entendus.

Ce que cette figure ne nous montre cependant pas, c'est la différence importante qui existe entre les hommes et les femmes. Tel que le montre la figure 2.6, les hommes ont une perte auditive plus importante que les femmes, et cette perte se produit également plus tôt (Schow *et al.*, 1978).

Mais quelle est l'origine de cette différence? Une explication de cette différence serait que les hommes ont été davantage exposés aux bruits. Il faut toutefois préciser que l'exposition continue aux bruits n'est peut-être pas toujours une cause directe et essentielle de la presbyacousie, mais qu'une telle exposition pourrait accentuer les déficits. En effet, il a été démontré que même les personnes qui n'ont pas été exposées aux bruits leur vie durant subissent néanmoins avec le vieillissement normal une perte de la sensibilité auditive.

Figure 2.5 Changement auditif avec l'avancement en âge

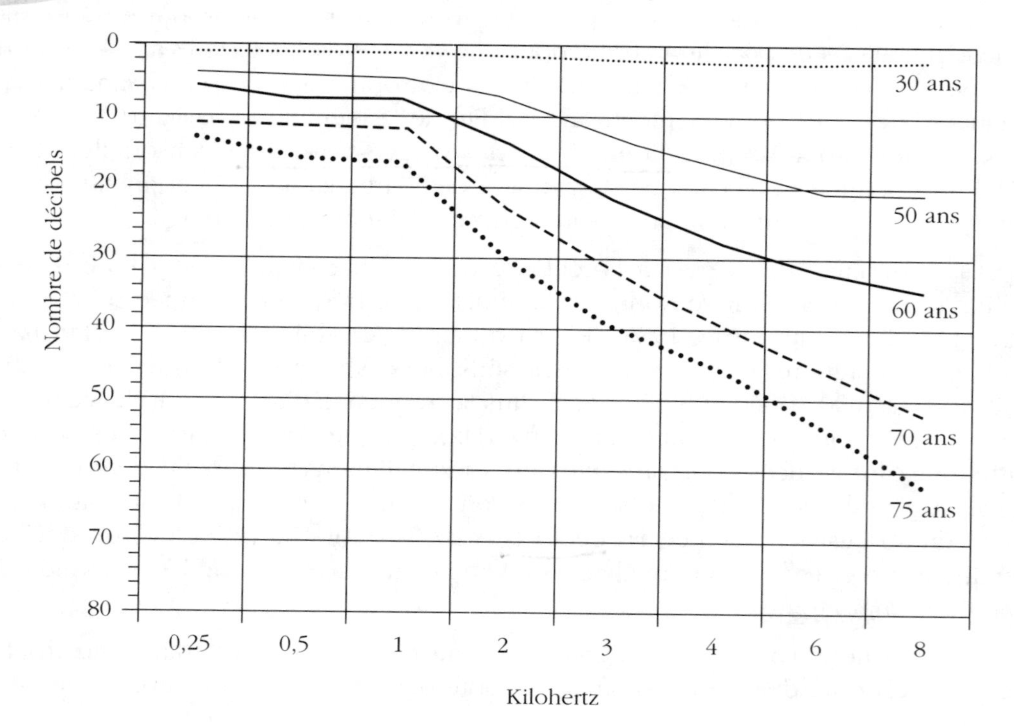

Figure 2.6 Différence entre les hommes et les femmes âgés pour différentes fréquences auditives

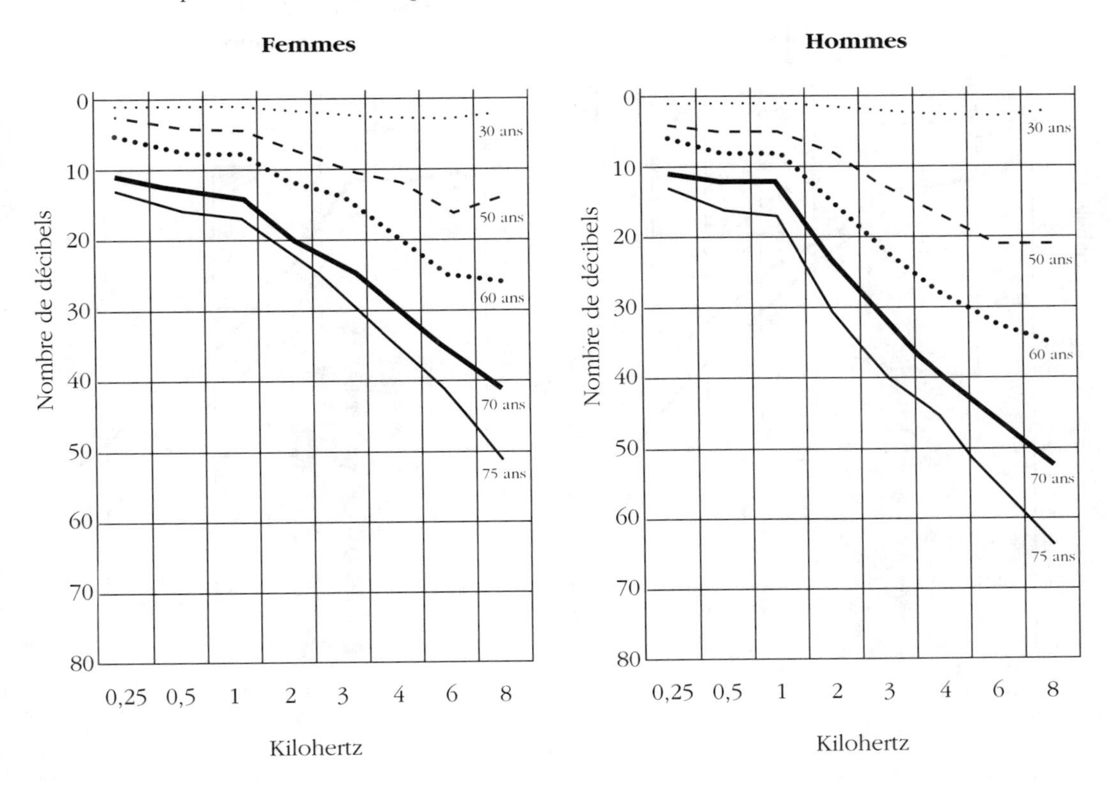

Parmi les autres facteurs qui ont été avancés pour expliquer cette diminution de sensibilité auditive, mentionnons le régime alimentaire, la maladie, comme la pneumonie, certains médicaments, tels les antibiotiques, et des facteurs génétiques (Olsho *et al.*, 1985). Mais le premier facteur demeure la dégénérescence associée à l'avancement en âge.

Il faut toutefois se demander à partir de quand cette perte progressive de l'audition devient un handicap pour les personnes âgées. Il est en effet important de souligner qu'un trouble auditif n'est pas toujours synonyme de handicap fonctionnel (Voeks *et al.*, 1990). Un handicap fonctionnel est l'effet de la perte auditive sur la vie quotidienne de l'individu. Puisqu'il n'existe pas de consensus à ce sujet, la figure 2.7 veut seulement illustrer que, même si les hautes fréquences sont moins bien entendues, cela ne devrait pas, en principe tout au moins, perturber la communication orale, puisque la plupart des mots se situent entre 500 Hz et 2 000 Hz

Figure 2.7 Handicap fonctionnel : comparaison entre les hommes et les femmes pour la fréquence conversationnelle

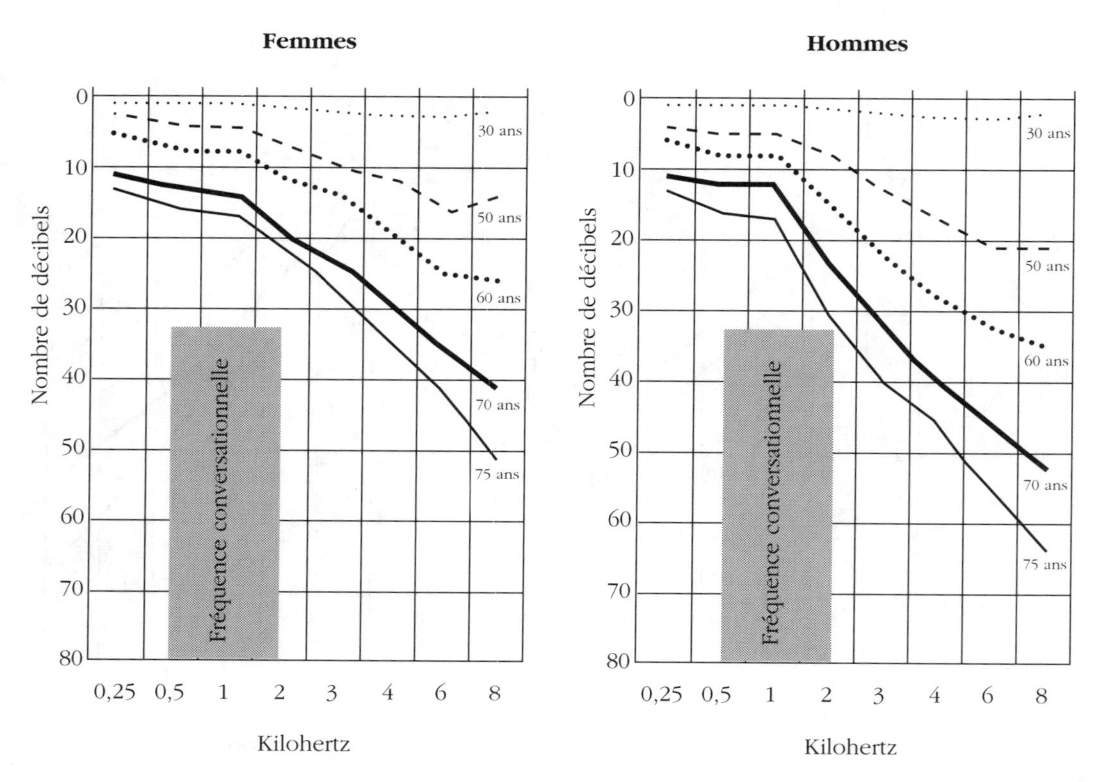

de fréquence (Bergman, 1980). Un changement sera cependant apparent en moyenne et à titre purement indicatif passé l'âge de 70 ans. Il ne faut donc pas s'attendre de trouver avant cet âge une perte auditive d'une sévérité telle que cela puisse causer un handicap chez la majorité des personnes âgées.

Cependant, cette dernière affirmation doit être nuancée, puisqu'on observe régulièrement que la perception de la parole est altérée plus souvent que la diminution de la sensibilité à de hautes fréquences ne le laisse croire (Møller, 1983). Ce phénomène est connu sous le nom de **régression phonétique**.

Cette contradiction entre la perception des sons purs et la perception de la parole s'explique de deux façons. Premièrement, la personne âgée est évaluée, pour les sons purs, dans des conditions auditives optimales, c'est-à-dire sans aucune forme d'interférence. Il faut avouer que ces conditions ne sont pas très représentatives de l'environnement quotidien (Møller, 1983). Il suffit de penser à une conversation se déroulant dans un environnement bruyant tel un restaurant, dans une rue très passante, dans une foule, ou alors que la conversation est entrecoupée de nombreuses pauses, etc. Deuxièmement, la perception de la parole est plus complexe que le simple exercice d'entendre des sons purs (Bergman, 1980). Dans ces deux cas, soit la perception de la parole et des conditions auditives difficiles, on croit que le système central joue un rôle majeur. On a en effet observé que certaines personnes âgées sans problème cochléaire ont de la difficulté à entendre les mots (Bergman, 1980). C'est au niveau du cortex cérébral, donc des fonctions cognitives, que la parole est décodée et que les sons non essentiels sont filtrés. Il faut maintenant se demander si un trouble auditif entrave la vie d'une personne âgée. La prochaine section aborde cette question encore très controversée de la relation entre un trouble de l'audition et les conséquences psychosociales.

2.3.3 Conséquences sur le bien-être de la personne âgée

Puisque l'audition joue un rôle majeur dans la vie d'une personne (Whitbourne, 1985), il est permis de croire qu'un trouble auditif peut avoir un certain nombre de conséquences néfastes dont, entre autres, celle d'entraver l'habileté des personnes âgées à entretenir et à maintenir des relations interpersonnelles signifiantes ainsi qu'à jouir convenablement de la vie. Ces affirmations sont confirmées par Bess et ses collaborateurs (1989) ainsi que par Gilhome Herbst (1983). Cette dernière étude conclut qu'un trouble auditif appauvrit considérablement la qualité de la vie, réduit les activités extérieures et les contacts personnels. Cependant, le sentiment de solitude ne semble pas être touché. Pour leur part, Weinstein et Ventry (1982) établissent une relation entre la perte de la sensibilité auditive et le sentiment de solitude ainsi que l'isolement social. Mulrow et ses collaborateurs (1990), pour leur part, après avoir comparé un groupe de personnes âgées exemptes de troubles auditifs avec des personnes âgées ayant une perte auditive moyenne de 40 dB, observent que les personnes âgées atteintes d'un trouble auditif ont, de façon générale, une moins bonne qualité de vie. Affirmer cependant que les personnes âgées atteintes d'un trouble auditif sont isolées socialement et souffrent de solitude serait, de l'avis de Flannery (1985-1986), une généralisation impropre. Selon elle, d'autres facteurs, par exemple des difficultés financières ou encore une santé physique précaire, seraient davantage responsables de ces conditions sociales que le trouble auditif. Cette allégation de Flannery nous rappelle qu'il ne faut pas oublier que plusieurs facteurs peuvent être présents en même temps. Si l'on tente d'établir une relation entre un facteur et une conséquence, mais en ignorant, volontairement ou non, les autres facteurs en jeu, cela peut conduire à une conclusion erronée.

Une relation qui a attiré l'attention des chercheurs est celle liant un trouble auditif à la santé mentale, et plus spécifiquement, à la paranoïa, à la dépression ou aux troubles démentiels. Dans l'ensemble, les résultats sont contradictoires et doivent par conséquent être interprétés avec une certaine prudence. Cooper et ses collaborateurs (1974) remarquent qu'il y a plus de patients paranoïdes ayant un trouble auditif et que, chez ces derniers, ce trouble est habituellement plus sévère et est présent depuis plus longtemps. Gilhome Herbst et Humphrey (1980) ont évalué 253 personnes âgées de plus de 70 ans de la banlieue de Londres. Parmi cet échantillon, 60 % ont une perte auditive excédant 35 dB. Gilhome Herbst et Humphrey remarquent que 79 % des personnes démentes et 69 % des personnes dépressives ont également un trouble auditif, ces résultats laissant croire qu'un trouble auditif, même modéré, serait à l'origine de la démence et de la dépression. Toutefois, après qu'elles ont eu contrôlé l'âge et le statut socioéconomique, la relation initialement établie avec la démence disparaît, mais un lien persiste pour la dépression. Elles concluent donc que l'association entre la démence et le trouble auditif n'est pas démontrée et que cette relation peut être due à l'âge avancé des sujets, mais qu'un trouble auditif pourrait conduire certaines personnes âgées à la dépression. Eastwood et ses collaborateurs (1985) avaient obtenu des résultats similaires avec 102 sujets âgés placés dans des établissements.

Dans le cas où l'on observerait un lien entre un problème d'audition et l'état mental, il s'agit de déterminer si la détérioration de l'état mental est causée par une déficience auditive ou si la relation établie est le résultat d'autres facteurs. Un de ces facteurs pourrait être que les questions posées verbalement lors des évaluations ne sont tout simplement pas comprises (Eastwood *et al.*, 1985). Par exemple, Granick et ses collaborateurs (1976) croient que la relation entre le fonctionnement intellectuel et l'audition n'est valable que pour la section verbale d'une épreuve d'intelligence. Si cela s'avère fondé, il est alors permis de penser que la performance serait meilleure si les évaluations se faisaient par écrit plutôt que verbalement. C'est le raisonnement qu'ont fait Uhlmann et ses collaborateurs (1989), qui administrent par écrit et oralement le petit examen de l'état mental de Folstein (PEEM) à des sujets qui sont probablement victimes de la maladie d'Alzheimer et dont certains ont une perte auditive. Les auteurs étaient d'avis que les sujets obtiendraient pour cette épreuve une meilleure performance sous la forme écrite que sous la forme orale. Il n'en fut rien. Pour les auteurs, cela est une démonstration éclatante qu'il existe bel et bien une association entre un trouble auditif et le fonctionnement mental. Mais le fait que les sujets étaient probablement atteints de la maladie d'Alzheimer rend les résultats douteux.

Même si les résultats précédents sont contradictoires, ils soulignent néanmoins l'importance de s'assurer que la performance obtenue lors d'une évaluation psychologique ou autre représente fidèlement la personne âgée et ne reflète pas plutôt une mauvaise compréhension des questions posées (Ohta *et al.*, 1981).

À la suite de cette brève synthèse de certains travaux, mentionnons :

- que les conséquences négatives d'un trouble auditif n'ont pas été rigoureusement évaluées (Mulrow *et al.*, 1990) ;
- que les preuves empiriques appuyant l'affirmation selon laquelle il y aurait un lien entre un trouble auditif et les conditions psychosociales sont plutôt rares, compte tenu de l'importance du problème ;
- que ces preuves sont en outre contradictoires et peu concluantes, si bien qu'il est encore difficile aujourd'hui d'avoir une idée très juste de la situation (Olsho *et al.*, 1985) ;
- que c'est seulement une faible proportion des personnes âgées atteintes d'un trouble auditif qui subit des conséquences négatives.

En effet, plusieurs de ces études ont des carences méthodologiques. Plus précisément, ces études se caractérisent par le fait qu'elles portent fréquemment sur un nombre restreint de sujets et que ces sujets sont souvent dirigés tout spécialement pour une évaluation clinique. Il est donc permis de se questionner sur la représentativité de ces sujets par rapport à l'ensemble des personnes âgées (Bergman, 1980). En outre, puisque plusieurs de ces études sont de nature corrélationnelle, il n'est pas possible de déterminer clairement la relation causale entre ces deux situations qui peuvent exister en même temps. Ainsi, lorsqu'on observe une relation entre un trouble de l'ouïe et un effet quelconque, il faut établir si cette relation est réelle ou s'il ne s'agit pas d'une relation artificielle causée par d'autres facteurs : il se peut que les effets négatifs observés dépendent plutôt de l'âge, de la scolarité ou de la maladie, par exemple. Cela est d'autant plus plausible que, lorsque ces travaux tiennent compte de l'influence d'autres facteurs, la plupart des effets négatifs préalablement observés s'estompent (Colsher & Wallace, 1990 ; Gilhome Herbst & Humphrey, 1983 ; Jones *et al.*, 1984). Néanmoins, une personne âgée souffrant d'un trouble de l'ouïe a besoin de dispositions environnementales spéciales afin de l'aider à mieux nous comprendre. La prochaine section aborde quelques aspects à considérer pour maximiser la communication.

2.3.4 Quelques considérations pratiques

Lorsque nous sommes en présence d'une personne âgée qui a été ou qui est soupçonnée d'avoir un trouble auditif, il est essentiel de suivre une certaine démarche, une démarche qui divise la communication en plusieurs éléments. Il y a tout d'abord celui qui émet le message, puis l'environnement dans lequel le message est transmis et, bien entendu, celui qui le reçoit. Les conseils fournis dans le tableau 2.2 devraient faire partie d'une routine normale. Ils viennent de différents auteurs, dont Falconer (1985-1986), Mulrow et ses collaborateurs (1990), Schow et ses collaborateurs (1978) ; on peut aussi retrouver des tactiques similaires dans Hétu (1988).

Tableau 2.2 Tactiques pour améliorer la communication

1. Dans la mesure du possible, rencontrez la personne âgée dans un endroit calme, exempt de bruit. N'hésitez pas à éliminer les bruits de fond comme la télévision, la radio. Fermez les portes et les fenêtres de la maison pour éliminer les bruits venant de l'extérieur.
2. Avant de parler à la personne, attirez son attention en lui touchant légèrement le bras ou l'épaule, ou en lui faisant un signe de la main, par exemple.
3. Faites face à la personne âgée afin qu'elle puisse voir votre visage.
4. Par conséquent, ayez un éclairage adéquat afin que la personne puisse voir vos lèvres et vos expressions faciales. Les expressions faciales et les gestes sont des sources privilégiées d'information.
5. N'obstruez pas votre visage.
6. Parlez clairement, distinctement, mais le plus naturellement possible. Il est inutile d'exagérer, cela ne faisant que rendre le message plus distorsionné.
7. Il est inutile de crier ou de parler directement dans l'oreille de la personne.
8. Évitez de parler pendant que vous prenez des notes ou que vous marchez ; évitez toute autre situation qui empêche la personne de bien vous voir.
9. Lorsque vous parlez, faites des phrases courtes, avec des mots simples.
10. Si la personne ne comprend pas, reformulez votre phrase différemment.
11. Pour vous assurer que la personne a bien compris, demandez-lui de répéter le message. En effet, certaines personnes âgées n'osent pas avouer qu'elles ont un problème auditif ou qu'elles n'ont pas bien compris le message.
12. Utilisez un micro et un amplificateur portatif si cela est nécessaire.

RÉSUMÉ

- Vers la quarantaine, il est possible de noter un changement dans la vision. La vision peut être affectée de deux façons : par le vieillissement et par la maladie.
- Les changements normaux du vieillissement entraînent : une diminution de l'acuité visuelle ; une difficulté à voir de près ; une difficulté à s'adapter à l'obscurité ; une difficulté à discriminer les couleurs ; une sensibilité accrue à la lumière.

- Outre ces changements liés au vieillissement normal, des troubles visuels plus sérieux peuvent aussi apparaître : les cataractes, les glaucomes et la dégénérescence maculaire.
- Le vieillissement normal amène une diminution progressive de la vision.
- Considérant l'influence de cette situation sur l'adaptation au milieu, trop peu d'études ont fait le lien entre la diminution de la vision liée au vieillissement et les diverses conséquences de ces changements sur le fonctionnement quotidien des personnes âgées.
- Cette diminution de la vision peut avoir des conséquences non négligeables sur la personne et sur certaines de ses sphères d'activité.
- Certaines personnes âgées, à diminution visuelle égale, ne vivront pas les mêmes conséquences, ce qui souligne les différences individuelles.
- Le milieu doit être façonné de manière à offrir un soutien à la personne âgée aux prises avec des limitations visuelles, et ainsi compenser pour la diminution de la vision.
- Une minorité de personnes âgées auront des problèmes sérieux pouvant mener à la cécité.
- Le changement auditif associé au vieillissement qui est le mieux établi et le mieux accepté est la diminution de la sensibilité aux sons purs de haute fréquence : la presbyacousie.
- La détérioration de la sensibilité auditive apparaît relativement tôt dans la vie d'une personne, les changements les plus importants survenant à la vieillesse.
- Les hommes ont une diminution auditive plus précoce que celle des femmes, et la différence est plus marquée.
- La presbyacousie a pour origine l'oreille interne, alors que les troubles de conduction prennent naissance dans l'oreille externe et l'oreille moyenne.
- Cette diminution est plus manifeste pour la perception de la parole et dans un environnement hostile, c'est-à-dire lorsque les conditions ne sont pas idéales : présence de bruits périphériques, variations du débit de la parole, réverbération, par exemple.
- Dans ce dernier cas, le système central joue un rôle prépondérant.
- L'existence d'une relation entre un trouble de l'ouïe et la détérioration de l'état mental n'est pas entièrement démontrée, et ce, plus particulièrement pour la démence.
- Avant d'établir une relation entre un trouble de l'ouïe et la détérioration de l'état mental, il faut tenir compte d'autres facteurs tels que l'âge avancé, la maladie, le fait de ne pas comprendre les questions posées, etc.
- Il est possible de rendre la communication plus facile en modifiant l'environnement.

LECTURES SUGGÉRÉES

Bergman, M. (1980). *Aging and the perception of speech.* Baltimore : University Park Press.

Gardner, T.W., & Shoch, D. (1987). *Handbook of ophthalmology : A practical guide for nonophthalmologist.* Norwalk, Connecticut : Appleton & Lange.

Hinchcliffe, R. (1983). *Hearing and balance in the elderly.* Edinburgh : Churchill Livingstone.

Sekuler, R., Kline, D., & Dismukes, K. (1982). *Aging and human visual function.* New York : Alan R. Liss.

RÉFÉRENCES

Anderson, B., & Palmore, E. (1974). Longitudinal evaluation of ocular function. Dans E. Palmore (dir.), *Normal aging.* Durham, NC : Duke University Press.

Balazs, E.A., & Denlinger, J.L. (1982). Aging changes in the vitreus. Dans R. Sekuler, D. Kline & K. Dismukes (dir.), *Aging and human visual function* (p. 45-57). New York : Alan R. Liss.

Bennet, E.S., & Eklund, S.J. (1983). Vision changes, intelligence, and aging : Part 2. *Educational Gerontology, 9,* 435-442.

Bergman, M. (1980). *Aging and the perception of speech.* Baltimore : University Park Press.

Bess, F.H., Lichtenstein, M.J., Logan, S.A., Burger, M.C., & Nelson, E. (1989). Hearing impairment as a determinant of function in the elderly. *Journal of the American Geriatrics Society, 37,* 123-128.

Birren, J.E., & Williams, M.V. (1982). A perspective on aging and visual function. Dans R. Sekuler, D. Kline & K. Dismukes (dir.), *Aging and human visual function* (p. 7-19). New York : Alan R. Liss.

Branch, L.G., Horowitz, A., & Carr, C. (1989). The implications for everyday life of incident selfreported visual decline among people over age 65 living in the community. *The Gerontologist, 29,* 359-365.

Carter, J.H. (1982). The effects of aging upon selected visual functions : Color vision, glare sensitivity, field of vision and accommodation. Dans R. Sekuler,

D. Kline & K. Dismukes (dir.), *Aging and human visual function.* New York : Alan R. Liss.

Colsher, P.L., & Wallace, R.B. (1990). Are hearing and visual dysfunction associated with cognitive impairment? A population based approach. *The Journal of Applied Gerontology, 9,* 91-105.

Cooper, A.F., Curry, A.R., Kay, D.W.K., Garside, R.F., & Roth, M. (1974). Hearing loss in paranoid and affective psychoses of the elderly. *The Lancet II,* 851-854.

Corso, J.F. (1981). Human engineering for the elderly. *Academic Psychology Bulletin, 3,* 197-201.

Eastwood, R., Corbin, S., Reed, M., Nobbs, H., & Kedward, H.B. (1985). Acquired hearing loss and psychiatric illness : An estimate of prevalence and comorbidity in a geriatric setting. *British Journal of Psychiatry, 147,* 552-556.

Falconer, J. (1985-1986). Aging and hearing. *Physical and Occupational Therapy in Geriatrics, 4,* 320.

Felson, D.T., Anderson, J.J., Hannan, M.T., Milton, R.C., *et al.* (1989). Impaired vision and hip fracture : The Framinghan Study. *Journal of the American Geriatrics Society, 37,* 495-500.

Flannery, R.B. (1985-1986). Negative affectivity, daily hassles, and somatic illness : Preliminary inquiry concerning hassles measurement. *Educational and Psychological Measurement, 46,* 1001-1004.

Gardner, T.W., & Shoch, D. (1987). *Handbook of ophthalmology : A practical guide for nonophthalmologist.* Norwalk, Connecticut : Appleton & Lange.

Gilhome Herbst, K. (1983). Psychosocial consequences of disorders of hearing in the elderly. Dans R. Hinchcliffe (dir.), *Hearing and balance in the elderly* (p. 174-200). Edinburgh : Churchill Livingstone.

Gilhome Herbst, K., & Humphrey, C. (1980). Hearing impairment and mental state in the elderly at home. *British Medical Journal, 281,* 903-905.

Granick, S., Kleban, M.H., & Weiss, A.D. (1976). Relationships between hearing loss and cognition in normally hearing aged persons. *Journal of Gerontology, 31,* 434-440.

Greenberg, D.A., & Branch, L.G. (1982). A review of methodological issues concerning incidence and prevalence data of visual deterioration in elders. Dans R. Sekuler, D. Kline & K. Dismukes (dir.), *Aging and human visual function* (p. 279-296). New York : Alan R. Liss.

Heinemann, A.W., Colorez, A., Frank, S., & Taylor, D. (1988). Leisure activity participation of elderly individuals with low vision. *The Gerontologist, 28*, 181-184.

Hétu, J.-L. (1988). *Psychologie du vieillissement.* Montréal : Éditions du Méridien.

Hinchcliffe, R. (1983). *Hearing and balance in the elderly.* Edinburgh : Churchill Livingstone.

Jones, D.A., Victor, C.R., & Vetter, N.J. (1984). Hearing difficulty and its psychological implications for the elderly. *Journal of Epidemiology and Community Health, 38*, 75-78.

Kline, D.W., Kline, T.J.B., Fozard, J.L., Kosnik, W., & Schieber, F. (1982). Vision, aging, and driving : The problems of older drivers. *Journal of Gerontology, 47*, 27-34.

Kline, D.W., & Schieber, F. (1985). Vision and aging. Dans J.E. Birren et K.W. Schaie (dir.), *Handbook of the psychology of aging* (2e éd., p. 296-331). New York : Van Nostrand Reinhold Company.

Kosnik, W., Winslow, L., Kline, D., Rasinski, K., & Sekuler, R. (1988). Visual changes in daily life throughout adulthood. *Journal of Gerontology : Psychological Sciences, 43*, P63-P70.

Manley, G.A. (1983). The hearing mechanism. Dans R. Hinchcliffe (dir.), *Hearing and balance in the elderly* (p. 44-73). Edinburg : Churchill Livingstone.

Møller, B.M. (1983). Changes in hearing measures with increasing age. Dans R. Hinchcliffe (dir.), *Hearing and balance in the ederly* (p. 97-122). Edinburgh : Churchill Livingstone.

Mulrow, C.D., Aguilar, C., Endicott, J.E., Velez, R., Tuley, M.R., Charlip, W.S., & Hill, J.A. (1990). Association between hearing impairment and the quality of life of elderly individuals. *Journal of the American Geriatrics Society, 38*, 45-50.

Ohta, R., Carlin, M.F., & Harmon, B.M. (1981). Auditory acuity and performance on the Mental Status Questionnaire in the elderly. *Journal of the American Geriatrics Society, 29*, 476-478.

Olsho, L.W., Harkins, S.W., & Lenhardt, M.L. (1985). Aging and the auditory system. Dans J.E. Birren et K.W. Schaie (dir.), *Handbook of the psychology of aging* (2e éd., p. 332-377). New York : Van Nostrand Reinhold Company.

Pitts, D.G. (1982). The effects of aging on selected visual functions : Dark adaptation, visual acuity, stereopsis, and brightness contrast. Dans R. Sekuler, D. Kline & K. Dismukes (dir.), *Aging and human visual function* (p. 131-159). New York : Alan R. Liss.

Santé et Bien-être social Canada (1981). *La santé des Canadiens : rapport de l'Enquête Santé Canada*. Ottawa : Ministère des Approvisionnements et Services Canada (catalogue 82538F).

Schow, R.L., Christensen, J.M., Hutchinson, J., & Nerbonne, M.A. (1978). *Communication disorders of the aged : A guide for health professionals.* Baltimore : University Park Press.

Schuknecht, H.F. (1964). Further observations on the pathology of presbyacousie. *Archives of Otolaryngology, 80*, 369-382.

Sekuler, R., Kline, D., & Dismukes, K. (1982). *Aging and human visual function.* New York : Alan R. Liss.

Snyder, L.H., Pyrek, J., & Smith, K.C. (1976). Vision and mental function of the elderly. *The Gerontologist, 16*, 491-495.

Spector, A. (1982). Aging of the lens and cataract formation. Dans R. Sekuler, D. Kline & K. Dismukes (dir.), *Aging and human visual function* (p. 27-43). New York : Alan R. Liss.

Uhlmann, R.F., Teri, L., Rees, T.S., Mozlowski, K.J., & Larson, E.B. (1989). Impact of mild to moderate hearing loss on mental status testing. *Journal of the American Geriatrics Society, 37*, 223-228.

Verrillo, R.T., & Verrillo, V. (1985). Sensory and perceptual performance. Dans N. Charness (dir.), *Aging and human performance* (p. 1-45). Chichester : John Wiley & Sons.

Voeks, S.K., Gallagher, C.M., Langer, E.H., & Drinka, P.J. (1990). Hearing loss in the nursing home : An institutional issue. *Journal of the American Geriatrics Society, 38*, 141-145.

Weale, R. (1963). *The aging eye.* London : Lewis.

Weinstein, B.E., & Ventry, I.M. (1982). Hearing impairment and social isolation in the elderly. *Journal of Speech and Hearing Research, 25*, 593-599.

Whitbourne, S.K. (1985). *The aging body : Physiological changes and psychological consequences.* New York : Springer-Verlag.

Chapitre 3

Sexualité

3.1 INTRODUCTION

Outre qu'elle est essentielle à la survie de notre espèce, la sexualité représente une composante fondamentale de l'expérience humaine. L'importance de cette composante nous est d'ailleurs rappelée à différents moments au cours de notre développement par des événements tels que les premières menstruations à la puberté, la naissance des enfants à l'âge adulte et la ménopause vers le début de la cinquantaine. Pour plusieurs personnes, la sexualité est reliée à la jeunesse, et cette relation est renforcée par l'image de la sexualité que projettent régulièrement les médias. Pour s'en convaincre, il suffit de noter que les photographies et les films publicitaires qui comportent une représentation explicite ou implicite de la sexualité font appel à des mannequins jeunes et attrayants. Cependant, la sexualité n'est pas l'apanage des jeunes. Comme plusieurs autres composantes de l'expérience humaine, elle continue de jouer un rôle important au cours de la vieillesse. On peut penser, par exemple, que la sexualité demeure une source d'expression d'une relation personnelle intime même tard dans la vie, lorsque la procréation n'est plus une préoccupation centrale du couple.

Plusieurs aspects de la sexualité humaine appartiennent au champ d'étude de la psychologie gérontologique, entre autres, les changements dans l'activité et le désir sexuels, les attitudes concernant la sexualité des personnes âgées ainsi que la relation entre l'orientation sexuelle et l'adaptation à la vieillesse. Cependant, la nature de la sexualité humaine est multidimensionnelle (Masters *et al.*, 1992). Outre les dimensions comportementale et psychosociale, la sexualité humaine comporte également une dimension biologique. Cette dimension fondamentale doit être prise en considération pour une compréhension plus complète de la relation entre le vieillissement et la sexualité.

Dans ce chapitre, nous examinerons la relation entre le vieillissement et la sexualité. Après avoir présenté les principaux changements physiologiques associés à la sexualité au cours du vieillissement, nous verrons les changements qui s'opèrent dans le désir, l'activité et la satisfaction sexuels. Nous étudierons par la suite les croyances et les attitudes concernant la sexualité des personnes âgées. Nous terminerons ce chapitre par des sections consacrées à la sexualité des personnes vivant dans un établissement de soins de longue durée et à l'homosexualité.

3.2 CHANGEMENTS PHYSIOLOGIQUES

La plupart des changements physiologiques qui surviennent avec le vieillissement caractérisent le passage de la phase féconde à la phase non féconde de la vie, que l'on désigne par le terme **climatère**. Une connaissance de base de la dimension biologique de la sexualité est donc très utile pour faciliter la compréhension de ces changements. Puisqu'une présentation approfondie des fondements biologiques de la sexualité déborde le cadre de ce livre, les lecteurs sont invités à consulter des ouvrages de base tels que ceux de Masters et ses collaborateurs (1992) ainsi que d'Allgeier et Allgeier (1988).

3.2.1 Changements chez la femme

La **ménopause**, qui se produit habituellement entre 49 ans et 52 ans (Rozenbaum, 1991), correspond à la cessation du cycle menstruel de la femme et marque la fin définitive de la période de procréation. Elle est précédée par une diminution de la durée du cycle menstruel de même que par des irrégularités menstruelles. Durant cette période, qui s'échelonne sur environ 10 ans, la capacité reproductive de la femme diminue progressivement (Whitbourne, 1985). La cause exacte de la ménopause n'est pas déterminée, mais il est probable qu'elle concerne un ensemble de facteurs biologiques reliés à l'interaction entre l'hypothalamus, l'hypophyse et les ovaires (Weg, 1987).

Avant la ménopause, le cycle menstruel est gouverné par la rétroaction entre des hormones produites par l'hypophyse – l'**hormone folliculostimulante** (HF) et l'**hormone lutéinisante** (HL) – et par les ovaires – les **œstrogènes** et la **progestérone**. Les changements dans le cycle menstruel au cours du climatère sont associés à des altérations dans la production de ces hormones. Il s'agit plus précisément d'une diminution de la production d'œstrogènes et de progestérone et d'une augmentation de la production des hormones HF et HL. Le déclin de la production d'œstrogènes entraîne graduellement une diminution de la stimulation de la muqueuse de la cavité utérine appelée **endomètre**. À la ménopause, la stimulation de l'endomètre est insuffisante et les menstruations cessent complètement. Les changements hormonaux qui accompagnent la ménopause sont associés à des modifications de l'apparence corporelle telles que la perte d'élasticité de la peau ainsi que la diminution de la fermeté des seins et leur aplatissement. D'autres changements surviennent dans les organes génitaux. Par exemple, les petites et grandes lèvres s'amincissent, les parois du vagin deviennent plus minces et plus sèches et le vagin, plus étroit et plus court (Whitbourne, 1985).

Les altérations des organes génitaux provoquent des modifications dans la réaction sexuelle de la femme âgée. Avant de décrire ces modifications, il est bon de rappeler les principaux éléments de la réaction sexuelle. Masters et Johnson (1966) ont divisé la réaction sexuelle en quatre phases :

- la phase d'excitation ;
- la phase de plateau ;
- la phase orgasmique ;
- la phase de résolution.

Rappelons brièvement que la phase d'excitation est caractérisée chez la femme par un ensemble de réactions génitales telles que la tumescence du clitoris, l'apparition de la lubrification vaginale, une extension et une distension du vagin et une élévation partielle de l'utérus. Si la stimulation sexuelle continue, les réactions enclenchées dans la phase précédente s'intensifient pour atteindre un niveau stable durant la phase de plateau. La phase orgasmique, qui correspond au paroxysme de la réaction sexuelle, se manifeste chez la femme par des contractions se situant dans le tiers inférieur du canal vaginal et se produisant initialement à des intervalles de huit dixièmes de seconde. Après un certain nombre de contractions, les intervalles deviennent plus importants et l'intensité des contractions diminue. Des contractions surviennent également dans l'utérus. Pendant la phase de résolution, la pression artérielle ainsi que les rythmes cardiaque et respiratoire retournent à leur état normal. Il en va de même pour les organes génitaux et les autres parties du corps qui participent à la réaction sexuelle. Les manifestations de la phase de résolution chez la femme incluent le retour à la normale du volume et de la coloration du vagin et le retour du clitoris à sa position qui le laisse normalement exposé plutôt que sous son capuchon comme c'est le cas pendant les phases antérieures.

Les caractéristiques propres à chaque phase ont été observées par Masters et Johnson (1966) auprès d'un échantillon comptant près de 700 sujets, dont 382 femmes et 312 hommes. L'âge des sujets variait de 18 ans à 78 ans pour les femmes et de 21 ans à 89 ans pour les hommes. Cette fourchette a permis aux chercheurs d'effectuer des comparaisons entre les sujets âgés et le reste de l'échantillon. En ce qui concerne les comparaisons entre les femmes, le groupe de sujets âgés était composé de 61 femmes en cours de ménopause ou ménopausées, dont seulement 11 étaient âgées de 61 ans ou plus. Le petit nombre de femmes âgées et la sous-représentation des groupes d'âge les plus élevés imposent évidemment des limites sérieuses à l'interprétation des résultats. Ceux-ci permettent néanmoins d'obtenir une impression clinique valable. Dans l'ensemble, les différences révèlent que l'intensité de la réaction sexuelle est réduite chez la femme âgée. On note à la phase d'excitation que la quantité de lubrifiant diminue. La lubrification vaginale est plus lente, étant de 10 à 30 secondes chez les femmes jeunes et de une à trois minutes chez les femmes âgées. L'expansion du canal vaginal qui survient durant la phase d'excitation est également réduite et plus lente chez les femmes âgées. Chez ces dernières, l'allongement du canal vaginal se continue durant la phase de plateau, ce qui n'est pas le cas chez les femmes plus jeunes. De plus, les contractions de la phase orgasmique sont plus courtes et moins nombreuses que celles observées chez les femmes plus jeunes. Finalement, chez les femmes âgées, la résolution de la réaction sexuelle est marquée par un retour à la normale du vagin plus rapide que celui observé chez les femmes plus jeunes.

Parmi les changements associés à la ménopause, on trouve également un certain nombre de manifestations désagréables dont l'intensité varie considérablement d'une femme à une autre. L'amincissement de la paroi vaginale et la diminution de la lubrification du vagin peuvent entraîner des sensations d'irritation et même de douleur durant le coït. L'usage d'un lubrifiant peut alors rendre les rapports sexuels plus agréables. Les bouffées de chaleur atteignent la plupart des femmes ménopausées. Il s'agit d'une sensation de chaleur dans la partie supérieure du corps qui peut être accompagnée de rougeurs, de sudation et d'étourdissements. Les sudations nocturnes, qui peuvent survenir indépendamment des bouffées de chaleur, sont une autre manifestation courante (Rozenbaum, 1991). Les bouffées de chaleur peuvent être traitées par **hormonothérapie**, en particulier par l'administration d'œstrogènes et de progestérone. L'hormonothérapie peut également être utile pour la prévention de l'ostéoporose. Cependant, il faut noter qu'une polémique entoure pour l'instant l'utilisation de l'hormonothérapie supplétive à long terme. Alors que des cliniciens et des chercheurs militent en faveur de l'hormonothérapie de remplacement, d'autres font valoir que cette intervention est inutile puisque la ménopause est naturelle (Weg, 1987).

La croyance populaire associe depuis longtemps la ménopause à des réactions psychologiques négatives. Au siècle dernier, par exemple, cet événement était considéré comme lié à un dérèglement du système nerveux se manifestant par des problèmes mentaux tels que la dépression (Fortin, 1989). Comme l'ont souligné Gee et Kimball (1987), les femmes ménopausées sont encore aujourd'hui présumées dépressives en raison de changements hormonaux, de la perte de la capacité de reproduction ou du départ du plus jeune enfant du foyer familial. Cependant, il ne semble pas que ce groupe de femmes présente un risque de dépression plus élevé que celui des femmes plus jeunes (Winokur, 1973). L'existence d'une relation entre la ménopause et l'état psychologique n'a donc pas été clairement démontrée (Markson, 1987).

3.2.2 Changements chez l'homme

L'homme subit également des changements physiologiques qui ont un impact sur la sexualité. Bien qu'il n'y ait pas d'équivalent de la ménopause chez l'homme, celui-ci subit néanmoins un climatère associé à une réduction de la quantité de spermatozoïdes viables. Ce processus débute entre la quarantaine et la cinquantaine. Contrairement à ce qui se passe chez la femme, il s'agit d'une diminution de la capacité de reproduction et non d'un arrêt total de cette fonction. Par conséquent, il est possible, même pour un homme très âgé, d'engendrer un enfant (Whitbourne, 1985).

Comme chez la femme, des changements hormonaux sont observables chez l'homme vieillissant. Ces changements concernent notamment la **testostérone** et l'hormone hypophysaire HL. Outre qu'elle assure le développement et le maintien des caractéristiques sexuelles masculines (Whitbourne, 1985), la testostérone est le principal déterminant biologique du désir sexuel chez les deux sexes (Masters *et al.*, 1992). La production de la testostérone est régie par l'action de l'hormone HL. Avec le vieillissement, les cellules des testicules qui produisent la testostérone sont moins fonctionnelles, ce qui entraîne une diminution du taux de testostérone circulant dans le sang. En réaction à cette diminution, le taux d'hormone HL augmente sans pour autant provoquer une augmentation de la production de testostérone. La diminution observée dans la production de testostérone chez l'homme âgé n'est pas seulement liée au vieillissement, mais aussi aux maladies physiques dont la prévalence augmente avec le vieillissement (Whitbourne, 1985). Bien que la testostérone soit reliée au désir sexuel, la diminution observée dans la production de cette hormone chez l'homme âgé n'est que faiblement reliée à l'activité sexuelle (Davidson *et al.*, 1983). D'ailleurs, comme nous le verrons dans la prochaine section, l'activité sexuelle tend à demeurer stable chez plusieurs personnes âgées.

Des changements surviennent également dans l'appareil génital de l'homme vieillissant. On observe, entre autres, une croissance du tissu conjonctif du corps spongieux et une plus grande rigidité des artères et des veines situées dans les corps spongieux et caverneux du pénis. Il faut rappeler que les corps spongieux et caverneux permettent l'érection du pénis en se gorgeant de sang lorsque l'homme est suffisamment stimulé. Par conséquent, ces altérations peuvent être à l'origine de problèmes érectiles chez l'homme âgé. De plus, des changements structuraux dans la prostate entraînent une diminution du volume et de la pression du sperme expulsé lors de l'éjaculation (Whitbourne, 1985).

Comme chez la femme, des modifications se produisent dans la réaction sexuelle chez l'homme vieillissant. Avant d'examiner ces modifications, faisons un bref rappel des caractéristiques de la réaction sexuelle masculine telle qu'elle a été observée par Masters et Johnson (1966). À la phase d'excitation, les réactions génitales sont l'érection du pénis, l'augmentation de la tension et l'épaississement du tégument du scrotum ainsi que l'élévation des testicules. L'accroissement de la circonférence du pénis au niveau de la couronne du gland ainsi que l'élargissement et la continuation de l'élévation des testicules dans le scrotum jusqu'à ce qu'ils soient collés au corps caractérisent la phase de plateau. À la phase orgasmique, les contractions prennent naissance dans les testicules, se propagent jusqu'au pénis et conduisent à l'expulsion du sperme par le méat urétral. L'expérience paroxystique de l'éjaculation est précédée par une sensation d'impuissance à la contrôler durant un instant juste avant qu'elle se produise et juste à son début. L'homme a alors l'impression de « sentir venir l'éjaculation ». Les contractions orgasmiques masculines ont lieu à huit dixièmes de seconde d'intervalle et diminuent graduellement en fréquence et en force expulsive. La pression des deux ou trois premières contractions éjaculatoires peut expulser le sperme à une distance de 30 à 60 centimètres de l'extrémité du pénis. Pendant la phase de résolution, on observe le retour progressif du pénis à l'état de flaccidité en deux étapes, dont la deuxième est la plus longue. On observe également la descente des testicules dans le scrotum et le retour à leur taille normale. Après la phase de résolution, la plupart des hommes traversent une période réfractaire durant laquelle ils ne réagissent plus à la stimulation sexuelle.

Masters et Johnson (1966) ont étudié les caractéristiques de la réaction sexuelle chez 39 hommes âgés de 51 ans à 89 ans. La moitié de ce groupe était composée d'individus âgés de 61 ans ou plus. Les limites des résultats concernant les femmes âgées de cette étude s'appliquent donc également aux hommes âgés. Comme chez la femme, l'ensemble des différences observées entre les hommes âgés et les hommes plus jeunes suggère une diminution de l'intensité de la réaction sexuelle avec l'âge. Cette diminution est observable en ce qui concerne l'appareil génital externe en général et le pénis en particulier. Alors que le pénis d'un homme jeune peut atteindre l'érection complète en trois à cinq secondes, cette réaction nécessite une période de temps deux à trois fois plus longue chez l'homme âgé et s'étend même jusque durant la phase de plateau. En outre, la sensation d'impuissance à contrôler l'éjaculation juste avant qu'elle se produise peut être raccourcie au point d'être absente ou, au contraire, peut être prolongée sans être suivie par l'éjaculation. La puissance de l'éjaculation à la phase orgasmique est également réduite : alors que le sperme d'un homme jeune est expulsé à une distance de 30 à 60 centimètres du pénis, la distance observée chez l'homme âgé n'est que de 15 à 30 centimètres. La détumescence du pénis durant la phase de résolution est si rapide pour l'homme âgé que l'on ne peut distinguer la durée de chacune des deux étapes observées chez l'homme plus jeune. Quant à la période réfractaire, elle est plus longue chez l'homme âgé. Des différences ont également été notées en ce qui concerne la réaction du scrotum et des testicules. L'augmentation de la tension et l'épaississement du tégument scrotal, de même que l'élévation des testicules durant la phase d'excitation, sont réduits. L'augmentation de la taille des testicules durant la phase de plateau est également moins importante. À la phase de résolution, le retour du tégument scrotal à son état normal est plus lent que chez l'homme jeune. Cependant, la descente testiculaire et l'involution de l'augmentation transitoire de la taille des testicules est plus rapide chez l'homme âgé. Comme chez la femme, on constate donc une diminution de l'intensité de la réaction sexuelle avec l'âge.

3.3 CHANGEMENTS DANS LE DÉSIR, L'ACTIVITÉ ET LA SATISFACTION SEXUELS

Le désir, l'activité et la satisfaction sexuels sont interreliés. Par exemple, l'activité sexuelle dépend en partie du désir. De même, la satisfaction sexuelle résulte de l'interaction entre le désir et l'activité sexuels. On peut se demander dans quelle mesure le désir, l'activité et la satisfaction sexuels se modifient au cours du vieillissement. Avant d'examiner les connaissances dans ce domaine, il est important de souligner que la mesure de ces différentes variables est généralement obtenue en questionnant le sujet lui-même. Puisque l'autoévaluation est soumise à différents facteurs tels que la désirabilité et les attentes sociales, il existe un écart entre la réalité objective et ce que mentionne le sujet. Par exemple, certains répondants peuvent exagérer et d'autres minimiser la fréquence de leur pratique du coït en croyant ainsi projeter une image favorable d'eux-mêmes. Cette caractéristique de l'autoévaluation doit être prise en considération dans l'interprétation des résultats de recherche.

Une enquête réalisée par Brecher et ses collaborateurs (1983) aux États-Unis fournit quelques indications concernant le désir sexuel chez les personnes âgées. Les sujets de Brecher et ses collaborateurs (1983) ont été recrutés à l'aide de la liste des abonnés d'une revue populaire de consommation. Au-delà de 4 000 hommes et femmes de plus de 50 ans ont été sondés au sujet de leurs expériences et de leurs attitudes concernant la sexualité à l'aide d'un questionnaire postal. Les résultats concernant le désir sexuel sont basés sur des comparaisons entre les sujets âgés de 50 à 60 ans, ceux âgés de 60 à 70 ans et ceux âgés de 70 ans ou plus. À la question « Comment décririez-vous votre intérêt actuel pour le sexe? », le pourcentage de répondants de chacun des trois groupes d'âge qui disent avoir un intérêt sexuel fort ou modéré est de 75 %, 67 % et 59 % respectivement chez les femmes et de 94 %, 88 % et 75 % respectivement chez les hommes. Ces résultats suggèrent une diminution du désir sexuel avec l'âge. Les pourcentages des répondants qui évaluent que leur intérêt sexuel est plus faible maintenant que lorsqu'ils avaient 40 ans vont dans le même sens : selon le groupe d'âge, ils correspondent respectivement à 35 %, 50 % et 58 % chez les femmes et à 24 %, 40 % et 52 % chez les hommes.

Bien que les résultats de Brecher et ses collaborateurs (1983) suggèrent une diminution du désir sexuel avec l'âge, ils doivent être interprétés avec prudence. Puisque les chercheurs ont utilisé un devis de recherche transversal, leurs résultats peuvent refléter un effet de cohorte. Les répondants de la cohorte la plus âgée sont peut-être plus inhibés dans l'évaluation de leur désir sexuel parce qu'ils ont grandi à une époque où les mœurs sexuelles étaient plus rigides. En effet, la cohorte actuelle de personnes âgées a vécu à une époque où l'influence de l'idéologie sexuelle victorienne était encore forte en Amérique du Nord. Cette idéologie était caractérisée par le conservatisme des mœurs sexuelles, du moins en apparence (Allgeier & Allgeier, 1988). Par ailleurs, il faut noter que, dans l'enquête de Brecher et ses collaborateurs (1983), une majorité d'hommes et de femmes de 70 ans et plus ont qualifié leur désir sexuel de fort ou de modéré. On peut en conclure que, même si le désir sexuel subit une certaine diminution avec le vieillissement, il demeure présent chez la plupart des personnes âgées.

Les changements qui surviennent dans l'activité sexuelle avec le vieillissement sont difficiles à cerner puisque les recherches ont utilisé des devis différents et n'ont pas exercé le même degré de contrôle sur des variables telles que l'état matrimonial. Dans l'une de ces recherches, Starr et Weiner (1981) ont interrogé 800 adultes âgés de 60 à 91 ans. Les sujets de l'échantillon ont été regroupés selon qu'ils étaient âgés de 60 à 69 ans, de 70 à 79 ans ou de 80 à 91 ans. De même, la fréquence des rapports sexuels a été divisée en diverses catégories allant de trois fois par semaine ou plus jusqu'à l'inactivité complète. Dans l'ensemble, les différences observées suggèrent que les sujets les plus âgés sont moins actifs que les sujets plus jeunes. Cependant, l'interprétation de ces résultats est limitée du fait que les chercheurs n'ont pas séparé les effets de l'âge et de l'état matrimonial sur l'activité sexuelle. Ce dernier point est fondamental, puisqu'il est vraisemblable que les personnes mariées pratiquent le coït généralement plus souvent que les personnes qui n'ont pas de partenaire régulier. De plus, il faut rappeler que l'utilisation d'un devis de recherche transversal par Starr et Weiner (1981) entraîne la possibilité d'un effet de cohorte. Il faut reconnaître, enfin, que même si ces chercheurs ont observé un déclin des rapports sexuels d'une décennie à l'autre, leurs résultats révèlent également que plusieurs personnes âgées ont des rapports sexuels hebdomadaires.

Pour leur part, George et Weiler (1981) ont constaté que l'activité sexuelle est relativement stable au cours du vieillissement. Cette recherche longitudinale a été effectuée auprès d'un échantillon composé de personnes mariées âgées de 46 à 71 ans, lesquelles ont participé à quatre entrevues réparties sur une période de six ans. Les auteurs ont constaté que la fréquence de la pratique du coït durant cette période était demeurée stable chez la majorité (60 %) des répondants et que seulement 20 % des sujets ont mentionné une diminution de la pratique du coït au cours de cette période. Le contrôle exercé par George et Weiler (1981) sur l'état matrimonial renforce leur conclusion selon laquelle le vieillissement comme tel n'a que peu d'effet sur l'activité coïtale. Cependant, comme la perte de sujets entre les quatre entrevues est relativement élevée et attribuable surtout à la mortalité, on peut se demander si les sujets de l'échantillon final présentent un état de santé exceptionnel. Dans ce cas, il est possible que les sujets de l'étude présentent un profil d'activité sexuelle relativement stable parce qu'ils sont en très bonne santé. On observerait peut-être un profil d'activité sexuelle différent avec un échantillon plus représentatif.

L'étude de l'activité coïtale procure toutefois un aperçu incomplet de l'activité sexuelle des personnes âgées, la masturbation constituant une autre activité sexuelle importante. Les recherches transversales révèlent que le pourcentage de répondants qui se masturbent décroît de décennie en décennie (Brecher *et al.*, 1983 ; Starr & Weiner, 1981). Par exemple, cette proportion passe de 53 % chez les hommes dans la soixantaine à 46 % chez ceux âgés de 80 à 91 ans. La proportion correspondante chez les femmes est de 47 % et de 34 %, respectivement (Starr &

Weiner, 1981). En raison de la nature du devis de recherche employé, ces différences peuvent refléter un effet de cohorte. Par ailleurs, il est important de souligner que ces proportions démontrent la fréquence de la pratique de la masturbation chez les personnes âgées. En outre, cette pratique est plus répandue chez les personnes âgées qui sont veuves, divorcées ou célibataires que chez celles qui sont mariées (Starr & Weiner, 1981). La masturbation constitue probablement pour ces individus une solution de remplacement à des rapports sexuels vécus avec un partenaire.

La satisfaction sexuelle semble demeurer relativement stable ou même augmenter avec l'âge. En effet, Starr et Weiner (1981) ont observé que la majorité des répondants masculins et féminins indiquent que leur vie sexuelle est aussi satisfaisante ou plus satisfaisante maintenant que lorsqu'ils étaient plus jeunes. Plus du quart des hommes et 35% des femmes ont précisé que leur vie sexuelle était meilleure maintenant. Cependant, il faut remarquer que tel n'est pas le cas pour plusieurs personnes âgées : 23% des sujets de l'échantillon total considèrent que leur vie sexuelle est pire maintenant. La prudence s'impose dans l'interprétation des résultats de Starr et Weiner (1981), puisqu'ils ont évalué la satisfaction sexuelle de manière rétrospective. En effet, il se peut que les sujets n'aient pas un souvenir exact de leur satisfaction sexuelle passée.

En somme, que le vieillissement s'accompagne d'une diminution ou du maintien du désir et de l'activité sexuels, il semble que la satisfaction sexuelle, pour sa part, demeure relativement intacte ou tend à s'améliorer. Cette constatation suggère que la satisfaction sexuelle des personnes âgées ne dépend pas exclusivement de leur performance sexuelle. En fait, les personnes âgées sont peut-être même avantagées sur le plan sexuel comparativement aux personnes plus jeunes. Par exemple, le besoin moins prononcé d'éjaculer chez l'homme permet d'allonger la durée du coït et de prolonger son plaisir et celui de sa partenaire. De même, la ménopause permet aux femmes d'avoir une vie sexuelle active sans craindre une grossesse. Ces facteurs peuvent contribuer à la satisfaction sexuelle des personnes âgées indépendamment de leur performance sexuelle.

3.3.1 Facteurs associés à l'activité sexuelle au cours de la vieillesse

On a pu constater à la section précédente que plusieurs personnes âgées diminuent considérablement ou interrompent complètement leur activité sexuelle au fil des ans. Un certain nombre de facteurs déterminent l'activité sexuelle au cours de la vieillesse et peuvent nous aider à comprendre pourquoi cette activité diminue de façon marquée chez plusieurs individus âgés. Parmi ces facteurs, l'activité sexuelle antérieure est particulièrement importante. Cette variable est la plus fortement corrélée à l'activité sexuelle chez les personnes d'âge moyen ou d'âge avancé pour les deux sexes (Pfeiffer & Davis, 1972). Martin (1981) a également observé que l'expérience sexuelle passée est associée à l'activité sexuelle présente chez les hommes âgés de 60 à 79 ans. Puisque Pfeiffer et Davis (1972) et Martin (1981) ont mesuré l'activité sexuelle passée de façon rétrospective, il est cependant permis de se demander quelle est la fiabilité de cette mesure.

L'âge et le sexe influent également sur l'activité sexuelle au cours de la vieillesse : l'activité sexuelle diminue avec l'âge et les hommes âgés sont plus actifs que les femmes âgées (Pfeiffer & Davis, 1972). En outre, l'importance de la relation entre certaines variables et l'activité sexuelle n'est pas la même pour les hommes et les femmes. Pfeiffer et Davis (1972) ont observé que la fréquence du coït chez les femmes âgées est en relation directe avec le fait d'être marié. Cependant, l'état matrimonial n'est pas relié à la fréquence du coït chez les hommes âgés. Selon Pfeiffer et Davis (1972), cette différence tient au fait que le taux de mortalité est plus élevé chez les hommes et que les femmes veuves ou célibataires ont plus de difficultés à trouver un nouveau partenaire en raison de la désapprobation sociale et du manque d'occasions. On a aussi noté une fréquence élevée du coït chez les femmes plus jeunes, celles qui prévoient que leur satisfaction à l'égard de la vie dans cinq ans sera élevée et celles qui ne sont pas ménopausées. Chez les hommes, les variables reliées à la fréquence du coït sont les suivantes par ordre d'importance : l'âge (relation négative), la satisfaction à l'égard de la vie dans cinq ans (relation positive) et le niveau de fonctionnement physique (relation positive).

Plus récemment, Antonovsky et ses collaborateurs (1990) ont trouvé que le fait d'être marié, un bon état de santé et l'intensité du désir sexuel sont directement reliés, et dans cet ordre d'importance, à la fréquence du coït chez les femmes âgées vivant en Israël. En comparaison, la fréquence des rapports sexuels chez les hommes âgés vivant en Israël est reliée aux facteurs suivants, par ordre d'importance : l'intensité du désir sexuel, le fait d'être marié et un bon état de santé. Les résultats d'Antonovsky et ses collaborateurs (1990) confirment donc certaines observations de Pfeiffer et Davis (1972). En effet, l'état matrimonial s'avère être le meilleur prédicteur de la fréquence du coït chez les femmes âgées. De plus, l'état de santé est fortement relié à la fréquence du coït chez les hommes. Par ailleurs, les mêmes variables déterminent l'activité sexuelle des personnes âgées des deux sexes mais à des degrés différents. Ces observations suggèrent la nécessité d'adopter des modèles différents pour expliquer l'activité sexuelle des hommes et des femmes âgés (Antonovsky *et al.*, 1990).

Les résultats de Pfeiffer et Davis (1972) ainsi que ceux d'Antonovsky et ses collaborateurs (1990) mettent en relief l'importance du lien entre l'état de santé physique et l'activité sexuelle au cours de la vieillesse. Selon Schover et Jensen (1988), la relation entre la maladie chronique et le fonctionnement sexuel peut s'expliquer par :

- des facteurs physiologiques de nature hormonale, vasculaire ou neurologique ;
- des facteurs médicamenteux ;
- des facteurs émotionnels.

Une insuffisance de testostérone et une surproduction de prolactine peuvent se traduire chez l'homme par une diminution du désir sexuel de même que par une difficulté à obtenir une érection et à atteindre l'orgasme. Diverses maladies, dont celles affectant les testicules, l'hypophyse et les reins, peuvent être à l'origine d'un dérèglement de la production de testostérone ou de prolactine. Un apport sanguin insuffisant au pénis ou, inversement, un drainage veineux excessif de cet organe peuvent également être associés à une dysfonction érectile. Les facteurs de risque d'une dysfonction érectile d'origine vasculaire incluent l'hypertension, le diabète, une maladie cardiaque et l'arthrose. Divers problèmes de santé, dont la maladie de Parkinson, le diabète, les lésions médullaires et l'alcoolisme, peuvent occasionner des troubles de fonctionnement sexuel par le biais de mécanismes neurologiques. Ces troubles incluent un faible désir sexuel, une dysfonction érectile, l'absence ou la diminution de la sensation orgasmique et une interruption de l'émission du sperme. Ces mêmes problèmes peuvent aussi correspondre aux effets de certains médicaments tels que la L-Dopa, les antihypertenseurs, les antidépresseurs tricycliques et les inhibiteurs de la monoamine-oxydase. Enfin, des réactions émotionnelles à la maladie chronique peuvent également interférer avec le fonctionnement sexuel de l'homme et de la femme. Ces réactions émotionnelles incluent l'anxiété, la colère et la dépression (Schover et Jensen, 1988).

Chez la femme, les changements hormonaux ne produisent pas d'effets aussi prononcés que chez l'homme. Néanmoins, une production excessive de prolactine est associée à différentes manifestations de dysfonction sexuelle, dont l'absence de désir, la difficulté à devenir excitée et la difficulté à atteindre l'orgasme. De plus, les mêmes médicaments qui entraînent des troubles d'érection et d'émission chez l'homme peuvent empêcher une minorité de femmes d'atteindre l'orgasme. Il faut noter que les effets de changements dans les systèmes endocrinien, vasculaire ou neurologique sur le fonctionnement sexuel sont moins documentés pour la femme que pour l'homme. Toutefois, il semble que ces changements n'ont que peu d'effet sur le fonctionnement sexuel de la femme (Schover et Jensen, 1988).

En somme, l'activité sexuelle antérieure, l'âge, le sexe, l'état matrimonial et l'état de santé physique sont tous associés à l'activité sexuelle chez les personnes âgées. Avant de clore cette section, il est important de signaler que l'existence d'un lien entre la qualité de la relation entre les partenaires et l'activité sexuelle au cours de la vieillesse n'a reçu que très peu d'attention de la part des chercheurs. Certains ont observé que la satisfaction conjugale n'est que faiblement associée à la fréquence du coït (Antonovsky *et al.*, 1990 ; Marsiglio & Donnely, 1991). Est-ce à dire que la qualité des rapports au sein du couple n'est pas reliée au fonctionnement sexuel ? Cette conclusion est hâtive puisque la fréquence du coït ne constitue qu'un indicateur du fonctionnement sexuel. Il est raisonnable de penser que certains aspects de la dimension relationnelle, dont la qualité de la communication au sein du couple, sont associés à des indicateurs tels que la satisfaction sexuelle. La contribution de la dimension relationnelle au fonctionnement sexuel au cours de la vieillesse reste à explorer.

3.4 CROYANCES ET ATTITUDES CONCERNANT LA SEXUALITÉ ET LE VIEILLISSEMENT

À la lumière d'observations contenues dans les sections précédentes, il est clair que divers aspects de la sexualité se modifient au cours du vieillissement. Cependant, les changements sexuels qui surviennent sont souvent perçus de façon stéréotypée et extrêmement négative, ce qui fait que les personnes âgées sont parfois jugées inaptes à avoir une vie sexuelle active. Butler et ses collaborateurs (1991) ont exposé les croyances populaires suivantes :

- les personnes âgées n'ont pas de désirs sexuels ;
- elles ne pourraient pas faire l'amour même si elles le voulaient ;
- elles sont trop fragiles physiquement et le sexe peut leur causer de la douleur ;
- elles ne sont pas attirantes physiquement et, par conséquent, elles ne sont pas désirables sur le plan sexuel ;
- le sexe chez les personnes âgées est honteux et pervers.

Ces croyances populaires peuvent sembler surprenantes et l'on peut douter qu'elles soient très répandues dans notre société. Cependant, dans l'étude de Brecher et ses collaborateurs (1983), la vaste majorité des répondants âgés croient que la société considère les personnes âgées comme asexuées. Ce constat suggère que l'image de la personne âgée asexuée est plutôt répandue.

Nous savons que la sexualité continue d'être une composante importante de la vie à un âge avancé malgré les changements sexuels qui surviennent au cours du vieillissement. On peut donc affirmer que des croyances populaires telles que celles mises en lumière par Butler et ses collaborateurs (1991) correspondent en fait à des mythes. Cependant, même si ces croyances ne sont pas ancrées dans la réalité, elles peuvent réellement nuire aux personnes âgées de multiples façons. Premièrement, les personnes âgées peuvent se conformer aux attentes de la société et mettre fin à une vie sexuelle active en estimant que ce comportement n'est plus de leur âge. Deuxièmement, les individus qui entretiennent ces fausses croyances et qui entourent les personnes âgées peuvent les décourager d'avoir une vie sexuelle active ou leur imposer des restrictions sur le plan des activités sexuelles. Par exemple, les membres du personnel d'une résidence pour personnes âgées qui considèrent que certains comportements comme la masturbation sont immoraux ou dangereux pour la santé peuvent faire des reproches aux résidents qui ont de tels comportements. Troisièmement, ces mythes peuvent renforcer une vision stéréotypée et négative des personnes âgées au sein de la société et contribuer ainsi à la dévalorisation du vieillissement. Selon Striar et Hoffman (1984), les mythes concernant la sexualité et le vieillissement ont pour effet d'accentuer la solitude des personnes âgées, de diminuer leur estime de soi et d'entraîner chez elles des troubles de fonctionnement sur le plan sexuel. Ainsi, les mythes concernant la sexualité et les personnes âgées peuvent avoir des répercussions importantes sur ces dernières.

En raison de la nature des mythes concernant la sexualité et le vieillissement, on peut se demander si les attitudes vis-à-vis de l'expression de la sexualité au cours de la vieillesse sont généralement négatives ou intolérantes. Pour obtenir une vue d'ensemble des attitudes concernant la sexualité des personnes âgées, Dupras et ses collaborateurs (1989) ont réalisé un sondage auprès d'un échantillon représentatif de l'ensemble de la population québécoise et composé de 856 répondants. De façon générale, les résultats de Dupras et ses collaborateurs (1989) suggèrent que les attitudes concernant l'activité sexuelle des personnes âgées ne sont pas plus intolérantes que les attitudes à l'égard de la sexualité chez les adolescents. Par exemple, 55 % des sujets approuvent la masturbation chez les femmes âgées et 57 % ont cette opinion pour les hommes âgés. Les mêmes répondants ne sont pas plus tolérants à l'égard de ce comportement s'il est pratiqué par un adolescent : la proportion de répondants approuvant la masturbation chez les adolescents et les adolescentes dépasse à peine 60 %. En ce qui concerne l'activité hétérosexuelle, au-delà de 80 % des répondants approuvent l'activité hétérosexuelle des hommes et des femmes âgés dans un contexte amoureux. À titre indicatif, le taux d'approbation concernant l'activité hétérosexuelle des adolescents dans un contexte similaire n'est que de 44 %. Il faut souligner que la comparaison avec les attitudes à l'égard de la sexualité chez les adolescents a une valeur limitée. Puisque les personnes âgées sont des adultes, une comparaison avec les attitudes concernant la sexualité des adultes en général serait utile. En l'absence d'une telle comparaison, il n'est pas clair que les attitudes à l'égard de la sexualité chez les personnes âgées sont plus ou moins conservatrices que celles concernant la sexualité des adultes en général.

Bien que les résultats de Dupras et ses collaborateurs (1989) soient encourageants, il n'en demeure pas moins que plusieurs individus expriment des attitudes intolérantes vis-à-vis de l'activité sexuelle des personnes âgées. Par exemple, près de 20% des personnes interrogées par Dupras et ses collaborateurs (1989) n'approuvent pas l'activité hétérosexuelle des hommes et des femmes âgés même si cette activité prend place dans un contexte amoureux. Ce pourcentage relativement élevé porte à penser qu'un nombre important de personnes comprennent peut-être mal les besoins sexuels des personnes âgées. Les résultats de Dupras et ses collaborateurs (1989) suggèrent en outre que le degré de tolérance des attitudes à l'égard de la sexualité des personnes âgées est lié à l'âge, au sexe, à l'urbanisation, à la scolarité et à la religion. Les attitudes les plus intolérantes sont exprimées par les groupes suivants :

- les personnes les plus âgées ;
- les femmes ;
- les personnes qui résident dans de petites villes ;
- les personnes les moins scolarisées ;
- les personnes les plus religieuses.

Il est intéressant de noter que les personnes âgées, qui sont susceptibles de subir les conséquences des mythes concernant leur sexualité, sont également celles qui expriment les attitudes les plus restrictives à l'égard de leur propre sexualité. Cette relation directe entre l'âge et l'intolérance concernant la sexualité peut traduire un effet de cohorte. En effet, les personnes actuellement les plus âgées ont vécu à une époque où les mœurs sexuelles étaient davantage conservatrices que celles auxquelles les cohortes plus jeunes ont été exposées.

Puisqu'une proportion importante de la population manifeste des attitudes plutôt intolérantes en ce qui concerne la vie sexuelle des personnes âgées, on peut se demander si ces attitudes peuvent être modifiées. White et Catania (1982) ont évalué une intervention psycho-éducative traitant, entre autres, des mythes au sujet de la sexualité des personnes âgées ainsi que des changements physiologiques et psychologiques associés à la sexualité. Les sujets âgés qui ont participé à cette intervention ont démontré des changements importants dans leurs connaissances et leurs attitudes concernant la sexualité au cours de la vieillesse. Des résultats similaires ont été observés auprès de membres du personnel de résidences pour personnes âgées ainsi que de membres de la famille de ces dernières. De plus, les sujets âgés ont manifesté une augmentation de leur activité sexuelle. En somme, ces résultats démontrent qu'il est possible de modifier les connaissances, les attitudes et même les comportements relatifs à la sexualité chez les personnes âgées.

3.5 SEXUALITÉ ET VIE DANS UN ÉTABLISSEMENT DE SOINS DE LONGUE DURÉE

Une minorité de personnes âgées vivent actuellement dans un établissement de soins de longue durée. Néanmoins, il s'agit d'une réalité pour bon nombre d'individus âgés en perte d'autonomie. Plusieurs facteurs sont reliés à la vie sexuelle de ce groupe de personnes âgées. On peut les regrouper en trois catégories principales : les caractéristiques de l'établissement, celles du personnel et celles des résidents. Ces facteurs seront examinés dans cette section.

L'activité sexuelle des personnes âgées vivant dans un établissement est souvent considérée comme déficiente ou inexistante. Dans les faits, le degré auquel le comportement sexuel de ce groupe de personnes diffère de celui des autres personnes âgées n'est pas clairement déterminé parce que les chercheurs n'ont pas comparé directement ces deux populations. Mulligan et Palguta (1991) ont observé que les deux tiers des hommes âgés vivant dans un établissement sont intéressés par la sexualité, le coït représentant pour eux l'activité sexuelle préférée. Bien que la majorité de ces résidents qui ont une partenaire ne pratiquent plus le coït, d'autres comportements amoureux tels que les caresses et les baisers sont pratiqués par la plupart d'entre eux au moins une fois par mois. En outre, la satisfaction sexuelle au sein de cette population est relativement élevée (Mulligan & Palguta, 1991). Néanmoins, plusieurs autres résidents n'ont pas d'activité sexuelle et les motifs invoqués par ces derniers pour expliquer cette situation sont le manque d'occasions (Wasow & Loeb, 1979) et le manque d'intimité (Kaas, 1978).

La vie dans un établissement est généralement perçue comme défavorable à l'expression sexuelle des résidents âgés. D'une part, le contrôle exercé par le milieu laisse peu de place à la spontanéité et limite considérablement les occasions d'avoir des activités sexuelles. Les résidents âgés qui souhaitent exercer de telles activités doivent se plier à l'horaire de leur résidence même s'il ne leur convient pas. Par exemple, on peut imaginer qu'un couple âgé doit se résigner à faire l'amour tard le soir ou durant la nuit lorsque l'homme et la femme sont très fatigués. Avec le temps, cette situation peut amener certains couples à abandonner toute activité sexuelle. D'autre part, le manque d'intimité inhérent au milieu constitue un obstacle majeur à l'expression de la sexualité (Hammond, 1987). En règle générale, les portes des chambres d'une résidence pour personnes âgées ne peuvent pas être verrouillées ou peuvent être ouvertes en tout temps par le personnel pour des raisons de sécurité. Cette situation peut suffire à inhiber bon nombre d'individus qui craignent d'être surpris en train d'exercer des activités sexuelles.

Puisque le résident âgé est dépendant des membres du personnel, ces derniers peuvent également avoir un impact sur son activité sexuelle. Selon Kassel (1983), le résident âgé est soumis aux valeurs religieuses, aux jugements moraux, aux mythes et à l'anxiété du personnel. Hammond (1987) a souligné que la réaction d'un membre du personnel qui surprend un résident âgé en train de se masturber peut prendre différentes formes négatives qui peuvent mener à l'inhibition sexuelle. Parmi ces réactions, mentionnons les suivantes :

- se mettre en colère ;
- faire la morale ;
- taquiner ;
- traiter la personne comme un enfant.

La reconnaissance de l'influence possible des membres du personnel sur la sexualité des personnes âgées vivant dans un établissement a mené à l'élaboration et à l'évaluation de programmes d'intervention visant à modifier les attitudes du personnel. Ces interventions semblent efficaces pour modifier les connaissances et les attitudes concernant la sexualité des personnes âgées (Aja & Self, 1986 ; White & Catania, 1982). Par exemple, Aja et Self (1986) ont comparé les changements dans les connaissances et les attitudes de membres du personnel d'une résidence pour personnes âgées ayant participé à une intervention impliquant du matériel sexuellement implicite ou explicite. On a isolé les effets de l'intervention en comparant les résultats des sujets ayant participé à l'intervention avec ceux d'un groupe témoin. Aja et Self (1986) ont constaté que les sujets ayant participé à l'intervention avaient de meilleures connaissances et des attitudes plus tolérantes concernant la sexualité des personnes âgées. Il est à noter qu'on a observé un niveau de tolérance plus élevé chez les membres du personnel exposé à du matériel sexuellement implicite, c'est-à-dire ne contenant pas de représentation graphique de comportements sexuels (Aja & Self, 1986).

Bien que les caractéristiques d'un établissement et du personnel qui y travaille puissent concourir à restreindre l'activité sexuelle des résidents âgés, les caractéristiques des résidents eux-mêmes doivent également être prises en considération. Selon certains, l'existence d'un interdit sexuel dans une résidence pour personnes âgées est la conséquence d'un sentiment de peur chez le personnel et les résidents (Dupras, 1989). Par le biais d'entrevues semi-structurées, Dupras (1989) a observé que certains résidents craignent que la sexualité n'entraîne des conflits entre eux, leurs conjoints et les autres résidents. Ils craignent également que l'activité sexuelle ne constitue un danger pour leur santé physique, laquelle est souvent déjà dans un état précaire. Quant aux craintes du personnel, elles proviennent surtout de la menace que représente la sexualité pour leur intégrité professionnelle et leur réputation (Dupras, 1989).

Outre les craintes à l'égard de la sexualité, trois autres facteurs associés aux résidents âgés eux-mêmes peuvent contribuer à limiter l'activité sexuelle de ces derniers. Le premier facteur correspond aux attitudes concernant l'activité sexuelle. Comme il a été mentionné précédemment, les personnes âgées entretiennent des attitudes restrictives à l'égard de leur propre activité sexuelle. Leurs attitudes sont même plus conservatrices que celles des membres du personnel (Kaas, 1978). Plus de la moitié des résidents âgés interrogés par Paunonen et Haggman (1990) pensent qu'il n'est pas correct pour les personnes de leur âge d'avoir une vie sexuelle active, et seulement un cinquième des répondants ont des attitudes positives à l'égard de la sexualité. Les attitudes intolérantes de certains résidents âgés constituent donc un obstacle à l'expression de leur sexualité, attitudes qu'ils s'imposent eux-mêmes. Un deuxième facteur, l'état de santé des résidents, est également important. Les personnes âgées vivant dans un établissement présentent souvent des problèmes de santé physique et mentale qui sont susceptibles d'altérer leur fonctionnement sur le plan sexuel. Un troisième facteur, les incidents d'ordre sexuel provoqués par les résidents, est susceptible de nuire indirectement à l'activité sexuelle de ce groupe de personnes. En interrogeant le personnel infirmier d'une unité de soins prolongés pour hommes âgés, Szasz (1983) a noté trois types d'incidents de ce genre, provoqués par le quart des résidents :

- le langage sexuel (par exemple, utiliser des termes vulgaires) ;
- les actes sexuels (par exemple, faire des attouchements au personnel) ;
- le comportement sexuel implicite (par exemple, se faire voir en train de regarder une revue pornographique).

Ce genre d'incident peut rendre le personnel moins tolérant à l'égard des résidents âgés et plus réticent à l'idée de favoriser l'expression de leurs besoins sexuels au sein de l'établissement. Cette réaction peut donc nuire aux résidents eux-mêmes.

En somme, l'activité sexuelle des personnes âgées vivant dans un établissement dépend des caractéristiques de ces dernières, du milieu et du personnel. Toute intervention visant à favoriser l'expression de la sexualité chez les résidents âgés doit tenir compte de ces trois facteurs. Il est particulièrement important d'avoir des attentes réalistes vis-à-vis des résidents âgés qui présentent souvent des troubles mentaux ou des problèmes de santé physique pouvant inhiber leur désir sexuel ou entraver l'expression de leur sexualité.

3.6 HOMOSEXUALITÉ ET VIEILLISSEMENT

La proportion d'homosexuels âgés n'est pas clairement établie en raison du faible échantillonnage de personnes âgées dans les recherches qui ont documenté l'incidence des diverses orientations sexuelles (Dressel & Avant, 1983). Un autre problème concerne la difficulté à établir des critères pour déceler l'homosexualité. Si une classification stricte basée sur l'attirance érotique exclusive envers les personnes du même sexe peut sembler appropriée, une telle classification ne reflète qu'une partie de la réalité. Considérons, par exemple, les résultats de l'enquête de Brecher et ses collaborateurs (1983). Dans cette recherche concernant 4 246 sujets, seulement 56 hommes et 9 femmes âgés se considéraient comme homosexuels. Cependant, 8 % des hommes et 11 % des femmes de l'échantillon global ont révélé avoir déjà été attirés par une personne du même sexe. De plus, 13 % des hommes et 8 % des femmes ont indiqué avoir déjà eu une relation sexuelle avec une personne du même sexe. Il semble donc que, même si très peu de personnes âgées se disent homosexuelles, une proportion importante d'entre elles a déjà eu des expériences à caractère homosexuel.

Parmi les croyances populaires entourant la sexualité et le vieillissement, on trouve celle voulant que les homosexuels âgés soient seuls et inadaptés. Cette croyance concerne particulièrement les homosexuels masculins âgés (Kimmel, 1980). Selon Kelly (1977), ce n'est pas l'homosexualité qui est à l'origine de difficultés d'adaptation à la vieillesse, mais plutôt la stigmatisation de cette orientation sexuelle par la société. En effet, l'attitude négative de la société à l'égard de l'homosexualité peut se traduire de différentes façons qui sont susceptibles de nuire aux homosexuels âgés (Teitelman, 1987) :

- les hôpitaux et les unités de soins de longue durée n'accordent pas toujours de droits de visite au partenaire homosexuel ;
- les polices d'assurance-vie peuvent interdire qu'un partenaire homosexuel soit désigné comme bénéficiaire ;
- les membres de la famille d'un défunt peuvent s'opposer à ce que l'héritage aille à son partenaire homosexuel ;
- les homosexuels n'ont pas la même approbation sociale que les hétérosexuels pour démontrer ouvertement leur deuil lors du décès de leur partenaire.

Malgré les difficultés que rencontrent les homosexuels âgés, il ne semble pas que ces derniers présentent de problèmes d'adaptation particuliers. Kimmel (1980) a interviewé 14 hommes homosexuels âgés de 55 à 81 ans et a constaté que plusieurs d'entre eux témoignaient d'un degré élevé de satisfaction. Par le biais d'entrevues menées auprès de 112 homosexuels masculins âgés de 41 à 77 ans, Berger (1980) a également trouvé que la plupart d'entre eux étaient bien adaptés et satisfaits de leur vie. Les variables reliées à une bonne adaptation psychologique dans cette population sont l'intégration dans la communauté homosexuelle, l'engagement envers l'orientation homosexuelle, une faible préoccupation concernant la dissimulation de cette orientation, une relation amoureuse exclusive en cours et une satisfaction sexuelle élevée (Berger, 1980). En ce qui concerne les lesbiennes âgées, Deevey (1990) a observé que les 78 répondantes âgées de 50 à 82 ans qu'elle a interviewées présentaient une bonne santé mentale.

Le niveau d'adaptation relativement élevé des homosexuels âgés va à l'encontre de la croyance populaire, voire du mythe, voulant que les homosexuels âgés soient inadaptés. Pour certains, l'homosexualité peut même favoriser l'adaptation à la vieillesse. Selon Francher et Henkin (1973), le style de vie homosexuel permet à l'homme d'être plus autonome et davantage préparé à la discrimination sociale au cours de la vieillesse. De même, selon Kimmel et ses collaborateurs (1984), les lesbiennes ne ressentent pas autant les effets de la ménopause puisqu'elles n'adoptent pas le rôle maternel traditionnel. Elles ont également plus de chances de trouver une partenaire à un âge avancé en raison de la plus grande proportion de femmes âgées (Kimmel *et al.*, 1984). Cependant, il n'a pas été démontré que les homosexuels âgés sont mieux adaptés que les hétérosexuels âgés. Par ailleurs, le niveau d'adaptation relativement élevé des homosexuels âgés, tel qu'il a été observé dans les recherches, peut s'expliquer d'une autre façon. À l'instar de Kimmel (1980), il faut considérer que les homosexuels qui acceptent de s'identifier et de discuter de leurs préférences sexuelles sont peut-être mieux adaptés que ceux qui n'accepteraient pas de se porter volontaires pour des recherches. Dans ce contexte, on peut se demander dans quelle mesure les résultats des travaux sur l'adaptation psychologique des homosexuels âgés peuvent être généralisés.

RÉSUMÉ

- La plupart des changements physiologiques de nature sexuelle qui accompagnent le vieillissement caractérisent le climatère.
- La ménopause correspond à la cessation du cycle menstruel et marque la fin de la période de procréation chez la femme.
- Bien que le climatère masculin soit caractérisé par une diminution de la quantité de spermatozoïdes viables, l'homme vieillissant ne perd pas sa capacité d'engendrer.
- La réaction sexuelle des hommes et des femmes devient moins intense en vieillissant.
- Le vieillissement est accompagné d'une diminution ou du maintien du désir et de l'activité sexuels, tandis que la satisfaction sexuelle demeure relativement intacte ou tend à s'améliorer avec l'âge.
- L'activité sexuelle antérieure, l'âge, le sexe, l'état matrimonial et l'état de santé physique sont reliés à l'activité sexuelle chez les personnes âgées.

- De nombreux mythes véhiculent l'idée que les personnes âgées sont asexuées et plusieurs individus ont des attitudes intolérantes à l'égard de l'expression sexuelle chez les personnes âgées.
- Les attitudes les plus intolérantes à l'égard de la sexualité des personnes âgées sont le fait des personnes les plus âgées, des femmes, des personnes qui résident dans de petites villes, de celles qui sont les moins scolarisées et de celles qui sont les plus religieuses.
- L'activité sexuelle des personnes âgées vivant dans un établissement varie en fonction des caractéristiques du milieu, du personnel et des résidents.
- Malgré l'attitude négative de la société à leur égard, les homosexuels âgés ne sont pas inadaptés.

LECTURES SUGGÉRÉES

Butler, R.N., & Lewis, M.I. (1986). *Love and sex after 40.* New York : Harper & Row.

Hammond, D.B. (1987). *My parents never had sex.* Buffalo, NY : Prometheus Books.

Masters, W.H., & Johnson, V.E. (1966). *Human sexual response.* Boston, MA : Little.

RÉFÉRENCES

Aja, A., & Self, D. (1986). Alternate methods of changing nursing home staff attitudes toward sexual behavior of the aged. *Journal of Sex Education and Therapy, 12,* 37-41.

Allgeier, A.R., & Allgeier, E.R. (1988). *Sexual interactions.* Lexington, MA : D.C. Heath and Company.

Antonovsky, H., Sadowsky, M., & Maoz, B. (1990). Sexual activity of aging men and women : An Israeli study. *Behavior, Health, and Aging, 1,* 151-161.

Berger, R.M. (1980). Psychological adaptation of the older homosexual male. *Journal of Homosexuality, 5,* 161-175.

Brecher, E.M., & Consumer Reports Book Editors (1983). *Love, sex and aging.* Boston : Little, Brown.

Butler, R.N., Lewis, M.I., & Sunderland, T. (1991). *Aging and mental health : Positive psychosocial and biomedical approaches.* New York : Macmillan.

Davidson, J.M., Chen, J.J., Crapo, L., Gray, G.D., Greenleaf, W.J., & Catania, J.A. (1983). Hormonal changes and sexual function in aging men. *Journal of Clinical Endocrinology and Metabolism, 57,* 71-77.

Deevey, S. (1990). Older lesbian women : An invisible minority. *Journal of Gerontological Nursing, 16,* 35-37.

Dressel, P.L., & Avant, W.R. (1983). Range of alternatives. Dans R.B. Weg (dir.), *Sexuality in the later years : Roles and behavior* (p. 185-207). New York : Academic Press.

Dupras, A. (1989). L'interdit sexuel dans une institution hospitalière pour personnes âgées. Dans L. Plouffe & L. Plamondon (dir.), *Sexualité et vieillissement* (p. 225-235). Montréal : Méridien.

Dupras, A., Lévy, J., & Samson, J.-M. (1989). L'opinion des Québécois(es) à l'égard de la sexualité des personnes âgées. Dans L. Plouffe & L. Plamondon (dir.), *Sexualité et vieillissement* (p. 207-223). Montréal : Méridien.

Fortin, M.-F. (1989). Le vécu de la femme à la ménopause. Dans L. Plouffe & L. Plamondon (dir.), *Sexualité et vieillissement* (p. 127-152). Montréal : Méridien.

Francher, J.S., & Henkin, J. (1973). The menopausal queen : Adjustment to aging and the male homosexual. *American Journal of Orthopsychiatry, 43,* 670-674.

Gee, E.M., & Kimball, M.M. (1987). *Women and aging.* Toronto : Butterworths.

George, L.K., & Weiler, S.J. (1981). Sexuality in middle and late life : The effects of age, cohort, and gender. *Archives of General Psychiatry, 38,* 919-923.

Hammond, D.B. (1987). *My parents never had sex.* Buffalo, NY : Prometheus Books.

Kaas, M.J. (1978). Sexual expression of the elderly in nursing homes. *Gerontologist, 18,* 372-378.

Kassell, V. (1983). Long-term care institutions. Dans R.B. Weg (dir.), *Sexuality in the later years : Roles and behavior* (p. 167-184). New York : Academic Press.

Kelly, J. (1977). The aging homosexual : Myth and reality. *The Gerontologist, 17,* 328-332.

Kimmel, D.C. (1980). Life-history interviews of aging gay men. *International Journal of Aging and Human Development, 10,* 239-248.

Kimmel, D., Raphael, S., Catalano, D., & Robinson, M. (1984). Older lesbians and gay men. Dans *Sourcebook on lesbian/gay health care* (p. 69-70). San Francisco : National Gay Health Education Foundation, Inc.

Markson, E. (1987). Menopause : Psychosocial aspects. Dans G.L. Maddox (dir.), *The encyclopedia of aging* (p. 437-438). New York : Springer.

Marsiglio, W., & Donnely, D. (1991). Sexual relations in later life : A national study of married persons. *Journal of Gerontology : Social Sciences, 46*, S338-S344.

Martin, C.E. (1981). Factors affecting sexual functioning in 60-79-year-old married males. *Archives of Sexual Behavior, 10*, 399-420.

Masters, W.H., & Johnson, V.E. (1966). *Human sexual response.* Boston, MA : Little, Brown.

Masters, W.H., Johnson, V.E., & Kolodny, R.C. (1992). *Human sexuality* (4e éd.). New York : HarperCollins Publishers.

Mulligan, T., & Palguta, R.F. (1991). Sexual interest, activity, and satisfaction among male nursing home residents. *Archives of Sexual Behavior, 20*, 199-204.

Paunonen, M., & Haggman, L.A. (1990). Sexuality and the satisfaction of sexual needs : A study on the attitudes of aged home-nursing clients. *Scandinavian Journal of Caring Science, 4*, 163-168.

Pfeiffer, E., & Davis, G. (1972). Determinants of sexual behavior in middle and old age. *Journal of the American Geriatrics Society, 20*, 151-158.

Rozenbaum, H. (1991). *La ménopause : comment prolonger sa jeunesse.* Paris : Mercure de France.

Schover, L.R., & Jensen, S.B. (1988). *Sexuality and chronic illness : A comprehensive approach.* New York : Guilford Press.

Starr, B.D., & Weiner, M.B. (1981). *The Starr-Weiner report on sex and sexuality in the mature years.* New York : Stein and Day.

Striar, S.L., & Hoffman, K.S. (1984). Advocating for the socio-sexual rights of the single elderly : A six-step intervention strategy. *Journal of Social Work and Human Sexuality, 3*, 71-83.

Szasz, G. (1983). Sexual incidents in an extended care unit for aged men. *Journal of the American Geriatrics Society, 31*, 407-411.

Teitelman, J.L. (1987). Homosexuality. Dans G.L. Maddox (dir.), *The encyclopedia of aging* (p. 329-330). New York : Springer.

Wasow, M., & Loeb, M.B. (1979). Sexuality in nursing homes. *Journal of the American Geriatrics Society, 27*, 73-79.

Weg, R. (1987). Menopause : Biomedical aspects. Dans G.L. Maddox (dir.), *The encyclopedia of aging* (p. 433-437). New York : Springer.

Whitbourne, S.K. (1985). *The aging body : Physiological changes and psychological consequences.* New York : Springer-Verlag.

White, C.B., & Catania, J.A. (1982). Psychoeducational interventions for sexuality with the aged, family members of the aged, and people who work with the aged. *International Journal of Aging and Human Development, 15*, 121-138.

Winokur, G. (1973). Depression in the menopause. *American Journal of Psychiatry, 130*, 92-93.

Chapitre 4

Intelligence

4.1 INTRODUCTION

L'une des toutes premières interrogations de la psychologie gérontologique a été la suivante : « Qu'advient-il de "l'intelligence", ou des habiletés intellectuelles, au fur et à mesure qu'un individu avance en âge? » (Botwinick, 1967). En effet, les premières recherches en psychologie du vieillissement, qui sont apparues au début de ce siècle et qui étaient peu nombreuses à l'époque, se centraient, pour la plupart, sur cette question. Depuis lors, ce champ d'étude de la psychologie gérontologique a continué de progresser, tout en restant à la source de nombreuses controverses encore actuelles. Mais, il faut bien l'avouer, l'intelligence est un sujet très délicat à traiter, et ce, non seulement parce qu'il s'agit d'une qualité personnelle désirée mais également parce que le sujet est très complexe. Depuis le symposium de 1921 (*Intelligence and its measurement : A symposium*, 1921), plusieurs tentatives infructueuses ont été faites pour définir l'intelligence. En l'absence d'une définition empirique consensuelle, les entreprises visant à mesurer l'intelligence sont devenues vulnérables à la critique. L'absence d'une méthode de mesure a enrayé les efforts qui auraient pu conduire à une proposition claire sur la composition de l'intelligence, sur sa structure, et, de là, à une meilleure compréhension d'ensemble de son fonctionnement. Malgré ces lacunes, ce domaine d'étude de la psychologie a été largement dominé par l'approche psychométrique, c'est-à-dire par l'élaboration de tests ou d'épreuves visant à mesurer ce que l'on croit être l'intelligence et à estimer les différences intellectuelles entre les individus.

Dans le cadre qui nous intéresse plus particulièrement ici, il s'agit avant tout d'établir si les personnes âgées se distinguent des personnes des autres groupes d'âge sur le plan intellectuel et si les capacités intellectuelles se transforment au cours du vieillissement. Bien que ces deux questions semblent identiques, il s'agit en fait de deux interrogations différentes qui exigent le recours à des méthodes de recherche distinctes. Lorsqu'on aborde le sujet de l'intelligence chez les personnes âgées, la première chose à se demander est si l'intelligence subit chez elles, à l'instar des fonctions physiques ou corporelles, une détérioration qui les amène à ne plus être capables d'apprendre, à ne plus être capables de s'adapter, ou si, au contraire, l'avancement en âge s'accompagne d'une amélioration de certaines habiletés intellectuelles, peut-être même du développement de la sagesse. Le troisième scénario possible est que l'intelligence demeure, somme toute, inchangée dans les conditions normales de développement et d'avancement en âge.

Plus que tout autre sujet, ce champ de la psychologie gérontologique se particularise par une riche histoire de recherches et de débats qui a bien sûr évolué avec le temps. Le présent chapitre tentera de faire écho à cette évolution en gardant comme toile de fond la question suivante : « L'intelligence change-t-elle avec le vieillissement ? » Pour répondre à cette question, les études les plus représentatives serviront d'exemples. Par la suite, nous examinerons les facteurs qui, selon les chercheurs, peuvent influer sur la pleine expression de l'intelligence. Enfin, nous tenterons de savoir s'il est possible de modifier l'intelligence chez les personnes âgées. Mais, avant d'aller plus loin, il apparaît opportun de revoir sommairement ce qui la constitue.

4.2 CONCEPTUALISATION ET MESURE DE L'INTELLIGENCE

Dès le départ, les chercheurs et les théoriciens ont été confrontés à la question de base qui les hante encore aujourd'hui : « Qu'est-ce que l'intelligence ? » Il est sans doute facile d'affirmer qu'une telle personne est intelligente, brillante, alors qu'une autre l'est moins. Mais expliquer sur quelle base cette évaluation a été effectuée constitue une tâche ardue, car il est peu probable que deux individus évaluent l'intelligence avec les mêmes critères. En outre, s'il peut être relativement facile d'affirmer sommairement que telle personne est plus intelligente que telle autre lorsque l'écart qui les sépare est grand, la tâche devient plus difficile lorsque la différence entre les deux individus est plus réduite. Il est clair qu'on doit définir convenablement l'intelligence afin de mieux la comprendre, mais, pour ce faire, il faut trouver une façon adéquate de la mesurer.

À la question « Qu'est-ce que l'intelligence ? », on trouve – il faut le reconnaître – autant de réponses qu'il existe d'auteurs qui ont abordé le sujet, et, malgré l'abondance des **définitions**, aucune réponse consensuelle satisfaisante n'existe à ce jour. Pour certains, l'intelligence est une capacité générale et globale qui permet à l'individu de s'adapter à de nouvelles situations et de résoudre toutes sortes de problèmes. Pour d'autres, l'intelligence est la capacité d'avoir une pensée abstraite, de penser rationnellement. Selon Binet, il s'agit d'une capacité générale qui permet de bien comprendre, de bien juger et d'avoir un raisonnement juste. Même si l'épreuve qu'il élabore plus tard concerne une variété d'habiletés, ce pionnier postule que l'ensemble de ces différentes habiletés reflète une faculté fondamentale plus générale à laquelle toutes les autres sont subordonnées. Cette faculté, c'est le jugement, le pouvoir de s'adapter aux circonstances (Binet & Simon, 1905). Pour David Wechsler (1958), l'auteur des tests d'intelligence pour enfants et pour adultes, l'intelligence est la capacité globale qui permet d'agir en fonction d'un objectif, de penser rationnellement et de s'adapter à son environnement. Pour Cyril Burt (1955) il ne fait aucun doute que l'intelligence est une capacité générale innée, alors que pour Lewis Terman (1921) l'intelligence est la capacité de penser de manière abstraite.

Même s'il peut paraître aberrant de discourir sur un concept dont personne n'arrive à définir le contenu de manière non équivoque, il faut reconnaître que cette situation n'est pas unique à l'intelligence. En effet, plusieurs phénomènes physiques ont fait l'objet de recherches approfondies sans qu'ils soient clairement définis *a priori*. Il faut aussi comprendre que les premiers travaux sur « l'intelligence » émanaient de la psychologie expérimentale, qui cherchait avant tout à appliquer la méthode scientifique par l'observation rigoureuse et la quantification des phénomènes psychologiques. Dans ces conditions, la préoccupation dominante était l'étude des différences individuelles, la question de la définition de l'intelligence étant reléguée au second plan. Cette façon de procéder, soit mesurer avant de définir, a d'ailleurs amené Boring à faire en 1923 la proposition suivante : « L'intelligence est ce que les tests mesurent. »

À la fin du XIXe siècle, il paraissait tout à fait légitime et indiscutable de concevoir l'intelligence comme une capacité déterminée biologiquement et se transmettant d'une génération à une autre. Cette manière de concevoir l'intelligence s'inscrivait dans la lignée des travaux de Charles Darwin. Dans ce contexte, il est clair que les chercheurs de cette époque étaient plus intéressés à établir les différences entre les personnes intelligentes et les personnes moins intelligentes sur la base de certaines caractéristiques physiques et sensorielles, qu'à tenter de définir l'intelligence. Le cousin de Darwin, le naturaliste et mathématicien britannique sir

Francis Galton, s'intéressait aux différences individuelles, et plus particulièrement, à l'étude héréditaire des habiletés intellectuelles. Galton prônait donc l'idée que l'intelligence faisait partie du patrimoine héréditaire. Par exemple, une personne géniale ou émérite venait toujours d'une famille dont les membres se distinguaient par leur intelligence. Puisque Galton considérait le système sensoriel comme la source de l'information acquise, il postulait qu'il devait exister une association entre le système sensoriel et l'intelligence : les individus brillants avaient une capacité de discrimination sensorielle plus grande. De plus, cette qualité devait se transmettre de génération en génération. Mais, pour vérifier le bien-fondé de sa théorie, Galton devait évaluer et comparer des personnes d'intelligences différentes. Il mit sur pied un laboratoire anthropomorphique où il conçut des tests servant à mesurer un ensemble de fonctions physiques et sensori-motrices assez simples : le temps de réaction, l'acuité visuelle et auditive, la capacité respiratoire, la mémoire, la force musculaire. Une bonne performance à ces tests devait, selon Galton, être la preuve d'une capacité intellectuelle supérieure. Lors de l'Exposition internationale de la santé, tenue à Londres en 1884, Galton et ses assistants mirent à l'épreuve cette hypothèse en invitant plus de 9 300 personnes à se faire évaluer. Malheureusement, les résultats ne furent pas probants ; les individus reconnus pour leur intelligence ne se distinguaient pas des autres dans cette batterie de tests (Brody, 1992).

Même si les tests élaborés par Galton se sont pas avérés utiles pour différencier les individus, cette première véritable tentative d'évaluation a amorcé un mouvement qui marquera la psychologie du XXe siècle et la façon dont l'intelligence sera étudiée dans les décennies suivantes. Malgré l'échec de Galton, les chercheurs sont néanmoins déterminés à poursuivre leur quête en vue de mesurer l'intelligence à l'aide de tests sensoriels simples. Parmi eux se trouve un ancien collaborateur de Galton, l'Américain James M. Cattell. Ce dernier publie en 1890 une série de tests inspirés de ceux de Galton, qui sont qualifiés pour la première fois de tests mentaux (Thorndike & Lohman, 1990). Tout comme les tests mentaux précédents, ceux de Cattell ne permettent pas de prédire comme prévu les résultats scolaires. La communauté scientifique devient alors sceptique quant à la possibilité de mesurer les fonctions mentales. Mais ce scepticisme ne gagne pas tous les chercheurs. Ainsi, pour le Français Alfred Binet, il est évident que les tests jusqu'alors utilisés sont trop simples et ne constituent pas la meilleure façon de cerner l'intelligence.

Vers 1890, Binet commence ses recherches sur les différences individuelles des facultés supérieures en utilisant comme sujets ses propres filles. Six ans plus tard, avec Henri (Binet & Henri, 1896), il rédige un article théorique exposant les grandes lignes de ce que devrait être un test d'intelligence. Binet et Henri y critiquent les tests issus des laboratoires de Galton, de Cattell et de leurs disciples. Pour Henri et Binet, ces tests sont trop axés sur le sensoriel et ils ne peuvent arriver à mesurer des fonctions mentales complexes telles que l'imagination, le sentiment esthétique, la mémoire et la compréhension. Pendant ce temps, l'État français rend l'école obligatoire pour tous les enfants. Le ministère de l'Instruction publique forme en 1904 une commission dont le mandat est de trouver une méthode pour repérer les enfants qui ne peuvent bénéficier du programme d'enseignement général.

Binet, qui est membre de cette commission, veut concevoir une méthode d'évaluation facile à utiliser, rapide à administrer et capable de dépister les enfants d'intelligence inférieure. Pour Binet, un enfant d'intelligence inférieure est plus lent à acquérir de nouvelles connaissances et, dès lors, ses connaissances sont plus limitées que celles d'un enfant d'intelligence normale. Binet et son collaborateur Théodore Simon publient en 1905 ce qui allait être considéré comme le premier véritable test d'intelligence, que l'ensemble des autres tests allait avoir pour modèle. Il s'agissait de l'**échelle métrique d'intelligence**, aussi appelée test Binet-Simon. Cette échelle comprenait 30 questions de jugement, de compréhension, de raisonnement et de mémoire, présentées par ordre croissant de difficulté, de manière que l'ensemble des enfants normaux d'un **âge chronologique** donné puissent répondre aux questions considérées comme adaptées à cet âge. Cette épreuve permettait d'estimer l'**âge mental** d'un enfant. Par exemple, si un enfant de six ans d'âge chronologique répondait aux questions auxquelles, normalement, un enfant de cinq ans aurait répondu, son âge mental était donc de cinq ans. Les diverses tâches impliquées par ce test relevaient d'une faculté fondamentale, et pour Binet, cette faculté fondamentale, c'était le jugement, c'est-à-dire le bon sens, le sens pratique et la faculté de s'adapter aux circonstances de la vie (Binet & Simon, 1905). Cette échelle a fait l'objet de révisions par la suite, en 1908 et en 1911.

En 1912, le psychologue allemand William Stern propose un concept maintenant bien connu : le **quotient intellectuel**, ou Q.I. La formule de Stern pour calculer le Q.I. est simple : l'âge mental est divisé par l'âge chronologique et multiplié par 100. Tous les enfants qui ont le même âge mental et chronologique ont donc un quotient intellectuel de 100. Les enfants plus brillants ont un quotient supérieur à 100, alors que les enfants moins intelligents ont un quotient inférieur à 100. Avec le concept du Q.I., l'intelligence devenait subitement quelque chose de quantifiable.

L'échelle métrique d'intelligence Binet-Simon franchit l'Atlantique et gagna en popularité aux États-Unis grâce, entre autres, à Lewis Terman, de l'Université Stanford. Ce dernier entreprit de la traduire et de la retravailler en lui ajoutant des questions. Cela donna le Stanford-Binet (Terman, 1916), qui, pendant de nombreuses années, fut le test le plus utilisé en Amérique. Ce dernier a subi de nombreuses révisions, la quatrième et dernière révision datant de 1986.

Toutefois, un problème important se posait. Ces épreuves avaient été conçues avant tout pour les enfants. Bien que, durant la Première Guerre mondiale, un test d'intelligence collectif nommé *Army Alpha* ait été conçu pour évaluer les recrues de l'armée américaine, des auteurs comme Wechsler, de l'hôpital Bellevue de New York, sentaient la nécessité d'avoir un test d'intelligence individuel spécialement conçu pour les adultes. C'est ainsi que Wechsler élabora, en 1939, l'échelle d'intelligence Wechsler-Bellevue, qui allait devenir au cours de ses révisions ultérieures l'échelle d'intelligence Wechsler pour adultes, mieux connue sous la forme de l'acronyme anglais WAIS (*Wechsler Adult Intelligence Scale*; Wechsler, 1955).

Puisque de nombreuses études portant sur les personnes âgées ont utilisé le WAIS, ou une forme apparentée, il apparaît approprié de décrire brièvement cette échelle. Le WAIS se divise en deux parties, une échelle verbale et une échelle non verbale ou de performance, comportant au total 11 épreuves – ou sous-tests – dont 6 sont verbales et 5 non verbales (voir tableau 4.1).

Tableau 4.1 Description d'un sous-test de l'échelle d'intelligence de Wechsler pour adultes

A. Échelle verbale Épreuve	Objectif d'évaluation
Connaissances générales	Connaissances générales en biologie, en littérature, en géographie, etc. Exemple : Combien de jours y a-t-il dans une semaine ?
Jugement et compréhension	Connaissance du comportement approprié, de la façon de négocier avec l'environnement Exemple : Quel est l'avantage de garder l'argent à la banque ?
Arithmétique	Problème d'arithmétique à résoudre mentalement (temps limité) Exemple : Si deux pommes coûtent 15 cents, combien coûtera une douzaine de pommes ?
Similitudes	En quoi deux choses se ressemblent Exemple : En quoi une scie et un marteau sont-ils similaires ?
Mémoire immédiate	Mémoire des chiffres (répéter des séries de chiffres dans le même ordre ou à rebours) Exemple : 3-8-2
Vocabulaire	Définition de mots pour évaluer l'étendue du vocabulaire Exemple : Qu'est-ce qu'une chaise ?

Tableau 4.1 (*suite*)

B. Échelle de performance	
Substitution	Une série de chiffres à laquelle est associée une série de signes ; remplacement du chiffre par le signe correspondant
Images à compléter	Un dessin auquel il manque quelque chose
Cube de Kohs (ou dessins avec blocs)	Reproduction du modèle présenté à l'aide de blocs dont chacune des surfaces est de couleur différente
Histoire en images	Organisation des images en ordre cohérent de façon à former une histoire
Assemblage d'objets	Assemblage des pièces d'un casse-tête

On attribue une cote pour la partie verbale et une autre pour la partie non verbale. Une cote globale brute est obtenue par l'addition des deux cotes précédentes. Cette note brute est ensuite transformée en Q.I. Si Wechsler adopte le concept du Q.I., il renouvelle radicalement la manière dont il est obtenu. Car la méthode proposée par Stern cause un problème chez l'adulte. En effet, si l'âge chronologique continue d'augmenter, l'âge mental, lui, ne peut dépasser une limite supérieure. Par exemple, si un individu a 18 ans d'âge chronologique et d'âge mental, son Q.I. est de 100. Trois mois plus tard, le même individu voit son Q.I. baisser sans raison à 98. On est ainsi amené à constater que le Q.I. d'un adulte baisse au fur et à mesure de ses anniversaires, ce qui n'a aucun sens.

Pour remédier à ce problème, Wechsler suggère de déterminer la valeur du Q.I. en utilisant la courbe normale des probabilités. Lorsque le sujet a passé le test, on estime son Q.I. en comparant son résultat à ceux d'autres individus du même groupe d'âge. De cette manière, il est possible de déterminer jusqu'à quel point un individu s'écarte du rendement moyen. Les échelles de l'intelligence de Wechsler ont un Q.I. moyen de 100 et un écart type de 10.

Il existe bien entendu beaucoup d'autres tests. Déjà Cattell, en 1943, dénombrait près de 40 tests d'intelligence. Un autre test d'intelligence fréquemment utilisé en psychologie gérontologique est celui qui a été mis au point en 1941 par Thurstone et Thurstone : le *Primary Mental Abilities* (PMA : test d'aptitudes mentales primaires). Ce test mesure cinq aptitudes mentales, soit la signification verbale, la fluidité verbale, l'aptitude spatiale, l'aptitude numérique et la faculté de raisonnement.

Non seulement les tests mentaux ont un aspect pratique indéniable, par exemple celui de dépister les enfants éprouvant des difficultés scolaires, mais ils permettent également de mieux comprendre la **structure de l'intelligence**. La structure de l'intelligence se rapporte à la forme ou aux formes que les habiletés mentales prennent et à la manière dont ces habiletés sont organisées (Sternberg, 1979). Généralement, la découverte de ces structures se fait au moyen de coefficients de corrélation, mais préférablement par l'analyse factorielle. Si Binet est à l'origine du premier test d'intelligence, on reconnaît au psychologue et statisticien britannique Charles Spearman (1904, 1914, 1927) le mérite d'être à l'origine de la première théorie vraiment structurée et opérationnelle de l'intelligence. Cette théorie est celle qui a le plus marqué le champ d'étude de l'intelligence et elle constitue la référence sur laquelle les autres théories se sont appuyées.

Pour Spearman, il ne fait aucun doute que toutes les épreuves d'intelligence utilisées jusque-là font appel à une seule habileté commune, universelle. Il nomme cette habileté le **facteur général**, ou g, qui correspond à l'énergie mentale de chaque personne. Chaque personne possède une quantité variable de ce facteur selon son degré d'intelligence. Une façon de prouver l'exactitude de cette théorie est de démontrer que les tests sont tous positivement corrélés entre eux. Les résultats de Spearman montrent une relation, ce qui confirme l'existence du facteur g. Mais Spearman est contraint d'admettre, non sans réticences, que le facteur g ne peut expliquer l'ensemble des corrélations puisque les relations observées ne sont pas parfaites. Afin d'expliquer l'écart entre ce fait et sa théorie, Spearman propose qu'un test particulier fasse intervenir un facteur supplémentaire, plus spécifique, qu'il nomme le **facteur s**. Par exemple, la capacité de résoudre un problème d'arithmétique serait déterminée par le facteur général, le facteur g, mais aussi par le facteur spécialisé en arithmétique, le facteur s_a, alors qu'un test de vocabulaire serait déterminé par le facteur g et le facteur spécifique du vocabulaire, le facteur s_v. Cette théorie est d'ailleurs connue sous le nom de **théorie de l'intelligence à deux facteurs**. Cependant, c'est le facteur g qui domine, au point que Spearman n'hésite pas à décrire sa théorie comme étant « monarchique ». Le facteur g, et rien d'autre, règne sur la totalité des autres habiletés intellectuelles. Selon plusieurs, cette théorie procure les arguments nécessaires pour justifier la création de tests d'intelligence constitués d'un mélange de tests variés.

D'autres chercheurs, en utilisant une autre méthode d'analyse factorielle, la méthode centroïde, s'opposèrent à Spearman. Thurstone (1938), aux États-Unis, croit au contraire que les différentes épreuves ne sont pas toutes universellement corrélées entre elles, comme le prétendait Spearman. Selon Thurstone, il y a des habiletés qui ont tendance à se regrouper naturellement en catégories de facteurs. Après avoir appliqué l'analyse factorielle à un grand nombre de tests, Thurstone réussit à démontrer que l'intelligence ne se réduit pas à un ou deux facteurs. Par ces analyses, il démontre au contraire que l'intelligence est composée de sept aptitudes mentales primaires distinctes : les habiletés verbales, numériques, spatiales, mnémoniques et perceptives, la fluidité verbale et le raisonnement. Toutefois, les habiletés primaires ne sont pas aussi indépendantes qu'il l'aurait souhaité, ce qui l'oblige à accepter l'existence d'un facteur g qui les unit. Pour sa part, Spearman admet de son côté la présence de facteurs de groupes intermédiaires entre son facteur général et ses facteurs spécifiques. Depuis lors, les efforts de recherche se sont tournés vers le dénombrement toujours plus considérable d'habiletés primaires.

Ainsi, Guilford (1967) s'oppose également à l'existence d'un seul facteur général et propose même une structure de l'intelligence encore plus étendue. Il imagine un modèle tridimensionnel de l'intelligence, caractérisé par un contenu (ce à quoi nous pensons), des opérations (nos façons de penser) et un produit (les effets de l'application d'une certaine opération à un certain contenu). À chacune de ces trois dimensions sont associés plusieurs processus qui peuvent être représentés par un cube. La totalité de ces dimensions et ces divers processus donnent un groupement de 150 facteurs ou habiletés théoriques de l'intelligence.

4.3 L'INTELLIGENCE SE MODIFIE-T-ELLE AVEC L'ÂGE ?

Se demander si l'intelligence se modifie avec l'âge, c'est sans doute mal poser la question, car, souvent, ce que l'on désire savoir réellement, c'est si l'intelligence *diminue* avec l'âge. De la même façon que cela se produit pour les capacités physiques, est-il légitime de penser que, après une étape de croissance, l'intelligence se stabilise avant de subir une décroissance lente mais néanmoins implacable ? C'est à cette question que les premières études ont voulu répondre. Il était en fait reconnu que la capacité intellectuelle se développait progressivement jusqu'à un âge assez variable selon les études, néanmoins situé entre 16 et 20 ans. Toutefois, on ignorait ce qui se produisait au-delà de cet âge. Il va de soi qu'il fallut attendre la mise au point des tests d'intelligence pour les adultes avant de tenter de répondre à cette question. L'entrée en guerre des États-Unis lors du premier conflit mondial donna l'occasion d'élaborer le premier test d'intelligence collectif conçu pour des adultes. C'est ainsi que près de deux millions de recrues de l'armée américaine furent évaluées avec l'*Army Alpha* ou son homologue pour les individus non lettrés, l'*Army Beta*. À l'examen des résultats obtenus, on observa que les cotes décroissaient avec l'âge chronologique des recrues. Cette observation constituait un premier indice que l'intelligence diminuait avec l'âge (Woodruff-Pak, 1988). Toutefois, cette diminution du rendement intellectuel pouvait être attribuable au fait que les hommes les plus intelligents étaient, pour une raison ou une autre, exemptés du service militaire (Salthouse, 1989).

Depuis lors, de 1920 à nos jours, un nombre important d'études ont été réalisées afin de prouver la validité de cette observation. Ce n'est pas dans notre intention ici d'en faire une recension exhaustive, car les études sont trop nombreuses et, d'ailleurs, ce serait inutile, car les résultats, à quelques exceptions près, sont d'une stabilité surprenante. Quelques études seulement serviront d'exemples, les plus classiques ayant été réalisées par Beeson (1920), Foster et Taylor (1920), Willoughby (1927), Miles et Miles (1932), Jones et Conrad (1933) ainsi que Doppelt et Wallace (1955).

En 1920, Beeson administre le test Stanford-Binet à 20 sujets âgés de 55 à 93 ans, vivant dans un centre d'accueil. À sa grande surprise, et contrairement à ses attentes, lorsqu'il compare les sujets les plus jeunes de son échantillon avec les sujets les plus vieux, Beeson constate que ce sont ces derniers qui obtiennent un âge mental – et donc un quotient intellectuel – plus élevé. Beeson explique habilement ce résultat par le fait que les sujets les plus vieux ont surmonté la maladie et repoussé la mort, ce qui indique sans doute une plus grande vigueur physique et mentale. À l'inverse, les «jeunes vieux» de son échantillon se retrouvent en centre d'accueil probablement parce qu'ils ne possédaient pas les capacités intellectuelles nécessaires pour s'adapter à leur environnement. Le faible nombre de sujets et la provenance de ceux-ci empêchent la généralisation des résultats à l'ensemble de la population âgée, mais ces résultats soulignent l'importance de la sélection des sujets.

Durant la même année, Foster et Taylor (1920) publient les résultats de leur recherche concernant cinq groupes de sujets: des personnes âgées de 50 ans et plus venant d'un hôpital, des personnes âgées psychotiques, des individus âgés de 20 à 30 ans, des jeunes psychotiques et un groupe d'étudiants. Elles obtiennent des résultats différents de ceux obtenus par Beeson. Elles remarquent que la cote totale du test d'intelligence utilisé décline de manière linéaire avec l'âge chronologique pour le groupe de sujets âgés. L'absence d'analyse statistique appropriée empêche toutefois de conclure que ce déclin est significatif.

Miles et Miles (1932) administrent une forme brève de l'*Otis Self-Administering Test of Intelligence* à 823 sujets âgés de 7 à 94 ans. Les principaux résultats de cette étude sont présentés à la figure 4.1. Après avoir jeté un coup d'œil à cette figure, il paraît manifeste que l'intelligence décroît avec les années. Plus précisément, les auteurs mentionnent que la performance intellectuelle maximale est atteinte vers l'âge de 18 ans, que la vingtaine est caractérisée par un plateau, après quoi l'on assiste à une glissade de l'intelligence, lente au début mais qui s'accélère de manière importante par la suite jusqu'à l'âge de 94 ans. Pour leur part, Jones et Conrad (1933) entreprennent une vaste étude qui consiste à administrer l'*Army Alpha* à près de 1 200 sujets venant des communautés rurales de la Nouvelle-Angleterre. La courbe obtenue dans cette étude est analogue à celle des études précédentes. Tel que le montre la figure 4.2, les auteurs observent en effet une

Figure 4.1 Distribution des résultats obtenus au test d'intelligence Otis, pour différentes cohortes

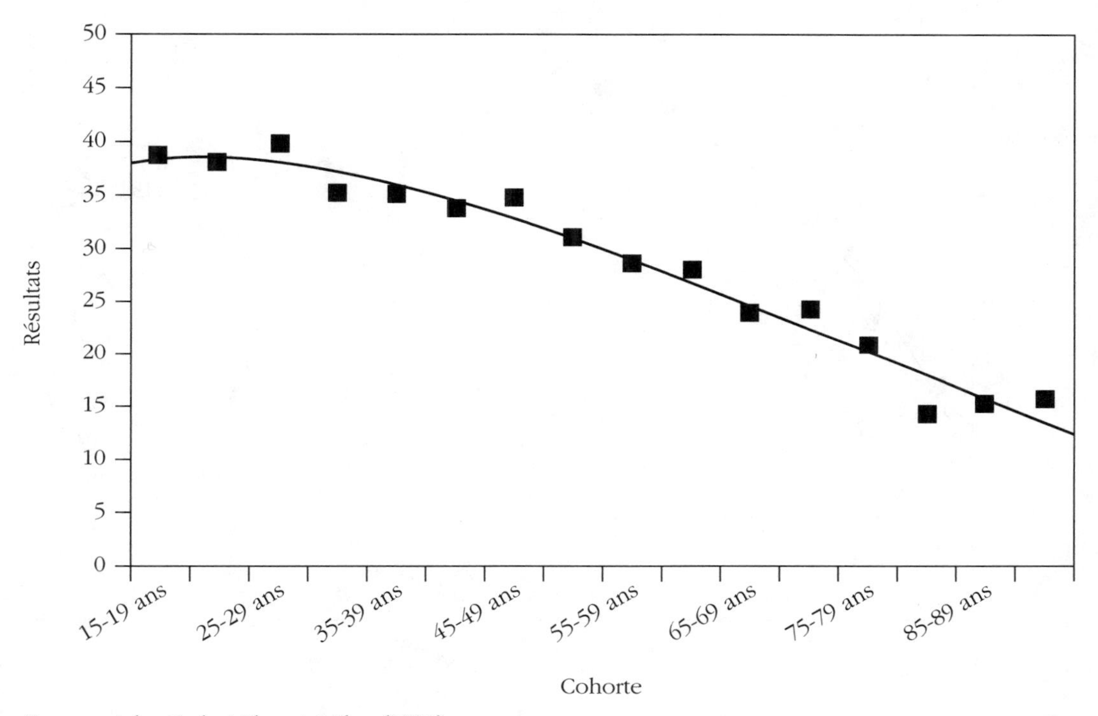

Source: Adapté de Miles et Miles (1932).

croissance linéaire de l'intelligence au moment où la performance atteint un sommet, entre 18 et 21 ans. Cette période de croissance est suivie d'une phase de décroissance lente et régulière. Les gains obtenus pendant l'adolescence sont pour ainsi dire disparus, puisque le rendement d'une personne de 55 ans correspond à celui d'une personne de 14 ans.

En 1955, Doppelt et Wallace publient des normes relatives aux personnes âgées pour la première version du WAIS. Le devancier de ce test, le Wechsler-Bellevue, ne comportait pas de normes pour ces personnes. Cela constituait un handicap majeur, car le Q.I. d'un individu (voir section 4.2) doit être interprété selon son rendement par rapport aux autres individus de son groupe d'âge. En l'absence de normes pour les personnes âgées, l'utilité du WAIS devenait plus limitée pour ce groupe d'âge. En comparant les résultats des 474 sujets âgés de plus de 60 ans à ceux obtenus par les sujets de plus de 16 ans, les auteurs constatent que le quotient intellectuel décline après avoir atteint un sommet vers l'âge de 20 ans (voir figure 4.3).

Figure 4.2 Distribution des résultats obtenus au test d'intelligence *Army Alpha*, pour différentes cohortes

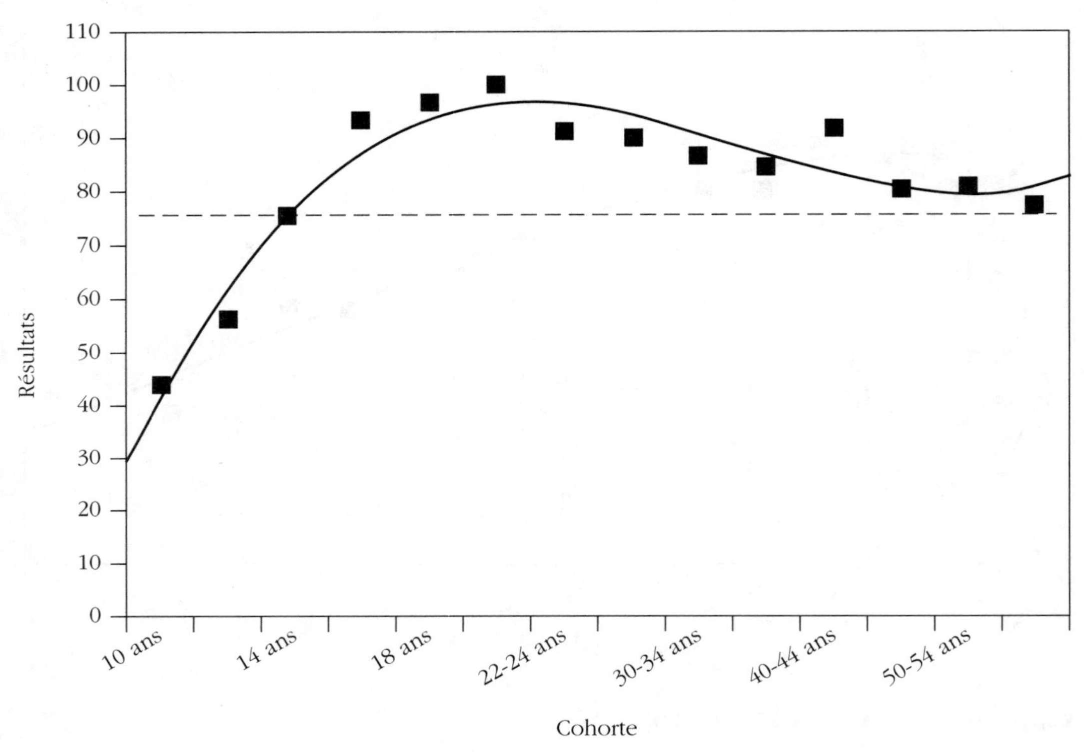

Source: Adaptée de Jones et Conrad (1933).

Bien que les résultats des études précédentes soient instructifs de prime abord, il y a lieu de se demander comment se manifeste ce déclin. Les tests d'intelligence sont généralement composés d'un ensemble de sous-tests mesurant différentes habiletés intellectuelles. On doit se demander si le déclin observé, dont semblent faire mention les exemples précédents, est uniforme ou s'il varie en fonction des différentes habiletés intellectuelles.

Lorsque la cote globale d'un test d'intelligence est délaissée au profit des résultats obtenus aux différents sous-tests, un profil singulier se manifeste. Déjà, Beeson (1920) a la présence d'esprit de confronter les résultats obtenus par ses sujets aux différents sous-tests du Stanford-Binet. Le chercheur s'aperçoit alors que les personnes âgées de son étude, dont l'âge moyen est de 75 ans, obtiennent des résul-

Figure 4.3 Distribution des résultats obtenus au test d'intelligence Wechsler, pour différentes cohortes

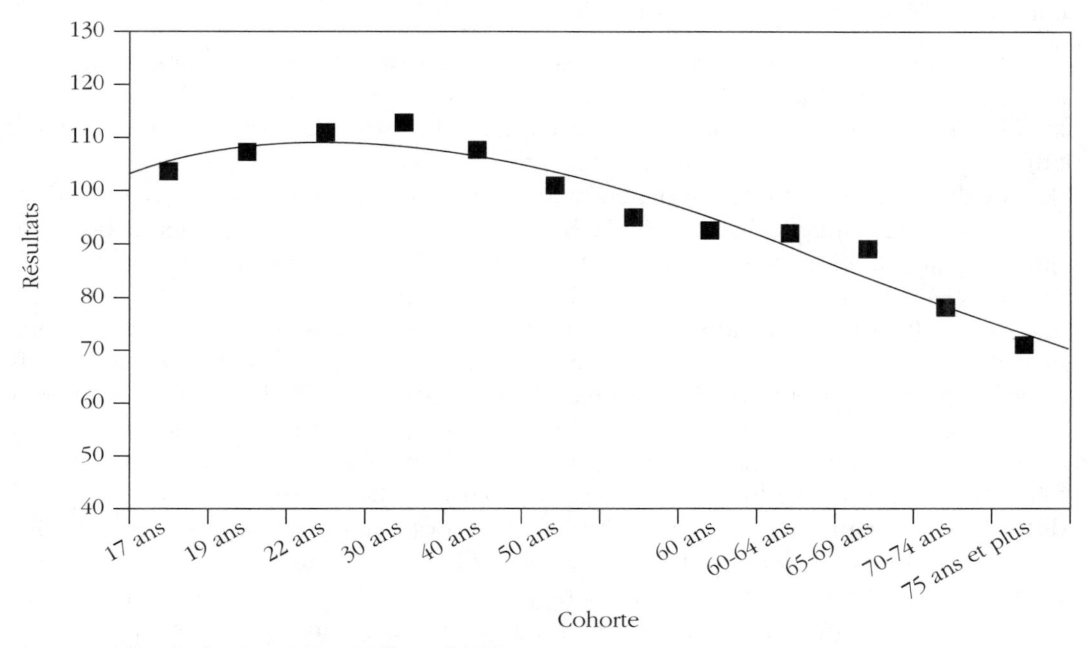

Source: Adaptée de Doppelt et Wallace (1955).

tats exceptionnels à un seul sous-test particulier: celui du vocabulaire. Foster et Taylor (1920) constatent elles aussi un profil différencié selon les habiletés intellectuelles requises par les divers sous-tests. Les jeunes sujets de leur étude ont une performance supérieure à celle des personnes plus âgées pour certaines tâches particulières, de mémoire par exemple, tandis que les personnes âgées se montrent supérieures aux plus jeunes pour certaines tâches, comme la définition de mots.

Une autre étude, celle de Willoughby (1927), se distingue des deux précédentes par la prise en compte d'une étendue d'âge plus vaste, soit de 13 à 60 ans, ce qui permet d'avoir une meilleure estimation des changements intellectuels liés à l'âge. Trois résultats se dégagent de cette étude. Premièrement, l'ensemble des habiletés intellectuelles mesurées dans cette étude, par exemple l'arithmétique, le vocabulaire, les connaissances et la substitution, se développent jusqu'à l'âge de 20 ans environ. Deuxièmement, avec l'âge, certaines habiletés intellectuelles régressent vers le niveau atteint à l'adolescence. Troisièmement, d'autres habiletés se maintiennent tout au long de la vie après avoir atteint leur plein potentiel vers la vingtaine. Par exemple, Willoughby remarque que l'épreuve d'analogie était mieux réussie par les personnes âgées de 16 à 20 ans, alors que le test d'arithmétique était aussi bien réussi à 60 ans qu'à 20 ans.

Comme dans les études précédentes, Jones et Conrad (1933) analysent aussi le rendement en fonction des divers sous-tests, et des différences importantes sont mises en évidence. Les sous-tests d'analogies, de sens commun et d'exécution numérique connaissent la décroissance la plus précoce, tandis que les sous-tests de vocabulaire et d'information générale connaissent le même niveau de performance tout au long de la vie. Une démonstration additionnelle provient de ceux qui ont élaboré les normes pour les adultes âgés de plus de 60 ans. En effet, Doppelt et Wallace (1955) ont aussi examiné les différences d'âge pour chaque sous-test du WAIS. Ils remarquent que les cotes des sous-tests tels que ceux nommés Information et Vocabulaire atteignent leur maximum pour les individus dans la trentaine et que ce rendement se maintient généralement au-delà de 40 ans. Le tableau est différent pour les autres sous-tests du WAIS comme ceux nommés Substitution et Histoire en images, où le niveau optimal est atteint plus tôt, soit vers la vingtaine, mais où le déclin est plus rapide et plus prononcé. La figure 4.4 illustre ce profil différentiel. Corsini et Fassett (1953), avec une population carcérale âgée de 15 à 70 ans, constatent aussi que le sous-test de substitution du Wechsler-Bellevue est celui qui manifeste le déclin le plus rapide, alors que le sous-test d'information paraît caractérisé par une stabilité relative pour les différents groupes d'âge.

En bref, ce qui ressort de ces études, et qui a été confirmé à de nombreuses reprises par la suite, c'est :

- qu'il y a une décroissance de l'intelligence générale avec l'âge, c'est-à-dire que la personne plus âgée semble avoir un rendement intellectuel inférieur à celui de ses cadets ;
- que les habiletés intellectuelles ne sont pas toutes touchées de la même manière.

En ce qui concerne ce deuxième point, il paraît y avoir une certaine constance. On observe en effet que c'est pour les épreuves verbales comme celles du vocabulaire, de l'information que l'on semble à l'abri des effets de l'âge, contrairement à ce qui se produit pour les épreuves de performance du genre substitution, dessin avec blocs (Fox & Birren, 1950). Cette différence entre le rendement verbal et le rendement non verbal, dont on trouve une illustration à la figure 4.5, est ce que Botwinick (1967) qualifie de **profil classique du vieillissement**.

Ce profil classique du vieillissement a été si souvent reproduit que Botwinick n'hésite pas à affirmer que c'est sans doute le résultat le plus indiscutable de toutes les études sur le vieillissement. À preuve, après avoir classé les sous-tests du Wechsler-Bellevue ou du WAIS découlant de 10 études, il démontre que les résul-

Figure 4.4 Distribution des résultats obtenus à certains sous-tests verbaux et de performance du test d'intelligence Wechsler, pour différentes cohortes

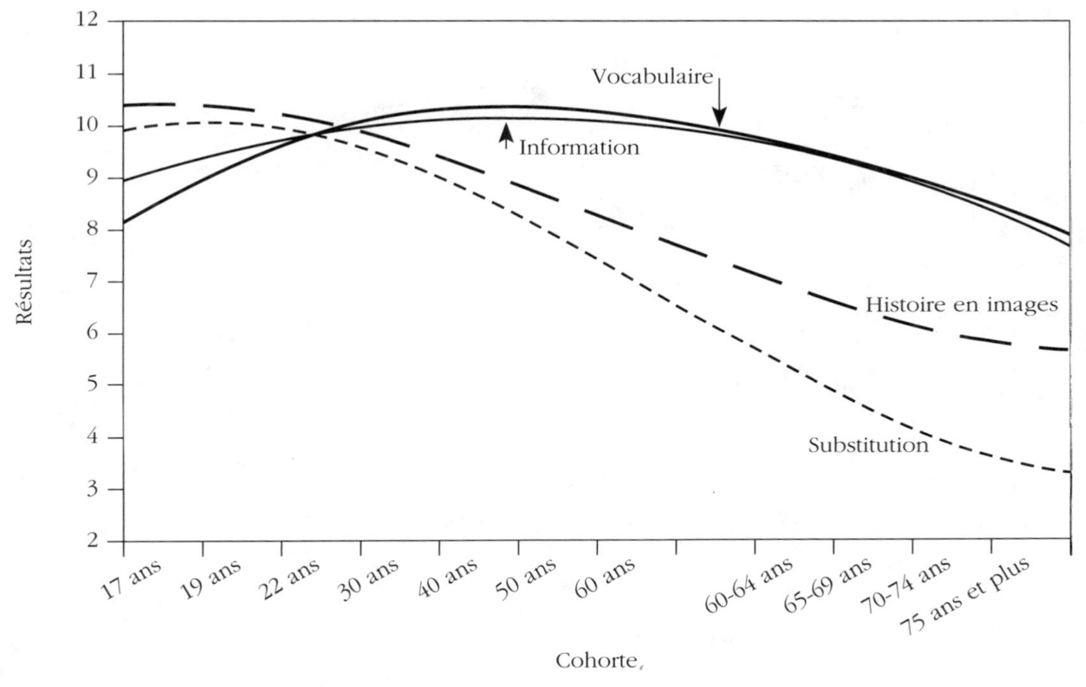

Source: Adaptée de Doppelt et Wallace (1955).

tats obtenus aux sous-tests d'information et de vocabulaire sont ceux qui se maintiennent le plus en vieillissant, alors que les sous-tests nommés Substitution et Histoires en images sont constamment les moins bien réussis.

Mais comment peut-on expliquer l'apparition de ce profil particulier? Pour le moment, il suffit de dire que les habiletés intellectuelles qui semblent être invulnérables au vieillissement sont celles qui sont nécessaires dans les activités de la vie de tous les jours. En d'autres mots, les habiletés qui se maintiennent avec le vieillissement sont celles qui sont encore pratiquées. À l'inverse, les habiletés intellectuelles qui déclinent ont comme point commun d'être des épreuves perceptives, qui demandent la manipulation d'un matériel non familier, qui doivent être accomplies dans un laps de temps limité puisqu'elles sont minutées. On peut donc penser qu'en vieillissant les personnes se trouvent désavantagées pour ces épreuves.

Figure 4.5 Distribution des résultats obtenus à l'échelle verbale et à l'échelle de performance du test d'intelligence Wechsler, pour différentes cohortes

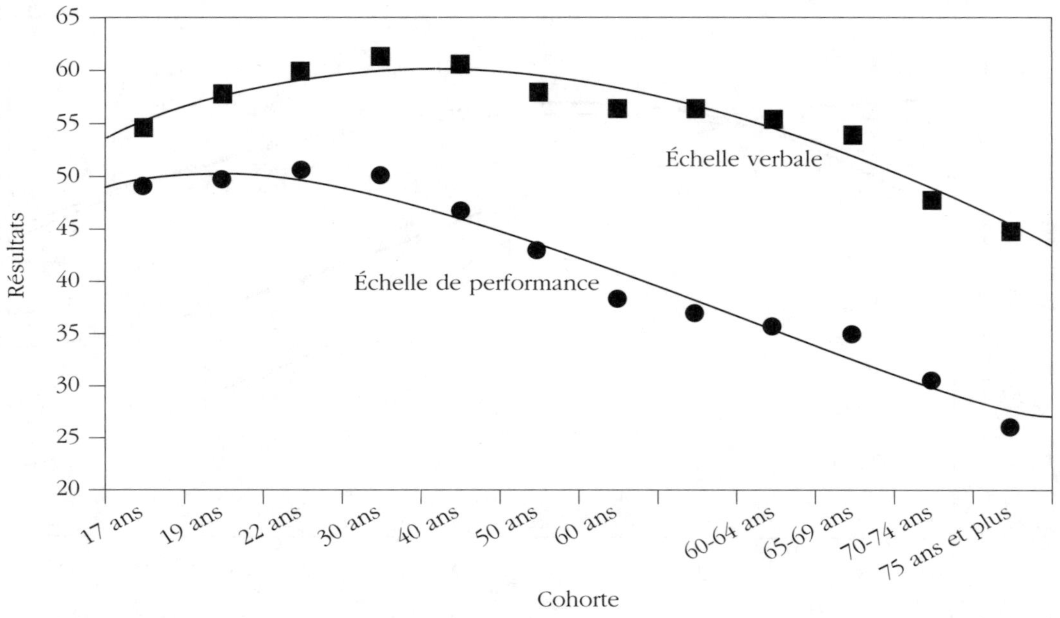

Source: Adaptée de Doppelt et Wallace (1955).

Cependant, il faut noter que les résultats qui viennent d'être présentés émanent d'**études transversales**. Une étude transversale compare plusieurs échantillons de sujets d'âges différents, de cohortes différentes, évalués au même moment. Un exemple d'étude transversale figure au tableau 4.2 et est représenté par l'une ou l'autre colonne (ex. : **d**, **h**, **k**, **m**, **n**). Ainsi, un chercheur qui désirerait savoir si les capacités intellectuelles changent avec l'âge pourrait sélectionner 50 sujets nés en 1920, 50 sujets nés en 1930, 50 sujets nés en 1940, 50 sujets nés en 1950 et 50 sujets nés en 1960, leur administrer un test d'intelligence, comparer les résultats obtenus par ces différents groupes et voir comment les sujets nés en 1920 se comportent comparativement à ceux nés en 1960. Les études transversales possèdent plusieurs avantages, entre autres :

- elles peuvent être réalisées rapidement ;
- elles sont relativement faciles à effectuer ;
- le nombre de sujets qui abandonnent – la mortalité expérimentale – est souvent négligeable en raison du fait que l'évaluation est brève.

Tableau 4.2 Schématisation d'un plan transversal et longitudinal

Naissance	1965	1975	1985	1995
Cohorte née en 1920	45 a	55 b	65 c	75 d
Cohorte née en 1930	35 e	45 f	55 g	65 h
Cohorte née en 1940		35 i	45 j	55 k
Cohorte née en 1950			35 l	45 m
Cohorte née en 1960				35 n

À ces avantages il faut toutefois ajouter une série de lacunes importantes qui peuvent invalider les résultats d'une recherche transversale. Une étude transversale a l'inconvénient de confondre les effets liés à l'âge et ceux liés aux influences historico-culturelles. Ainsi, lorsqu'il veut savoir si les capacités intellectuelles changent avec l'âge, le chercheur, en comparant plusieurs cohortes, estime en réalité les **différences d'âge** ou **de cohorte** plutôt que les **différences** ou les **changements liés à l'âge** ou **au vieillissement**. La nuance est essentielle. Avec une méthode transversale, les différences obtenues entre les jeunes adultes et les personnes âgées dans les études précédentes peuvent être le reflet d'une disparité entre les diverses générations, un effet séculaire, puisque des sujets différents en âge sont forcément nés à des moments différents, plutôt que la démonstration d'une décroissance de l'intelligence avec l'âge. Puisque des personnes nées à différents moments sont exposées à un environnement différent, à une culture et à une histoire différentes, il n'est pas possible de savoir si ces facteurs, qui ne sont pas reliés à l'âge chronologique, ont de quelque manière influé sur les résultats. Par exemple, les échantillons d'adultes âgés ayant participé à ces études pouvaient certes être moins scolarisés que les échantillons de sujets plus jeunes, ce qui expliquerait leurs moins bons résultats.

Une solution de remplacement à l'étude transversale est l'étude longitudinale. Les **études longitudinales** sont des recherches effectuées sur une période de temps relativement longue en utilisant les mêmes sujets tout au long de l'étude. Une telle étude est illustrée au tableau 4.2 par l'une ou l'autre rangée (ex. : **a**, **b**, **c**, **d**). Par exemple, un chercheur aurait pu sélectionner un grand nombre de personnes nées en 1920, et leur administrer un test d'intelligence une première fois en 1965, lorsque les sujets avaient 45 ans, une seconde fois 10 ans plus tard, soit en 1975, une troisième fois lorsque les sujets avaient 65 ans, en 1985, et une dernière fois en 1995, lorsque les sujets étaient âgés de 75 ans. Les différences décelées entre les mêmes individus, mais à des âges différents, sont appelées des **changements dus à l'âge**. De par leur nature même, les études longitudinales prennent plus de temps à se réaliser et sont plus coûteuses. C'est pour ces raisons, finalement, qu'il y a moins d'études longitudinales que d'études transversales.

On peut se demander, à l'instar d'Owens (1953), ce qu'il advient des habiletés intellectuelles chez un même individu lorsque ce dernier vieillit. Afin de répondre à cette question, examinons les études longitudinales les plus représentatives, dont, entre autres, celles d'Owens (1953, 1966) ainsi que celle de Bayley et Oden (1955). Ces études marquent, au début de 1950, le commencement d'une ère nouvelle dans l'étude des habiletés intellectuelles (Woodruff, 1983). Cet exercice permettra également de vérifier si les résultats obtenus avec les études longitudinales confirment ceux obtenus avec les études transversales.

La première véritable étude longitudinale sur le développement intellectuel des adultes, et dont on trouve un compte rendu exhaustif dans Cunningham et Owens (1983), a été réalisée par Owens (1953, 1966). En 1919, 363 étudiants de l'Iowa State College passent, comme examen d'entrée, le test d'intelligence *Army Alpha*, qui contient les huit sous-tests suivants : 1) Respect des consignes ; 2) Problèmes d'arithmétique ; 3) Jugement ; 4) Synonymes – Antonymes ; 5) Assemblage de phrases ; 6) Série numérique à compléter ; 7) Analogies ; 8) Information. Trente ans plus tard, en 1949-1950, 127 des 363 étudiants d'alors sont évalués de nouveau avec le même test (Owens, 1953). Lors de la première évaluation, les sujets ont en moyenne 19 ans, et ils ont environ 50 ans lors de la seconde évaluation. En complète cohérence avec les idées dominantes de cette époque, Owens prédit que le vieillissement de ses sujets se manifestera par une décroissance de leurs habiletés intellectuelles. Or, à l'inverse de sa prédiction, la cote globale du test d'intelligence *Army Alpha* **augmente** de plus 0,5 d'écart type sur la période de 30 ans. En analysant les profils de chacun des sous-tests, Owens se rend compte que cinq d'entre eux s'améliorent de manière importante. Les cinq sous-tests concernés sont les suivants : Jugement, Synonymes – Antonymes, Assemblage de phrases, Information et Analogies. À l'exception de ce dernier sous-test, qui n'est pas considéré dans cette épreuve d'intelligence comme un test verbal, les quatre autres sous-tests où il y a amélioration sur cette période de 30 ans sont de nature verbale. Pour décrire l'impact d'un vieillissement additionnel de 10 ans sur les habiletés mentales, Owens (1966) réussit à tester à nouveau 96 sujets de la deuxième évaluation. Les sujets de son étude ont maintenant 61 ans. Aucun des profils des sous-tests de l'épreuve d'intelligence *Army Alpha* ne montre de croissance ou de décroissance importante, mais une légère décroissance est tout de même observée. Il apparaît que la perte observée est relativement modeste et ne semble pas suffisamment importante pour avoir un effet pratique jusqu'à l'âge de 60 ans. Toutefois, les résultats de cette étude ont été vite contestés, car ils remettaient en question l'idée établie que les habiletés intellectuelles déclinaient avec le vieillissement. On mentionnait que l'échantillon d'Owens était composé d'une élite et qu'une décroissance aurait été observée avec une population moins sélective.

Une autre étude longitudinale classique, celle de Bayley et Oden (1955), récuse elle aussi les conclusions des études transversales. Bayley et Oden comparent, après un intervalle de 12 ans, les cotes obtenues par un groupe d'adultes dont l'âge varie entre 20 et 50 ans sur une échelle d'intelligence verbale réputée pour son niveau de difficulté, le *Concept Mastery*. Ce test élaboré par Terman est divisé en deux sous-tests : 1) Synonymes – Antonymes ; 2) Analogies. Les sujets viennent de la recherche portant sur les enfants doués d'une intelligence supérieure, entreprise par Terman en 1921-1922. En 1939-1940, 1 004 sujets de cette étude, âgés en moyenne de 29 ans, sont évalués à nouveau et 768 d'entre eux, d'un âge moyen de 42 ans, une autre fois en 1950-1952, par Bayley et Oden. De plus, 335 conjoints de ces sujets surdoués sont en même temps évalués. Comme le démontre clairement la figure 4.6, pour les hommes et les femmes surdoués ainsi que pour leurs conjoints, la cote globale de cette épreuve d'intelligence augmente entre le test de 1939-1940 et la nouvelle évaluation effectuée 12 ans plus tard.

Lorsque les auteurs analysent les résultats en fonction des sous-tests (voir figures 4.7 et 4.8), ils constatent également une amélioration. Une donnée additionnelle de cette étude est fort intéressante : les auteurs, après avoir divisé leur

Figure 4.6 Distribution des résultats obtenus à l'échelle *Concept Mastery* par les hommes et les femmes surdoués ainsi que leurs conjoints entre le test de 1939-1940 et le retest de 1950-1952

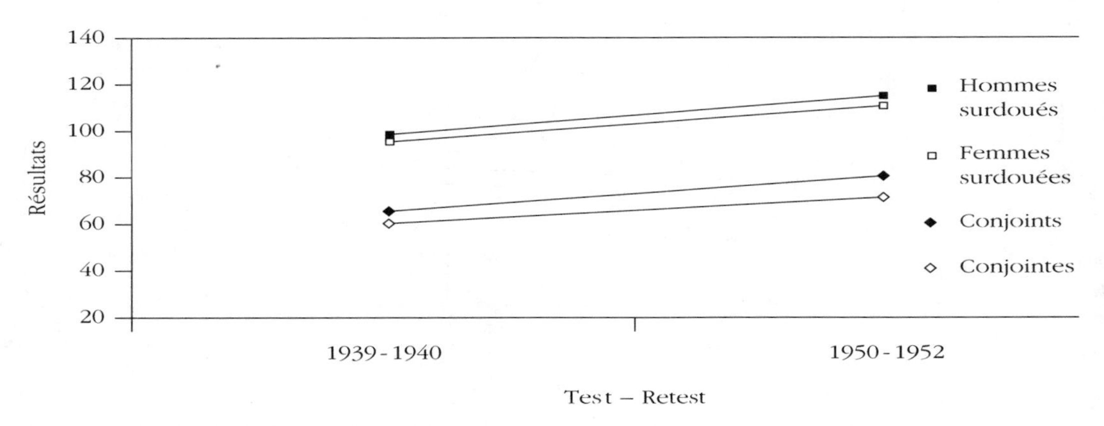

Source: Adaptée de Bailey et Oden (1955).

Figure 4.7 Distribution des résultats obtenus à la sous-échelle Synonymes – Antonymes du *Concept Mastery* par les hommes et les femmes surdoués ainsi que leurs conjoints entre le test de 1939-1940 et le retest de 1950-1952

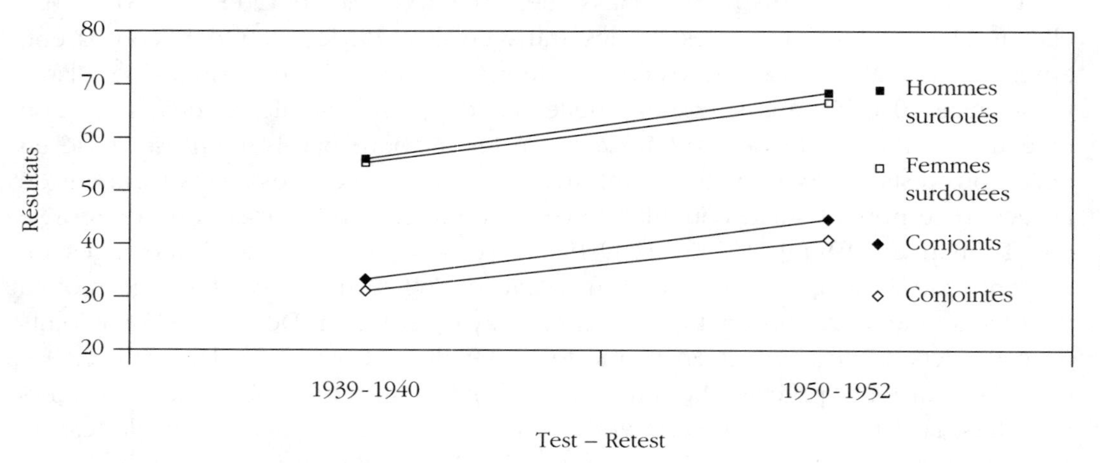

Source: Adaptée de Bailey et Oden (1955).

Figure 4.8 Distribution des résultats obtenus à la sous-échelle Analogies du *Concept Mastery* par les hommes et les femmes surdoués ainsi que leurs conjoints entre le test de 1939-1940 et le retest de 1950-1952

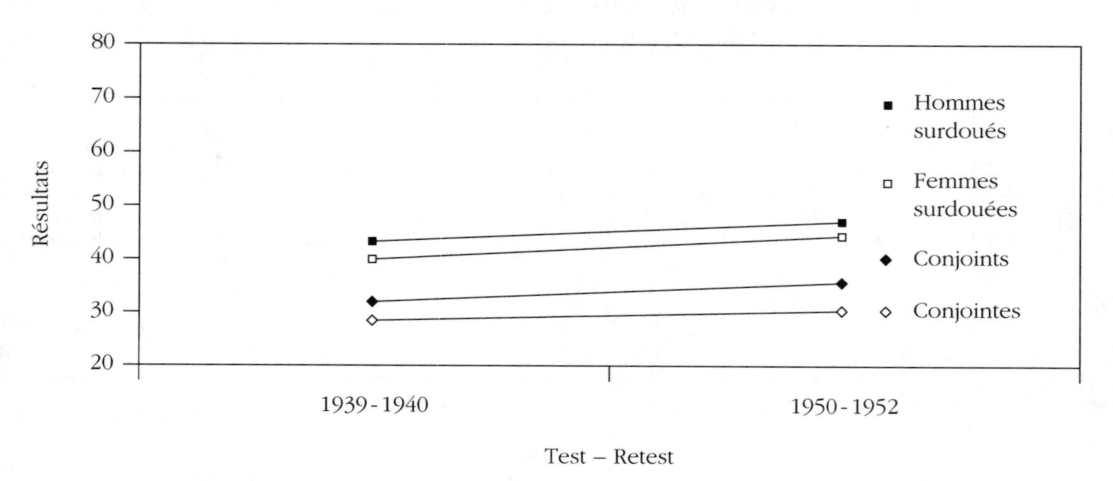

Source: Adaptée de Bailey et Oden (1955).

échantillon en plusieurs groupes d'âge, remarquent que les sujets, qu'ils soient jeunes ou plus vieux, augmentent tous leur rendement dans cet intervalle de 12 ans. Les figures 4.9, 4.10 et 4.11 illustrent cette augmentation.

De son côté, Nisbett (1957) observe après une période de 24 ans une amélioration importante pour l'ensemble des sous-tests verbaux et de performance d'une épreuve d'intelligence chez un groupe de collégiens qui avaient été évalués une première fois lorsqu'ils avaient en moyenne 22 ans et une seconde fois lorsqu'ils étaient âgés de 47 ans. Ces résultats amènent Nisbett à conclure que le rendement de sujets scolarisés augmente jusqu'à l'âge de 50 ans. Bien que ces études donnent des résultats plus positifs que les études transversales, elles ont deux faiblesses importantes. La première est, que, souvent, il s'agit de personnes qui sont plus scolarisées que la moyenne et la seconde est que les dernières évaluations ont eu lieu lorsque ces personnes étaient encore des adultes d'âge moyen, ce qui ne permet pas de conclure quant à ce qu'il adviendra au stade de la vieillesse.

Pour leur part, Berkowitz et Green (1963) évaluent à deux reprises des anciens combattants. Lors de la première évaluation, les sujets sont âgés en moyenne de 56 ans et lors de la seconde évaluation, de 65 ans. Contrairement aux autres chercheurs, ils notent que le rendement pour l'ensemble des sous-tests du Wechsler-Bellevue ainsi que la cote du Q.I. – totale, verbale et de performance – diminuent considérablement entre les deux évaluations. Il faut toutefois signaler

Figure 4.9 Distribution des résultats obtenus à l'échelle *Concept Mastery*, pour différentes cohortes

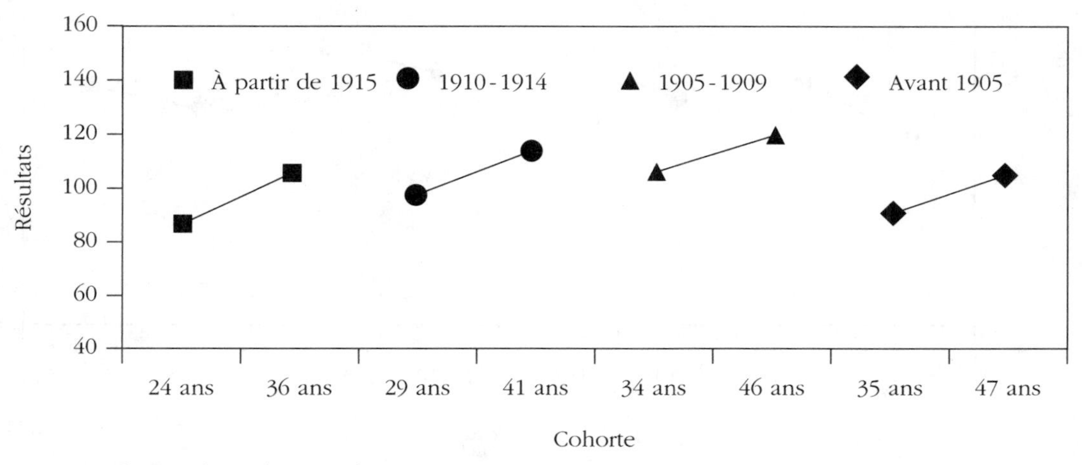

Source: Adaptée de Bailey et Oden (1955).

Figure 4.10 Distribution des résultats obtenus à la sous-échelle Synonymes – Antonymes du *Concept Mastery*, pour différentes cohortes

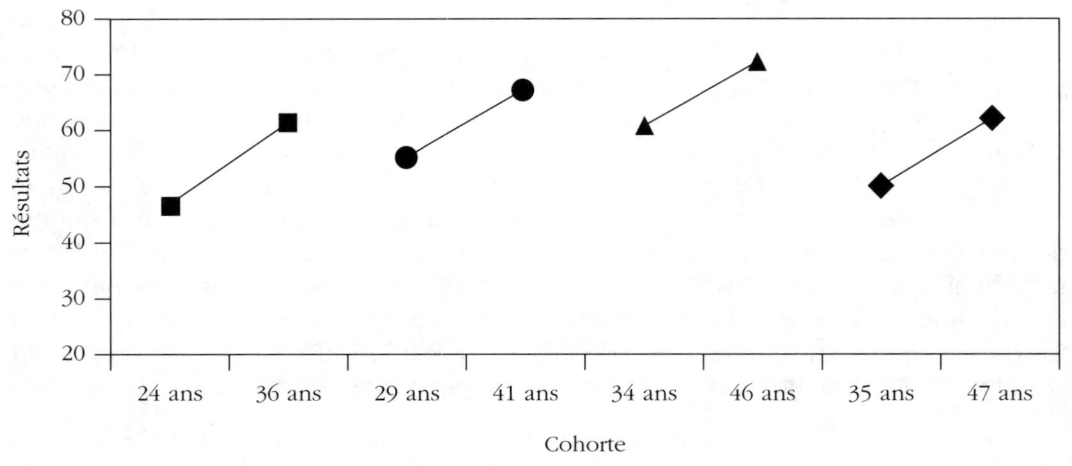

Source: Adaptée de Bailey et Oden (1955).

Figure 4.11 Distribution des résultats obtenus à la sous-échelle Analogies du *Concept Mastery*, pour différentes cohortes

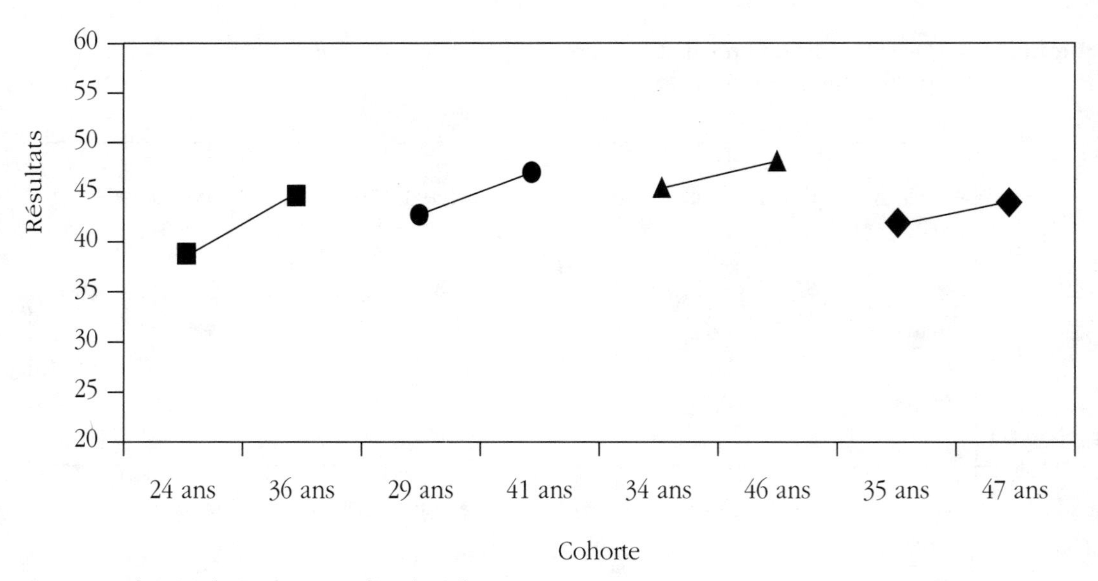

Source: Adaptée de Bailey et Oden (1955).

que l'échantillon de cette étude était composé d'anciens combattants placés dans un établissement, ce qui ne constitue pas non plus un profil type de la personne âgée.

Contrairement aux recherches précédentes, l'étude longitudinale de Duke (*Duke Longitudinal Studies*), qui consiste en deux études longitudinales et multidisciplinaires (Siegler, 1983) offre l'occasion de confronter le rendement intellectuel chez des adultes âgés sur une longue période de temps. La première étude longitudinale a été planifiée en 1954 par E.W. Busse de l'Université Duke et elle a débuté en 1956 avec 270 volontaires âgés de 60 à 94 ans venant de la Caroline du Nord, pour se terminer 20 ans plus tard en 1976 avec 44 sujets. Ces volontaires ont été évalués à l'aide d'un ensemble de tests physiques et psychologiques dont, entre autres, le WAIS. Eisdorfer (1963) compare le rendement de ces sujets entre la première et la seconde évaluation. De façon générale, il observe que les cotes obtenues restent stables après un intervalle de trois ans. La période séparant les deux évaluations est beaucoup trop courte pour que l'on puisse adéquatement conclure que l'intelligence reste stable avec l'avancement en âge. L'article de Siegler et Botwinick, publié en 1979, est plus concluant. Les auteurs font part des résultats obtenus entre la première évaluation et la onzième et dernière évaluation, soit après une période de 17 ans. Les résultats indiquent que les adultes âgés maintiennent leurs habiletés intellectuelles en vieillissant et que, s'il y a décroissance, celle-ci peut être qualifiée de marginale et n'apparaît pas avant l'âge de 70 ans.

Même si, pour plusieurs, le schème longitudinal constitue l'approche la plus judicieuse, lorsque vient le moment de savoir si l'intelligence – ou l'ensemble des habiletés intellectuelles – se modifie avec l'âge, il n'en demeure pas moins que cette approche a aussi sa part de lacunes qui peuvent jeter le discrédit sur les résultats obtenus (Dixon *et al.*, 1985). Ainsi, un coup d'œil attentif aux études longitudinales précédentes nous indique que la population choisie pour participer à ces études est souvent constituée d'étudiants recrutés lorsque ceux-ci sont au collège, ou de personnes surdouées. À l'instar de Schaie (1965) et de Baltes (1968), on peut donc penser que cet **échantillon sélectif**, hors du commun, n'est pas représentatif de l'ensemble de la population, et, par conséquent, il n'est sans doute pas possible de généraliser les résultats obtenus. Par ailleurs, il est facile de s'apercevoir que le nombre de sujets tend à diminuer constamment d'une évaluation à une autre. Cette diminution des participants s'explique par le fait que :

- le chercheur ne peut plus retracer certains sujets ;
- en vieillissant, certains d'entre eux ne sont plus capables de participer, en raison de la maladie ou d'autres formes d'incapacités ;
- certains sont morts entre-temps.

Pour Horn et Donaldson (1976), les personnes qui persistent sont celles qui sont demeurées en bonne santé, qui continuent de vivre de manière indépendante ou autonome et dont les habiletés intellectuelles sont suffisamment préservées pour qu'elles aient encore un intérêt à poursuivre leur participation. Au fur et à mesure que l'étude longitudinale progresse, la non-représentativité initiale risque en conséquence de s'accentuer. En outre, on constate que l'**abandon** n'est pas le fruit du hasard, mais qu'il se produit de manière très sélective. En effet, on peut observer que les sujets qui abandonnent ont une intelligence différente de celle de ceux qui persévèrent. C'est ainsi que, 10 ans après le début de l'étude longitudinale de Duke, Eisdorfer et Wilkie (1973) notent que 39 % des sujets dont le quotient intellectuel était supérieur à 116 sur le WAIS à l'évaluation initiale ne sont plus dans l'étude, comparativement à 52 % pour ceux dont le Q.I. se situe entre 85 et 115, et à 72 % pour ceux dont le Q.I. est inférieur à 85. Cela signifie que les sujets qui maintiennent leur participation ont un quotient intellectuel plus élevé. Cet abandon sélectif risque de sous-estimer les effets du vieillissement sur l'intelligence si ce sont surtout les sujets en bonne santé ou doués qui persévèrent.

La majorité des études longitudinales sont aussi limitées, car elles reflètent les effets du vieillissement pour *une seule cohorte* d'individus. Ainsi, les résultats obtenus dans l'étude longitudinale de Duke dévoilent avant toute chose ce qui se passe pour une génération née entre 1862 et 1896, mais cette étude ne nous indique pas si les générations suivantes ont le même profil. En d'autres mots, il se pourrait fort bien que les résultats obtenus ne soient applicables qu'aux seuls sujets de cette cohorte. Finalement, l'**étendue d'âge** est assez limitée, car aucune étude longitudinale ne porte sur des sujets de plus de 60 ans, âge où l'on avait noté la plus forte diminution dans les études transversales.

C'est afin de remédier à ces lacunes méthodologiques que Schaie a mis au point un outil novateur, perfectionné, pour étudier les effets du vieillissement de l'individu sur l'intelligence : le plan séquentiel. La manière la plus simple de décrire ce plan assez complexe est de dire ce qui suit :

- différentes cohortes, c'est-à-dire des individus nés à des moments différents, sont évaluées à plusieurs reprises après un certain laps de temps (aspect longitudinal) ;
- ces différentes cohortes sont comparées entre elles (aspect transversal) ;
- ces cohortes sont aussi comparées avec d'autres cohortes du même âge mais nées plus tôt (aspect séquentiel).

Schaie et ses nombreux collaborateurs espéraient ainsi mettre en contraste les changements dus à l'âge apparaissant à l'intérieur d'une génération donnée avec les différences d'âge entre les générations mesurées à un moment donné. Cette étude, connue sous le nom de *Seattle Longitudinal Study*, se distingue des autres études sur plusieurs points fort intéressants :

- elle concerne des milliers de sujets ;

- certaines cohortes ont été suivies pendant près de 28 ans;
- les sujets ont été suivis de l'âge adulte jusqu'au moment de la vieillesse.

Une autre caractéristique distinctive de cette imposante étude est l'utilisation privilégiée du test du PMA de Thurstone et Thurstone, qui mesure les cinq aptitudes mentales suivantes:

- la **signification verbale** (V). Il s'agit de l'habileté à comprendre les idées exprimées en mots. Le sujet doit, par exemple, trouver un synonyme parmi des choix multiples;
- l'**aptitude spatiale** (S). Il s'agit de l'habileté à imaginer comment se présentera un objet après que ce dernier a subi une série de rotations dans l'espace;
- la **fluidité verbale** (W). La tâche consiste à écrire le plus grand nombre de mots possible qui commencent, par exemple, par la lettre S, en cinq minutes;
- l'**aptitude numérique** (N). On demande au sujet de reconnaître si la solution à des problèmes arithmétiques simples est vraie ou fausse;
- le **raisonnement** (R). Il s'agit de trouver la solution de problèmes logiques. Par exemple, le sujet doit trouver la règle d'une série comme «ABYCDY...» en répondant par «...EFY».

Cette étude débute en 1956. Schaie sélectionne, parmi 18 000 individus inscrits à un programme d'assurance-maladie, un échantillon de 500 adultes vivant dans la communauté et dont l'âge varie entre 20 ans et 70 ans. Cet échantillon, qui se veut assez représentatif de la population urbaine américaine, est par la suite découpé en plusieurs cohortes de cinq ans (ex.: 20-25 ans, 30-35 ans, etc.). Ces individus, ou ceux qui sont rejoints et qui consentent à participer de nouveau, sont évalués après chaque période de sept ans; 303 sujets en 1963, 162 en 1970, 130 en 1977 et 97 en 1984. Comme il a déjà été mentionné plus haut, à chaque nouvelle période d'évaluation, les chercheurs prennent soin de recruter, de manière aléatoire et dans le même bassin initial de 18 000 sujets, un nouvel échantillon pour chacune des différentes cohortes (voir tableau 4.3).

En incorporant, à chaque période d'évaluation, un échantillon indépendant qui n'avait jamais été évalué avec le PMA, on peut maîtriser un problème inhérent aux études longitudinales: l'effet de la pratique. En effet, même si les sujets ne sont revus qu'après plusieurs années, il peut arriver que des individus évalués avec le même instrument d'une fois à l'autre parviennent à le maîtriser et ainsi à avoir un rendement artificiellement gonflé. En outre, le fait d'inclure de nouvelles cohortes du même âge que les cohortes précédentes, mais nées plus tôt, permet de départager de façon plus convaincante les effets liés au vieillissement, à la maturation des individus, les effets liés au moment choisi pour l'évaluation et les effets liés aux différences de générations. Les informations obtenues par Schaie et ses différents

Tableau 4.3 Déroulement de l'étude longitudinale de Seattle

Année							
1956 o	20 ans		30 ans		40 ans		
1963 o		27 ans		37 ans		47 ans	
1963 i		27 ans		37 ans		47 ans	
1970 o			34 ans		44 ans		54 ans
1970 i			34 ans		44 ans		54 ans
1970 i			34 ans		44 ans		54 ans

o = échantillon original ; i = échantillon indépendant.

collaborateurs sont trop nombreuses et trop complexes pour être présentées ici. Seuls les résultats les plus importants sont relevés ; on en trouve la synthèse aux figures 4.12 et 4.13.

Les différentes sections de la figure 4.12 illustrent deux courbes pour les cinq aptitudes mentales primaires ainsi que pour la cote totale, qui équivaut au niveau d'intelligence générale. Dans chaque section de la figure, la première courbe représente les résultats obtenus lors de la première saisie des données en 1956 pour chacune des cohortes, alors que la seconde courbe exprime les résultats obtenus par les différentes cohortes en 1977. Un examen de ces différentes courbes autorise à faire un certain nombre de constatations instructives. Premièrement, ces analyses transversales pour les différentes habiletés tendent à reproduire les résultats obtenus dans les études transversales précédentes. Plus précisément, il est possible de remarquer qu'après avoir atteint un sommet tôt dans la vie adulte, entre 25 ans et 32 ans, les habiletés intellectuelles et l'intelligence générale décroissent par la suite. L'aptitude numérique constitue une exception, puisqu'elle connaît son apogée plus tard dans la vie adulte, soit vers l'âge de 50 ans. La deuxième constatation digne de mention est la différence qui existe entre les cohortes évaluées en 1956 et celles évaluées en 1977. On peut remarquer que :

- les cohortes les plus jeunes ont, globalement, un rendement plus élevé que les cohortes les plus vieilles ;
- la diminution, tout de même présente, s'y produit plus tardivement.

Par exemple, pour l'habileté constituée par la signification verbale, la plus grande différence qui existe chez les cohortes les plus vieilles (1956) se trouve entre les sujets âgés de 46 ans et ceux âgés de 53 ans, alors que chez les cohortes de 1977 la plus grande différence se trouve entre les sujets âgés de 60 ans et ceux âgés de 67 ans.

Figure 4.12 Distribution des résultats obtenus aux divers sous-tests et au test d'intelligence générale (cote totale) du PMA, en 1956 et en 1977, pour différentes cohortes

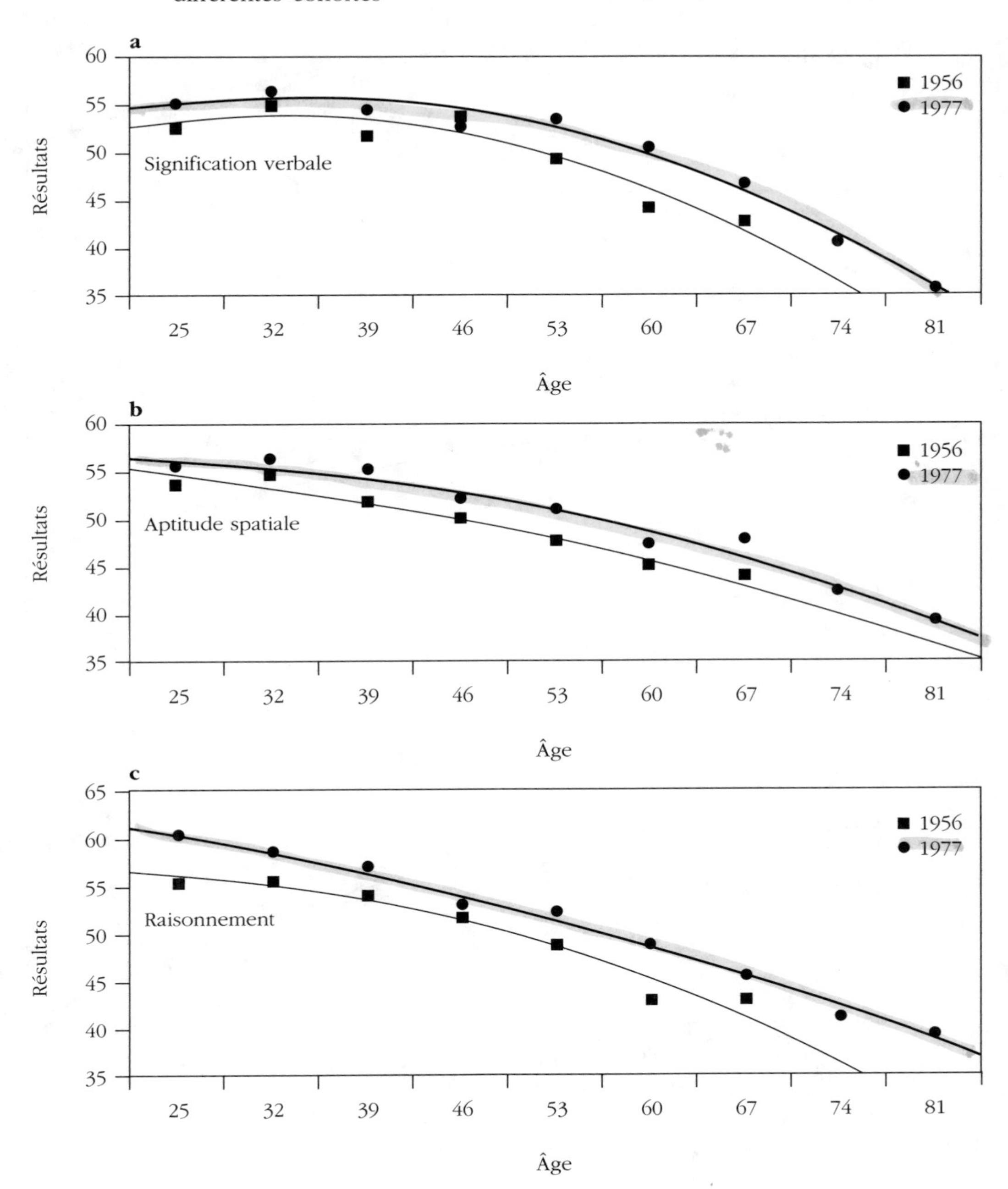

Figure 4.12 (*suite*)

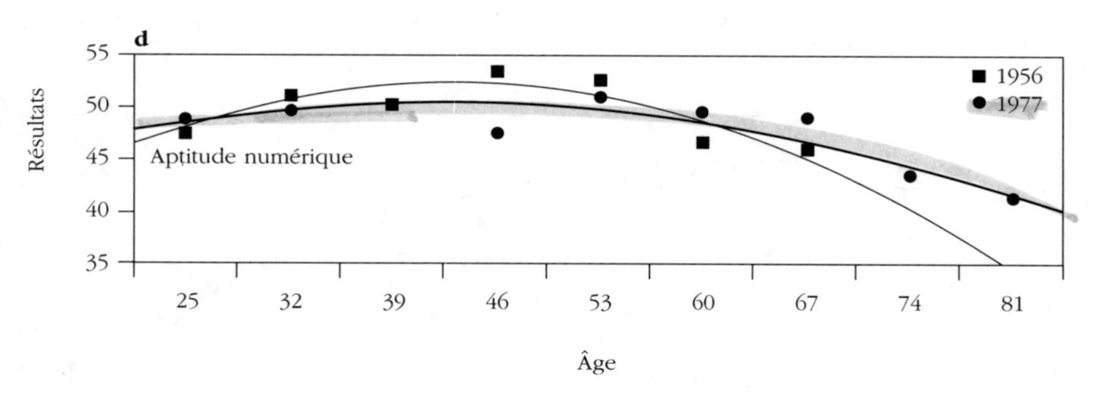

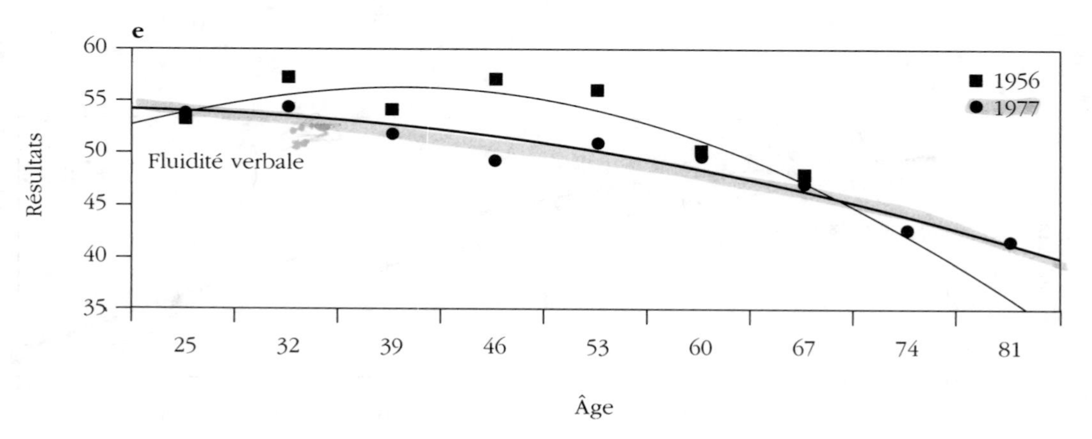

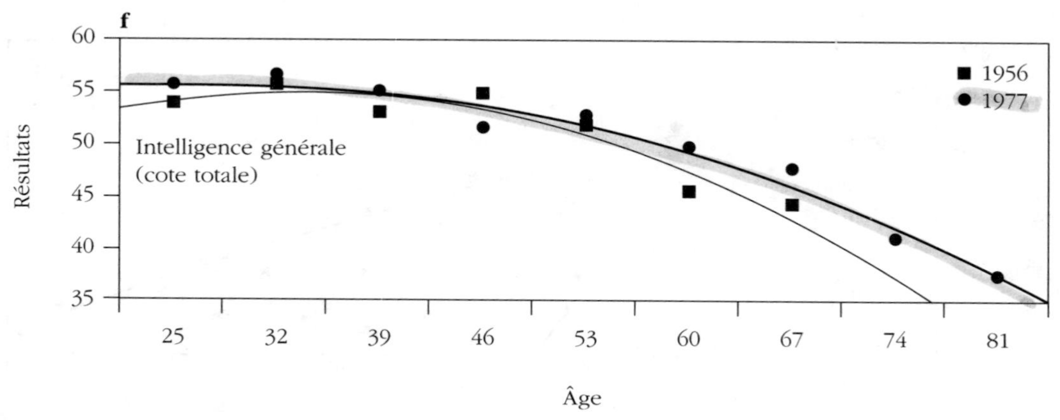

Source: Adaptée de Schaie (1983).

La figure 4.13 illustre pour sa part les changements qui se sont produits sur une période de 21 ans chez 128 sujets (Schaie, 1983). On constate qu'entre 25 ans et 46 ans, exception faite de la fluidité verbale, les habiletés intellectuelles ainsi que l'intelligence générale croissent. Après cet âge, on peut constater une décroissance sur une période de 21 ans. Toutefois, Schaie (1983) nous rappelle que les habiletés ne décroissent pas à la même vitesse. Ainsi, la fluidité verbale décline de manière importante seulement une fois atteint l'âge de 60 ans, alors que, pour l'aptitude spatiale, l'aptitude numérique et l'intelligence générale, une décroissance importante est notée seulement à l'âge de 67 ans. Pour la signification verbale et le raisonnement, il faut attendre l'âge de 74 ans avant d'observer un déclin important.

Pour Schaie, l'ensemble des données colligées dans cette étude montre que le niveau de fonctionnement atteint à la maturité persiste tout au long de la vie adulte et que, si on observe une décroissance, celle-ci se produit assez tard dans la vie des personnes et demeure généralement sans importance. En outre, il conclut que la décroissance observée dans les études transversales et que plusieurs attribuent au vieillissement est avant tout le reflet d'une différence entre les générations. Il est en effet de plus en plus évident que les cohortes plus jeunes ont un rendement intellectuel plus élevé que les cohortes plus âgées. Finalement, un résultat qui est resté dans l'ombre mais qui est important à relever est qu'il existe de grandes différences individuelles, et, par conséquent, il faut garder à l'esprit que les résultats présentés ne représentent qu'un schéma moyen.

Les résultats indiqués par Schaie et ses collaborateurs depuis le début de cette vaste étude, mais surtout leurs interprétations, sont loin de faire l'unanimité. Des auteurs comme Botwinick (1977) ainsi que Horn et Donaldson (1976) affirment au contraire que les différences entre les études transversales et les études longitudinales sont plus apparentes que réelles et qu'il est faux de prétendre que le déclin de l'intelligence avec l'âge est un mythe. Pour ces auteurs, les résultats, même ceux de Schaie, démontrent que, tôt ou tard, les habiletés intellectuelles finissent par décliner de manière appréciable.

La prochaine section offrira des explications pour éclaircir deux phénomènes qui viennent d'être mis en évidence. Premièrement, il apparaît évident que les différentes habiletés intellectuelles cernées par les diverses épreuves d'intelligence ne changent pas à la même vitesse. Deuxièmement, la baisse du rendement intellectuel, qu'elle se produise après l'âge de 20 ans pour les études transversales ou

Figure 4.13 Changement observé sur une période de 21 ans en ce qui concerne les résultats aux sous-tests ainsi que la cote totale du PMA, pour différentes cohortes

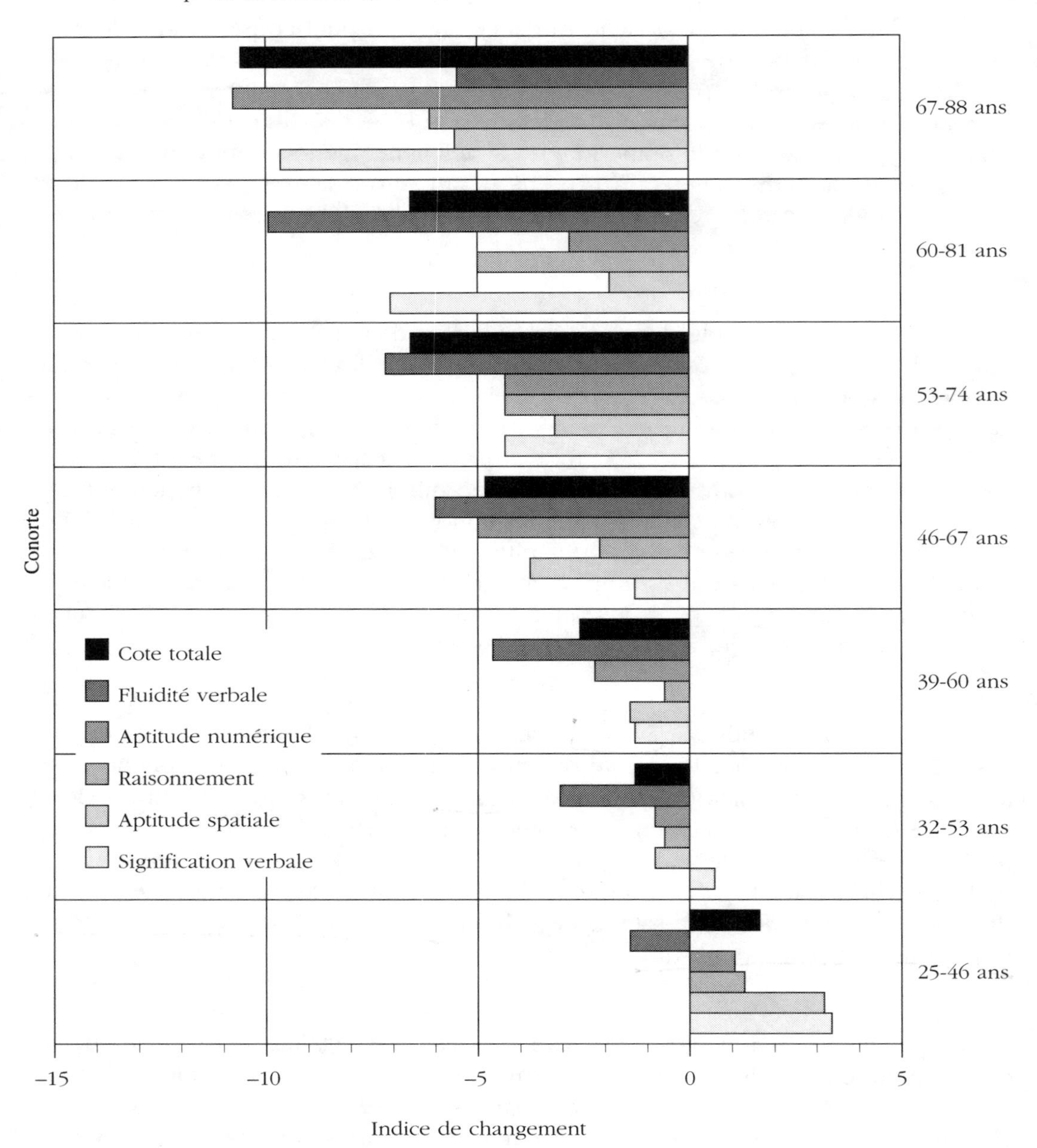

Source: Adaptée de Schaie (1983).

après l'âge de 65 ans ou plus tard pour les études longitudinales, apparaît comme une réalité inéluctable.

4.4 QUELQUES FACTEURS EXPLICATIFS

Comment expliquer que différentes habiletés, pourtant toutes associées à l'intelligence, changent à une vitesse différente ? En d'autres mots, on peut se demander pour quelles raisons l'habileté verbale paraît rester stable et même augmenter tout au long du vieillissement de la personne, alors qu'en parallèle une habileté intellectuelle non verbale comme la substitution, pour le WAIS, ou l'aptitude spatiale, pour le PMA, décline avec l'âge. On se souvient que Botwinick (1967) nomme **profil classique du vieillissement** cette distinction entre le verbal et le non-verbal. Même si ce profil est plus perceptible dans les études transversales, les études longitudinales le laissent aussi apparaître. Une explication préliminaire présentée plus haut était que les habiletés verbales résistent mieux aux effets du vieillissement :

- parce qu'elles sont nécessaires à la vie de tous les jours ;
- parce qu'elles font appel à l'expérience ;
- parce qu'elles reflètent l'accumulation des connaissances.

À l'inverse, on signalait que les habiletés non verbales déclinent peut-être en raison du fait qu'elles exigent le maniement, à l'intérieur d'une durée de temps restreinte, d'un matériel figuratif non familier. Une explication plus formelle, plus séduisante aussi, de ce profil différencié a été avancée par Raymond B. Cattell et John L. Horn.

Tout d'abord, il faut savoir que R. B. Cattell (1943) remet en question l'existence d'un facteur d'intelligence général. Pour cet auteur, les analyses factorielles démontrent que les diverses habiletés intellectuelles s'organisent en plusieurs dimensions, dont deux retiennent particulièrement son attention. La première dimension est ce qu'il nomme l'**intelligence générale fluide**, ou G_f. Pour Cattell, G_f représente « l'expression majeure quantifiable de l'influence des facteurs biologiques – hérédité, lésions au système nerveux central ou aux structures sensorielles fondamentales – sur le développement intellectuel » (Horn & Cattell, 1966, p. 254). Puisque G_f mesure la capacité biologique d'une personne à acquérir des connaissances, l'intelligence fluide est donc dépendante de l'intégrité physiologique de la personne. Information importante à retenir, G_f engage l'habileté à raisonner, une habileté qui ne dépend pas de l'expérience acquise. Cette forme particulière d'intelligence, qui pourrait correspondre à l'énergie mentale de Spearman, est mobilisée lorsqu'une personne doit résoudre des problèmes nouveaux, lorsque la personne doit s'adapter à des situations nouvelles, jamais rencontrées dans le passé. Une tâche requérant de l'attention, la formation et l'acquisition de concepts, ou la perception et le dégagement de relations, fait appel à G_f. Concrètement, les sous-tests de substitution ou de cubes de Kohs du WAIS, ou les sous-tests d'aptitude spatiale et de raisonnement du PMA, sont des marqueurs privilégiés de G_f.

La seconde dimension théorique, selon Cattell, est l'**intelligence générale cristallisée**. À l'inverse de G_f, l'intelligence générale cristallisée, ou G_c, représente les habiletés ainsi que les connaissances spécifiques acquises à travers l'apprentissage, la pratique et l'éducation. Plutôt que d'être dépendante du fonctionnement biologique, G_c est tributaire des influences éducatives et de l'acculturation. Plutôt que de se mobiliser dans une tâche nouvelle, G_c se manifeste dans une tâche déjà apprise. Elle est nécessaire au bon fonctionnement dans une culture donnée. Le sous-test de vocabulaire du WAIS ou les sous-tests de signification verbale ou d'aptitude numérique du PMA sont des exemples de tâches qui interpellent l'intelligence cristallisée.

Compte tenu de ces caractéristiques, Cattell et Horn postulent que G_f augmente et atteint son maximum à l'adolescence pour ensuite décroître graduellement, conjointement avec les capacités biologiques, tout au long de la vie. La principale raison invoquée pour expliquer cette décroissance de G_f après l'adolescence est qu'en vieillissant la fondation physiologique est graduellement ébranlée par la maladie, les différentes attaques au système nerveux central. D'autre part, G_c devrait continuer de croître après l'adolescence puisqu'elle représente l'accumulation, la cristallisation des connaissances culturelles acquises avec les années par la socialisation. Afin d'éprouver cette thèse, Horn et Cattell (1967) évaluent de manière transversale cinq groupes de sujets âgés de 14 à 61 ans. Comme le prévoyait la théorie, les jeunes obtiennent pour G_f une moyenne plus élevée que celle des personnes plus âgées, alors que ces dernières ont pour G_c une moyenne plus élevée que celle des jeunes. Bien que cette théorie offre un cadre conceptuel intéressant pour expliquer le profil classique du vieillissement, il n'en demeure pas moins que l'ensemble des habiletés intellectuelles paraissent décliner à un âge assez avancé.

L'**état de santé physique** est une explication plausible à la décroissance de l'intelligence chez les personnes âgées et particulièrement chez les personnes très âgées. Comme nous venons tout juste de le mentionner, la théorie de l'intelligence fluide et cristallisée affirme que G_f est dépendante de l'intégrité biologique. Par conséquent, il est permis de penser que ce fonctionnement biologique s'abîme avec le temps et que l'on observe alors une baisse de G_f. Une cause de cette altération du fonctionnement biologique pourrait venir de la présence de maladies chroniques. À cet effet, plusieurs recherches tendent à prouver qu'il existe un lien entre la maladie physique et la décroissance intellectuelle chez les adultes âgés. Parmi les maladies physiques pouvant avoir un effet pernicieux sur les capacités intellectuelles, les maladies cardio-vasculaires sont celles qui ont le plus retenu l'attention des chercheurs en psychologie gérontologique, en raison de leur effet sur la diminution du flux sanguin cérébral.

C'est ainsi que Hertzog et ses collaborateurs (1978) cherchent à établir une relation entre la **maladie cardio-vasculaire** et le fonctionnement intellectuel. Cent cinquante-six sujets de l'étude longitudinale de Seattle sont divisés en deux groupes. Un premier groupe a une maladie cardio-vasculaire comme l'hypertension, l'athérosclérose ou une maladie cérébro-vasculaire, alors que le second groupe est libre de toute maladie cardio-vasculaire. En premier lieu, les chercheurs observent que les sujets malades ont cessé de participer à l'étude longitudinale en plus grand nombre que les sujets qui ne présentent pas de maladies. En second lieu, les sujets atteints d'une maladie cardio-vasculaire obtiennent, pour l'ensemble des cinq facteurs du PMA, une cote considérablement moins élevée que celle des autres sujets, ce qui confirme que la maladie cardio-vasculaire a un effet nuisible sur le rendement intellectuel.

Pour leur part, Wilkie et Eisdorfer (1971) veulent établir une relation entre l'élévation de la **pression sanguine** et l'intelligence telle qu'elle est mesurée par le WAIS chez un groupe de personnes âgées de 60 à 69 ans et chez un second groupe âgé de 70 à 79 ans. Ces sujets sont divisés selon leur pression sanguine ; les sujets normaux, les sujets ayant une tension légèrement élevée et les sujets qui sont nettement hypertendus. Les auteurs remarquent que les sujets hypertendus ont une cote générale et une cote de performance au WAIS moins élevée que celle des autres sujets. Lorsqu'ils ont la chance de faire un suivi de ces sujets 10 ans plus tard, ils observent que les hypertendus du groupe des 60-69 ans manifestent une décroissance plus importante que celle des sujets normaux ou légèrement hypertendus. Pour le groupe de personnes qui avaient initialement 70-79 ans, il est intéressant de noter que, 10 ans plus tard, aucun des sujets ayant une tension élevée n'a poursuivi sa participation à l'étude. Pour ces auteurs, ces résultats suggèrent que l'hypertension est liée aux changements intellectuels chez les personnes âgées, et cela laisse entrevoir la possibilité qu'une diminution de l'intelligence soit avant tout le reflet de la maladie, et non pas la conséquence du processus ontogénique normal.

Les résultats précédents suggèrent donc que les personnes âgées en mauvaise santé physique ne sont pas en mesure de participer aux études ou encore de poursuivre leur participation si elles s'étaient déjà engagées, et cela, soit parce qu'elles sont trop malades ou encore parce qu'elles sont mortes entre deux évaluations. Ce résultat est troublant puisqu'il met en doute la validité des résultats des études, étant donné que seulement les sujets en bonne santé sont évalués, ce qui est loin d'être le portrait réel de la population adulte âgée. On peut ainsi être amené à penser que, si ce sont majoritairement les personnes âgées en bonne santé qui participent aux études sur l'intelligence, les résultats de ces études sont trop positifs.

Les résultats des études laissent croire que la présence de la maladie permet de prédire la décroissance de l'intelligence. Inversement, pour certains auteurs, la décroissance de l'intelligence serait la manifestation d'une maladie sous-jacente non encore identifiée (Siegler, 1975). Certains auteurs soutiennent que la décroissance de l'intelligence, qu'il est possible d'observer lorsque les individus sont très âgés, n'est pas le reflet du vieillissement normal mais la prédiction d'une mort prochaine. C'est à Kleemeier que l'on doit la première description de ce phénomène, en 1962. Ce chercheur a montré que, parmi les hommes âgés évalués au moyen du Wechsler-Bellevue à quatre reprises sur une période de 12 ans, ceux qui mouraient au cours de l'étude manifestaient un déclin étrangement rapide de leur rendement intellectuel avant leur mort (Rinn, 1988). Ce déclin soudain de l'intelligence, qui semble prédire la mort, a été nommé la **chute finale**. Selon Kleemeier, les facteurs liés à la mort de l'individu causent la décroissance de l'intelligence, et le début de cette décroissance peut être décelé plusieurs années avant la mort de la personne. Cette hypothèse de la chute finale peut être formulée ainsi : le rendement intellectuel est stable tout au long de la vie adulte mais chute rapidement à l'approche de la mort (Siegler, 1975). Selon cette hypothèse, il y a alors un changement accéléré du rendement intellectuel, généralement à l'intérieur de cinq ans. Depuis lors, quelques études ont cherché à confirmer cette hypothèse. Par exemple, Riegel et Riegel (1972) découvrent que leurs sujets qui sont morts à l'intérieur d'une période de cinq ans ont effectivement une cote intellectuelle inférieure à celle de ceux qui ont survécu. Dans une étude longitudinale, Berg (1987) observe que les sujets qui meurent entre deux évaluations montrent une chute, tandis que ceux qui sont encore vivants maintiennent à l'inverse les mêmes cotes dans la version suédoise du PMA à 70, 75 et 79 ans. Toutefois, bien que cette hypothèse soit séduisante, les avis sont très partagés quant à son bien-fondé (voir Siegler, 1975, pour une recension de ces études). Néanmoins, une diminution insolite du rendement intellectuel pourrait servir à détecter des maladies qui menacent la vie de la personne. La chute finale fait ressortir de manière évidente l'impact de la maladie. En l'absence de changement pathologique ou de maladie, l'intelligence tendrait donc à demeurer stable tout au long de la vie (Mishara & Riedel, 1984).

D'autres facteurs ont aussi été avancés pour expliquer, s'il y a lieu, la décroissance du rendement intellectuel telle qu'elle a été mise de l'avant dans les études transversales. L'un de ces facteurs est la **scolarisation**. Il faut se rappeler qu'à l'origine les tests d'intelligence ont été conçus afin de prédire le rendement scolaire. En outre, une analyse des sous-tests verbaux, notamment le WAIS, indique qu'une bonne partie du matériel fait l'objet d'un apprentissage à l'école. Cette constatation a amené certains auteurs à prétendre que si, aux tests intellectuels, les jeunes adultes ont un rendement supérieur à celui des adultes âgés, cela peut être le reflet d'une différence dans le niveau de scolarisation, les personnes plus âgées ayant une moins longue scolarité (Belsky, 1990). L'étude la plus souvent mentionnée à ce propos est celle de Green (1969). Après avoir mis en comparaison le Q.I. général et le niveau de scolarisation, cet auteur observe que la décroissance du Q.I. suit une trajectoire parallèle à la diminution de la scolarité. Selon Birren et Morrison (1961), le niveau de scolarisation est plus intimement lié à l'intelligence générale que l'âge. En d'autres mots, si l'on peut observer que les personnes âgées ont un rendement intellectuel inférieur à celui des jeunes adultes, cette observation n'est pas tant le résultat de l'âge avancé que l'effet d'une scolarité moindre. Dans le même ordre d'idées, on peut remarquer que, indépendamment de l'âge, les personnes peu scolarisées ont en général un rendement intellectuel inférieur à celui des personnes plus scolarisées.

Si le niveau de scolarisation est une explication possible de la décroissance intellectuelle, cela n'explique pas tout, car même si on contrôle pour la scolarisation, la différence entre jeunes adultes et personnes âgées demeure présente. Il ne faut pas négliger le fait qu'il est plausible que le contenu de la scolarisation soit différent malgré un niveau de scolarisation équivalent. Deux individus – l'un âgé de 20 ans et l'autre de 70 ans – pourraient tous deux avoir 12 années de scolarité sans que l'on puisse conclure pour autant à une équivalence de scolarisation. À n'en pas douter, on n'enseigne pas aujourd'hui le même contenu qu'il y a 40 ans. En outre, on peut penser que certaines personnes âgées compenseront leur manque de scolarisation par leur « expérience de vie » acquise avec les années.

Comme le mentionne Belsky (1990), non seulement la personne âgée est au départ désavantagée par sa scolarité moindre, mais elle a sans doute aussi perdu avec le temps la notion du « comment aborder une épreuve ». La situation n'est plus coutumière, la personne âgée ne sait pas de quoi il s'agit, ni ce qu'entraîne le fait de faillir à certaines questions du test. Loin d'être un facteur négligeable, l'administration d'un test – d'intelligence, de surcroît – peut devenir une source importante d'**anxiété**. Plusieurs pensent que si la personne est trop anxieuse, cela provoquera des « oublis » ou des « erreurs » qui, en temps normal, n'auraient jamais lieu. Cet excès d'anxiété sera nuisible au rendement de la personne âgée, qui aura faussement l'impression qu'elle n'est pas compétente. Toutefois, Schultz et ses collaborateurs (1980), après avoir examiné la relation entre l'intelligence et l'anxiété chez de jeunes adultes et des adultes âgés, concluent que l'anxiété ne joue pas un rôle très déterminant.

Un autre facteur exogène souvent mentionné est l'effet préjudiciable de la **prudence** ou du **conservatisme**. Botwinick (1966) avait déjà démontré que, en vieillissant, les sujets avaient tendance à répondre seulement s'ils étaient certains de ne pas se tromper. S'abstenir de répondre ou hésiter à le faire en cas de doute peut avoir un effet défavorable dans une tâche qui exige une réponse ou qui demande souvent d'être accomplie dans un laps de temps limité. Birkhill et Schaie (1975) avaient d'ailleurs émis l'hypothèse que la décroissance du rendement intellectuel pouvait s'expliquer par cette hésitation des personnes âgées à répondre aux questions dont elles n'étaient pas absolument assurées de la réponse. En effet, pour ces auteurs, si on permet aux personnes âgées de faire des omissions, elles en profitent pour ne pas répondre. Ils démontrent que les personnes âgées qui avaient été encouragées à prendre un risque ont obtenu, à trois des cinq sous-tests du PMA, un rendement supérieur à celui des personnes âgées qui n'avaient pas reçu de telles consignes. Le résultat de cette recherche est important, car cela laisse supposer que le rendement intellectuel observé jusqu'à maintenant chez les personnes âgées est inférieur à leur capacité réelle.

Plusieurs auteurs ont également soulevé l'idée que les personnes, en vieillissant, sont plus sensibles à l'effet de la **fatigue**, laquelle peut être présente lorsque l'on administre des épreuves d'assez longue durée. Afin de vérifier si la fatigue pouvait nuire au rendement intellectuel, Furry et Baltes (1973) ont administré le PMA à des enfants, à des adultes et à des personnes âgées. La moitié des sujets devaient accomplir une tâche fatigante, pendant 20 minutes, avant l'administration de l'épreuve. Comme on l'avait prévu, la fatigue a eu un effet préjudiciable sur les personnes âgées, en particulier en ce qui concerne la signification verbale, la fluidité verbale et la faculté de raisonnement.

La diminution de la **vitesse** d'exécution, ou ralentissement psychomoteur périphérique, est un autre facteur avancé pour expliquer la décroissance intellectuelle (Salthouse, 1989). En effet, plusieurs questions des épreuves d'intelligence doivent recevoir une réponse à l'intérieur d'une durée précise. En mettant l'accent sur la vitesse, les tests d'intelligence traditionnels seraient inéquitables pour les personnes vieillissantes et la décroissance intellectuelle observée ne serait pas réelle ; la décroissance observée refléterait plutôt un ralentissement – dû à l'âge – de la vitesse à percevoir ou à encoder les questions, ou encore, un ralentissement de la vitesse à donner la réponse. Toutefois, cette hypothèse d'un facteur périphérique n'a pas encore trouvé d'appui empirique éloquent. Par exemple, Doppelt et Wallace (1955) administrent le WAIS sous deux conditions – l'une consiste dans une administration standard, c'est-à-dire qu'il y a une limite de temps, alors que la seconde permet à la personne de prendre tout le temps nécessaire. Les auteurs ne trouvent aucun effet bénéfique à la deuxième condition.

Plus récemment, de nombreux auteurs ont commencé à postuler que la décroissance intellectuelle aurait pour origine le mécanisme central du traitement de l'information et, plus particulièrement, une diminution dans la **vitesse du traitement de l'information** (Hertzog, 1991). On observe en effet que plus la situation qu'affrontent les personnes âgées est complexe, plus le temps de réaction est grand. Cette observation laisse croire à une diminution de la vitesse du traitement de l'information avec le vieillissement. Cette hypothèse serait particulièrement intéressante pour expliquer la décroissance de l'intelligence fluide avec l'âge, mais elle reste à ce jour peu documentée en raison de la difficulté à mesurer la vitesse du traitement central de l'information (Salthouse, 1989).

Bien qu'il ne soit pas possible, à ce moment-ci, de déterminer avec certitude lequel de ces facteurs est responsable de la décroissance intellectuelle – tout en gardant à l'esprit que cette idée même ne fait pas l'unanimité –, il faut sans doute prendre en considération l'effet synergique de l'ensemble de ces facteurs afin d'expliquer la décroissance des habiletés ou de certaines habiletés intellectuelles avec l'âge.

Toutefois, de l'avis de certains, il est inutile de chercher à expliquer la décroissance intellectuelle par des différences méthodologiques ou par des facteurs comme la scolarisation ou la fatigue. Selon eux, les tests d'intelligence traditionnels ne conviennent tout simplement pas aux adultes et aux personnes âgées, car ils manquent de validité de contenu ou de **validité écologique**. Il faut encore rappeler que les tests ont été conçus à l'origine pour mesurer l'habileté des enfants et pour prédire leur performance scolaire. Même si, par la suite, on a conçu ou adapté des épreuves pour les adultes, le contenu est très similaire et donc biaisé en faveur de certaines habiletés scolaires précises. C'est ainsi que l'on commence à voir apparaître des épreuves plus conformes aux contextes de vie des personnes âgées.

Ceux qui plaident en faveur de l'élaboration de tests écologiquement valides considèrent l'intelligence comme étant composée d'un ensemble d'habiletés qui permettent à un individu de s'adapter avec succès à son contexte de vie, à son environnement (Cornelius, 1990). Cette idée n'est pas nouvelle, car déjà, en 1957, Demming et Pressey suggéraient que les tests d'intelligence utilisés pour mesurer l'intelligence chez les adultes et les personnes âgées devaient comporter des problèmes ou des situations de la vie quotidienne. Ils ont démontré que, si les tests sont construits de manière à cerner les connaissances de base nécessaires au milieu de vie ou à l'étape de la vieillesse (comme l'emploi des pages jaunes, l'utilisation d'expressions légales ou juridiques, etc.), la détérioration habituellement trouvée avec l'avance en âge est maintenant inversée. C'est sans doute pourquoi les habiletés cristallisées ont tendance à demeurer stables et même à augmenter avec le temps, car ce sont des habiletés qui sont nécessaires dans les activités quotidiennes. À l'inverse, les habiletés fluides sont moins nécessaires, donc moins pratiquées, ce qui fait qu'elles ont tendance à diminuer avec l'âge. S'inscrivant dans ce nouveau courant, Cornelius et Caspi (1987) ont élaboré un inventaire de résolution de problèmes quotidiens (*Everyday Problem Solving Inventory*) qui présente 48 situations problématiques hypothétiques couvrant des sphères de la vie quotidienne comme la résolution de conflits avec des amis. Pour chacune des situations, on trouve quatre choix de réponses possibles mais dont l'efficacité est différente selon le contexte. Ces chercheurs ont découvert l'existence d'une relation positive entre la résolution de problèmes et l'avance en âge.

4.5 ENTRAÎNEMENT

Même si la question historique du déclin ou de la stabilité de l'intelligence fait encore l'objet de nombreuses controverses, plusieurs tentatives pour changer ou améliorer « l'intelligence » chez les personnes âgées ont vu le jour ces dernières années. Une prolifération d'études qui partagent l'objectif de vouloir démontrer que les habiletés intellectuelles des personnes âgées peuvent être améliorées lorsque ces dernières sont soumises à un entraînement approprié, ont vu le jour depuis le début des années 1970 et se sont multipliées depuis lors. Cet objectif est intéressant d'un point de vue théorique, car si les résultats de ces études s'avéraient positifs, ils remettraient en question la notion fortement teintée d'âgisme selon laquelle la décroissance intellectuelle est naturelle, ontogénique, et, par conséquent, ne peut être renversée. L'optimisme de ces pionniers découle principalement de deux sources. La première vient de l'idée que des influences extérieures exercent une action négative sur le rendement intellectuel de la personne âgée. Par exemple, si l'anxiété diminue le rendement intellectuel, il est raisonnable de penser qu'un entraînement à la relaxation devrait être bénéfique. La deuxième source d'optimisme vient de ce qu'il a été suggéré, à de nombreuses reprises, que les habiletés intellectuelles encore exercées étaient celles qui démontraient le moins de décroissance. Cette affirmation amène à penser qu'exercer à nouveau des habiletés « oubliées » devrait être profitable. Toutefois, il est nécessaire de confronter ce point de vue rassurant à l'expérimentation avant de conclure hâtivement qu'un entraînement peut procurer un effet bénéfique.

Le projet ADEPT (*Adult Development and Enrichment Project*), qui a débuté en 1975, est sans doute l'effort le mieux organisé pour tenter d'améliorer l'intelligence chez les personnes âgées (Baltes & Willis, 1982). Le but de ce projet est de tenter de modifier par l'exercice et l'entraînement les habiletés intellectuelles auxquelles fait appel l'intelligence fluide. L'entraînement s'est naturellement tourné vers l'intelligence fluide et ses composantes puisqu'elle paraît être sensible aux effets du vieillissement et qu'elle est censée avoir une base biologique, donc théoriquement non modifiable.

Une stratégie assez simple consiste à exposer la personne âgée au test d'intelligence. En effet, en donnant l'occasion à la personne âgée de s'exercer, on lui permet de se familiariser avec la tâche qui pouvait être initialement nouvelle pour elle. Hofland et ses collaborateurs (1981) font s'exercer, pendant huit sessions d'une heure, 30 personnes dont la moyenne d'âge est de 69 ans à des tâches faisant appel à l'intelligence fluide, c'est-à-dire aux relations figurales et au raisonnement inductif. Ils remarquent une amélioration croissante du rendement pour les deux habiletés cibles. Ces résultats encourageants ont, depuis ce temps, obtenu un écho favorable. Par exemple, Schaie et Willis (1986) ont décelé, parmi les sujets de l'étude longitudinale de Seattle, ceux qui s'étaient intellectuellement détériorés sur une période de 14 ans et ceux qui étaient restés stables, pour le PMA. Ces sujets avaient suivi l'un ou l'autre des deux programmes d'entraînement constitués de cinq sessions de 60 minutes d'exercice. Le premier programme consiste à exercer les habiletés d'orientation spatiale, alors que le second consiste à exercer les habiletés de raisonnement. L'effet bénéfique de l'entraînement s'illustre par le fait que les personnes âgées retrouvent le rendement qu'elles avaient 14 ans auparavant et que les sujets dont les habiletés intellectuelles s'étaient détériorées ont profité du programme dans une plus large mesure que les sujets restés stables.

Certains auteurs, dont Hayslip (1989a), sans remettre en question l'efficacité des programmes d'entraînement, se questionnent toutefois sur la véritable raison des changements obtenus. Les résultats fournis par le projet ADEPT laissent entendre que l'amélioration obtenue est attribuable aux effets de l'entraînement, mais d'autres explications sont envisageables (Hayslip, 1989a). Par exemple, on pourrait penser que les changements se produisent parce que les personnes âgées qui participent à ces entraînements deviennent tout simplement plus familiarisées avec un contexte d'évaluation, ou moins anxieuses. Par exemple, des personnes âgées soumises à deux programmes différents, l'un consistant dans un entraînement au raisonnement inductif et l'autre dans un entraînement visant à réduire leur anxiété, augmentent leur rendement quant aux habiletés fluides (Hayslip, 1989b). Cette étude – comme d'autres, d'ailleurs – suggère qu'une variété de méthodes sont à présent disponibles afin d'améliorer les habiletés fluides.

Après avoir démontré que l'entraînement peut améliorer le rendement, on doit maintenant répondre à deux importantes questions. La première de ces questions est la suivante : « Jusqu'à quel point les effets de cet entraînement se transfèrent-ils vers les autres habiletés qui n'avaient pas été soumises à l'entraînement ? » Dans leur étude, Baltes et ses collaborateurs (1986) démontrent que, pour une habileté donnée, les gains sont d'autant plus petits que l'habileté en cause s'éloigne de l'habileté exercée. Par exemple, il ne faudrait pas penser que les gains obtenus à la suite d'un entraînement au raisonnement inductif puissent se généraliser au vocabulaire. Ces résultats, qui ont été reproduits, signifient que chaque habileté déficitaire doit faire l'objet d'un entraînement spécifique. La deuxième question à laquelle on doit répondre est la suivante : « Jusqu'à quel point les effets de cet entraînement peuvent aider la personne âgée dans son quotidien ? » Cette question est importante, car elle concerne directement l'utilité de ces programmes. En effet, à quoi bon fournir des programmes d'entraînement si l'amélioration obtenue à un test d'intelligence ne se traduit pas par un gain dans le fonctionnement de la vie de tous les jours ? Bien qu'il soit trop tôt pour tirer une conclusion, les premiers rapports sur cette question laissent sous-entendre que les participants, quelque positifs qu'aient été les effets, ne croient pas que cela aura un impact sur leur fonctionnement quotidien (Dittmann-Kohli *et al.*, 1991).

RÉSUMÉ

- Jusqu'à tout récemment, l'étude de l'intelligence a surtout été dominée par l'approche psychométrique.
- Bien qu'il n'existe pas de définition consensuelle de l'intelligence, il est généralement admis que cette dernière est constituée de plusieurs habiletés.
- Les études transversales font état d'une croissance de l'intelligence jusqu'au début de la vingtaine, suivie d'une décroissance par la suite, alors que les études longitudinales signalent que cette décroissance survient beaucoup plus tard, vers 70 ans environ.
- Les études transversales estiment les différences d'âge, alors que les études longitudinales mesurent les changements dus à l'âge.
- Les différentes habiletés intellectuelles cernées par les divers sous-tests des épreuves d'intelligence ne sont pas toutes touchées de la même manière. Plus particulièrement, les habiletés non verbales déclinent après la vingtaine, tandis que les habiletés verbales se maintiennent à leur niveau maximal tard à l'âge avancé.

- Cette différence entre le non-verbal et le verbal est appelée le profil classique du vieillissement.
- En comparant différentes cohortes, il est possible de démontrer que les cohortes nées plus récemment obtiennent généralement de meilleurs résultats que les cohortes plus anciennes, et que les différences entre les individus du même âge sont grandes.
- Plusieurs causes ont été avancées afin d'expliquer la baisse du rendement intellectuel avec l'âge, de même que les différences observées entre les habiletés intellectuelles.
- La théorie de Cattell et Horn sur l'intelligence générale fluide et cristallisée fournit un cadre conceptuel intéressant pour expliquer le profil classique du vieillissement.
- La mauvaise santé physique – particulièrement les maladies cardio-vasculaires et l'hypertension –, la chute finale, une scolarité moins élevée, l'anxiété, la prudence, la fatigue, le ralentissement psychomoteur périphérique ou la diminution de la vitesse du traitement central d'information sont quelques-uns des facteurs avancés pour expliquer la baisse du rendement intellectuel avec l'âge.
- Les tests d'intelligence traditionnels sont critiqués parce qu'ils ne prennent pas en considération les contextes de vie particuliers des personnes âgées. Ils manquent donc de validité écologique.
- Depuis les années 1970, plusieurs programmes d'entraînement aux habiletés intellectuelles ont vu le jour et ils s'avèrent bénéfiques pour le maintien et l'augmentation du rendement intellectuel. Toutefois, l'amélioration obtenue se transfère peu d'une habileté à une autre, et elle ne semble pas se traduire par un bénéfice dans la vie de tous les jours.

LECTURES SUGGÉRÉES

Botwinick, J. (1967). *Cognitive processes in maturity and old age.* New York : Springer Publishing Company.

Brody, N. (1992). *Intelligence* (2e éd.). New York : Academic Press.

Dixon, R.A., Kramer, D.A., & Baltes, P.B. (1985). Intelligence : A life-span developmental perspective. Dans B.B. Wolman (dir.), *Handbook of intelligence : Theories, measurements, and applications.* New York : John Wiley & Sons.

Schaie, K.W. (1983). *Longitudinal studies of adult psychological development.* New York : The Guilford Press.

Thorndike, R.M., & Lohman, D.F. (1990). *A century of ability testing.* Chicago : The Riverside Publishing Company.

RÉFÉRENCES

Baltes, P.B. (1968). Longitudinal and cross-sectional sequences in the study of age and generation effects. *Human Development, 11*, 145-171.

Baltes, P.B., Dittmann-Kohli, F., & Kliegl, R. (1986). Reserve capacity of the elderly in aging-sensitive tests of fluid intelligence : Replication and extension. *Psychology and Aging, 1*, 172-177.

Baltes, P.B., & Willis, S.L. (1982). Plasticity and enhancement of intellectual functioning in old age : Penn state's Adult Development and Enrichment Project (ADEPT). Dans F.I.M. Craik & S. Trehub (dir.), *Aging and cognitive processes.* New York : Plenum Press.

Bayley, N., & Oden, M.H. (1955). The maintenance of intellectual ability in gifted adults. *Journal of Gerontology, 10*, 91-107.

Beeson, M.F. (1920). Intelligence at senescence. *Journal of Applied Psychology, 4*, 219-234.

Belsky, J.K. (1990). *The psychology of aging : Theory, research, and interventions* (2e éd.). California : Brooks/Cole Publishing Company.

Berg, S. (1987). Intelligence and terminal decline. Dans G.L. Maddox & E.W. Busse (dir.), *Aging : The universal human experience* (p. 411-417). New York : Springer Publishing Company.

Berkowitz, B., & Green, R.F. (1963). Changes in intellect with age : I. Longitudinal study of Wechsler-Bellevue scores. *The Journal of Genetic Psychology, 103*, 3-21.

Binet, A., & Henri, V. (1896). La psychologie individuelle. *L'Année psychologique, 2*, 411-465.

Binet, A., & Simon, T. (1905). Méthodes nouvelles pour le diagnostic du niveau intellectuel des anormaux. *L'Année psychologique, 11*, 191-244.

Birkhill, W.R., & Schaie, K.W. (1975). The effect of differential reinforcement of cautiousness in intellectual performance among the elderly. *Journal of Gerontology, 30*, 578-583.

Birren, J.E., & Morrison, D.F. (1961). Analysis of the WAIS subtests in relation to age and education. *Journal of Gerontology, 16*, 363-369.

Boring, E.G. (1923). Intelligence as tests test it. *New Republic, 33*, 35-37.

Botwinick, J. (1966). Cautiousness in advanced age. *Journal of Gerontology, 21*, 347-353.

Botwinick, J. (1967). *Cognitive processes in maturity and old age.* New York : Springer Publishing Company.

Botwinick, J. (1977). Intellectual abilities. Dans J.E. Birren & K.W. Schaie (dir.), *Handbook of the psychology of aging.* New York : Van Nostrand Reinhold.

Brody, N. (1992). *Intelligence* (2e éd.). New York : Academic Press.

Burt, C. (1955). The evidence for the concept of intelligence. *British Journal of Educational Psychology, 25*, 158-177.

Cattell, J.M. (1890). Mental tests and measurements. *Mind, 15*, 373-381.

Cattell, R.B. (1943). The measurement of adult intelligence. *Psychological Bulletin, 40*, 153-193.

Cattell, R.B. (1963). Theory of fluid and crystallized intelligence : A critical experiment. *Journal of Educational Psychology, 54*, 1-22.

Cornelius, S.W. (1990). Aging and everyday cognitive abilities. Dans Thomas M. Hess (dir.), *Aging and cognition : Knowledge organization and utilization* (p. 411-459). Amsterdam : North-Holland.

Cornelius, S.W., & Caspi, A. (1987). Everyday problem solving in adulthood and old age. *Psychology and Aging, 2*, 144-153.

Corsini, R.J., & Fassett, K.K. (1953). Intelligence and aging. *The Journal of Genetic Psychology, 83*, 249-264.

Cunningham, W.R., & Owens, W.A. (1983). The Iowa State study of the adult development of intellectual abilities. Dans K.W. Schaie (dir.), *Longitudinal studies of adult psychological development* (p. 20-39). New York : The Guilford Press.

Demming, J.A., & Pressey, S.L. (1957). Tests « indigenous » to the adult and older years. *Journal of Counseling Psychology, 4*, 144-148.

Dittmann-Kohli, F., Lachman, M.E., Kliegl, R., & Baltes, P.B. (1991). Effects of cognitive training and testing on intellectual efficacy beliefs in elderly adults. *Journal of Gerontology : Psychological sciences, 46*, P162-P164.

Dixon, R.A., Kramer, D.A., & Baltes, P.B. (1985). Intelligence : A life-span developmental perspective. Dans B.B. Wolman (dir.), *Handbook of intelligence : Theo-*

ries, measurements, and applications (p. 301-350). New York : John Wiley & Sons.

Doppelt, J.E., & Wallace, W.L. (1955). Standardization of the Wechsler Adult Intelligence Scale for older persons. *Journal of Abnormal and Social Psychology, 51*, 312-330.

Eisdorfer, C. (1963). The WAIS performance of the aged : A retest evaluation. *Journal of Gerontology, 18*, 169-172.

Eisdorfer, C., & Wilkie, F. (1973). Intellectual change with advancing age. Dans L.F. Jarvik, C. Eisdorfer & J.E. Blum (dir.), *Intellectual functioning in adults.* New York : Springer Publishing Company.

Foster, J.C., & Taylor, G.A. (1920). The applicability of mental tests to persons over fifty years of age. *Journal of Applied Psychology, 4*, 39-58.

Fox, C., & Birren, J.E. (1950). The differential decline of subtest scores of the Wechsler-Bellevue intelligence scale in 60-69-year-old individuals. *The Journal of Genetic Psychology, 77*, 313-317.

Furry, C.A., & Baltes, P.B. (1973). The effect of age differences in ability-extraneous performance variables on the assessment of intelligence in children, adults, and the elderly. *Journal of Gerontology, 12*, 73-80.

Green, R.F. (1969). Age-intelligence relationship between ages sixteen and sixty-four. *Developmental Psychology, 1*, 618-627.

Guilford, J.P. (1967). *The nature of human intelligence.* New York : McGraw-Hill.

Hayslip, B. (1989a). Alternative mechanisms for improvements in fluid ability performance among the aged. *Psychology and Aging, 4*, 122-124.

Hayslip, B. (1989b). Fluid ability training with aged people : A past with a future? *Educational Gerontology, 15*, 573-595.

Hertzog, C. (1991). Aging, information processing speed, and intelligence. *Annual Review of Gerontology and Geriatrics, 11*, 55-79.

Hertzog, C., Schaie, K.W., & Griffin, K. (1978). Cardiovascular disease and changes in intellectual functioning from middle to old age. *Journal of Gerontology, 33*, 872-883.

Hofland, B.F., Willis, S.L., & Baltes, P.B. (1981). Fluid intelligence performance in the elderly : Intraindividual variability and conditions of assessment. *Journal of Educational Psychology, 73*, 573-586.

Horn, J.L., & Cattell, R.B. (1966). Refinement and test of the theory of fluid and crystallized general intelligences. *Journal of Educational Psychology, 57*, 253-270.

Horn, J.L., & Cattell, R.B. (1967). Age differences in fluid and crystallized intelligence. *Acta Psychologica, 26*, 107-129.

Horn, J.L., & Donaldson, G. (1976). On the myth of intellectual decline in adulthood. *American Psychologist, 31*, 701-719.

Intelligence and its measurement : A symposium (1921). *The Journal of Educational Psychology, 12*, 123-147, 195-216, 271-275.

Jarvik, L.F., & Falek, A. (1963). Intellectual stability and survival in the aged. *Journal of Gerontology, 18*, 173-176.

Jones, H.E., & Conrad, H.S. (1933). The growth and decline of intelligence : A study of a homogeneous group between the ages of ten and sixty. *Genetic Psychology Monographs, 13*, 223-298.

Miles, C.C., & Miles, W.R. (1932). The correlation of intelligence scores and chronological age from early to late maturity. *American Journal of Psychology, 44*, 44-78.

Mishara, B.L., & Riedel, R.G. (1984). *Le vieillissement.* Paris : Presses universitaires de France.

Nisbett, J.D. (1957). Intelligence and age : Retesting with twenty-four years' interval. *The British Journal of Educational Psychology, 27*, 190-198.

Owens, W.A. (1953). Age and mental abilities : A longitudinal study. *Genetic Psychology Monographs, 48*, 3-54.

Owens, W.A. (1966). Age and mental abilities : A second adult follow-up. *Journal of Genetic Psychology* (108), 311-325.

Riegel, K.F., & Riegel, R.M. (1972). Development, drop, and death. *Developmental Psychology, 6*, 306-319.

Rinn, W.E. (1988). Mental decline in normal aging : A review. *Journal of Geriatric Psychiatry and Neurology, 1*, 144-158.

Salthouse, T.A. (1989). Age-related changes in basic cognitive processes. Dans M. Storandt & G.R. VandenBos (dir.), *The adults years : Continuity and change* (p. 7-40). Washington : American Psychological Association.

Schaie, K.W. (1965). A general model for the study of developmental problems. *Psychological Bulletin, 64*, 92-107.

Schaie, K.W. (1978). External validity in the assessment of intellectual development in adulthood. *Journal of Gerontology, 33*, 695-701.

Schaie, K.W. (1983). The Seattle Longitudinal Study : A 21-year exploration of psychometric intelligence in adulthood. Dans K.W. Schaie (dir.), *Longitudinal stud-*

ies of adult psychological development (p. 64-135). New York : The Guilford Press.

Schaie, K.W. (1990). The optimization of cognitive functioning in old age : Predictions based on cohort-sequential and longitudinal data. Dans P.B. Baltes & M.M. Baltes (dir.), *Successful aging : Perspectives from the behavioral sciences.* Cambridge : Cambridge University Press.

Schaie, K.W., Labouvie-Vief, G., & Buech, B.U. (1973). Generational and cohort-specific differences in adult cognitive functioning : A fourteen-year study of independent samples. *Developmental Psychology, 9,* 151-166.

Schaie, K.W., & Labouvie-Vief, G. (1974). Generational versus ontogenetic components of change in adult cognitive behavior : A fourteen-year cross-sequential study. *Developmental Psychology, 10,* 305-320.

Schaie, K.W., & Strother, C.R. (1968). A cross-sequential study of age changes in cognitive behavior. *Psychological Bulletin, 70,* 671-680.

Schaie, K.W., & Willis, S.L. (1986). Can decline in adult intellectual functioning be reversed? *Developmental Psychology, 22,* 223-232.

Schultz, N.R., Hoyer, W.J., & Kaye, D.B. (1980). Trait anxiety, spontaneous flexibility, and intelligence in young and elderly adults. *Journal of Consulting and Clinical Psychology, 48,* 289-291.

Siegler, I.C. (1975). The terminal drop hypothesis : Fact or Artifact? *Experimental Aging Research, 1,* 169-185.

Siegler, I.C. (1983). Psychological aspects of the Duke Longitudinal Studies. Dans K.W. Schaie (dir.), *Longitudinal studies of adult psychological development* (p. 136-190). New York : The Guilford Press.

Siegler, I.C., & Botwinick, J. (1979). A long-term longitudinal study of intellectual ability of older adults : The matter of selective attrition. *Journal of Gerontology, 34,* 242-245.

Spearman, C. (1904). « General intelligence », objectively determined and measured. *The American Journal of Psychology, 15,* 201-293.

Spearman, C. (1914). The theory of two factors. *Psychological Review, 21,* 101-115.

Spearman, C. (1927). *The abilities of man.* London : Macmillan.

Sternberg, R.J. (1979). The nature of mental abilities. *American Psychologist, 34,* 214-230.

Terman, L.M. (1916). *The measurement of intelligence.* Boston : Houghton Mifflin.

Terman, L.M. (1921). Intelligence and its measurement : A symposium. *Journal of Educational Psychology, 12*, 128.

Thorndike, R.M., & Lohman, D.F. (1990). *A century of ability testing*. Chicago : The Riverside Publishing Company.

Thurstone, L.L. (1938). *Primary mental abilities*. Chicago : University of Chicago Press.

Wechsler, D. (1939). *Measurement of adult intelligence*. Baltimore : Williams & Wilkins.

Wechsler, D. (1955). *Manual for the Wechsler Adult Intelligence Scale*. New York : The Psychological Corporation.

Wechsler, D. (1958). *The measurement and appraisal of adult intelligence*, 4e éd. Baltimore : Williams & Wilkins.

Wechsler, D. (1981). *Wechsler Adult Intelligence Scale – Revised*. New York : The Psychological Corporation.

Wilkie, F.L., & Eisdorfer, C. (1971). Intelligence and blood pressure. *Science, 172*, 959-962.

Willoughby, R.R. (1927). Family similarities in mental-test abilities. *Genetic Psychology Monographs, 2*, 240-277.

Woodruff, D.S. (1983). A review of aging and cognitive processes. *Research on Aging, 5*, 139-153.

Woodruff-Pak, D.S. (1988). *Psychology and aging*. Englewood Cliffs, NJ : Prentice-Hall.

Chapitre 5

Mémoire

5.1 INTRODUCTION

S'il est un sujet qui intéresse les personnes âgées, c'est bien celui de la mémoire. Nombreuses sont les personnes âgées qui s'inquiètent de leurs difficultés de mémoire et qui y voient un signe accompagnateur du vieillissement, ou pire, un indice précurseur du déclin plus grave que représente la démence. Avec l'avancement en âge, les gens ont tendance à se plaindre d'avoir de plus en plus de problèmes avec leur mémoire (Dobbs & Rule, 1987).

À l'heure actuelle, il n'y a pas d'unanimité parmi les psychologues en faveur d'une grande théorie unique qui expliquerait globalement le fonctionnement de la mémoire. Les connaissances se regroupent plutôt autour de modèles théoriques partiels qui se concentrent sur différents aspects du système mnésique. Ces modèles font aussi l'objet de plusieurs controverses. Résumer nos connaissances sur la mémoire et le vieillissement n'est donc pas une tâche aisée. L'option choisie ici est d'exposer en premier lieu la perspective théorique qui sert de principe organisateur pour l'examen des effets de l'âge. En fin de compte, un modèle théorique justifie son existence dans la mesure où il facilite l'intégration des informations disponibles à un moment donné et procure un cadre conceptuel pour l'acquisition de nouveaux savoirs. Les personnes intéressées à approfondir leurs connaissances sur la mémoire en général pourront utilement consulter l'ouvrage de Baddeley (1990, 1993).

5.2 PROCESSUS DE LA MÉMOIRE

Dans l'étude de l'apprentissage et de la mémoire, les modèles théoriques se basent souvent sur des analogies avec les développements technologiques de l'époque. Les travaux contemporains sur la mémoire et sur les processus cognitifs en général accordent beaucoup d'intérêt aux progrès de l'informatique. Comme le souligne Tiberghien (1991, p. 22), plusieurs modèles contemporains considèrent que « la mémoire humaine peut être décrite comme un système de traitement de l'information composé de modules de traitement élémentaires organisés de façon séquentielle ». La notion fréquemment rencontrée de deux niveaux distincts de mémoire (à court terme et à long terme) et d'un mécanisme de contrôle est tributaire du mode d'opération de l'ordinateur, avec sa mémoire de travail souple mais de capacité réduite, son puissant système de stockage à long terme virtuellement indéfectible et son unité de contrôle.

Mis à part les débats théoriques, les spécialistes de la mémoire s'accordent sur l'intérêt de distinguer au moins deux sous-systèmes de mémoire : la mémoire à court terme et la mémoire à long terme. Dans le langage de tous les jours, les notions de mémoire à court terme et de mémoire à long terme sont utilisées en fonction de la récence de l'acquisition d'information. Ainsi, on dira des souvenirs des événements des dernières heures écoulées qu'ils font partie de la mémoire à court terme. De même, les souvenirs des années d'enfance seront considérés comme contenus dans la mémoire à long terme. Les théoriciens de la mémoire, de leur côté, utilisent ces concepts de manière sensiblement différente. Pour eux, les notions de mémoire à court terme et de mémoire à long terme renvoient principalement à des processus de mémoire ayant des modes de fonctionnement différents. La mémoire à court terme (aussi appelée stock à court terme ou encore mémoire de travail) correspond à un système de rétention temporaire de l'information à capacité limitée, et la mémoire à long terme se rapporte à un système à capacité potentiellement illimitée disposant d'un stockage virtuellement permanent.

Avant d'examiner les effets du vieillissement, il est nécessaire de revoir succinctement les théories contemporaines sur le fonctionnement de ces différents systèmes de mémoire. Pour faciliter les liaisons avec les modèles théoriques contemporains, nous aborderons séparément les registres sensoriels et la mémoire à court terme, d'une part, et la mémoire à long terme, d'autre part.

5.2.1 Mémoire à court terme

– Structure des registres sensoriels et de la mémoire à court terme

Parmi les modèles théoriques qui ont été proposés au cours des dernières décennies, celui d'Atkinson et Shiffrin (1968) constitue un jalon important dans l'évolution de notre compréhension des processus mnésiques. Se départissant d'une vision unitaire de la mémoire, ce modèle a clairement établi la nécessité de reconnaître des distinctions entre divers processus mnésiques.

Atkinson et Shiffrin (1968) postulent l'opération de trois stocks mnésiques : le **registre sensoriel**, le **stock à court terme (SCT)** et le **stock à long terme (SLT)**. Les concepts de stock à court terme et de stock à long terme correspondent respectivement aux notions de mémoire primaire et de mémoire secondaire (Waugh & Norman, 1965). Atkinson et Shiffrin ont adopté cette terminologie (où le mot *stock* est utilisé au lieu de *mémoire*) pour préciser qu'il s'agit de systèmes mnésiques hypothétiques opérant de manière différente, et pour éviter l'ambiguïté reliée à l'usage des termes *mémoire à court terme* et *mémoire à long terme* dans le langage courant. Selon ces auteurs, les expressions *mémoire à court terme* et *mémoire à long terme* devraient être réservées pour décrire les tâches expérimentales qui varient selon la durée de la rétention de l'information. Ainsi, ces auteurs utiliseront l'expression *mémoire à court terme* pour désigner la situation expérimentale typique requérant que le sujet retienne une petite quantité d'information pendant un court laps de temps.

Selon ce modèle, que l'on qualifie de *modulaire* (voir figure 5.1), l'information provenant des différentes modalités sensorielles est traitée en parallèle par une

Figure 5.1 Modèle modulaire d'Atkinson et Shiffrin

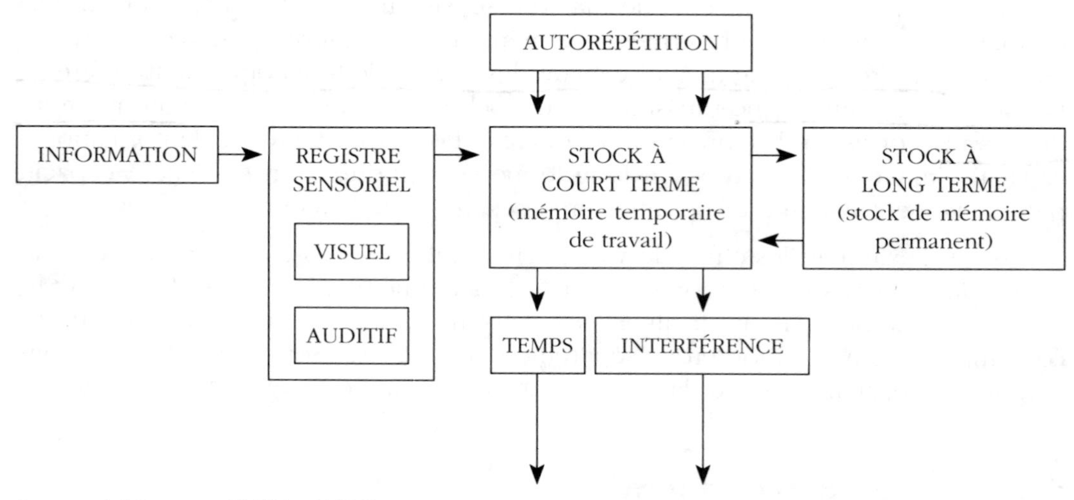

Source: Atkinson et Shiffrin (1968).

série de registres sensoriels. Ces registres sensoriels sont spécifiques d'une modalité sensorielle. Il s'agit encore d'un processus essentiellement perceptuel, et l'information y est traitée pour une période très brève (de l'ordre de 250 millisecondes pour une trace visuelle) et sous une forme rudimentaire. Bien que, théoriquement, on puisse envisager autant de registres sensoriels que de modalités sensorielles (vision, odorat, audition, tact, proprioception), ce sont surtout les modalités visuelle et auditive qui ont retenu l'attention des chercheurs. Le terme *mémoire iconique* est utilisé pour désigner le processus de la mémoire sensorielle visuelle (image brève) et le terme *mémoire échoïque*, pour désigner celui de la mémoire sensorielle auditive (écho sonore). La fonction essentielle de ces registres est de permettre que le stimulus initial soit prolongé assez longtemps pour assurer un traitement subséquent de l'information. Dans la perception du langage, par exemple, il est nécessaire de retenir le son des parties d'un mot durant un temps suffisant pour permettre de le relier aux sons suivants et de déterminer la signification du mot. Cette étape est considérée comme *précognitive* dans la mesure où c'est l'impression littérale du stimulus sensoriel qui est retenue sans qu'il y ait traitement qualifié de l'information. L'étude de ces systèmes de stockage sensoriels fait partie du domaine de la perception et, pour cette raison, elle a moins intéressé les théoriciens de la mémoire.

Ensuite s'opère un transfert de l'information des stocks sensoriels à la deuxième composante du modèle, le SCT, qui est la composante centrale du système mnésique selon la perspective d'Atkinson et Shiffrin. Le SCT correspond à un système de retenue et d'organisation de l'information. La quantité d'information qui peut être retenue à ce niveau est limitée, soit de l'ordre de 7 ± 2 items (*chunks*) [Miller, 1956]. Il s'agit de l'empan mnésique (mémoire immédiate), autrement dit du nombre maximum d'éléments qui peuvent être retenus au niveau du SCT. Nos numéros de téléphone respectent effectivement cette capacité de rétention limitée en ne comportant que sept chiffres pour faciliter leur rétention temporaire. Le SCT a aussi un rôle actif, au travers d'une série de processus d'encodage et de stratégies de contrôle. C'est ainsi que cette étape a été aussi désignée comme celle de la mémoire temporaire de travail (voir plus bas le modèle de Baddeley & Hitch). Un de ces processus de contrôle est l'autorépétition, qui permet de maintenir la trace plus longtemps en SCT et d'augmenter ainsi la probabilité de son passage dans le SLT. Répéter mentalement un numéro de téléphone le temps de passer du bottin au récepteur est un exemple de l'autorépétition en stock à court terme dans la vie de tous les jours. L'oubli, au niveau du SCT, peut se produire de deux manières : par la disparition automatique de la trace avec le passage du temps, ou par l'interférence avec d'autres traces concomitantes ou subséquentes. Bien que certaines opérations du SCT puissent impliquer une forme d'encodage de l'information par la mise en relation avec certains aspects de signification stockés dans le SLT, ce sont principalement les caractéristiques physiques de l'information, en particulier le codage phonologique (la sonorité des mots), qui sont traitées en SCT.

Le SLT, par contre, comporte une analyse plus avancée des aspects sémantiques (la signification) de l'information. Dans le modèle d'Atkinson et Shiffrin (1968), le SLT se présente comme un système à capacité virtuellement illimitée et permanente. Ses caractéristiques principales seront présentées plus bas dans la section qui est consacrée à la mémoire à long terme.

Le modèle d'Atkinson et Shiffrin (1968) a été critiqué sur plusieurs points, en particulier au sujet de la notion selon laquelle l'apprentissage à long terme dépendrait étroitement du SCT. En effet, les critiques ont souligné que le modèle explique mal les cas cliniques de sujets qui ont subi des dommages cérébraux importants et qui manifestent un fonctionnement normal du SLT, malgré un déficit sévère du SCT. De même, l'idée que le transfert en SLT soit si dépendant de la durée du maintien de l'information en SCT a été la cible de critiques. L'ensemble des objections à ce modèle de la mémoire a eu pour conséquence une diminution de l'intérêt pour une approche structurale de la mémoire, en général, et pour l'étude du SCT, en particulier.

– Mémoire de travail

En partie en réponse aux critiques formulées à l'endroit du modèle d'Atkinson et Shiffrin, la théorie de la mémoire de travail de Baddeley et Hitch (1974) s'écarte d'une vision unitaire de la mémoire de travail pour envisager un système à plusieurs composantes (Baddeley & Hitch, 1974 ; Hitch & Baddeley, 1976). Baddeley (1986, p. 34) décrit la mémoire de travail comme « un système pour le maintien temporaire et la manipulation de l'information pendant l'accomplissement d'une série de tâches cognitives telles que la compréhension, l'apprentissage et le raisonnement ». Comme le montre la figure 5.2, ce concept de mémoire de travail, qui remplace celui de SCT, renvoie à un système constitué d'un mécanisme central de contrôle (administrateur central) et de systèmes qui lui sont subordonnés (systèmes esclaves). Chaque système esclave a une fonction et des mécanismes d'opération particuliers. Les deux principaux systèmes esclaves sont la boucle articulatoire (*articulatory loop*) et le registre visuospatial (*visuospatial scratchpad*). La boucle articulatoire a pour rôle de maintenir en mémoire de travail les informations encodées phonétiquement, en d'autres termes les informations basées sur la parole ; le registre visuospatial joue le même rôle pour le matériel visuel, mais celui-ci doit passer d'abord par une étape d'articulation subvocale. L'administrateur central fonctionne comme un système attentionnel à capacité limitée, qui effectue diverses opérations de contrôle à la manière du SCT du modèle d'Atkinson et Shiffrin (1968). Baddeley (1990, 1993) a suggéré que le modèle du contrôle de l'attention proposé par Norman et Shallice (1986) représente une manière d'envisager les opérations de l'administrateur central. La boucle articulatoire représente donc un système de stockage qui retient temporairement les items verbaux (reliés au langage). De son côté, le registre visuospatial est responsable de la mise en place et de la manipulation des informations visuelles. Il est hors de propos de présenter

Figure 5.2 Modèle de la mémoire de travail selon Baddeley et Hitch

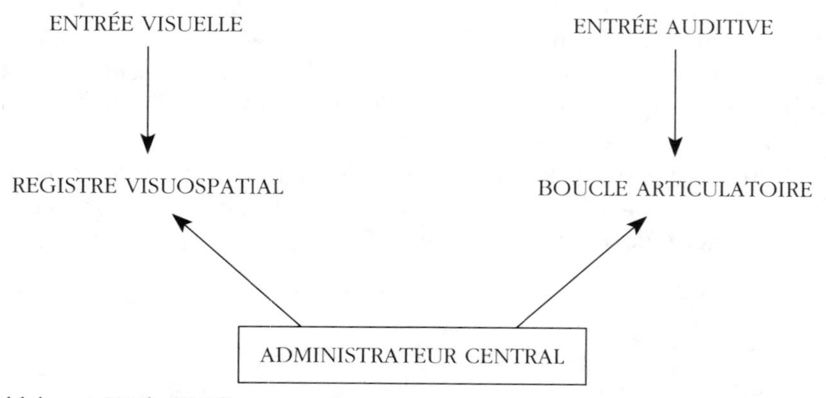

Source: Baddeley et Hitch (1974).

ici les données expérimentales qui militent en faveur de la distinction de ces sous-systèmes de la mémoire de travail. À cet égard, les lecteurs pourront consulter Baddeley (1990, 1993). Pour la compréhension des effets du vieillissement, il est toutefois important de retenir que la caractéristique essentielle du fonctionnement de la mémoire de travail est l'opération conjointe d'un stockage et d'un traitement de l'information.

En résumé, les conceptions contemporaines de la mémoire à court terme envisagent cette étape du fonctionnement de la mémoire comme un système de capacité limitée pour le stockage et le traitement d'une quantité réduite d'informations. Ce système de stockage temporaire des informations est une mémoire de travail qui permet la réalisation d'opérations mentales complexes comme le calcul, le raisonnement, la compréhension du langage. Ainsi, en reprenant l'exemple proposé par Van der Linden et Seron (1992), si quelqu'un nous dit « Hier, j'ai entendu parler du fils d'André, d'après sa voisine qui est une excellente amie, il est parti en Éthiopie pour 15 jours », notre capacité de comprendre que le mot *il* se rapporte à André est tributaire de notre mémoire de travail qui a gardé temporairement cette information présentée quelques secondes auparavant. On saisit aisément comment le dysfonctionnement d'un tel mécanisme détériore la possibilité de procéder à des opérations mentales, comme la compréhension du langage et le raisonnement. L'intégrité du fonctionnement de la mémoire à court terme est donc essentielle pour le bon fonctionnement de la mémoire et de la pensée.

– Registres sensoriels et personnes âgées

Examinons maintenant les effets du vieillissement sur ces différents processus mnésiques. En ce qui concerne les registres sensoriels, l'avancement en âge ne semble pas produire de modification majeure. Les différences associées à l'âge en ce qui concerne la mémoire iconique sont faibles (Cerella *et al.*, 1982). Selon la théorie de la persistance du stimulus, les traces en mémoire sensorielle devraient durer plus longtemps, favorisant ainsi logiquement les processus de mémoire (Kausler, 1982). Mais, en contrepartie, il est reconnu que le vieillissement s'accompagne d'un ralentissement des processus cognitifs (Cerella, 1990). Ce ralentissement du traitement de l'information pourrait annuler l'effet de maintien prolongé de la trace sensorielle, ce qui équivaudrait, en fin de compte, à une absence de changement significatif avec l'âge dans le fonctionnement des registres sensoriels.

– Mémoire à court terme et personnes âgées

Il ne semble pas qu'il y ait de déficit notoire chez la personne âgée en ce qui concerne la *quantité* d'information qui peut être stockée dans la mémoire à court terme. Nous avons vu plus haut que cette capacité s'établissait à 7 ± 2 items d'information. C'est ainsi que les sujets âgés obtiennent de bonnes performances à la tâche de l'empan mnésique consistant à reproduire dans l'ordre exact de présentation une liste de plus en plus longue de chiffres (Craik, 1977; Poon, 1985). Un autre type d'évidence en faveur d'une absence de différences associées à l'âge en ce qui a trait à la quantité d'information qui peut être retenue dans la mémoire à court terme provient des études sur l'effet de récence. Les sujets ont tendance à mieux se souvenir des derniers mots d'une liste, ceux qui ont été présentés le plus récemment. Cet effet est attribué au stockage à court terme. Or, les sujets âgés manifestent cet effet tout autant que les sujets jeunes (Poon & Fozard, 1980).

Cependant, la personne âgée manifeste des difficultés lorsque l'information à garder dans ce stock de mémoire est complexe ou lorsque l'information doit être manipulée ou réorganisée dans la mémoire à court terme. Ainsi, la personne âgée éprouve certaines difficultés lorsqu'elle doit conserver une information en mémoire tout en effectuant une autre opération sur l'information déjà stockée. Par exemple, la personne âgée a de la difficulté dans la tâche d'empan mnésique en arrière qui consiste à reproduire de mémoire une liste de chiffres, mais dans l'ordre inverse de la présentation. Cette tâche est plus complexe que l'empan en avant parce qu'elle exige que le sujet conserve la liste en mémoire tout en la réorganisant en même temps. Van der Linden et Seron (1992) mentionnent quelques exemples de la vie quotidienne où ces difficultés de la personne âgée sont plus apparentes: la personne âgée qui perd le fil d'une conversation à plusieurs interlocuteurs parce qu'elle ne peut garder dans la mémoire à court terme toutes les informations fournies; la personne âgée qui perd le sens d'un film dont le déroulement n'est pas linéaire parce qu'elle ne peut en même temps garder en mémoire et réorganiser les informations recueillies.

Ainsi, les personnes âgées éprouveraient des difficultés particulières dans les situations qui requièrent une réorganisation du contenu en mémoire ou une division de l'attention entre opérations mentales (Craik, 1977). À ce sujet, Baddeley (1986) a avancé l'hypothèse que le vieillissement s'accompagnerait d'une réduction de la capacité de l'administrateur central. On se souviendra ici de la fonction attentionnelle de l'administrateur central. Cette hypothèse de Baddeley revient donc à considérer que le déficit mnésique fondamental est de nature attentionnelle. Cohen et Faulkner (1984) ont aussi émis l'hypothèse que l'efficacité de fonctionnement de la mémoire de travail serait réduite chez le sujet âgé. Selon ces auteurs, le vieillissement s'accompagnerait d'une réduction de la quantité de ressources disponibles pour effectuer conjointement différentes opérations mentales, telles que la compréhension d'un récit, par exemple. En effet, dans cette situation, pour comprendre le récit et en établir la continuité, il s'agit de traiter le message oral au fur et à mesure de sa réception, tout en le reliant continuellement aux informations reçues antérieurement.

5.2.2 Mémoire à long terme

Il est courant de distinguer trois processus à l'œuvre au niveau de la mémoire à long terme : l'**encodage**, le **stockage** et la **récupération**. L'encodage se rapporte aux processus qui président à l'acquisition et à l'organisation de l'information. Le truisme selon lequel pour bien retenir, il faut d'abord bien apprendre, illustre l'importance de l'encodage pour la mémoire. Le stockage correspond aux processus de mise en réserve de l'information pour usage ultérieur éventuel. Cette phase n'est pas passive et comporte une consolidation de l'information acquise. Finalement, la récupération est le processus permettant d'accéder à l'information emmagasinée dans la mémoire à long terme (Fortin & Rousseau, 1989). Le cadre théorique proposé par Craik et Lockhart (1972) va nous aider à mieux comprendre l'importance de l'encodage pour la performance mnésique.

– Encodage : niveau de traitement et organisation de l'information

L'encodage correspond à la phase d'acquisition, ou d'apprentissage, de l'information. Nous l'aborderons ici sous l'angle du niveau de traitement et de l'organisation de l'information. Craik et Lockhart (1972) ont tenté de répondre à la désaffection pour une approche structurale de la mémoire, comme celle d'Atkinson et Shiffrin, en développant une perspective centrée sur l'encodage de l'information. Ces auteurs postulent encore l'opération d'un système de SCT, mais ils s'y attardent peu. Ils se préoccupent davantage du rôle de l'encodage de l'information tel qu'il opère dans le SLT. Le postulat central de leur théorie est que le SLT est responsable du traitement approfondi de l'information, processus qui est le garant d'un apprentissage durable. Selon cette perspective, plus une information est traitée en profondeur, mieux elle sera mémorisée. Ainsi, si l'on prend à titre d'exemple la tâche consistant à retenir une liste de mots, une analyse des caractéristiques physiques (le nombre de lettres) représente un niveau *superficiel* de traitement de l'information, une analyse phonologique (le son du mot), un niveau *intermédiaire*, et une analyse sémantique (la signification du mot), un niveau *approfondi*. En général, le niveau le plus approfondi de traitement de l'information implique une analyse de la signification, et, normalement, un niveau plus approfondi de traitement est associé à un meilleur souvenir. La méthodologie de recherche typique dans ce courant de recherche est représentée par la technique de l'orientation. Des consignes sont données aux sujets pour qu'ils traitent l'information à apprendre (par exemple, une liste de mots) à différents niveaux d'approfondissement. À titre d'exemple, voici quatre types d'instructions pour amener quatre groupes de sujets à traiter l'information à différents niveaux d'approfondissement (Craik & Byrd, 1982 ; Cohen, 1988) : 1) compter le nombre de lettres de chaque mot ; 2) trouver un mot qui rime avec chaque mot de la liste ; 3) trouver un adjectif qui qualifie adéquatement chaque mot de la liste ; 4) former une image pour chaque mot. Ces niveaux sont ici présentés en ordre ascendant d'approfondissement. Clairement, les deux premiers groupes seront induits à se centrer sur des caractéristiques élémentaires des mots, ce qui conduira à un encodage inférieur. Le groupe 3 et, surtout, le groupe 4 devront procéder à une analyse plus approfondie de la signification des mots pour suivre les consignes, ce qui conduira normalement à un encodage supérieur.

Cette théorie de Craik et Lockhart (1972) a été la cible de plusieurs critiques, dont les plus virulentes ont souligné la circularité de la notion de profondeur de traitement et l'absence de précision concernant les mécanismes de récupération de l'information (Baddeley, 1978). Toutefois, cette théorie, qui considère le niveau de traitement de l'information à l'encodage comme le facteur déterminant de la performance mnésique, constitue un cadre de référence utile pour la compréhension de certains effets du vieillissement sur la mémoire, comme nous le verrons plus loin.

Une des meilleures manières d'encoder l'information pour faciliter son rappel est de l'organiser, de la mettre en relation avec des connaissances préexistantes (Craik, 1986). On peut penser ici à l'analogie d'un individu qui classe soigneusement ses documents dans des dossiers bien identifiés pour faciliter la récupération de l'information ultérieurement. Si l'on prend pour exemple une liste de mots à mémoriser, une forme d'organisation pourra consister à regrouper les mots selon certaines catégories basées sur la signification (*mer* et *océan*), ou sur la relation (*violon* et *musique*).

– Stockage dans la mémoire à long terme

Le stockage dans la mémoire à long terme correspond à la phase intermédiaire entre l'encodage et la récupération, c'est-à-dire à la période de temps pendant laquelle l'information demeure en mémoire à titre de trace mnésique. Mais qu'arrive-t-il à cette trace dans le cas de l'oubli ? A-t-elle disparu pour de bon avec le passage du temps ? Se pourrait-il qu'elle soit encore présente mais inaccessible, irrécupérable ? Ce débat entre absence et inaccessibilité de la trace mnésique nous confronte au fait que les processus d'encodage, de stockage et de récupération sont intrinsèquement liés. Toutefois, l'ensemble des théoriciens de la mémoire considèrent que l'oubli est fonction d'une incapacité de retrouver la trace mnésique, donc d'un déficit dans la récupération, plutôt que d'une disparition pure et simple de la trace (Becker *et al.*, 1987). En effet, la plupart des psychologues s'accordent sur l'idée que l'information gardée dans la mémoire à long terme possède un statut permanent et que sa perte, au sens propre du terme, ne se produit que dans des cas graves d'atteintes physiques au cerveau.

– Récupération de la mémoire à long terme

La récupération est le processus par lequel l'information emmagasinée dans la mémoire à long terme est réactivée dans la mémoire à court terme. On peut distinguer deux grands modes de récupération : la reconnaissance et le rappel. Si l'on présente à un sujet une liste de mots en lui demandant de retrouver parmi cette liste plus longue ceux qui lui ont été présentés quelques minutes auparavant, il s'agit d'une tâche de reconnaissance. Les mots à retrouver sont effectivement présentés au sujet ; il lui suffit de désigner correctement ceux qu'il a appris. Les items mémorisés étant tous présentés dans leur entièreté lors de la phase de rappel, le soutien de l'environnement est maximal. En contraste avec la reconnaissance, le rappel n'implique pas cette assistance pour la récupération. Comme le décrit Tiberghien (1991, p. 11), « le rappel est l'évocation d'une représentation mnésique en l'absence de son équivalent perceptif ». La personne doit retrouver l'information en mémoire sans aide. Pour reprendre l'exemple de la liste de mots à retenir, le sujet sera tout simplement interrogé sur ceux qu'il a appris plus tôt, sans liste pour l'aider à les retrouver. Il est clair que le rappel constitue une tâche cognitive plus difficile que la reconnaissance (Hultsch & Dixon, 1990 ; Light, 1990). Le soutien de l'environnement est minimal dans la tâche de rappel sans aide aucune, le rappel libre. Un niveau de difficulté intermédiaire est représenté par le rappel avec indices, ou rappel indicé. Prenons l'exemple d'une présentation à des sujets d'une liste de mots de différentes catégories (des fruits, des vêtements, etc.) en succession. Lors du test de rappel, les sujets qui bénéficieront du rappel des noms des catégories par l'expérimentateur (situation de rappel indicé) se rappelleront deux fois plus de mots que les sujets qui n'auront pas cette assistance (rappel libre) [Tulving & Pearlstone, 1966].

Cette distinction expérimentale entre reconnaissance et rappel permet d'isoler l'influence spécifique du processus de récupération. En effet, réussir à une tâche de reconnaissance mais échouer à une tâche de rappel implique que les processus d'encodage et de stockage, nécessaires à la reconnaissance, sont fonctionnels, et que le problème se situe à la récupération.

Ces différentes situations de récupération soulignent l'importance des indices de récupération dans la facilitation du rappel. Un indice est, en fait, un élément de la situation d'encodage qui facilite la récupération. Comme le souligne Van der Linden (1989), plusieurs travaux suggèrent que la récupération est optimale quand elle se produit dans le même contexte que l'apprentissage (encodage), c'est-à-dire quand les indices procurés lors de la situation de rappel sont les mêmes que ceux fournis lors de l'encodage.

– Mémoire à long terme et personnes âgées

De nombreuses études ont montré que les personnes âgées présentent des déficits de l'efficacité de la mémoire à long terme, comparativement aux sujets plus jeunes. Tout d'abord, en ce qui concerne l'**encodage**, plusieurs recherches ont montré que, laissés à leurs stratégies spontanées, les adultes âgés tendent à traiter l'information à un niveau relativement superficiel. Ainsi, lorsque des sujets âgés sont amenés à apprendre une liste de mots nouveaux, ils vont avoir tendance à répéter le mot ou à penser à sa sonorité, plutôt qu'à recourir à un traitement approfondi, c'est-à-dire sémantique. Nous avons vu plus haut que ce type de traitement plutôt superficiel nuit à l'encodage et diminue donc la capacité de mémorisation à long terme. Dans le même ordre d'idées, plusieurs études ont montré que les personnes âgées ont tendance à ne pas organiser de manière efficace l'information à apprendre (Craik & Rabinowitz, 1984).

Plusieurs recherches ont mis en évidence que ces tendances à ne pas organiser l'information ou à la traiter de manière superficielle ne sont pas inhérentes au fonctionnement mnésique de la personne âgée. En effet, les sujets âgés s'avèrent capables de mettre en place des stratégies mnésiques plus efficaces, une fois que celles-ci leur ont été signalées. Le problème, c'est qu'ils ne le font pas d'eux-mêmes. Ainsi, lorsque l'expérimentateur fournit des conseils ou des instructions pour organiser plus efficacement l'information, les performances des sujets âgés s'améliorent nettement et l'écart avec les sujets plus jeunes se rétrécit (Becker *et al.*, 1987; Schmitt *et al.*, 1981). Un exemple de telles consignes facilitatrices est de proposer au sujet de grouper certains des mots de la liste à retenir en fonction de catégories ou d'ensembles logiques, comme les mots se rapportant à des objets de toilette, ou les mots regroupés à l'enseigne du matériel de bureau. De même, les personnes âgées peuvent tirer avantage de procédures mnémotechniques, comme la méthode des localisations. Cette méthode consiste à imaginer les éléments à se rappeler dans un contexte familier, comme celui des différentes pièces de la maison. Si, par exemple, la liste de mots comprend *crocodile* et *avion*, la personne pourra visualiser un crocodile assis sur le divan de la salle de séjour et un avion dansant au plafond de la chambre. Lors du rappel, les divers endroits seront inspectés mentalement et les éléments seront retrouvés. Les personnes âgées peuvent apprendre cette stratégie et en bénéficier (Kliegl *et al.*, 1989).

De la même manière, les sujets âgés se montrent capables de traiter l'information à un niveau plus approfondi. Avec des consignes détaillées de considérer la signification des mots, les performances des sujets âgés vont tendre à rejoindre celles des sujets plus jeunes (Craik & Rabinowitz, 1984; Rabinowitz *et al.*, 1982).

Les recherches portant sur le processus de récupération ont aussi mis en évidence des déficits avec l'avancement en âge. Nous avons vu plus haut la nature des différences entre la reconnaissance et le rappel libre. Plusieurs recherches ont montré que les différences associées à l'âge sont inexistantes ou minimes dans les tâches de reconnaissance, alors qu'elles sont importantes dans la tâche de rappel libre (Poon, 1985; Salthouse, 1982). Cette plus grande difficulté des personnes âgées dans les tâches de rappel est attribuée à un déficit dans le processus de récupération. Dans le même ordre d'idées, lorsque des indices sont fournis aux sujets, comme dans la situation de rappel indicé, la performance des sujets âgés en bénéficie davantage que celle des sujets plus jeunes (Poon, 1985; Hultsch, 1985). Ce courant de recherche souligne donc que les personnes âgées manifestent des difficultés lors de la récupération de l'information contenue dans la mémoire à long terme.

Comme on l'a vu plus haut, Craik (1986) met l'accent sur le soutien environnemental, en d'autres termes la quantité d'information présente dans l'environnement, pour la compréhension des problèmes de mémoire de la personne âgée. Selon cette perspective, les difficultés mnésiques de la personne âgée varient en fonction de la quantité de soutien procurée par le contexte de récupération. Ainsi, la personne âgée manifesterait plus de difficultés dans des tâches qui, tel le rappel libre (voir plus haut), requièrent un effort cognitif important, puisque la personne doit mettre en œuvre les opérations mentales sans l'incitation ni le soutien du contexte (Craik, 1983). Par contre, la performance mnésique de la personne âgée serait relativement moins touchée dans les tâches où le contexte procure une aide à la récupération, comme dans la tâche de reconnaissance (voir plus haut).

5.2.3 Mémoire épisodique et mémoire sémantique

En 1972, Tulving a proposé une distinction entre mémoire épisodique et mémoire sémantique. La **mémoire épisodique** concerne le souvenir des événements qui sont directement reliés à la vie de la personne (par exemple, la situation et les événements associés à son mariage). Ces événements peuvent être localisés dans l'espace et le temps. Le terme *mémoire autobiographique* est utilisé pour désigner cet aspect de la mémoire épisodique qui concerne les événements anciens de l'histoire personnelle. La **mémoire sémantique** est la mémoire des faits et des concepts sans référence explicite au contexte dans lequel ils ont été initialement appris. Elle se rapporte au sens des mots et en général aux contenus de connaissances abstraites (par exemple, la géographie du Canada, la signification des mots du vocabulaire) et elle réunit l'ensemble des connaissances requises pour le langage. Des arguments expérimentaux plaident en faveur de cette distinction. En effet, des personnes souffrant d'amnésie à la suite d'une atteinte cérébrale peuvent conserver une mémoire sémantique intacte mais présenter une grave perturbation de la mémoire épisodique.

Sur la base des premiers travaux, certains auteurs, dont Mitchell (1989) et Moscovitch (1982), ont conclu que la mémoire sémantique est relativement bien préservée à l'âge adulte avancé. Comme le soulignent Boller et Deweer (1991, p. 91), cela est démontré par la performance à des tests d'amorçage verbal. Dans ces tests, la vitesse d'évocation d'un mot est évaluée selon deux conditions. Le mot qui est donné comme amorce peut être sémantiquement relié au mot cible (par exemple, *route/automobile*) ou non (par exemple, *chapeau/automobile*). L'influence facilitatrice de l'amorce sémantique est du même ordre chez les sujets âgés que chez les sujets plus jeunes. Cette notion d'une mémoire sémantique qui resterait intacte avec le vieillissement n'est pourtant pas sans soulever la controverse, puisque des travaux récents ont mis en évidence des déficits associés à l'âge (Hultsch & Dixon, 1990; Light & Burke, 1988; Salthouse, 1988). En ce qui concerne la mémoire épisodique, les conclusions sont plus claires. À l'issue d'une méta-analyse des recherches publiées depuis 1975, Verhaeghen et ses collaborateurs (1993) ont abouti à la conclusion que la performance des sujets âgés dans des tâches de mémoire épisodique est nettement et systématiquement inférieure à celle des sujets plus jeunes.

5.2.4 Mémoire explicite et mémoire implicite

Les études de laboratoire sur la mémoire requièrent habituellement que les sujets exécutent un rappel volontaire et conscient d'une information explicitement présentée à cet effet par l'expérimentateur. On parle alors de **mémoire explicite**. Les sujets âgés présentent des performances inférieures à celles des jeunes dans les épreuves typiques de laboratoire testant la mémoire explicite, celle qui implique ce rappel intentionnel. Par contre, les performances des sujets âgés s'avèrent presque aussi bonnes que celles des sujets plus jeunes dans les épreuves qui évaluent la **mémoire implicite**, lorsque le sujet n'est pas amené à produire un effort conscient de récupération. Van der Linden et Seron (1992) présentent la tâche de complètement de mots comme exemple illustrant ce courant de recherche sur la mémoire implicite (Light & Singh, 1987). Dans ce test, le sujet est amené, dans un premier temps de l'expérience, à examiner une liste de mots et à en juger le caractère plaisant ou déplaisant. Plus tard, on présente au sujet une liste des trois premières lettres de mots à compléter spontanément (par exemple, CER – qui, complété, pourrait donner CERcle, CERf, CERise). Sans que le sujet en soit informé, une partie de ces mots tronqués provient de la première liste qui lui a été présentée, et une autre partie est constituée de débuts de mots nouveaux. Dans cette situation, il s'avère que les sujets âgés manifestent une tendance comparable à celle des sujets plus jeunes: ils complètent les mots en fonction de la liste présentée antérieurement, manifestant ainsi qu'ils ont appris involontairement la première liste. Comme le relèvent Van der Linden et Seron (1992), ce déficit de la mémoire explicite et ce maintien de la mémoire implicite pourraient expliquer la tendance de certaines personnes âgées à se souvenir d'une information sans pouvoir en déterminer la source (McIntyre & Craik, 1986).

Comme l'avance Light (1991), cette mise en évidence d'une mémoire implicite intacte chez le sujet âgé pose un casse-tête théorique. Une des interprétations de ces données suggère que la récupération automatique (mémoire implicite) serait relativement préservée chez le sujet âgé, tandis que la récupération du contexte de l'apprentissage (mémoire explicite) serait déficitaire. Dans cet ordre d'idées, Craik (1983, 1986) a proposé l'hypothèse selon laquelle les déficits attribuables à l'âge seraient plus marqués dans les tâches exigeant que le sujet mette en œuvre de lui-même les opérations de rappel sans l'incitation ni le soutien du contexte (comme dans le rappel libre ou la mémoire explicite). Par contre, les déficits seraient moindres dans les tâches qui fournissent une assistance du contexte (comme dans la simple reconnaissance ou la mémoire implicite). Cette hypothèse de Craik se fonde sur l'idée centrale que le vieillissement s'accompagne d'une réduction des ressources de traitement ou, autrement dit, de la capacité d'initiative cognitive. Dans les cas où le soutien du contexte viendrait suppléer à cette défaillance, le déficit serait moins marqué que dans les cas où le sujet est forcé d'effectuer l'effort d'initiative. Cette hypothèse prédit que les tâches qui nécessitent de se souvenir de faire quelque chose plus tard (**mémoire prospective**), tâches qui sont effectuées en l'absence de tout contexte de soutien, devraient être celles qui présentent le plus de difficultés pour les personnes âgées. Pourtant, selon la recension de Light (1991), les recherches existantes indiquent que les personnes jeunes ne sont pas systématiquement meilleures que les personnes âgées à ce type de tâches. Il est donc prématuré de conclure à un déficit majeur et systématique des personnes âgées dans ce type de fonctionnement mnésique.

5.3 APPROCHE CONTEXTUELLE DU FONCTIONNEMENT MNÉSIQUE CHEZ LES PERSONNES ÂGÉES

Ce sont les travaux des chercheurs en laboratoire qui ont guidé jusqu'ici notre investigation des effets du vieillissement sur les processus mnésiques. Cette démarche expérimentale rigoureuse, qui a le mérite de nous informer sur la nature des mécanismes en cause, nous apporte toutefois peu d'informations sur les conséquences réelles des problèmes de mémoire sur le fonctionnement de la personne âgée dans la vie quotidienne. En effet, dans les expériences contrôlées en laboratoire, la mémoire des sujets est typiquement testée avec du matériel verbal qui n'a pas de pertinence pour la vie courante. Une **approche contextuelle** ou

écologique des processus cognitifs essaie de répondre à cette interrogation, d'une part, en considérant l'évolution de la compétence cognitive dans la vie de la personne en fonction d'interactions multiples entre ses ressources personnelles et les demandes et le soutien de son milieu, et, d'autre part, en étudiant la compétence cognitive de la personne âgée dans le contexte de son vécu quotidien.

Une approche contextuelle du fonctionnement mnésique de la personne âgée est par définition multifactorielle. Certes, elle prend en considération les données de laboratoire, mais elle souligne la nécessité de considérer d'autres sources de variation pour prédire l'adaptation cognitive de la personne âgée (Bäckman, 1989). L'adoption d'une approche contextuelle implique la prise en compte des caractéristiques individuelles et des expériences de vie des sujets. Comme le soulignent aussi Van der Linden et Seron (1992), plusieurs études récentes ont avancé qu'une partie importante des difficultés de mémoire présentées par les sujets âgés pourraient être attribuées à des variables psychosociales, telles que le niveau de scolarité, l'état de santé, le niveau d'activité intellectuelle et la personnalité. Ainsi, Arbuckle et ses collaborateurs (1992) ont récemment étudié le fonctionnement mnésique de sujets âgés dans quatre tâches de mémoire en fonction de variables contextuelles comme le niveau d'éducation, la santé, le foyer de contrôle (contrôle interne vs externe), la personnalité (introversion-extraversion et névrosisme), le niveau d'activité intellectuelle, la taille du réseau social et la satisfaction par rapport au soutien social. Selon ces auteurs, il est important de distinguer entre des effets non spécifiques des variables contextuelles sur la mémoire, c'est-à-dire des effets qui se transmettent au moyen d'une influence sur le fonctionnement intellectuel général, et des effets spécifiques, où les variables contextuelles influent directement sur la performance mnésique. Cette recherche a mis en évidence que des facteurs comme une meilleure santé, un niveau d'éducation plus élevé, une introversion plus marquée, une plus grande activité intellectuelle et une plus grande satisfaction par rapport au soutien social prédisaient un déclin intellectuel moins marqué et, indirectement, une meilleure performance aux quatre tests de mémoire. Les auteurs suggèrent donc que c'est par l'intermédiaire de leur influence sur le fonctionnement intellectuel général que la santé, le niveau d'éducation, l'introversion, l'activité intellectuelle et la satisfaction par rapport au soutien social influent sur le fonctionnement de la mémoire. Par ailleurs, des variables comme les traits de personnalité de névrosisme et d'extraversion, un foyer de contrôle interne et la taille du réseau social se sont avérées influer directement sur l'une ou l'autre des tâches mnésiques à l'étude.

La nature de l'information à retenir en mémoire et les caractéristiques du sujet figurent parmi les variables à considérer dans une approche contextuelle du fonctionnement mnésique. Le matériel à mémoriser peut différer selon sa richesse, son organisation et son degré de familiarité. Comme on l'a vu plus haut en ce qui a trait à la structuration de l'information à mettre en mémoire, ces variables peuvent avoir une influence considérable sur l'apprentissage et la mémoire. Les variables « sujet », comme son niveau d'éducation, son intérêt pour le matériel à apprendre, ses habiletés cognitives, constituent une autre source de variation importante.

Dans la mesure où cette perspective met l'accent sur des sources de variation extrinsèques à l'âge qui peuvent potentiellement être modifiées, elle ouvre la voie aux tentatives de compensation des déficits mnésiques.

5.4 COMPENSATION DES DÉFICITS MNÉSIQUES

Bäckman (1989) considère que, pour optimaliser la performance mnésique à un âge avancé, il est important de se concentrer sur trois facteurs : un contexte de soutien procuré lors de l'apprentissage et de la récupération, une élaboration optimale du matériel à apprendre et l'exploitation au maximum des capacités préservées.

En ce qui concerne le premier facteur, nous avons vu plus haut que des consignes ou une assistance favorisant un traitement approfondi du matériel à mémoriser, plus précisément une analyse de la signification et la création de liens entre les éléments à apprendre, aident particulièrement à la performance mnésique des personnes âgées. Fournir des indices de récupération adéquats est aussi une manière de réduire les différences de performance associées à l'âge.

La performance mnésique de la personne âgée est favorablement influencée par la présentation d'un matériel riche, bien organisé et familier (Hultsch & Dixon, 1984). La présentation par plusieurs modalités sensorielles représente aussi un atout. Comme le signalent Van der Linden et Seron (1992), plusieurs recherches effectuées dans le contexte de la vie quotidienne indiquent que les personnes âgées se débrouillent mieux que ne le suggèrent les recherches de laboratoire. Ainsi, lorsque la mémoire de localisation d'objets est testée dans un milieu réel, les différences entre sujets âgés et jeunes s'estompent comparativement à ce qui se produit aux mêmes épreuves, mais en milieu de laboratoire.

Les sujets âgés peuvent être encouragés à compenser certaines faiblesses de la mémoire en exploitant au mieux leurs capacités mnésiques préservées. Van der Linden et Seron (1992) rappellent à cet égard les capacités sauvegardées de mémoire implicite. Cette suggestion s'appuie sur les recherches sur la mémoire implicite et explicite mentionnées plus haut. Ne pouvant se rappeler explicitement une information, les personnes âgées peuvent se baser sur une estimation de plausibilité, fondée sur leur expérience et sur leurs connaissances générales. Une suggestion pratique découlant de cette tendance est d'encourager les personnes âgées à faire confiance à leurs souvenirs même quand elles ne peuvent pas en déterminer exactement l'origine (Van der Linden & Seron, 1992). Le tableau 5.1 présente une série de conseils qui peuvent être donnés aux personnes âgées au sujet de la mémoire.

Tenant pour acquis que les problèmes de mémoire des personnes âgées ont des causes multiples, des programmes composites de *consolidation* de la mémoire ont été proposés. Ces programmes combinent diverses stratégies comme la relaxation et le recours à l'imagerie mentale, ainsi que des conseils pour faciliter l'apprentissage et la récupération (par exemple, Scogin *et al.*, 1985; Yesavage *et al.*, 1989; Zarit *et al.*, 1981a, b). Même si les résultats actuels sont prometteurs, comme

Tableau 5.1 Principes de base pour favoriser une bonne mémoire

1. **Ayez de la motivation**. Si vous avez une bonne raison de vous rappeler une information, il y a plus de chance que vous vous en souveniez. Ce qui est familier et ce qui a de la signification dans nos vies est appris plus facilement et retenu plus longtemps.
2. **Prenez votre temps**. Accordez-vous une période de temps raisonnable. Les études indiquent que nous apprenons et que nous nous rappelons tous des choses à différents rythmes. Se précipiter et s'énerver augmente l'anxiété et diminue la concentration et, par conséquent, affaiblit la mémoire.
3. **Faites attention aux distractions et à la surcharge**. Concentrez-vous à chaque moment sur ce que vous voulez apprendre ou retrouver en mémoire. Centrez-vous sur une chose à la fois et le travail sera fait.
4. **Donnez-vous vos propres instructions avant de commencer la tâche**. Les instructions aident à la concentration et préparent l'esprit à la tâche. Par exemple, si vous voulez vous rappeler les points principaux d'un article, avant de commencer à lire, demandez-vous comment vous saisirez les points principaux, quelle technique vous utiliserez pour vous souvenir de ces points et quels indices vous utiliserez pour amorcer votre rappel de ces points.
5. **Utilisez tous vos sens**. L'utilisation de tous ses sens améliore l'enregistrement de l'information. Vous pouvez vous souvenir d'acheter le lait au magasin en écrivant le mot sur un morceau de papier, en frottant du lait sur votre main, en en buvant, en imaginant de quoi il aura l'air dans votre frigo, etc.
6. **Entraînez-vous**. Comme toute habileté, la mémoire requiert de l'exercice. Plus vous vous exercerez, plus les techniques deviendront faciles et plus votre mémoire sera bonne.
7. **Connaissez et tolérez vos limitations**. Reconnaissez les moments de fatigue, d'anxiété ou de démoralisation, et ne vous attendez pas à apprendre ou à vous souvenir aussi facilement dans ces moments-là.
8. **Utilisez le soutien de vos amis et de votre famille**. Recrutez les autres pour vous soutenir, pour vous aider et pour vous encourager. Ce faisant, vous trouverez que votre pratique des techniques de mémorisation est plus agréable et plus enrichissante.
9. **Récompensez-vous pour vos efforts**. Attribuez-vous le crédit pour l'acquisition de nouvelles habiletés. Reconnaissez, appréciez et récompensez vos efforts et vos accomplissements dans vos tentatives de consolidation de la mémoire.

l'avance une récente méta-analyse portant sur 33 études (Verhaeghen *et al.*, 1992), l'efficacité à long terme de ces programmes reste à établir, car les sujets semblent abandonner l'exercice des habiletés une fois la période d'entraînement terminée (Scogin & Bienias, 1988).

Ces programmes d'intervention représentent certainement des tentatives intéressantes de *rééducation* de la mémoire, et l'étude des facteurs qui sous-tendent leur efficacité représente un champ de recherche fructueux pour la psychologie du vieillissement. Il s'agit toutefois de rester prudent car, comme l'écrivent Van der Linden et Seron (1992, p. 166) :

> [...] *s'il peut paraître utile et souhaitable que les psychologues aident ceux chez qui la mémoire semble être devenue déficiente au point qu'il surgisse des difficultés d'adaptation aux réalités de la vie quotidienne, il paraît beaucoup moins souhaitable qu'ils participent à des entreprises à la mode (et souvent mercantiles) qui entretiennent une anxiété et une autocentration exagérée sur des aspects somme toute mineurs et seulement quantitatifs de l'activité mnésique.*

5.5 MÉTAMÉMOIRE

La **métamémoire** se rapporte aux connaissances, aux croyances et aux attitudes que le sujet entretient à l'égard de son propre fonctionnement mnésique, ainsi qu'à la variété des processus utilisés par la personne pour contrôler le fonctionnement mnésique (Devolder & Pressley, 1989 ; Dixon *et al.*, 1986 ; Dixon, 1989). Ainsi, les stratégies que la personne utilise pour améliorer sa mémoire dans certaines situations, les idées qu'elle entretient sur ses capacités mnésiques et sur leur évolution avec l'âge, sa confiance en la fiabilité de sa mémoire, sont autant de questions traitant des effets de la métamémoire sur le fonctionnement mnésique.

Un courant de recherche contemporain sur la métamémoire postule que les problèmes de mémoire des personnes âgées pourraient être largement attribués au fait qu'elles entretiennent des idées erronées sur la nature de la mémoire et sur les stratégies les plus adéquates pour la favoriser, ou encore au fait qu'elles accordent une surveillance inadéquate aux processus mnésiques. Cependant, ces propositions reçoivent peu de soutien empirique jusqu'à présent. Ainsi, l'hypothèse selon laquelle les personnes âgées procéderaient à un encodage ou à une récupération inefficace, en raison de croyances erronées au sujet de la nature de la tâche de mémoire à exécuter et des demandes qu'elle impose, a été critiquée par Light (1991). Cet auteur relève en effet que les personnes âgées perçoivent de la même manière que les sujets plus jeunes l'influence bénéfique de facteurs comme la familiarité et l'intérêt du matériel à apprendre sur le degré de mémorisation. Dans le même ordre d'idées, et toujours selon Light (1991), il semble que la prise de conscience du fonctionnement de la mémoire n'est pas différente chez la personne âgée comparativement au sujet plus jeune. Ainsi, il apparaît que les personnes âgées sont aussi capables que les sujets plus jeunes de prédire leurs performances mnésiques dans une série de tâches (Devolder *et al.*, 1990). Les données disponibles suggèrent donc que les activités de surveillance et de conscience des processus de mémoire à l'œuvre ne seraient pas foncièrement touchées par l'âge.

Une autre facette de la métamémoire a trait aux croyances que la personne entretient à l'égard de son fonctionnement mnésique et, en particulier, à l'égard de sa mémoire. On peut penser que les croyances que la personne entretient à propos de son propre fonctionnement mnésique peuvent influer sur le sentiment d'efficacité et l'utilisation de stratégies, et, par voie de conséquence, sur la performance mnésique elle-même (Cavanaugh & Green, 1990 ; Ryan & Kwong See, 1993). Certains auteurs (Hultsch *et al.*, 1987 ; Lachman *et al.*, 1987) ont avancé que, comparativement aux sujets plus jeunes, les personnes âgées pouvaient présenter des attentes plus négatives quant au fonctionnement de leur mémoire. *A priori*, on peut penser que ces attitudes négatives pourraient décourager l'effort et, par voie de conséquence, expliquer une baisse de la performance mnésique. Devolder et Pressley (1991) ont toutefois mis en doute l'existence de différences significatives entre sujets jeunes et âgés en ce qui concerne les perceptions du fonctionnement mnésique personnel. Dans cette étude, les sujets âgés ne se plaignaient pas plus que les jeunes de leur mémoire. Par ailleurs, il faut noter que, dans cette étude comme dans plusieurs autres (Popkin *et al.*, 1982 ; Scogin *et al.*, 1985), les perceptions subjectives concernant la mémoire n'étaient pas associées aux performances objectives. Des interventions visant à contrecarrer les attentes négatives des personnes âgées à l'égard de leurs capacités cognitives aboutissent à une diminution des plaintes au sujet du fonctionnement mnésique, mais pas nécessairement à une amélioration de la performance mesurée objectivement (Best *et al.*, 1992).

L'effet de l'humeur dépressive sur le fonctionnement de la mémoire ne fait pas intrinsèquement partie du domaine de la métamémoire, mais il lui est logiquement relié. Il est reconnu que les personnes âgées souffrant de dépression se plaignent abondamment de difficultés de mémoire. Plusieurs auteurs (O'Hara *et al.*, 1986 ; Scogin *et al.*, 1985 ; Zarit *et al.*, 1981a, b) ont montré que la présence de sentiments dépressifs tendait à sensibiliser les sujets âgés à constater les problèmes de mémoire et à s'en plaindre. Il n'y a donc pas de doute que la dépression accentue l'insatisfaction subjective de la personne âgée par rapport au fonctionnement de sa mémoire. Par contre, l'existence d'un effet objectif de la dépression sur le fonctionnement mnésique de la personne âgée est une question plus complexe et largement débattue. Selon l'état actuel des connaissances, il ne semble pas que la dépression ait un effet important sur la performance de la mémoire (Burt *et al.*, 1991).

5.6 TROUBLES DE LA MÉMOIRE DANS LA MALADIE D'ALZHEIMER

Comme nous le verrons plus loin dans le chapitre consacré aux désordres cérébraux, on appelle **maladie d'Alzheimer** un syndrome clinique caractérisé par la détérioration des fonctions cognitives supérieures, comme le langage et la pensée. Des déficits sévères de la mémoire constituent un des signes premiers et les plus manifestes de la maladie d'Alzheimer et, à ce titre, un des critères principaux du diagnostic. L'évaluation des troubles mnésiques dans la maladie d'Alzheimer se heurte à plusieurs problèmes méthodologiques. Les recherches se sont adressées, pour la plupart, à des sujets en phase initiale de la maladie. Comme la maladie d'Alzheimer s'accompagne d'une détérioration progressive du fonctionnement cognitif, il arrive un moment où le sujet n'est plus capable de comprendre les consignes expérimentales et de subir une évaluation neuropsychologique détaillée. Par ailleurs, l'hétérogénéité des manifestations neuropsychologiques de la maladie d'Alzheimer n'autorise pas la présentation d'un profil uniforme (Joanette *et al.*, 1992). Chez certains patients, les troubles mnésiques peuvent dominer, alors que, chez d'autres, ce sont les troubles linguistiques ou visuoconstructifs qui sont les plus importants. Un autre problème auquel se heurte l'évaluation des troubles mnésiques est l'impact des perturbations des autres fonctions sur la performance mnésique. Il en résulte qu'il est difficile de distinguer les troubles mnésiques authentiques des troubles induits par d'autres déficits cognitifs.

Selon Van der Linden (1989), les travaux contemporains dans le domaine de la maladie d'Alzheimer ont mis en évidence des déficits dans les systèmes de la mémoire à court terme, de la mémoire épisodique et de la mémoire sémantique, ainsi que l'amnésie rétrograde. L'amnésie rétrograde se rapporte à l'incapacité de se souvenir d'événements qui se sont produits avant le début de l'amnésie. Il est à noter que la mémoire sensorielle a été jusqu'ici très peu étudiée dans les démences. La plupart des études considèrent que la mémoire à court terme est perturbée dans la maladie d'Alzheimer. Comme l'indiquent Boller et Deweer (1991), les recherches disponibles suggèrent que l'empan mnésique est modérément, mais significativement, réduit dans la maladie d'Alzheimer. Le protocole de Brown-Peterson, en particulier, met en évidence un déficit marqué, qui est corrélé à la gravité de la démence. Dans ce protocole, le sujet doit mémoriser un certain matériel, tout en effectuant une tâche secondaire. Se basant sur le modèle de la mémoire de travail de Baddeley et Hitch (1974), plusieurs travaux (Baddeley, 1986; Morris, 1986, 1987) ont considéré le fonctionnement de l'administrateur central comme spécifiquement déficitaire dans la maladie d'Alzheimer. Il faut rappeler ici que cet administrateur central a pour rôle de contrôler des systèmes subordonnés (esclaves) qui sont responsables du maintien et du stockage de l'information dans la mémoire de travail.

Selon ces auteurs, un déficit particulier dans la maladie d'Alzheimer serait la diminution des ressources de traitement du système de contrôle de la mémoire de travail que représente l'administrateur central. Baddeley (1986) a rapproché ce déficit de l'administrateur central de celui présenté par les patients atteints au lobe frontal.

La présence de déficits de la mémoire épisodique est aussi notée dans la maladie d'Alzheimer. La nature exacte de ces déficits est, par contre, l'enjeu de débats. Il semble qu'un déficit significatif se situe à l'étape de l'acquisition, caractérisé en particulier par un encodage incomplet du matériel à mémoriser (Martin *et al.*, 1985). En effet, comme le soulignent Boller et Deweer (1991), les patients Alzheimer sont généralement aussi perturbés en reconnaissance qu'en rappel libre et le fait de leur procurer des médiateurs verbaux lors de la présentation de stimuli visuels n'améliore pas leur performance ultérieure de reconnaissance. Cette perturbation ne se limiterait pas à l'encodage et elle s'étendrait également à la récupération (Grober & Buschke, 1987). Selon plusieurs auteurs (Grober & Buschke, 1987 ; Martin & Fedio, 1983), les problèmes d'encodage et de mémoire épisodique observés chez les patients déments seraient attribuables à une perturbation de l'organisation sémantique. Selon ces auteurs, les patients Alzheimer auraient de la difficulté à identifier les attributs spécifiques qui permettent de distinguer des concepts ou items reliés, ce qui entraîne la confusion sémantique. Ainsi, lors d'une présentation de concepts à mémoriser, les patients Alzheimer ont tendance à encoder des informations catégorielles plutôt que spécifiques, et à n'encoder qu'un sous-ensemble d'attributs parmi les moins importants pour la récupération. Il faut toutefois rappeler ici, avec Grober et Buschke (1987) ainsi que Boller et Deweer (1991), qu'il est difficile de déterminer si ces déficits révèlent une perturbation intrinsèque aux processus mnésiques ou s'ils résultent indirectement d'autres perturbations dans des processus cognitifs nécessaires pour la mémoire, comme l'attention ou le langage.

En ce qui concerne la mémoire des souvenirs personnels anciens, certaines observations cliniques (De Renzi *et al.*, 1987) suggèrent que les personnes atteintes de la maladie d'Alzheimer conservent la capacité d'évoquer des souvenirs qui les ont concernées directement (mémoire autobiographique) tout au moins dans la phase précoce de la maladie. Toutefois, les résultats de tests objectifs de la mémoire rétrograde indiquent que la mémoire des patients Alzheimer pour les événements publics anciens et le rappel d'événements autobiographiques sont appauvris (Wilson *et al.*, 1981).

Comme le déplore Van der Linden (1989), peu de travaux ont abordé le fonctionnement mnésique des patients déments dans leur milieu naturel, ce qui limite notre capacité d'extrapoler la compétence cognitive de ces patients dans leur vécu quotidien à partir de tests cognitifs en laboratoire. Le manque d'études longitudinales ne nous permet pas d'évaluer l'évolution temporelle des troubles mnésiques et la dynamique de leur relation avec les autres déficits cognitifs.

RÉSUMÉ

- Pour comprendre le fonctionnement de la mémoire, il faut distinguer trois processus : les registres sensoriels, la mémoire à court terme et la mémoire à long terme.
- Lorsque l'information arrive des sens, elle est retenue très brièvement au niveau des registres sensoriels. Le vieillissement ne produit pas de changement important à ce niveau.
- La mémoire à court terme, ou mémoire de travail, représente un processus temporaire de maintien et d'organisation de l'information.
- La quantité d'information qui peut être retenue dans la mémoire à court terme ne semble pas être touchée par l'âge. Par contre, les personnes âgées éprouvent des difficultés lorsque l'information gardée dans la mémoire à court terme doit être manipulée ou réorganisée tout en étant maintenue.
- Le fonctionnement de la mémoire à long terme peut être décomposé en trois mécanismes : l'encodage, le stockage et la récupération de l'information.
- Les personnes âgées manifestent des déficits lors de l'encodage en ce sens que, spontanément, elles n'analysent pas et n'organisent pas l'information de manière aussi efficace que les sujets plus jeunes, ce qui nuit à leur performance de mémoire.
- Les personnes âgées présentent des déficits lors de la récupération, particulièrement dans les situations qui requièrent la mise en œuvre du rappel sans le soutien du contexte.
- L'approche contextuelle de la mémoire critique les études de laboratoire qui procurent peu d'informations sur le fonctionnement réel de la personne âgée dans la vie de tous les jours. Cette approche insiste sur l'importance de considérer une variété de facteurs tels que l'éducation, la santé, la personnalité, pour évaluer la compétence et l'adaptation de la personne âgée dans ses circonstances de vie.
- La performance mnésique des personnes âgées peut être améliorée par un contexte de soutien procuré lors de l'apprentissage et de la récupération, par une élaboration optimale du matériel à apprendre et par l'exploitation maximale des capacités mnésiques préservées.
- Les personnes âgées ont tendance à percevoir négativement leur fonctionnement mnésique. C'est particulièrement le cas chez les personnes âgées déprimées, qui se plaignent abondamment de leur mémoire.
- La maladie d'Alzheimer s'accompagne de déficits de mémoire importants, particulièrement dans le fonctionnement de la mémoire à court terme, de la mémoire épisodique et de la mémoire sémantique.

LECTURES SUGGÉRÉES

Baddeley, A.D. (1993). *La mémoire humaine: théorie et pratique.* Grenoble, France : Presses universitaires de Grenoble et Saint-Hyacinthe, Québec : Edisem inc.

Hultsch, D., & Dixon, R. (1990). Learning and memory in aging. Dans J.E. Birren & K.W. Schaie (dir.), *Handbook of the psychology of aging* (3e éd., p. 258-274). New York : Academic Press.

Light, L.L. (1991). Memory and aging : Four hypotheses in search of data. *Annual Review of Psychology, 42*, 333-376.

Salthouse, T.A. (1992). *Theoretical perspectives on cognitive aging.* Hillsdale, NJ : Lawrence Erlbaum Associates.

Van der Linden, M. (1989). *Les troubles de la mémoire.* Liège : Mardaga.

RÉFÉRENCES

Arbuckle, T.Y., Gold, D.P., Andres, D., Schwartzman, A., & Chaikelson, J. (1992). The role of psychosocial context, age, and intelligence in memory performance of older men. *Psychology and Aging, 7*, 25-36.

Atkinson, R.C., & Shiffrin, R.M. (1968). Human memory : A proposed system and its control processes. Dans K.W. Spence (dir.), *The psychology of learning and motivation : Advances in research and theory* (vol. 2, p. 89-195). New York : Academic Press.

Bäckman, L. (1989). Varieties of memory compensation by older adults in episodic remembering. Dans L.W. Poon, D.C. Rubin & B.A. Wilson (dir.), *Everyday cognition in adulthood and late life* (p. 509-544). Cambridge : Cambridge University Press.

Baddeley, A.D. (1978). The trouble with levels : A re-examination of Craik and Lockhart's framework for memory research. *Psychological Review, 85*, 139-152.

Baddeley, A.D. (1986). *Working memory.* Oxford : Oxford University Press.

Baddeley, A.D. (1990). *Human memory : Theory and practice.* Hove and London, UK : Lawrence Erlbaum Associates.

Baddeley, A.D. (1993). *La mémoire humaine : théorie et pratique.* Grenoble, France : Presses universitaires de Grenoble et Saint-Hyacinthe, Québec : Edisem inc.

Baddeley, A.D., & Hitch, G.J. (1974). Working memory. Dans G. Bower (dir.), *Recent advances in learning and motivation* (vol. 3). New York : Academic Press.

Becker, J.T., Nebes, R.D., & Boller, F. (1987). La neuropsychologie du vieillissement normal. Dans M.I. Botez (dir.), *Neuropsychologie clinique et neurologie du comportement* (p. 371-379). Montréal : Les Presses de l'Université de Montréal.

Best, D.L., Hamlett, K.W., & Davis, S.W. (1992). Memory complaint and memory performance in the elderly : The effects of memory-skills training and expectancy change. *Applied Cognitive Psychology, 6*, 405-416.

Boller, F., & Deweer, B. (1991). Troubles de la mémoire dans les démences. Dans M. Van der Linden & R. Bruyer (dir.), *Neuropsychologie de la mémoire humaine* (p. 89-107). Grenoble, France : Presses universitaires de Grenoble et Saint-Hyacinthe, Québec : Edisem inc.

Burt, D.B., Zembar, M.J., & Niederehe, G. (1991). *Is depression associated with memory impairment ? A meta-analysis.* Manuscrit non publié.

Cavanaugh, J.C., & Green, E.E. (1990). I believe, therefore I can : Self-efficacy beliefs in memory aging. Dans E.A. Lovelace (dir.), *Aging and cognition : Mental processes, self-awareness, and interventions* (p. 189-230). North Holland : Elsevier Science Publishing Co.

Cerella, J. (1990). Aging and information-processing rate. Dans J.E. Birren & K.W. Schaie (dir.), *Handbook of the psychology of aging* (3ᵉ éd., p. 201-221). New York : Academic Press.

Cerella, J., Poon, L., & Fozard, J. (1982). Age and iconic read-out. *Journal of Gerontology, 37*, 197-202.

Cohen, G. (1988). Age differences in memory for texts : Production deficiency or processing limitations ? Dans L.L. Light & D.M. Burke (dir.), *Language, memory, and aging* (p. 171-190). New York : Cambridge University Press.

Cohen, G., & Faulkner, D. (1984). Memory for text : Some age differences in the nature of the information that is retained after listening to texts. Dans H. Bouma & D.G. Bouwhuis (dir.), *Attention and performance. Vol. X : Control of language processes* (p. 501-514). Hillsdale, NJ : Lawrence Erlbaum.

Cohen, N.J., & Squire, L.R. (1980). Preserved learning and retention of pattern-analyzing skill in amnesia : Dissociation of knowing how and knowing what. *Science, 210*, 207-210.

Craik, F.I.M. (1977). Age differences in human memory. Dans J.E. Birren & K.W. Schaie (dir.), *Handbook of the psychology of aging* (p. 384-420). New York : Van Nostrand Reinhold.

Craik, F.I.M. (1983). On the transfer of information from temporary to permanent memory. *Philosophical Transactions of the Royal Society of London* (série B), *302*, 341-359.

Craik, F.I.M. (1986). A functional account of age differences in memory. Dans F. Klix & H. Hagendorf (dir.), *Human learning and cognitive capabilities, mechanisms, and performance* (p. 409-422). Amsterdam : North-Holland/Elsevier.

Craik, F.I.M., & Byrd, M. (1982). Aging and cognitive deficits : The role of attentional resources. Dans F.I.M. Craik & S.E. Trehub (dir.), *Advances in the study of communication and affect. Vol. VIII : Aging and cognitive processes* (p. 191-211). New York : Plenum.

Craik, F.I.M., & Lockhart, R.S. (1972). Levels of processing : A framework for memory research. *Journal of Verbal Learning & Verbal Behavior*, *11*, 677-684.

Craik, F.I.M., & Rabinowitz, J.C. (1984). Age differences in the acquisition and use of verbal information : A tutorial review. Dans H. Bouma & D.G. Bouwhuis (dir.), *Attention and performance. Vol. X : Control of language processes* (p. 471-494). Hillsdale, NJ : Lawrence Erlbaum.

De Renzi, E., Liotti, M., & Nichelli, P. (1987). Semantic amnesia with preservation of autobiographical memory : A case report. *Cortex*, *23*, 575-597.

Devolder, P.A., & Pressley, M. (1989). Metamemory across the adult lifespan. *Canadian Psychology*, *30*, 578-587.

Devolder, P.A., & Pressley, M. (1991). Memory complaints in younger and older adults. *Applied Cognitive Psychology*, *5*, 443-454.

Devolder, P.A., Brigham, M.C., & Pressley, M. (1990). Memory performance awareness in young and older adults. *Psychology and Aging*, *5*, 291-303.

Dixon, R.A. (1989). Questionnaire research on metamemory and aging : Issues of structure and function. Dans L.W. Poon, D.C. Rubin & B.A. Wilson (dir.), *Everyday cognition in adulthood and late life* (p. 394-415). Cambridge : Cambridge University Press.

Dixon, R.A., Hertzog, C., & Hultsch, D. (1986). The multiple relationships among metamemory in adulthood (MIA) scales and cognitive ability in adulthood. *Human Learning*, *5*, 165-177.

Dobbs, A.R., & Rule, B.G. (1987). Prospective memory and self-reports of memory abilities in older adults. *Canadian Journal of Psychology*, *41*, 209-222.

Fortin, C., & Rousseau, R. (1989). *Psychologie cognitive : une approche de traitement de l'information.* Sillery, Québec : Presses de l'Université du Québec.

Grober, E., & Buschke, H. (1987). Genuine memory deficits in dementia. *Developmental Neuropsychology, 3*, 13-36.

Hitch, G.J., & Baddeley, A.D. (1976). Verbal reasoning and working memory. *Quarterly Journal of Experimental Psychology, 28*, 603-621.

Hultsch, D. (1985). Adult memory : What are the limits ? Dans E. M. Gee & G. M. Guttman (dir.), *Canadian Gerontological Collection V* (p. 20-52). Winnipeg : Canadian Association on Gerontology.

Hultsch, D., & Dixon, R.A. (1984). Text processing in adulthood. Dans P. B. Baltes & O.G. Brim Jr. (dir.), *Life-span development and behavior* (vol. 6, p. 77-108). New York : Academic Press.

Hultsch, D., & Dixon, R.A. (1990). Learning and memory in aging. Dans J.E. Birren & K.W. Schaie (dir.), *Handbook of the psychology of aging* (3e éd., p. 258-274). New York : Academic Press.

Hultsch, D., Hertzog, C., & Dixon, R.A. (1987). Age differences in metamemory : Resolving the inconsistencies. *Canadian Journal of Psychology, 41*, 193-208.

Joanette, Y., Ska, B., & Melançon, L. (1992). Manifestations neuropsychologiques dans les démences de type Alzheimer : de l'homogénéité à l'hétérogénéité. *Alzheimer Actualités, 66*, 4-7.

Kausler, D.H. (1982). *Experimental psychology and human aging.* New York : Wiley.

Kliegl, R., Smith, J., & Baltes, P.B. (1989). Testing the limits and the study of adult age differences in cognitive plasticity of a mnemonic skill. *Developmental Psychology, 25*, 247-256.

Lachman, M.E., Steinberg, E., & Trotter, S. (1987). Effects of control beliefs and attributions on memory self-assessments and performance. *Psychology and Aging, 2*, 266-271.

Light, L.L. (1990). Interactions between memory and language in old age. Dans J. E. Birren & K.W. Schaie (dir.), *Handbook of the psychology of aging* (3e éd., p. 275-290). New York : Academic Press.

Light, L.L. (1991). Memory and aging : Four hypotheses in search of data. *Annual Review of Psychology, 42*, 333-376.

Light, L.L., & Burke, D.M. (1988). Patterns of language and memory in old age. Dans L.L. Light & D.M. Burke (dir.), *Language, memory, and aging* (p. 244-271). New York : Cambridge University Press.

Light, L.L., & Singh, A. (1987). Implicit and explicit memory in young and older adults. *Journal of Experimental Psychology : Learning, Memory, and Cognition, 13*, 531-541.

Martin, A., & Fedio, P. (1983). Word production and comprehension in Alzheimer's disease : The breakdown of semantic knowledge. *Brain and Language, 19*, 124-141.

Martin, A., Brouwers, P., Cox, C., & Fedio, P. (1985). On the nature of the verbal memory deficit in Alzheimer's disease. *Brain and Language, 25*, 323-341.

McIntyre, J.S., & Craik, F.I.M. (1986). Age differences in memory for item and source information. *Canadian Journal of Psychology, 41*, 175-192.

Miller, G.A. (1956). The magical number seven, plus or minus two : Some limits on our capacity for processing information. *Psychological Review, 63*, 81-97.

Mitchell, D.B. (1989). How many memory systems ? Evidence from aging. *Journal of Experimental Psychology : Learning, Memory, and Cognition, 15*, 31-49.

Morris, R.G. (1986). Short-term forgetting in senile dementia of the Alzheimer's type. *Cognitive Neuropsychology, 3*, 77-97.

Morris, R.G. (1987). Articulatory rehearsal in Alzheimer type of dementia. *Brain and Language, 30*, 351-362.

Moscovitch, M. (1982). A neuropsychological approach to perception and memory in normal aging and pathological aging. Dans F.I.M. Craik & S.E. Trehub (dir.), *Aging and cognitive process* (p. 55-78). New York : Plenum Press.

Norman, D.A., & Shallice, T. (1986). Attention to action : Willed & automatic control of behavior. Dans R.J. Davidson, G.E. Schwarts & D. Shapiro (dir.), *Conciousness and self-regulation : Advances in research and theory* (vol. 4, p. 1-18). New York : Plenum Press.

O'Hara, M.W., Hinrichs, J.V., Kohout, F.J., Wallace, R.B., & Lemke, J.H. (1986). Memory complaint and memory performance in the depressed elderly. *Psychology and Aging, 1*, 208-214.

Poon, L.W. (1985). Differences in human memory with aging : Nature, causes, and clinical implications. Dans J.E. Birren & K.W. Schaie (dir.), *Handbook of the psychology of aging* (2e éd., p. 427-462). New York : Van Nostrand Reinhold.

Poon, L.W., & Fozard, J.L. (1980). Speed of retrieval from long-term memory in relation to age, familiarity, and datedness of information. *Journal of Gerontology, 35*, 711-717.

Popkin, S.J., Gallagher, D., Thompson, L.W., & Moore, M. (1982). Memory complaint and performance in normal and depressed older adults. *Experimental Aging Research, 8*, 141-145.

Rabinowitz, J.C., Craik, F.I.M., & Ackerman, B.P. (1982). A processing resource account of age differences in recall. *Canadian Journal of Psychology, 36*, 325-344.

Ryan, E.B., & Kwong See, S. (1993). Age-based beliefs about memory changes for self and others across adulthood. *Journal of Gerontology: Psychological Sciences, 48*, 199-201.

Salthouse, T.A. (1982). *Adult cognition: An experimental psychology of human aging.* New York: Springer-Verlag.

Salthouse, T.A. (1988). Effects of aging on verbal abilities: Examination of the psychometric literature. Dans L.L. Light & D.M. Burke (dir.), *Language, memory, and aging* (p. 17-35). New York: Cambridge University Press.

Schmitt, F.A., Murphy, M.D., & Sanders, R.E. (1981). Training older adult free recall rehearsal strategies. *Journal of Gerontology, 36*, 329-337.

Scogin, F., & Bienias, J.L. (1988). A three-year follow-up of older adult participants in a memory-skills training program. *Psychology and Aging, 3*, 334-337.

Scogin, F., Storandt, M., & Lott, L. (1985). Memory-skills training, memory complaints, and depression in older adults. *Journal of Gerontology, 40*, 562-568.

Tiberghien, G. (1991). Psychologie de la mémoire humaine. Dans M. Van der Linden & R. Bruyer (dir.), *Neuropsychologie de la mémoire humaine* (p. 9-37). Grenoble, France: Presses universitaires de Grenoble et Saint-Hyacinthe, Québec: Édisem inc.

Tulving, E. (1972). Episodic and semantic memory. Dans E. Tulving & W. Donaldson (dir.), *Organization of memory* (p. 382-403). New York: Academic Press.

Tulving, E., & Pearlstone, Z. (1966). Availability versus accessibility of information in memory for words. *Journal of Verbal Learning and Verbal Behavior, 5*, 381-391.

Van der Linden, M. (1989). *Les troubles de la mémoire.* Liège: Mardaga.

Van der Linden, M., & Seron, X. (1992). Le fonctionnement mnésique de la personne âgée. Dans A. Gomers & Ph. Van den Bosch de Aguilar (dir.), *Pour une vieillesse autonome* (p. 153-167). Liège : Mardaga.

Verhaeghen, P., Marcoen, A., & Goossens, L. (1992). Improving memory performance in the aged through mnemonic training : A meta-analytic study. *Psychology and Aging, 7,* 242-251.

Verhaeghen, P., Marcoen, A., & Goossens, L. (1993). Facts and fiction about memory aging : A quantitative integration of research findings. *Journal of Gerontology : Psychological Sciences, 48,* 157-171.

Waugh, N.C., & Norman, D.A. (1965). Primary memory. *Psychology Review, 72,* 89-104.

Wilson, R.S., Kaszniak, A.W., & Fox, J.H. (1981). Remote memory in senile dementia. *Cortex, 17,* 41-48.

Yesavage, J.A., Lapp, D., & Sheikh, J.I. (1989). Mnemonics as modified for use by the elderly. Dans L.W. Poon, D.C. Rubin & B.A. Wilson (dir.), *Everyday cognition in adulthood and late life* (p. 598-611). Cambridge : Cambridge University Press.

Zarit, S.H., Cole, K.D., & Guider, R.L. (1981a). Memory training strategies and subjective complaints of memory in the aged. *The Gerontologist, 21,* 158-164.

Zarit, S.H., Gallagher, D., & Kramer, N. (1981b). Memory training in the community aged : Effects on depression, memory complaint, and memory performance. *Educational Gerontology : An International Quarterly, 6,* 11-27.

Chapitre 6

Personnalité

6.1 PERSPECTIVES SUR LA PERSONNALITÉ À L'ÂGE ADULTE

La personnalité change-t-elle avec l'avancement en âge? Est-il vrai, comme beaucoup le pensent, que la sérénité et la sagesse s'acquièrent avec l'avancement en âge? Y a-t-il un glissement vers la rigidité d'esprit et le repli sur soi au fur et à mesure que l'on vieillit? Ces questions, qui représentent certains des stéréotypes les plus courants à propos de la personnalité des gens âgés, peuvent laisser croire que l'avancement en âge est caractérisé par des changements de personnalité qui se manifestent uniformément chez tous les individus. Mais qu'en est-il vraiment?

Traditionnellement, les psychologues ont considéré que la personnalité était formée très tôt dans la vie et qu'aucun changement important de sa structure ne caractérisait l'âge adulte. Comme le rappellent McCrae et Costa (1990), William James, fondateur de la psychologie américaine, affirmait à la fin du siècle dernier que le caractère était «figé comme du plâtre» vers l'âge de 30 ans. Avec Freud, de nombreux psychologues croyaient que la structuration de la personnalité s'accomplissait tôt dans l'enfance (5-6 ans) et que seuls des réajustements survenaient plus tard à l'âge adulte. Il a fallu attendre les écrits des théoriciens des stades du développement, particulièrement ceux de C.G. Jung (1933) et d'Erikson (1950), pour voir proposer l'existence d'un développement psychologique couvrant l'étendue entière de la vie. Plusieurs auteurs se sont penchés, à leur suite, sur le développement de la personnalité à l'âge adulte (Buhler, 1935 ; Gould, 1978 ; Gutmann, 1970 ; Levinson *et al.*, 1978 ; Vaillant, 1977). La plupart des théories ont été élaborées dans les années 1970 quand les idées de développement et de croissance personnels, soutenues par le courant de la psychologie humaniste, ont gagné en popularité en psychologie et dans la société occidentale en général. Par coïncidence, les années 1970 ont vu la publication de plusieurs études longitudinales (voir plus bas) entamées dans les années 1950. Ces études constituent l'armature de la description actuelle, basée sur des données empiriques, du développement de la personnalité à l'âge adulte. D'ailleurs, plusieurs de ces études longitudinales se poursuivent encore à ce jour.

La disponibilité de données longitudinales est évidemment cruciale pour pouvoir aborder la question centrale qui a animé les débats des chercheurs intéressés au domaine du développement de l'individu, à savoir la question de la stabilité et du changement de la personnalité à l'échelle de l'existence humaine. Nous verrons que, selon la position adoptée pour définir et étudier la personnalité, cette question reçoit des réponses différentes.

6.2 DÉFINITIONS DE LA PERSONNALITÉ

Les psychologues entretiennent des positions divergentes en ce qui concerne la définition et la manière d'étudier la personnalité. Des diverses approches théoriques de la personnalité, deux traditions principales – l'approche des traits et l'approche des étapes de développement – ont contribué le plus à notre compréhension de la personnalité chez les personnes âgées. Ces deux grandes traditions de recherche continuent de contribuer à la majeure partie des travaux de recherche dans le domaine et, pour cette raison, ce chapitre élaborera leur position avec la présentation de recherches désormais classiques qui les appuient. Ensuite, nous envisagerons les approches idiographiques, qui abordent l'étude de la personnalité de l'intérieur, c'est-à-dire selon la perspective du sujet lui-même. Finalement, nous présenterons une tentative de synthèse des diverses approches selon une dialectique alliant stabilité et changement.

L'approche des traits et celle des étapes du développement diffèrent grandement dans la définition et l'analyse de la personnalité. L'approche des traits définit la personnalité comme une structure dynamique constituée de plusieurs caractéristiques (appelées traits de personnalité) qui disposent la personne à ressentir, à penser et à agir à sa manière propre. Les traits sont envisagés comme des dispositions qui sont stables dans le temps et qui se manifestent dans des contextes variés. Cette approche vise à déterminer la combinaison optimale de traits, qui permet d'identifier et de distinguer chaque individu et de prédire ses comportements. La personnalité est donc définie comme un patron (*pattern*) de traits caractéristiques et consistants propres à un individu, par exemple la stabilité émotionnelle, la timidité ou l'aménité. Pour évaluer la personnalité, cette approche utilise des inventaires. Parmi les nombreux inventaires qui ont été élaborés par les psychologues, on peut citer le *Guilford-Zimmerman Temperament Survey* (Guilford *et al.*, 1976), le *16 Personality Factor* (16 PF) de Cattell (Cattell *et al.*, 1970) et le *NEO-Personality Inventory* (NEO-PI) de Costa et McCrae (Costa & McCrae, 1985). Ces inventaires de personnalité se présentent typiquement sous la forme d'une longue série de questions ou d'affirmations (items) à propos desquelles le sujet est invité à se prononcer. Ces items sont regroupés en échelles qui mesurent un trait de personnalité particulier. Les composantes du NEO-PI de Costa et McCrae et les échelles du 16-PF de Cattell sont présentées aux tableaux 6.1 et 6.3, respectivement. L'ensemble des scores obtenus par le sujet aux différentes échelles de l'inventaire permet d'établir le profil de personnalité qui lui est propre. Dans la mesure même où les éléments essentiels de la personnalité, les traits, sont envisagés dès le départ comme des entités constantes dans le temps, il est clair que l'approche des traits adopte un parti pris de stabilité à l'égard de l'évolution de la personnalité à l'âge adulte.

Le modèle des étapes du développement est issu de l'orientation psychodynamique (psychanalytique) en psychologie. Selon ce modèle, la personnalité est conçue comme évoluant à travers une série de changements dynamiques qui représentent l'issue de l'adaptation face aux différents défis présentés par la vie à ses différentes étapes. Selon le point de vue des théoriciens psychanalytiques, le développement de la personnalité au cours de la vie doit s'envisager en fonction du développement du moi. Au cours de l'existence, le moi est amené à s'ajuster aux demandes internes du ça, le réservoir des pulsions, et du surmoi, l'instance moralisatrice, et aux exigences de l'environnement social. Les réactions et les adaptations successives du moi face à tous ces défis constituent la trame de l'évolution de la personnalité. Comme on le voit, l'accent est mis sur les besoins et les motivations, et sur l'adaptation et le changement. Contrairement à l'approche des traits, l'objectif, ici, n'est pas une description complète de la personnalité, mais plutôt une compréhension de celle-ci à partir d'un nombre limité de concepts dotés d'un grand pouvoir d'explication, comme les mécanismes de défense ou la perception de contrôle. Sans conteste, cette perspective sur l'évolution de la personnalité à l'âge adulte met d'emblée l'accent sur le changement.

Voyons maintenant de manière plus détaillée comment chacune de ces approches envisage la question de la continuité et du changement de la personnalité chez les personnes âgées.

6.3 STABILITÉ DES TRAITS DE PERSONNALITÉ

Comme nous venons de le mentionner, une des approches de la personnalité consiste à envisager celle-ci comme un ensemble de traits. Ces dernières années ont vu l'émergence d'un consensus, parmi les spécialistes des traits, sur les composantes de base de la personnalité (Digman, 1990). Ces auteurs avancent que, malgré les différences entre les échelles de personnalité, presque tous les concepts psychologiques mesurés par ces échelles peuvent être considérés comme des aspects de cinq facteurs de personnalité :

- le névrosisme ;
- l'extraversion ;
- l'ouverture à l'expérience ;
- l'aménité ;
- la tendance à être consciencieux.

Le tableau 6.1 détaille les composantes de ces cinq grands facteurs selon un de ces modèles contemporains, celui de Costa et McCrae (1989). L'ensemble des théoriciens considèrent qu'une combinaison de ces cinq facteurs représente le meilleur système actuellement disponible pour caractériser la personnalité des individus selon la perspective des traits de personnalité. Comme le note Kogan (1990), cette notion d'une structure à cinq facteurs circule dans le champ de la personnalité depuis 25 ans.

Il est clair que le devis longitudinal est nécessaire pour distinguer les changements de personnalité qui peuvent être attribués à l'avancement en âge de ceux qui relèvent de l'appartenance à une génération donnée (effet de cohorte). Pour cette raison, nous nous limiterons ici à commenter quelques-unes des études les plus représentatives qui ont fourni des données longitudinales. Parmi les nombreuses manières d'aborder les variations de traits au cours de la vie dans le cadre d'un devis longitudinal, les chercheurs se sont surtout centrés sur les changements des scores moyens aux différentes échelles et sur la stabilité des scores dans la période de temps s'écoulant d'une passation du test à la suivante (stabilité test-retest). Les scores moyens à une mesure d'un trait, obtenus par des groupes d'âge différents, ou par le groupe du même âge à des moments différents, peuvent en effet nous apporter des informations sur l'amplitude et la direction des changements de per-

Tableau 6.1 Caractéristiques découlant de cinq traits majeurs de personnalité, selon le modèle de Costa et McCrae

Trait de personnalité	Caractéristiques
Névrosisme	Calme/anxieux Humeur égale/humeur instable Froid/émotif Résistant/vulnérable
Extraversion	Réservé/affectueux Solitaire/liant Tacite/loquace Passif/actif
Ouverture à l'expérience	Terre à terre/imaginatif Non créateur/créateur Conformiste/original Pas curieux/curieux
Aménité	Sans pitié/compatissant Pingre/généreux Contrariant/consentant Irritable/bonne nature
Tendance à être consciencieux	Négligent/consciencieux Paresseux/travailleur Désorganisé/bien organisé Sans but/ambitieux

Source: Adapté de Costa et McCrae (1989).

sonnalité. De son côté, la corrélation test-retest indique dans quelle mesure un individu donné maintient son rang par rapport aux autres sujets pour un trait particulier. Une corrélation élevée indique que l'individu qui avait obtenu initialement un score élevé à cette mesure continue d'obtenir un score supérieur à celui de ses pairs lors d'une administration ultérieure (et parallèlement pour un sujet qui aurait initialement obtenu un score bas).

De nombreuses études ont abordé l'évolution des traits au cours de la vie adulte. Costa et McCrae (1989) ont récemment synthétisé les études longitudinales de la dernière décennie qui fournissent des données sur les niveaux moyens des variables de personnalité pour des échantillons d'adultes. Comme l'indique le tableau 6.2, l'ensemble de ces études relèvent une stabilité substantielle de la personnalité sur des intervalles s'étalant jusqu'à 30 ans, avec des corrélations médianes de l'ordre de 0,34 à 0,75, la plupart étant supérieures à 0,50. Examinons de plus près certaines de ces recherches.

Tableau 6.2 Coefficients de stabilité d'études longitudinales récentes

Étude	Instrument	Âge initial	Intervalle de retest	Corrélation médiane
Block (1977)	CPI	31-38	10	0,71
Costa et McCrae (1978)	16-PF	25-82	10	0,50
Siegler *et al.* (1979)	16-PF	45-70	2	0,50
Leon *et al.* (1979)	MMPI	45-67	13-30	0,40-0,52
Costa *et al.* (1980)	GZTS	20-76	12	0,72-0,75
Mortimer *et al.* (1982)	Concept de soi	Personnes âgées	10	0,55
Conley (1985)	Facteurs KLS	18-35	20	0,46
Stevens et Truss (1985)	EPPS	Étudiants	12-20	0,34-0,44
Finn (1986)	MMPI	17-53	30	0,35-0,56
Helson et Moane (1987)	CPI, ACL	21-27	16-22	0,37-0,61
Costa et McCrae (1988)	NEO-PI	25-84	6	0,74

Note : CPI = *California Psychological Inventory*; 16PF = *Sixteen Personality Factor Questionnaire*; MMPI = *Minnesota Multiphasic Personality Inventory*; GZTS = *Guilford-Zimmerman Temperament Survey*; KLS = *Kelly Longitudinal Study*; EPPS = *Edwards Personal Preference Schedule*; ACL = *Adjective Check List*; NEO-PI = *NEO-Personality Inventory.*
Source: Adapté de Costa et McCrae (1989).

L'étude connue sous le nom de *Normative Aging Study* de Boston comprenait 2 000 volontaires, de sexe masculin, âgés de 25 à 90 ans, avec peu de sujets de niveau socioéconomique faible. Entre 1965 et 1967, la moitié de ces sujets ont passé un test de personnalité, le 16-PF de Cattell, qui mesure 16 composantes de base de la personnalité (voir tableau 6.3). Après un intervalle de 10 années, un sous-groupe de 139 sujets, dont l'âge s'étendait initialement de 25 ans à 82 ans, a été testé de nouveau (Costa & McCrae, 1978). Le résultat d'ensemble le plus remarquable est que le changement était rare. En effet, seules deux échelles montraient des scores plus élevés lors du deuxième test : l'intelligence et l'indépendance sociale (autosuffisance). Les auteurs ont invoqué l'effet positif de l'exercice pour expliquer le changement observé dans la variable « intelligence », et la diminution de la dépendance à l'égard de l'approbation sociale pour expliquer le changement dans l'indépendance sociale.

L'étude longitudinale de Baltimore (*Baltimore Longitudinal Study of Aging*), qui a débuté en 1958, portait sur un échantillon de sujets masculins qui ont été évalués chaque année ou aux deux ans. Cette étude comportait aussi des données transversales. L'une des évaluations psychologiques portait sur la personnalité, qui était évaluée au moyen du *Guilford-Zimmerman Temperament Survey* (GZTS). Cet ins-

Tableau 6.3 Les 16 échelles du 16-PF de Cattell

1. Réservé	9. Sûr de soi
2. Intelligent	10. Détendu
3. Dominant	11. Contrôlé
4. Sérieux	12. Autosuffisant
5. Consciencieux	13. Conservateur
6. Timide	14. Franc
7. Pratique	15. Confiant
8. Stable émotionnellement	16. Sensible

trument comporte 10 échelles qui mesurent des traits comme l'activité, la sociabilité, la stabilité émotionnelle. En 1978, Douglas et Arenberg ont analysé les données transversales et longitudinales disponibles jusqu'en 1974 et portant sur 915 sujets masculins. Ces auteurs n'ont pas constaté de changement en ce qui concerne des traits comme la sociabilité, l'ascendance, l'objectivité, la stabilité émotionnelle. Deux composantes (soumission et retenue-sérieux) manifestaient une augmentation dans les données transversales, mais pas dans les données longitudinales. Cela suggère que le changement doit être attribué à l'effet de cohorte et non à l'âge : les générations antérieures manifesteraient plus de soumission et de retenue que les générations plus récentes. Deux dimensions (conscience morale et tolérance) manifestaient une diminution dans les données longitudinales, mais pas dans les données transversales. Les auteurs ont attribué ce résultat aux changements d'attitude survenus dans la société en général (effet du moment de la mesure entre 1958-1968 et 1968-1974), et touchant les gens de tous les âges. Selon eux, les gens de tous les âges seraient devenus moins tolérants, moins consciencieux et plus critiques des institutions. Il faut se rappeler, en effet, que les prises de mesure correspondaient à une époque secouée, aux États-Unis, par des drames nationaux (guerre du Viêt-nam) et des scandales (Watergate) qui avaient ébranlé les institutions. Seuls deux changements pouvaient être attribués à l'âge, sur la base de la convergence des données transversales et longitudinales : diminutions de la masculinité et du niveau d'activité. Encore faut-il ajouter que ces changements étaient peu importants : selon Costa et McCrae, au rythme de la diminution de masculinité de cette étude, il faudrait 136 (!) ans à des sujets initialement âgés de 75 ans pour atteindre le niveau de féminité de l'étudiante typique.

En 1980, Costa et ses collaborateurs ont publié les résultats d'une autre analyse effectuée auprès du même échantillon de sujets. Cette nouvelle analyse portait sur la stabilité des scores au GZTS sur des périodes de 6 ans et de 12 ans. Les scores moyens aux 10 échelles du GZTS démontrent une remarquable stabilité dans le temps, comme l'indiquent les coefficients de corrélation très élevés entre les scores à chaque échelle d'une prise de mesure à l'autre (0,73 en moyenne pour la période de 12 ans). Ce résultat milite en faveur de la théorie de la stabilité de la personnalité à l'âge adulte.

Finn (1986) a aussi démontré une impressionnante stabilité des traits de personnalité, tels qu'ils ont été mesurés au moyen du MMPI (*Minnesota Multiphasic Personality Inventory*), chez 459 sujets masculins (moyenne d'âge des sujets : 45 ans) suivis de 1947 à 1977. Le MMPI mesure des composantes cliniques comme les tendances à la dépression, à l'anxiété, à la somatisation et à la sociopathie. Hagberg et ses collaborateurs (1991) ont noté la stabilité d'une mesure de style cognitif, la dépendance/indépendance à l'égard du champ, sur une période de six ans, avec un groupe de sujets suédois âgés initialement de 67 ans. La notion de dépendance/indépendance à l'égard du champ est considérée comme une composante de la personnalité. Il s'agit de la manière dont le sujet appréhende l'objet et la situation qui le définit en réalisant une distanciation plus ou moins grande par rapport au contexte (Ohlmann, 1985). Hagberg et ses collaborateurs (1991) ont observé une forte stabilité de cette composante chez la grande majorité de leurs sujets (80 %). Accessoirement, les sujets qui manifestaient une déstabilisation, c'est-à-dire pour la plupart des cas un changement de l'indépendance à la dépendance à l'égard du champ, étaient exposés à une mort plus précoce. Une déstabilisation de cette composante pourrait donc constituer un indice de la chute finale, dont il a été question dans le chapitre sur l'intelligence. Il est à relever que cette étude présentait la caractéristique originale de mesurer le trait de personnalité au moyen d'un test expérimental (le test de la baguette et du cadre), plutôt que selon les réponses à un questionnaire ou à un inventaire. Ainsi, l'hypothèse de la stabilité de la personnalité est appuyée par diverses méthodes de recherche.

Récemment, une étude de Costa et ses collaborateurs (1980) réalisée avec le NEO-PI et portant sur un vaste échantillon de sujets âgés de 25 à 84 ans a aussi indiqué une nette stabilité des différences individuelles pour des traits tels que le névrosisme, l'extraversion et l'ouverture à l'expérience (voir tableau 6.1).

D'autres études longitudinales utilisant différents instruments ont aussi démontré une remarquable stabilité des traits dans le temps, les sujets de ces études ayant été suivis depuis le début de l'adolescence jusqu'au début de la soixantaine, sur des périodes s'étendant jusqu'à 50 ans (par exemple, les études de Berkeley ; Haan *et al.*, 1986).

Récemment, Field et Millsap (1991) ont relevé les résultats d'une étude longitudinale unique en ce sens qu'elle porte sur des sujets suivis pendant longtemps (55 ans) et jusqu'à un âge très avancé (85 à 93 ans). Parmi les sujets initialement évalués au début de l'étude, en 1929, les survivants ont été revus en entrevue en 1969 et en 1983, donc sur une période de 14 ans, pendant laquelle ils vivaient la transition entre le début de la vieillesse (55-75 ans) et le vieil âge (75-93 ans). Sur la base de ces entrevues intensives, chaque sujet a pu être évalué quant à 21 caractéristiques de personnalité, qui furent réduites à cinq composantes principales. Quatre de ces composantes – l'extraversion, l'aménité, l'intellect (ouverture à l'expérience) et la satisfaction (stabilité émotionnelle) – correspondent aux composantes de la personnalité reconnues par d'autres chercheurs (voir Digman, 1990, et tableau 6.1), la cinquième étant représentée par une composante « énergétique » (niveau d'activité et de santé). Globalement, cette recherche a trouvé une forte continuité relativement aux traits mesurés sur la période de 14 ans de l'étude, surtout en ce qui concerne la satisfaction et l'intellect. Les auteurs ont cependant souligné quelques changements, qui se rapportent au passage au stade de la vieillesse : les sujets les plus âgés de l'étude manifestent une réduction de la composante énergétique. Les auteurs ont considéré ce résultat comme le reflet des circonstances (diminution de l'activité et déclin de la santé), plutôt que comme un changement de trait de personnalité. Les sujets plus âgés manifestaient aussi une augmentation de l'aménité. Selon les auteurs, ce trait reflète la capacité de l'individu d'accepter et d'intégrer les aspects de sa vie de manière ouverte et non critique, une description qui connote assez bien l'étape finale de la vie selon le modèle d'Erikson, que nous détaillerons plus loin (voir section 6.4).

Le chapitre sur l'intelligence a souligné l'importance de prendre en considération les différences attribuables à l'appartenance à une génération donnée (effet de cohorte) pour comprendre l'évolution du fonctionnement cognitif de la personne vieillissante. Cette influence de la cohorte a été plutôt négligée dans l'étude du développement de la personnalité. Elle a pourtant été clairement soulignée par Schaie et Willis (1991) à l'issue d'une recherche menée dans le cadre de l'étude de Seattle (voir chapitre 3). Ces chercheurs ont présenté les résultats d'analyses transversales et longitudinales de données portant sur la vitesse des opérations mentales et sur la flexibilité dans les comportements et les attitudes. Ces données ont été recueillies au moyen de questionnaires et de tests auprès de plus de 3 000 sujets d'âges variant entre 22 ans et 84 ans. Grâce à la combinaison des devis transversal et longitudinal, cette étude a permis de mettre à jour une évolution substantielle vers des styles de personnalité, des comportements et des attitudes plus flexibles, dans les 70 dernières années, au sein de cet échantillon de sujets américains. Ce résultat suggère donc que l'image de la personne âgée rigide serait attribuable à une génération donnée et non à une évolution de la vie.

Finn (1986) a évoqué la critique selon laquelle la stabilité des réponses des sujets aux inventaires de traits de personnalité pourrait refléter la tendance à porter des jugements de plus en plus fixes et rigides à l'égard de soi, plutôt qu'une vraie stabilité de la personnalité. Pour répondre à cette critique, Costa et McCrae (1988) ont examiné les évaluations de la personnalité fournies par les conjoints, à titre d'observateurs externes. Ces auteurs ont constaté que ces évaluations étaient elles aussi très stables dans le temps, un résultat qui milite en faveur d'une vraie stabilité de la personnalité. Cela dit, il est clair que les opinions de l'autre peuvent aussi se rigidifier avec le temps dans le cadre d'une relation intime. Le conjoint n'est pas vraiment un observateur *externe* objectif, et ses évaluations pourraient aussi refléter une illusion de stabilité.

En résumé, c'est un tableau de stabilité de la personnalité qui émerge des données longitudinales, notamment celles recueillies dans le contexte des grands programmes de recherche (étude longitudinale de Seattle : Schaie & Willis, 1991 ; étude de Duke : Palmore *et al.*, 1985 ; étude normative du vieillissement : Costa & McCrae, 1989 ; étude de Bonn : Thomae, 1976 ; étude de Baltimore : McCrae & Costa, 1987 ; étude de Berkeley : Haan *et al.*, 1986). Les défenseurs de l'approche des traits en concluent que la personnalité ne change pas de manière importante au cours de la vie adulte. En d'autres termes, les individus gardent leurs traits de personnalité durant la vieillesse, et l'idée de changements majeurs de personnalité chez l'ensemble des personnes au cours du vieillissement n'est pas confirmée. Comme l'ont écrit Costa et McCrae (1984), il ne faut pas s'inquiéter de devenir hypocondriaques avec l'âge, ni que nos centres d'intérêt et nos opinions deviennent nécessairement plus rigides et plus conservateurs avec le vieillissement. Il est bon de faire remarquer que cette position n'exclut pas la possibilité de changements dans le développement. Un certain nombre de choses changent avec l'avancement en âge : les rôles sociaux se modifient, des événements comme la retraite ou le veuvage peuvent avoir une influence marquée sur la personne. Par ailleurs, il est admis que les comportements qui sont l'expression des traits de personnalité changent aussi avec l'âge. Ainsi, une personne âgée à la personnalité très active s'exprimera sans doute plutôt dans la culture de son jardin que sur un terrain de sport. Mais il reste que ces changements ne sont pas équivalents à des changements de personnalité.

On pourrait penser qu'une telle position sonne le glas des études de la personnalité adulte, puisqu'on y décèle si peu de mouvance. Au contraire, selon la théorie des traits, le sujet d'étude pertinent est alors d'évaluer comment les dispositions de personnalité influent sur le processus de vieillissement et façonnent le cours de la vie de la personne.

Pour conclure, selon ce point de vue, l'âge comme tel ne constitue pas le moteur du changement de la personnalité. Les adultes de tous les âges démontrent une large fourchette de différences individuelles, et ces différences sont plus importantes que l'âge pour la prédiction de l'adaptation au vieillissement et du bien-être psychologique. L'argument des défenseurs de la perspective des traits de personnalité est que les individus maintiennent leurs caractéristiques distinctives à travers toute leur vie, et que la plupart des changements de personnalité que l'on attribue trop facilement à l'âge sont en fait dus à des différences de génération.

6.4 DÉVELOPPEMENT DE LA PERSONNALITÉ ADULTE

En contraste avec l'approche des traits, l'approche dynamique de la personnalité (courant psychanalytique) considère au départ que la personnalité est un système en développement, qui passe par une série de changements qualitatifs (de structure) à des moments particuliers de la vie. Cette approche met l'accent sur une série d'étapes séquentielles dans le développement de la personnalité.

C.G. Jung (1933) fut un des premiers auteurs de la tradition psychodynamique à proposer que le développement de la personnalité continue à travers toute la vie. Jung postule que les orientations de la personnalité tendent progressivement vers un équilibre entre opposés à travers la vie adulte. En ce qui concerne l'évolution saine et adaptée de la personnalité chez les personnes âgées, cette perspective postule deux types de changement :

- un glissement progressif vers le monde intérieur, vers l'introversion ;
- une réduction des manières de penser et de se comporter associées typiquement à chaque sexe, et l'adoption des manières typiques de l'autre sexe.

Selon Jung, les individus jeunes sont préoccupés par leur relations avec le monde extérieur, car ils ont à établir leur vie de travail et de famille. Avec l'avancement en âge et l'évolution de la vie adulte, ces pressions s'estompent et la plupart des personnes consacrent alors plus d'énergie à l'exploration de leur monde intérieur. Une autre tendance soulignée par Jung concerne les aspects masculin et féminin de la personnalité. Selon Jung, chaque individu porte en lui ces deux composantes. Durant la jeunesse, diverses pressions de la société concourent à ce que les comportements se conforment aux stéréotypes admis. Ces comportements socialement acceptés varient selon la culture et la génération. Dans notre culture occidentale contemporaine, le rôle masculin typiquement valorisé est caractérisé par l'activité et l'agressivité, et le rôle féminin est caractérisé par la passivité et le soin des autres. Selon Jung, avec l'avancement en âge, les pressions sociales qui renforcent l'adoption de ces comportements associés au sexe s'estompent, et un équilibre entre les tendances tend à apparaître, tant chez les femmes que chez les hommes. Ainsi, avec le vieillissement, les hommes deviendraient plus susceptibles de se comporter en êtres sensibles et soucieux du bien-être des autres, et les femmes deviendraient plus dominantes et plus affirmatives dans leurs positions et leurs actions.

Erikson (1950) a présenté une théorie plus poussée du développement psychosocial. Il met l'accent sur les capacités du moi pour l'évaluation rationnelle et la prise de décision, ainsi que sur les relations continuelles entre l'individu et la société à travers les différentes phases de l'existence. Selon cette théorie, le développement de la personnalité se présente comme un processus continu qui peut être divisé en une hiérarchie de huit étapes. Chaque étape représente une crise (point tournant) émotionnelle, caractérisée par un conflit entre tendances opposées. La résolution positive d'une étape est cruciale pour la résolution des étapes suivantes, car un conflit qui n'est pas résolu de manière satisfaisante continuera à exiger de l'énergie et à causer des difficultés. Il faut noter aussi que, même si un conflit ou un virage spécifique caractérise chaque étape, les mêmes thèmes sont présents lors des étapes antérieures et ultérieures. Ainsi, la crise confiance/méfiance n'est pas limitée au tout jeune âge mais continue à travers toute la vie. Les huit étapes du développement de la personnalité selon Erikson sont résumées au tableau 6.4. Comme on peut le voir, le développement à l'âge adulte (les trois dernières étapes du modèle) est caractérisé par une progression, à partir des questions d'identité et d'intimité, vers les tâches de générativité (occupation principale et famille) et, plus tard, jusqu'aux préoccupations centrées sur l'intégrité du moi. En ce qui concerne spécifiquement cette dernière période de la vie, qui nous intéresse

Tableau 6.4 Les huit étapes du développement du moi selon Erikson

Phase	Crise	Résolution positive
1. Prime enfance	Confiance/méfiance	Espoir, motivation
2. Enfance	Autonomie/doute	Volonté, maîtrise de soi
3. Âge du jeu	Initiative/culpabilité	Finalité, sens des objectifs
4. Âge de l'école	Industrie/infériorité	Compétence
5. Adolescence	Identité/confusion	Fidélité, dévotion
6. Début de l'âge adulte	Intimité/isolement	Affiliation, amour
7. Âge adulte moyen	Générativité/stagnation	Souci des autres, productivité
8. Âge adulte avancé	Intégrité du moi/désespoir	Sagesse, renonciation

principalement ici, Erikson avance que la question centrale concerne le conflit entre l'intégrité du moi et le désespoir. Le pôle positif de la résolution du conflit est représenté par la capacité d'intégrer et d'évaluer les stades précédents de la vie dans une juste perspective et avec sérénité, en quelque sorte la capacité de considérer sa vie avec une satisfaction humble mais affirmée. Le pôle négatif du conflit est caractérisé par le fait de voir son existence propre comme une série de chances ratées et de mauvais tournants, ainsi que par la crainte de la mort, l'amertume et le regret. La résolution positive de cette phase se manifeste par l'apparition de la sagesse, qu'Erikson définit comme une attitude sereine et sans anxiété à l'égard de la vie, ainsi que par la reconnaissance et l'acceptation de la perspective de la mort. Erikson a publié, il y a peu, une description autobiographique de cette étape de la vie (Erikson *et al.*, 1986).

Des auteurs comme Gould (1978), Sheehy (1976), Levinson *et al.* (1978) et Gutmann (1970) ont adopté sur le développement adulte des vues apparentées qui soulignent aussi des étapes de vie et des crises existentielles prévisibles. Ces modèles ne seront pas exposés ici en détail parce qu'ils concernent essentiellement l'âge adulte moyen et qu'ils ne sont pas directement pertinents à l'âge adulte avancé. Notons en passant que ces points de vue théoriques constituent le fondement logique de la rétrospective de vie guidée, ou revue de l'existence (*life review*), intervention qui propose aux personnes âgées de réévaluer leur existence pour résoudre les conflits, pour intégrer et accepter leur vie de manière positive (Webster & Cappeliez, 1993).

Malgré sa popularité, le modèle d'Erikson a fait l'objet de relativement peu de recherches empiriques. À quelques rares exceptions près (par exemple, l'étude de Field et Millsap, 1991 ; voir plus loin), les études disponibles sont de nature transversale, ce qui ne permet pas de distinguer les effets respectifs de l'âge et de la cohorte. De plus, ces études concernent surtout des sujets d'âge adulte moyen, ce qui rend impossible l'évaluation des composantes de continuité et de transition qui sont fondamentales pour le modèle. Il est intéressant cependant de noter les efforts récents pour rendre les concepts d'Erikson opérationnels et pour les mesurer. Ainsi, Gruen (1964) a rendu opérationnelles les huit étapes d'Erikson en les considérant comme huit composantes de personnalité distinctes. Cette étude transversale réalisée avec des sujets âgés de 40 à 65 ans a fourni peu de résultats significatifs en ce qui a trait aux variables de l'âge et du sexe. Les sujets féminins manifestaient des niveaux d'intimité supérieurs à ceux des sujets masculins, et les sujets féminins du groupe d'âge de 50-55 ans présentaient des niveaux d'intégrité inférieurs à ceux des sujets masculins. Domino et Affonso (1990) ont élaboré un inventaire de 120 items portant sur l'équilibre psychosocial (*Inventory of Psychosocial Balance* [IPB]) et destiné à mesurer les huit étapes de la théorie d'Erikson selon les tâches spécifiques de chaque étape : confiance, autonomie, initiative, industrie, identité, intimité, générativité et intégrité du moi. Domino et Hannan (1989) ont évalué, avec un échantillon de personnes âgées, la mesure dans laquelle les scores obtenus pour les huit composantes étaient associés à un fonctionnement psychologique équilibré. Cette recherche n'a pas mis en évidence une plus grande importance relative des thèmes correspondant à l'âge chronologique des participants. Elle a plutôt appuyé la notion d'interrelations entre les thèmes du développement, dans la mesure où, à une exception près (l'échelle d'autonomie pour les sujets masculins), les huit échelles contribuaient toutes significativement à la prédiction du fonctionnement équilibré. Les comparaisons entre les sujets masculins et féminins ont montré que, pour les sujets féminins, le sens de l'identité était le plus important pour la détermination du sentiment d'accomplissement, et que la confiance et l'industrie étaient nettement moins importantes. Pour les sujets de sexe masculin, la confiance et l'industrie ressortaient dans la prédiction du sentiment d'accomplissement, tandis que la générativité et l'intimité semblaient moins importantes. Les auteurs ont suggéré que ces différences pouvaient être la manifestation des valeurs culturelles prédominantes de la génération des sujets qui ont participé à l'étude.

Comme nous l'avons déjà noté plus haut, une recherche récente (Field & Millsap, 1991), longitudinale celle-ci, et menée avec des sujets suivis au cours du passage du début de l'âge adulte avancé (55-74 ans) jusqu'à l'âge adulte très avancé (plus de 85 ans), apporte un soutien à la position d'Erikson. Cette recherche suggère en effet une augmentation de l'aménité au cours de la huitième et dernière phase de la vie. Rappelons ici que les auteurs rapprochent leur mesure de l'aménité du concept d'intégrité du moi, tel qu'il a été défini par Erikson.

En plus de ces recherches de nature descriptive, d'autres études, considérées comme des classiques, ont porté sur la question fondamentale de l'existence de changements normatifs de la personnalité. Les recherches connues sous le nom collectif de *Kansas City Studies of Adult Life*, mises en œuvre par une équipe de chercheurs en sciences sociales de l'Université de Chicago au milieu des années 1950, fournissent encore aujourd'hui la majeure partie des arguments en faveur de l'existence de certains changements normatifs de la personnalité à l'âge adulte avancé, selon le point de vue psychodynamique. Ces études ont porté sur des sujets de 40 à 90 ans, et il faut noter qu'elles sont de nature transversale. Pour mesurer la personnalité, ces études ont surtout recouru au TAT (test d'aperception thématique), qui est un test projectif. Un test projectif se présente sous la forme de stimuli vagues et ambigus, comme des images abstraites ou des représentations picturales, que le sujet est invité à commenter et à interpréter. Le principe sous-jacent à ce type de test psychologique est que la personne « projette » sa personnalité dans sa tentative de donner une réponse cohérente aux stimuli ambigus et donc que, dans sa réponse, elle révélera ses préoccupations et ses besoins psychologiques profonds. Spécifiquement, le TAT propose une série de dessins de scènes avec des personnages et le sujet doit créer une histoire au sujet de chaque scène. Ces histoires sont présumées révéler les préoccupations inconscientes, les conflits émotionnels et la personnalité du sujet.

En analysant les régularités qui caractérisaient les histoires des sujets âgés et en les comparant avec celles des sujets adultes plus jeunes, les chercheurs ont mis en évidence quelques transformations, qui correspondent aux hypothèses formulées par Erikson et Jung. Selon les histoires racontées par les sujets, les chercheurs ont déduit que les sujets âgés semblent perdre de l'intérêt pour le monde extérieur et se préoccuper davantage d'eux-mêmes et de leur vie intérieure. Cette tendance a d'abord été décelée par Rosen et Neugarten (1964), qui ont observé que, dans les récits des sujets âgés, les personnages sont moins vigoureux et plus passifs, ce qu'ils considèrent comme une manifestation d'une réduction de l'énergie du moi et d'une tendance à la maîtrise passive de l'environnement. En second lieu, ce repli sur soi a été observé à travers des récits où les personnages sont décrits par les sujets âgés comme immobilisés dans leurs actions par les obstacles de l'environnement et incapables d'influer sur leur destin (Gutmann, 1964, 1969). Dans le contexte de l'adaptation aux pertes de rôle et aux limitations de l'âge adulte avancé, ces tendances à l'intériorité et à l'ajustement face à l'environnement peuvent être considérées comme une évolution constructive de la personnalité.

Par la suite, Neugarten et Gutmann (1964) ont étudié les réponses de sujets âgés de 40 à 54 ans et de 55 à 70 ans à une scène présentant deux couples (homme-femme), l'un jeune et l'autre âgé, apparemment en train de converser. Les sujets âgés de plus de 55 ans avaient plus tendance que les sujets plus jeunes à décrire l'homme âgé comme passif plutôt qu'affirmatif de son autorité et la femme âgée comme affirmative plutôt que soumise. Les auteurs ont interprété ces réponses comme le reflet d'un changement dû à l'âge, changement se traduisant chez les femmes par une plus grande tolérance vis-à-vis de leurs tendances agressives et égocentriques, et, chez les hommes, par une plus grande tolérance vis-à-vis de leurs tendances à l'affiliation et au soutien affectif (Neugarten, 1973).

Cependant, ces constatations comportent une certaine contradiction : comment les femmes peuvent-elles devenir plus introverties et adopter un style de maîtrise passive et, en même temps, devenir plus actives et plus affirmatives ? Gutmann (1975) a avancé que la tendance à l'introversion ne vaut que pour les hommes et qu'en fait, chez les femmes, le mouvement est dans la direction de l'extraversion. Neugarten (1973) a adopté une position intermédiaire en suggérant que les deux sexes évoluent vers l'introversion avec l'âge, mais que cette progression est plus rapide et plus prononcée chez les hommes, qui sont typiquement plus extravertis que les femmes au début de l'âge adulte.

Gutmann (1969, 1970, 1975) a souligné l'influence déterminante des rôles parentaux sur l'évolution des caractéristiques de personnalité des hommes et des femmes. Selon cet auteur, dans un scénario classique où l'homme est le principal acteur économique dans la famille, ce dernier se doit de réprimer sa sensibilité émotionnelle et ses besoins de dépendance et d'affiliation. Plus tard dans la vie, une fois son rôle joué sous cet aspect, l'homme peut s'autoriser à exprimer sa tendresse et son souci des autres. La femme, de son côté, est traditionnellement considérée comme la source principale de soutien physique et affectif dans les deux premières phases de l'âge adulte, pendant les années où la vie familiale est au centre des préoccupations, ce qui implique une répression de l'affirmation de ses propres besoins et une suppression de l'agressivité. À l'âge adulte avancé, libérée de son rôle familial, la femme peut alors s'engager dans des entreprises personnelles, et s'affirmer. Cette notion selon laquelle la personnalité suit la mouvance des rôles sociaux, eux-mêmes reliés aux étapes de la vie dans la sphère du travail et de la famille, plutôt qu'une progression chronologique, est au centre de la perspective contextuelle, que nous aborderons un peu plus loin lorsque nous ferons une synthèse des perspectives.

6.5 PERCEPTION SUBJECTIVE DU DÉVELOPPEMENT DE LA PERSONNALITÉ

Jusqu'ici, nous avons abordé l'étude de la personnalité du point de vue de l'observateur extérieur. L'analyse de la perception subjective de l'évolution de la personnalité à l'âge adulte projette un éclairage intéressant sur les questions de la stabilité et du changement de la personnalité. Plusieurs études suggèrent en effet que les individus ont tendance à adopter une perspective optimiste au sujet des changements de personnalité pendant la vie adulte. Précisément, les gens croient que leur personnalité se modifie de manière positive pendant cette période de leur vie, et ce, largement en l'absence de preuves objectives de changement. Woodruff et Birren (1972) ont montré ce décalage dans une étude aux résultats de prime abord surprenants. En 1944, des sujets qui avaient un âge moyen de 19,5 ans avaient répondu à un test de personnalité. Le test mesurait l'ajustement personnel et social. Vingt-cinq plus tard, en 1969, les sujets alors âgés en moyenne de 44,5 ans ont de nouveau répondu au même test. Il n'y avait pas de différence importante entre les scores des deux périodes de la vie, ce qui suggère une absence de changement dans le degré d'ajustement. De façon intéressante, les sujets ont été invités ensuite, lors du test de 1964, à répondre de nouveau au test comme ils pensaient l'avoir fait en 1944. Des différences significatives entre les vrais scores de 1944 et ceux basés sur le rappel sont apparues. La direction de cette différence est intéressante :

les sujets ont nettement sous-estimé les scores d'ajustement personnel et social qu'ils s'étaient eux-même attribués en 1944. Visiblement, les sujets croyaient qu'ils s'étaient fortement améliorés depuis le début de la vie adulte sur le plan de l'ajustement personnel et social, alors que les vrais scores n'indiquaient aucune différence. On peut concevoir que le maintien de l'estime de soi constitue l'un des facteurs qui sous-tendent cette surestimation de l'évolution désirable de la personnalité (Ross, 1989).

Des recherches plus récentes soulignent aussi l'importance des théories implicites du vieillissement sur la perception de l'évolution de la personnalité. McFarland et ses collaborateurs (1992) ont introduit dans leur recherche une distinction entre des attributs personnels que la plupart des gens considèrent comme augmentant avec l'âge, tels que l'indépendance ou la compréhension, et des attributs communément considérés comme diminuant avec l'âge, tels que la timidité ou la rapidité de la pensée. Pour les attributs postulés comme augmentant avec l'âge, les sujets âgés évaluent leurs scores de jeunesse à des niveaux sensiblement inférieurs à ceux que les jeunes sujets de l'étude s'attribuent personnellement. Pour les attributs envisagés comme diminuant avec l'âge, les sujets âgés s'attribuaient des scores de jeunesse supérieurs à ceux que s'attribuaient les jeunes sujets de l'étude. Ces effets n'avaient rien à voir avec le caractère positif ou négatif de l'attribut en question, ce qui indique que les résultats ne reflétaient ni une vision systématiquement glorifiée de la jeunesse, ni une perspective exclusivement négative sur la vieillesse. Les auteurs ont conclu que les théories du vieillissement répandues dans notre culture exercent une influence prépondérante sur le rappel par les personnes âgées des attributs de leur personnalité de jeunesse et, par extension, sur la perception subjective de l'évolution de la personnalité.

Dans le même ordre d'idées, Krueger et Heckhausen (1993) ont examiné la contribution des conceptions subjectives du développement aux jugements portés par les individus sur la stabilité et sur le changement de la personnalité. Les auteurs ont sélectionné 10 traits de personnalité désirables et 10 traits indésirables à l'intérieur de chacune des cinq grandes composantes de la personnalité (Digman, 1990) : extraversion, aménité, tendance à être consciencieux, stabilité émotionnelle, intellect (ou ouverture d'esprit). À titre d'exemples, des caractéristiques descriptives comme la sociabilité et le courage constituaient dans cette étude des traits désirables relevant de l'extraversion, tandis que la crédulité et la naïveté représentaient des traits indésirables relevant de l'intellect. Pour cette série de 100 caractéristiques de personnalité, des sujets jeunes, des sujets d'âge adulte moyen et des sujets âgés devaient indiquer dans quelle mesure chaque caractéristique changeait au cours de la vie, était désirable, décrivait leur propre personnalité et était susceptible de maîtrise personnelle. En général, les conceptions subjectives étaient plutôt optimistes. En effet, les traits désirables étaient jugés comme plus caractéristiques de sa propre personne et plus susceptibles de maîtrise que les traits indésirables. Prises dans leur ensemble, les conceptions subjectives des sujets des trois groupes d'âge ont reflété une augmentation des traits désirables et une diminution modérée des traits indésirables au début de l'âge adulte (croissance), suivies d'une diminution modérée des traits désirables et d'une légère augmentation des traits indésirables avec le vieillissement. Les sujets âgés manifestaient cependant un optimisme plus marqué que celui des plus jeunes, dans la mesure où ils percevaient que la croissance continuait jusqu'à un âge plus tardif et que le déclin était moins prononcé.

En résumé, ces recherches suggèrent qu'un fort consensus règne chez les personnes adultes quant à la stabilité de certaines caractéristiques de personnalité et quant au changement d'autres caractéristiques au cours de la vie adulte. En général, ces attentes reflètent l'idée optimiste que la personnalité dans son ensemble tend à s'améliorer chez tout un chacun au cours de la vie adulte. Il y a tout lieu de croire que ces conceptions expliquent la robustesse de la croyance dans le changement de la personnalité.

6.6 APPROCHE IDIOGRAPHIQUE

Jusqu'ici, notre étude de la personnalité à l'âge adulte a été guidée par une perspective nomothétique. En effet, tant l'approche des traits que l'approche psychodynamique visent, par leur méthode propre, à savoir s'il existe des principes généraux du développement applicables à l'ensemble des individus. La perspective idiographique s'écarte de cette orientation normative du développement pour envisager l'évolution de la personnalité «de l'intérieur», c'est-à-dire en fonction des caractéristiques uniques de l'individu. Deux versions de cette perspective idiographique en ce qui a trait à la personnalité à l'âge adulte avancé peuvent retenir notre attention : l'approche typologique et l'approche cognitive.

Neugarten et ses collaborateurs (1968), dans le cadre des études de Kansas City, ont décrit quatre types principaux de personnalité, dont chacun a son propre mode d'adaptation au vieillissement. Les individus au **profil intégré** se caractérisent par des attitudes et des comportements flexibles, qui les amènent à une implication équilibrée dans leur milieu social. Ce type de personne présente un niveau élevé de satisfaction par rapport à la vie. Les individus de **type carapaçonné** manifestent eux aussi un niveau élevé de satisfaction par rapport à la vie. Ces individus présentent une configuration de personnalité organisée autour du contrôle étroit des impulsions, du maintien des rôles de vie antérieurs et de la fermeture aux expériences nouvelles. Deux autres types démontrent une moins bonne adaptation au vieillissement, reflétée par des niveaux faibles de satisfaction par rapport à la vie. Le **type passif-dépendant** se caractérise soit par le besoin constant de soutien des autres, soit par l'apathie face à l'environnement. Enfin, le **type non intégré** démontre une configuration désorganisée d'adaptation au vieillissement, manifestée par une baisse du fonctionnement physique et psychologique et par un faible degré d'activité. Dans le même ordre d'idées, Shanan (1991) a récemment souligné la continuité de certains types d'adaptation (*coping*) envisagés comme autant de profils de personnalité. Dans le cadre d'une étude longitudinale, menée avec des sujets initialement âgés de 46 à 65 ans et étalée sur une quinzaine d'années, cet auteur a noté un maintien des profils de personnalité pour la grande majorité des sujets, en particulier pour les sujets présentant les profils d'**adaptation intégrée** et **active** et d'**adaptation passive** et **dépendante** (respectivement 42 % et 38 % des sujets lors de la première prise de mesure).

Thomae, dont les écrits sont associés à l'étude longitudinale de Bonn sur le vieillissement (Thomae, 1976), a proposé une théorie de la personnalité que l'on peut qualifier de cognitive. Il suggère en effet que le moteur du changement de la personnalité réside dans la perception par l'individu de la nécessité et de la possibilité du changement (Thomae, 1970, 1980). Cette recherche longitudinale se signale par la multiplicité des données biologiques, psychologiques et sociales recueillies auprès des sujets. En plus des données sur la personnalité obtenues au moyen de tests projectifs et d'entrevues, cette recherche inclut des mesures de conditions de vie, des attitudes, des plans pour le futur, du niveau intellectuel et de la santé. À partir de ces données, Thomae a élaboré trois postulats de base concernant l'évolution de la personnalité et de l'adaptation à son propre vieillissement. En premier lieu, il se dégage que la perception du changement de personnalité, plutôt que le changement en termes objectifs, est la variable qui détermine le changement de comportement. C'est seulement dans la mesure où la personne estime avoir changé dans sa personnalité que des changements se produiront dans ses comportements. Cette proposition souligne à nouveau l'importance des croyances des individus concernant les changements de personnalité prévus et souhaités à titre de moteur des changements de comportement. Selon le deuxième postulat, les individus perçoivent et évaluent les changements dans leur situation de vie en fonction des préoccupations dominantes de cette phase-là de leur vie. En d'autres termes, les mêmes situations et les mêmes problèmes sont envisagés différemment selon la période de la vie. Enfin, le troisième postulat implique que l'adaptation au vieillissement est déterminée par l'équilibre que la personne établit entre les composantes cognitive et motivationnelle de sa personnalité. Un bon ajustement au vieillissement est réalisable dans la mesure où l'individu perçoit les changements comme désirables ou normatifs, et en correspondance avec son interprétation de cette phase de sa vie. Cette théorie cognitive considère que le moteur du changement se situe dans la perception de la nécessité et de la possibilité du changement par l'individu lui-même. Le changement est une potentialité ouverte à tous les individus et il mène à des trajectoires de vie uniques, mais il faut qu'il y ait un désir et une motivation de changement pour que l'évolution de la personnalité s'écarte du profil de la stabilité. Il est intéressant de noter que les résultats des recherches de Berkeley (Haan *et al.*, 1986) soutiennent cette position de Thomae, en démontrant l'influence déterminante de la perception du besoin de changer sur la modification de certains traits de personnalité.

6.7 SYNTHÈSE DES PERSPECTIVES

Ce tour d'horizon des différentes recherches sur la personnalité à l'étape de la vieillesse illustre les divergences de points de vue qui sont le lot de ce domaine d'étude en psychologie. Il est toutefois utile de faire le point et de tenter une intégration des perspectives. Un compromis de départ fructueux consisterait à postuler que *et* le changement *et* la stabilité font partie intégrante de l'évolution de la personnalité. Nous avons bien vu que les affirmations concernant le changement ou la stabilité de la personnalité sont étroitement dépendantes des *a priori* théoriques et méthodologiques des chercheurs. Les défenseurs de la perspective des traits de personnalité présupposent la continuité de ces composantes de la personnalité, et ils la trouvent en effet. Les tenants d'une approche dynamique de la personnalité partent du principe que la personnalité tend à la maturation et, immanquablement, c'est le changement qu'ils observent. Mais le postulat de la coexistence de la stabilité et du changement représente plus qu'un moyen terme diplomatique. Il permet de proposer que l'évolution de la personnalité résulte d'un processus dialectique alliant stabilité et changement. Cette perspective permet de considérer la personnalité comme un processus continu, impliquant une interaction entre la personne et son milieu culturel et social. Cette perspective peut être qualifiée de contextuelle, ou encore d'« interactionniste ». Elle met l'accent sur l'idée que l'étude de la personnalité à l'âge adulte doit tenir compte de l'impact des facteurs du milieu social sur la personnalité. Des événements de vie majeurs comme le mariage, les tribulations de la vie professionnelle, la mort d'un être proche, sont autant d'exemples de circonstances qui ont un impact important sur l'évolution de la personnalité.

L'ensemble des travaux sur la personnalité à l'étape de la vieillesse nous donnent à penser que c'est la continuité qui prévaut dans la situation la plus favorable, c'est-à-dire lorsque l'individu se trouve dans des circonstances de vie paisibles et ordonnées qui ne font pas appel outre mesure à ses capacités d'adaptation. Des changements graduels, des glissements progressifs s'effectuent, mais ils n'ont pas l'ampleur requise pour que les tenants de l'approche des traits concluent à des changements de personnalité. Par contre, si des circonstances de vie difficiles se présentent, comme la maladie, la perte du conjoint, des difficultés psychologiques qui perdurent depuis la jeunesse, il y aura une pression en direction du changement. Encore faudra-t-il tenir compte de la personnalité existante pour expliquer l'actualisation, la nature et l'ampleur des changements de personnalité qui résulteront de cette confrontation avec les difficultés de la vie. Ainsi, la tendance à établir et à maintenir une situation de vie favorisant la stabilité de la personnalité est en elle-même une caractéristique de personnalité. Le contraire est vrai aussi. Par exemple, des personnes qui présentent un haut degré d'instabilité émotionnelle (une composante de la personnalité appelée le névrosisme) seront susceptibles, au cours de leur existence, de vivre une fréquence d'événements stressants plus élevée comparativement aux personnes plus stables émotionnellement. En retour, ces circonstances de vie difficiles ajouteront aux difficultés d'adaptation de ces individus déjà vulnérables.

Cette proposition s'appuie sur les recherches illustrant le rôle moteur que jouent les circonstances de vie difficiles et le stress, ainsi que la reconnaissance par la personne de la nécessité du changement, dans le changement de la personnalité. Chiriboga et son équipe ont effectué une recherche longitudinale d'une durée de 11 ans sur la relation entre les événements stressants de la vie et la personnalité, avec des sujets qui étaient âgés de 16 ans à 65 ans au début de l'étude (Chiriboga, 1984; Fiske & Chiriboga, 1985). Les traits de personnalité étudiés, tels que le concept de soi et la satisfaction par rapport à la vie, étaient restés relativement stables au cours de la période de 11 ans. Toutefois, le degré de stabilité dans les traits était directement associé à la quantité de stress vécu par la personne. En termes précis, les sujets qui vivaient le moins de stress étaient les moins susceptibles de changer. Ces résultats suggèrent que, pour que la personnalité change, il faut être confronté à la nécessité du changement et la reconnaître comme telle, ce qui rejoint le point de vue de Thomae (1970, 1980).

RÉSUMÉ

- Dans l'étude du développement de la personnalité à l'âge adulte, la question fondamentale est celle de la stabilité ou du changement de la personnalité.
- Les psychologues ont adopté des positions divergentes dans l'étude de la personnalité à l'âge adulte, chaque approche ayant sa méthode propre d'investigation et son présupposé de base.
- Les théoriciens de l'approche des traits considèrent que les éléments fondamentaux de la personnalité restent stables au cours de la vie adulte.

- Selon cette approche, des traits de personnalité comme la stabilité émotionnelle, la dominance, la sociabilité, l'hostilité ne changent pas de manière systématique avec l'âge.
- La tradition psychanalytique avance l'idée que la personnalité connaît une évolution dynamique au cours de la vie.
- Selon l'approche analytique, les changements les plus caractéristiques, à l'étape de la vieillesse, consistent en une tendance à l'intériorité et en l'adoption d'une attitude de maîtrise passive de l'environnement.
- Selon l'approche analytique, un glissement s'effectue vers l'atténuation des différences entre les deux sexes, les hommes devenant plus ouverts à l'aspect affectif des rapports humains et les femmes, plus affirmatives de leurs besoins et de leur individualité.
- Les personnes ont tendance à croire que leur personnalité change davantage qu'elle ne change réellement. Cette perception subjective du changement reflète habituellement une vision optimiste quant à l'amélioration de la personnalité.
- L'approche cognitive de la personnalité considère que le moteur du changement de la personnalité réside dans la perception par l'individu lui-même de la nécessité du changement.
- Dans un essai de synthèse, l'évolution de la personnalité peut être envisagée selon un processus dialectique alliant stabilité et changement. La stabilité prévaudrait tant que les circonstances de vie ne font pas appel outre mesure aux capacités d'adaptation de la personne. Par contre, des circonstances de vie difficiles peuvent constituer une pression pour le changement de la personnalité.

LECTURES SUGGÉRÉES

Field, D. (1991). Continuity and change in personality in old age. Evidence from five longitudinal studies : Introduction to a special issue. *Journal of Gerontology : Psychological Sciences, 46*, 271-274.

Kogan, N. (1990). Personality and aging. Dans J.E. Birren & K.W. Schaie (dir.), *Handbook of the psychology of aging* (3e éd., p. 330-346). San Diego, CA : Academic Press.

Lachman, M.E. (1989). Personality and aging at the crossroads : Beyond stability versus change. Dans K.W. Schaie & C. Schooler (dir.), *Social structure and aging : Psychological processes* (p. 167-190). Hillsdale, NJ : Lawrence Erlbaum.

McCrae, R.R., & Costa, P.T., Jr. (1990). *Personality in adulthood.* New York : The Guilford Press.

RÉFÉRENCES

Block, J. (1977). Advancing the psychology of personality : Paradigmatic shift or improving the quality of research ? Dans D. Magnusson & N.S. Endler (dir.), *Personality at the crossroads : Current issues in interactional psychology* (p. 37-64). Hillsdale, NJ : Erlbaum.

Buhler, C. (1935). The curve of life as studies in biographies. *Journal of Applied Psychology, 19,* 405-409.

Cattell, R.B., Eber, H.W., & Tatsuoka, M.M. (1970). *The handbook for the Sixteen Personality Factor Questionnaire.* Champaign, IL : Institute for Personality and Ability Testing.

Chiriboga, D.A. (1984). Social stressors as antecedents of change. *Journal of Gerontology, 39,* 468-477.

Conley, J.J. (1985). Longitudinal stability of personality traits : A multitrait-multimethod-multioccasion analysis. *Journal of Personality and Social Psychology, 49,* 1266-1282.

Costa, P.T., Jr., & McCrae, R.R. (1978). Objective personality assessment. Dans M. Storandt, I.C. Siegler & M.F. Elias (dir.), *The clinical psychology of aging* (p. 119-143). New York, NY : Plenum Press.

Costa, P.T., Jr., & McCrae, R.R. (1984). Personality as a lifelong determinant of well-being. Dans C. Malatesta & C. Izard (dir.), *Affective processes in adult development and aging* (p. 141-157). Beverly Hills, CA : Sage.

Costa, P.T., Jr., & McCrae, R.R. (1985). *The NEO personality inventory manual.* Odessa, FL : Psychological Assessment Resources.

Costa, P.T., Jr., & McCrae, R.R. (1988). Personality in adulthood : A six-year longitudinal study of self-reports and spouse ratings on the NEO personality inventory. *Journal of Personality and Social Psychology, 54,* 853-863.

Costa, P.T., Jr., & McCrae, R.R. (1989). Personality continuity and the changes of adult life. Dans M. Storandt & G.R. Vandenbos (dir.), *The adult years : Con-*

tinuity and change (p. 45-77). Washington, DC : American Psychological Association.

Costa, P.T., Jr., McCrae, R.R., & Arenberg, D. (1980). Enduring dispositions in adult males. *Journal of Personality and Social Psychology, 38*, 793-800.

Digman, J.M. (1990). Personality structure : Emergence of the five-factor model. *Annual Review of Psychology, 41*, 417-440.

Domino, G., & Affonso, D. (1990). The IPB : A personality measure of Erikson's life stages. *Journal of Personality Assessment, 54*, 576-588.

Domino, G., & Hannan, M.T. (1989). Measuring effective functioning in the elderly : An application of Erikson's theory. *Journal of Personality Assessment, 53*, 319-328.

Douglas, K., & Arenberg, D. (1978). Age changes, cohort differences, and cultural change on the Guilford-Zimmerman Temperament Survey. *Journal of Gerontology, 33*, 737-747.

Erikson, E.H. (1950). *Childhood and society*. New York : Norton.

Erikson, E.H., Erikson, J.M., & Kivnick, H.Q. (1986). *Vital involvement in old age*. New York : Norton.

Field, D. (1991). Continuity and change in personality in old age. Evidence from five longitudinal studies : Introduction to a special issue. *Journal of Gerontology : Psychological Sciences, 46*, 271-274.

Field, D., & Millsap, R.E. (1991). Personality in advanced old age : continuity or change ? *Journal of Gerontology : Psychological Sciences, 46*, p. 299-308.

Finn, S.E. (1986). Stability of personality self-ratings over 30 years : Evidence for an age/cohort interaction. *Journal of Personality and Social Psychology, 50*, 813-818.

Fiske, M., & Chiriboga, D.A. (1985). The interweave of societal and personal change in adulthood. Dans J. Munnichs, P. Mussen, E. Olbrich & P.G. Coleman (dir.), *Life-span and change in gerontological perspective* (p. 177-209). New York : Academic Press.

Gould, R.L. (1978). *Transformations*. New York : Simon and Shuster.

Gruen, W. (1964). Adult personality : An empirical study of Erikson's theory of ego development. Dans B.L. Neugarten et collaborateurs (dir.), *Personality in middle and late life : Empirical studies* (p. 1-14). New York : Atherton.

Guilford, J.S., Zimmerman, W.S., & Guilford, J.P. (1976). *The Guilford-Zimmerman Temperament Survey Handbook*. San Francisco : EDITS Publishers.

Gutmann, D.L. (1964). An exploration of ego configurations in middle and later life. Dans B.L. Neugarten et collaborateurs (dir)., *Personality in middle and late life : Empirical studies* (p. 114-148). New York : Atherton.

Gutmann, D.L. (1969). *The country of old men : Cultural studies in the psychology of later life.* Ann Arbor : University of Michigan/Wayne State University, Institute of Gerontology.

Gutmann, D.L. (1970). Female ego styles and generational conflicts. Dans J.M. Bardwich, E. Douvan, M.S. Horner & D.L. Gutmann (dir.), *Feminine personality and conflict* (p. 77-96). Belmont, CA : Brooks/Cole.

Gutmann, D.L. (1975). Parenthood : A key to the comparative study of the life cycle. Dans N. Datan & L.H. Ginsberg (dir.), *Life-span developmental psychology : Normative life crises* (p. 167-184). New York : Academic Press.

Haan, N., Millsap, R., & Hartka, E. (1986). As time goes by : Change and stability in personality over fifty years. *Psychology and Aging, 1*, 220-232.

Hagberg, B., Samuelsson, G., Lindberg, B., & Dehlin, O. (1991). Stability and change of personality in old age and its relation to survival. *Journal of Gerontology : Psychological Sciences, 46*, 285-291.

Helson, R., & Moane, G. (1987). Personality change in women from college to midlife. *Journal of Personality and Social Psychology, 53*, 176-186.

Jung, C.G. (1933). *Modern man in search of a soul.* Traduit par W.S. Dell & C.F. Baynes. New York : Harcourt Brace Jovanovich.

Kogan, N. (1990). Personality and aging. Dans J.E. Birren & K.W. Schaie (dir.), *Handbook of the psychology of aging* (3e éd., p. 330-346). San Diego, CA : Academic Press.

Krueger, J., & Heckhausen, J. (1993). Personality development across the adult life span : Subjective conceptions vs. cross-sectional contrasts. *Journal of Gerontology : Psychological Sciences, 48*, 100-108.

Leon, G.R., Gillum, B., Gillum, R., & Gouze, M. (1979). Personality stability and change over a 30-year period : Middle age to old age. *Journal of Consulting and Clinical Psychology, 47*, 517-524.

Levinson, D.J., Darrow, C.N., Klein, E.B., Levinson, M.L., & McKee, B. (1978). *The seasons of a man's life.* New York : Knopf.

McCrae, R.R., & Costa, P.T., Jr. (1984). *Emerging lives, enduring dispositions.* Boston : Little, Brown.

McCrae, R.R., & Costa, P.T., Jr. (1987). Validation of the five-factor model of personality across instruments and observers. *Journal of Personality and Social Psychology, 52*, 81-90.

McCrae, R.R., & Costa, P.T., Jr. (1990). *Personality in adulthood.* New York : The Guilford Press.

McFarland, C., Ross, M., & Giltrow, M. (1992). Biased recollections in older adults : The role of implicit theories of aging. *Journal of Personality and Social Psychology, 62*, 837-850.

Mortimer, J.T., Finch, M.D., & Kumka, D. (1982). Persistence and change in development : The multidimensional self-concept. Dans P.B. Baltes & O.G. Brim, Jr. (dir.), *Life-span development and behavior* (vol. 4, p. 264-315). New York : Academic Press.

Neugarten, B.L. (1973). Personality change in late life : A developmental perspective. Dans C. Eisdorfer & M.P. Lawton (dir.), *The psychology of adult development and aging* (p. 311-335). Washington, DC : American Psychological Association.

Neugarten, B.L. (1977). Personality and aging. Dans J.E. Birren & K.W. Schaie (dir.), *Handbook of the psychology of aging* (1re éd., p. 626-649). New York : Van Nostrand Reinhold.

Neugarten, B.L., & Gutmann, D.L. (1964). Age-sex roles and personality in middle age : A thematic apperception study. Dans B.L. Neugarten et collaborateurs (dir.), *Personality in middle and late life : Empirical studies* (p. 44-89). New York : Atherton.

Neugarten, B.L., Havighurst, R.J., & Tobin, S.S. (1968). Personality and patterns of aging. Dans B.L. Neugarten (dir.), *Middle age and aging* (p. 173-177). Chicago, IL : University of Chicago Press.

Ohlmann, T. (1985). Variabilité intra-individuelle et dépendance-indépendance à l'égard du champ visuel. Dans J. Drevillon, M. Huteau, F. Longeot, M. Moscato & T. Ohlmann (dir.), *Fonctionnement cognitif et individualité* (p. 185-230). Liège, Belgique : Mardaga.

Palmore, E., Nowlin, J.B., & Wang, H.S. (1985). Predictors of function among the old-old : A 10-year follow-up. *Journal of Gerontology, 40*, 244-250.

Rosen, J.L., & Neugarten, B.L. (1964). Ego functions in the middle and later years : A thematic apperception study. Dans B.L. Neugarten et collaborateurs (dir.), *Personality in middle and late life : Empirical studies* (p. 90-101). New York : Atherton.

Ross, M. (1989). Relation of implicit theories to the construction of personal histories. *Psychological Review, 96*, 341-357.

Schaie, K.W., & Willis, S.L. (1991). Adult personality and psychomotor performance : Cross-sectional and longitudinal analyses. *Journal of Gerontology : Psychological Sciences, 46*, 275-284.

Shanan, J. (1991). Who and how : Some unanswered questions in adult development. *Journal of Gerontology : Psychological Sciences, 46*, 309-316.

Sheehy, G. (1976). *Passages : Predictable crises of adult life.* New York : Dutton.

Siegler, I.C., George, L.K., & Okun, M.A. (1979). Cross-sequential analysis of adult personality. *Developmental Psychology, 15*, 350-351.

Stevens, D.P., & Truss, C.V. (1985). Stability and change in adult personality over 12 and 20 years. *Developmental Psychology, 21*, 568-584.

Thomae, H. (1970). Theory of aging and cognitive theory of personality. *Human Development, 13*, 1-16.

Thomae, H. (dir.) [1976]. *Patterns of aging : Findings from the Bonn Longitudinal Study of Aging.* Basel : Karger.

Thomae, H. (1980). Personality and adjustment to aging. Dans J.E. Birren & R.B. Sloane (dir.), *Handbook of mental health and aging* (p. 285-309). Englewood Cliffs, NJ : Prentice-Hall.

Vaillant, G.E. (1977). *Adaptation to life.* Boston, MA : Little, Brown.

Webster, J.D., & Cappeliez, P. (1993). Reminiscence and autobiographical memory : Complementary contexts for cognitive aging research. *Developmental Review, 13*, 54-91.

Woodruff, D.S., & Birren, J.E. (1972). Age changes and cohort differences in personality. *Developmental Psychology, 6*, 252-259.

Chapitre 7

Bien-être

7.1 INTRODUCTION

Le courant de recherche visant à déterminer les conditions du vieillissement optimal a contribué au développement de la psychologie gérontologique. À l'origine, ce courant de recherche, qui met l'accent sur l'adaptation individuelle à la vieillesse, s'appuyait largement sur des modèles théoriques proposés pour expliquer l'adaptation de la personne âgée. Pour certains chercheurs, le bien-être était maintenu durant la vieillesse à condition que la personne demeure active et qu'elle résiste à l'effritement de son environnement social. Pour d'autres, le vieillissement réussi était plutôt dû à un désengagement mutuel de la personne âgée et de la société. Pour d'autres enfin, le bien-être au cours de la vieillesse dépendait de la personnalité, laquelle demeurerait relativement inchangée malgré l'avancement en âge. Ces différentes perspectives sont à la base des théories psychosociales du vieillissement.

Les théories psychosociales ont connu une grande popularité et semblaient fort prometteuses. Cependant, les études visant à appuyer ces théories ont révélé du même coup leurs limites, en particulier la simplification trop sommaire des déterminants du bien-être chez les personnes âgées. En réaction à ces limites importantes, la recherche dans ce domaine a évolué vers une approche plus globale de l'étude de l'adaptation chez les personnes âgées. Cette nouvelle approche s'appuyait moins sur des modèles théoriques précis et favorisait plutôt l'exploration de dimensions générales telles que la santé physique, l'activité sociale et les caractéristiques sociodémographiques dans leurs relations avec le sentiment de bien-être. Ce courant de recherche a suscité beaucoup d'intérêt et a permis de déterminer l'importance relative de certaines variables dans l'adaptation à la vieillesse.

Ce chapitre est composé de deux sections principales. Dans la première section, nous proposons un tour d'horizon des principales théories psychosociales du vieillissement. Il s'agit des théories du désengagement, de l'activité et de la continuité. La seconde section débute par une présentation plus approfondie du concept de bien-être et des instruments de mesure de ce concept. Par la suite, nous présentons les connaissances actuelles en ce qui concerne les relations entre certaines variables et le bien-être chez les personnes âgées. Sur ce dernier point, nous accorderons une importance particulière aux aspects suivants : la satisfaction à l'égard des conditions de vie, les stresseurs, la personnalité, l'activité, les variables sociodémographiques ainsi que l'environnement.

7.2 THÉORIES PSYCHOSOCIALES

L'une des caractéristiques des théories sociales du vieillissement a été de mettre l'accent sur l'adaptation individuelle à la vieillesse, et ces théories ont été dominées par une perspective nettement fonctionnaliste (Fennell *et al.*, 1988). Pour plusieurs des auteurs à l'origine de ces théories, la vieillesse était un problème social majeur, et la question était de savoir comment une personne âgée pouvait s'intégrer, ou s'ajuster, dans un ordre social en mutation rapide. Certains adoptaient une position pessimiste car il était évident pour eux que dans la vieillesse la personne était privée de ses rôles sociaux, ce qui la condamnait à attendre la mort, seul exutoire à cette existence vécue dans la solitude et sans but. À contre-courant de cette position, on proposait l'argument théorique que le bien-être était augmenté par l'engagement de la personne dans de nouveaux rôles et de nouvelles activités. Pour d'autres, l'avancement en âge n'est rien d'autre que la poursuite de ce que la personne a toujours été, et il ne faut pas chercher à trouver des transformations importantes. L'élaboration de théories visant à expliquer l'adaptation à cette étape de la vie a été un exercice populaire il y a une vingtaine d'années. Parmi les nombreuses théories élaborées, quelques-unes retiennent plus particulièrement notre attention. Il s'agit des théories du désengagement, de l'activité et de la continuité.

7.2.1 Théorie du désengagement

Parmi toutes les théories psychosociales du vieillissement, la théorie du désengagement est celle qui a éveillé le plus d'intérêt et de controverses. Elle a d'ailleurs encouragé l'élaboration de plusieurs autres théories sans aucun doute parce qu'elle a été, non sans raison, très controversée. La théorie du désengagement a pris naissance à la fin des années 1950 grâce à un groupe de chercheurs – dont Havighurst, Neugarten, Cumming et Henry – engagés dans un comité étudiant le développement humain à l'Université de Chicago, mais elle n'a été vraiment lancée qu'en 1961 par Cumming et Henry. Cette théorie découle des données d'une recherche portant sur 275 personnes âgées de 50 à 90 ans. L'étude à la base de la théorie (Cumming & Henry, 1961) utilisait un échantillon stratifié de résidents vivant dans la région métropolitaine de Kansas City au Missouri. Les sujets étaient physiquement en bonne santé et n'avaient pas de problème financier majeur. Cinq chercheurs les ont rencontrés sur une base régulière pendant six ans. À chaque entrevue, on a recueilli différentes informations démographiques, de même que des données sur le taux et la variété des interactions sociales ainsi que sur le changement et la variété des interactions, afin de déterminer la relation entre l'âge chronologique et la vieillesse réussie. En général, les résultats suggèrent que les sujets ont un moral stable entre la quarantaine et la cinquantaine, après quoi ils connaissent une période de crise entre 60 et 65 ans. Cette crise est suivie par une satisfaction relative jusque vers 70 ans. Ensuite, le moral se restaure à un âge avancé. Le moral ou le degré de satisfaction par rapport à la vie est donc élevé au début et à la fin du processus et faible pendant la période de transition de l'âge adulte à la vieillesse. Les auteurs en concluent que le désengagement est associé à un bon moral ou encore au vieillissement réussi.

Selon cette théorie, le processus normal du vieillissement est caractérisé par un retrait ou un désengagement « inévitable » entraînant une diminution des interactions entre la personne vieillissante et les autres personnes du « système social » auquel elle appartient (Cumming & Henry, 1961, p. 14). En outre, ce désengagement serait *réciproque* et *universel.* Le caractère inévitable du désengagement signifie que la personne âgée qui n'est pas encore engagée dans le processus le deviendra tôt ou tard. Le désengagement est réciproque, c'est-à-dire que, d'une part, la personne âgée se retire de la société et que, d'autre part, la société reprend progressivement à cette personne toutes les responsabilités sociales qu'elle lui avait confiées dans le passé (Guillemard & Lenoir, 1974). Cette théorie se veut de plus universelle, c'est-à-dire que ce désengagement est considéré comme caractéristique de toutes les sociétés, même si l'amorce et l'évolution du processus lui-même peuvent varier d'une culture à une autre. La société peut par exemple, dans des cultures comme la nôtre, faciliter le désengagement, en incitant l'individu à prendre sa retraite (Burbank, 1986). Le phénomène du désengagement serait ainsi constitué de deux composantes, soit :

- une composante psychologique et interne à l'individu ;
- une composante sociologique caractérisée par l'influence de l'environnement sur le sujet (Hétu, 1988).

Le désengagement psychologique se traduirait par une augmentation de la préoccupation envers soi-même et par une diminution de l'investissement émotionnel concernant les personnes et les objets de son environnement, alors que la composante sociologique correspondrait à une diminution des interactions entre la personne âgée et les autres personnes appartenant à son réseau social (Cumming & Henry, 1961). Les liens affectifs qui unissent la personne âgée à son univers social perdent leur intensité à mesure qu'elle avance en âge. Contrairement à ce que d'aucuns pourraient penser, ce processus de marginalisation s'effectuerait sans difficultés, car il serait perçu comme normal et avantageux tant par la personne âgée que par son entourage. Le processus de désengagement pourrait être amorcé par la personne âgée elle-même ou encore par la société. D'un côté, la société prônerait le désengagement parce qu'elle veut faire place aux jeunes. D'un autre côté, la personne âgée se détacherait en prenant de plus en plus conscience que ses capacités diminuent et qu'elle a besoin de tranquillité. Cela lui permettrait aussi d'utiliser son temps pour préparer son retrait ultime, la mort (Passutb & Bengtson, 1988). Selon ce point de vue, le désengagement est fonctionnel et il a des conséquences positives à la fois pour la personne âgée et pour la société (Hooyman & Kiyak, 1988). Lorsque le processus est complété, l'équilibre qui existait au milieu de la vie entre l'individu et la société fait place à un nouvel équilibre caractérisé par des relations moins profondes et plus distantes que celles du passé (Burbank, 1986).

En 1963, en réponse à certaines critiques, Cumming introduit une nouvelle variable dans sa théorie : le tempérament. Considérant ce dernier comme un important facteur d'influence dans le processus de désengagement, Cumming distingue deux types de personnes (Atchley, 1971 ; Burbank, 1986). Les personnes du premier type sont définies comme « actives » et « affirmatives » dans leurs relations avec les autres. Ces personnes se jugent capables de trouver des solutions de rechange pour compenser les pertes dont elles font l'expérience, et elles sont motivées à investir leur énergie pour mettre en place ces solutions (Schwartz *et al.*, 1984). Les personnes du deuxième type seraient plus « passives » et « limitées », attendant que les autres confirment les hypothèses qu'elles formulent à propos d'elles-mêmes. Elles croient n'avoir aucun contrôle sur ce qui leur arrive, et, par conséquent, elles sont peu motivées à investir de l'énergie pour entreprendre de compenser ces pertes. Elles seront donc portées à s'adapter passivement, donc à se désengager (Schwartz *et al.*, 1984). Ces distinctions remettent en question l'inévitabilité et l'universalité du processus de désengagement (Burbank, 1986), puisque les auteurs admettent par ce nouvel apport que certaines personnes âgées ne seront jamais appelées à se désengager.

Depuis sa première formulation, la théorie du désengagement a été constamment critiquée et modifiée. Selon Atchley (1971), les principales objections formulées à l'égard de cette théorie portent sur trois points :

- la fonctionnalité du désengagement ;
- l'universalité et l'inévitabilité du désengagement ;
- le rôle des différences de personnalité.

D'abord, on ne peut avancer que le désengagement est nécessairement bon pour la société en général. À ce propos, Hooyman et Kiyak (1988) soulignent qu'une retraite précoce s'accompagne d'une réduction du nombre de travailleurs disponibles pour soutenir les retraités par les systèmes de pension. On peut aussi ajouter le fait que les jeunes travailleurs sont ainsi privés de l'expérience et des connaissances des plus âgés.

En ce qui concerne le deuxième point, la question du désengagement est abusivement simplifiée lorsque celui-ci est considéré comme inévitable et universel (Maddox, 1964). Le désengagement dépend en effet de la position qu'occupe une personne dans la structure sociale ; ainsi, un professeur retraité aura plus de facilité à rester engagé qu'une personne qui travaillait en usine (Hooyman & Kiyak, 1988). Par ailleurs, il existe plusieurs façons de vieillir et les situations de vie varient beaucoup d'un individu à l'autre. Dans le même sens, Atchley (1971) note que le désengagement est étroitement relié au type de l'individu et à son degré d'engagement dans les divers rôles sociaux qu'il assume. Par exemple, une personne peut se retirer complètement de certains types d'activités et demeurer présente dans les activités familiales (Hooyman & Kiyak, 1988). Il est aussi pertinent de se demander jusqu'à quel point on peut qualifier de vraiment désengagée une personne qui s'est mise relativement en retrait par rapport à son environnement social, pour s'engager dans l'exploration du sens de sa vie et du système dans son ensemble. Qui plus est, l'inévitabilité et l'universalité du processus peuvent être mises en doute par l'étude même de Cumming et Henry (1961). En effet, on constate qu'un certain nombre de personnes de leur échantillon sont restées engagées, malgré leur âge avancé.

En ce qui concerne le troisième point, Atchley (1971) a soulevé la question des différences de personnalité. D'autres auteurs (Hooyman & Kiyak, 1988; Maddox, 1964) partagent cet avis. Ces auteurs mentionnent que la théorie du désengagement néglige le rôle que peuvent jouer la personnalité et le style de vie dans l'adaptation au vieillissement. Par exemple, les personnes qui ont toujours été actives et engagées socialement ne vont probablement pas se retirer en vieillissant, mais plutôt adapter leur environnement pour maintenir leurs activités.

Dans l'étude de Cumming et Henry (1961), comme nous venons de le mentionner, une certaine proportion de personnes âgées ne sont pas désengagées par rapport à la société. Les auteurs expliquent ce fait en disant que ces personnes ne sont pas arrivées à s'adapter, qu'elles se désengageront un jour ou l'autre, ou encore qu'elles constituent une élite sur les plans biologique et psychologique. Ce qui fait dire à certains auteurs (Hochschild, 1975; Passutb & Bengtson, 1988) que la théorie ne peut être contredite. Les résultats de l'étude auraient dû nuancer les conclusions et la théorie, puisqu'ils suggèrent que la mesure du moral n'est pas indépendante de l'activité (Maddox, 1965). Les données de cette même étude ont été réanalysées par Havighurst, Neugarten et Tobin (1964) à l'aide de mesures différentes de celles utilisées par Cumming et Henry (1961). Les auteurs ont ainsi obtenu une corrélation modérée entre l'activité et la satisfaction à l'égard de la vie. En d'autres mots, leurs résultats tendent à appuyer une théorie de l'activité plutôt qu'une théorie du désengagement.

Toutefois, malgré ses limites, la théorie du désengagement a eu une influence importante dans le domaine de la gérontologie sociale, puisqu'elle a été la première théorie a avoir vraiment tenté d'expliquer le processus du vieillissement (Passutb & Bengtson, 1988).

7.2.2 Théorie de l'activité

Alors que la théorie du désengagement prône le retrait et l'inactivité, la théorie de l'activité (Havighurst & Albrecht, 1953) invite plutôt la personne âgée à s'engager dans des activités sociales afin de vivre une vieillesse optimale. Selon cette théorie, la personne âgée qui vit une adaptation optimale à la vieillesse est celle qui reste active et qui sait résister aux restrictions de son univers social. Elle arrive à maintenir ses activités d'adulte le plus longtemps possible et tente de trouver des substituts à son travail. Enfin, elle cherche à remplacer d'une manière ou d'une autre les amis et les personnes aimées disparus (Havighurst, 1961). Bien que cette théorie se soit raffinée avec le temps, il n'en demeure pas moins qu'elle se centre toujours sur l'idée que la réussite du vieillissement est directement proportionnelle à la qualité des activités auxquelles l'individu continue à s'adonner.

Afin de mieux saisir la logique de cette théorie, on doit prendre en compte les trois aspects suivants :

- la satisfaction à l'égard de la vie ;
- l'image de soi ;
- les rôles.

La satisfaction à l'égard de la vie ressentie par un individu est reliée à son image de soi, c'est-à-dire que plus un individu entretient une image positive de lui-même, plus il éprouve du plaisir à vivre. Or, l'image que quelqu'un se fait de lui-même dépend, en bonne partie, de l'image que les autres se font de lui. Selon la théorie de l'activité, cette dynamique de la personne demeure la même à tout âge. Outre les changements physiologiques inévitables et inhérents au vieillissement, la personne âgée a les mêmes besoins sociaux et psychologiques qu'un adulte (Havighurst, 1968). Ainsi, quel que soit l'âge, ce besoin de reconnaissance est essentiellement comblé par les activités sociales auxquelles l'individu participe. Ces activités normalement exercées par l'individu correspondent aux rôles que celui-ci joue dans la société. C'est donc par ces rôles que l'individu reçoit la reconnaissance dont il a besoin.

Cependant, la société restreint les rôles de la personne vieillissante. Ces retraits ou ces restrictions vont à l'encontre du désir de la majorité des personnes âgées qui, spontanément, seraient enclines à maintenir ces rôles (Havighurst, 1968). Le phénomène social de la perte des rôles crée chez l'individu un état de frustration, voire de dépression. Fatalement, ces répercussions psychologiques entraînent une diminution de la satisfaction à l'égard de la vie. Il est donc important pour un individu de maintenir ses rôles le plus longtemps possible et de prévoir leur remplacement afin d'enrayer les effets négatifs du vieillissement et d'augmenter son degré de satisfaction à l'égard de la vie.

Afin d'établir de tels concepts, Havighurst et Albrecht (1953) ont mené une étude portant sur un échantillon de 100 individus pris au hasard parmi 670 individus âgés de 65 ans et plus. Comme instrument de mesure, on a utilisé un ensemble de rôles de 13 types combinés avec 10 niveaux d'activité définis pour chaque type de rôle. L'adaptation personnelle a été mesurée premièrement par un inventaire d'attitudes (Havighurst & Albrecht, 1953) évaluant le sentiment de bonheur, d'utilité et de satisfaction par rapport aux activités, la santé et le statut économique, et deuxièmement par l'échelle d'adaptation de Cavan (*Cavan Adjustment Rating Scales*), élaborée par Cavan et ses collaborateurs en 1940. Des questions concernant les activités socialement approuvées et la santé ont aussi été prises en compte. L'étude fait notamment ressortir une corrélation positive entre l'activité, l'attitude et l'adaptation. Un tel résultat milite en faveur de la théorie de l'activité. En effet, sauf quelques exceptions, les personnes âgées les plus actives sont celles qui vivent une meilleure adaptation (Havighurst & Albrecht, 1953).

Les études de plusieurs auteurs, dont celle de Burgess (1954), celle de Tobin et Neugarten (1961) ainsi que celle de Palmore (1968), soutiennent la théorie de l'activité. Burgess (1954) ainsi que Tobin et Neugarten (1961) relèvent respectivement que l'interaction sociale est directement proportionnelle à la satisfaction à l'égard de la vie pour toutes les catégories d'âge incluses dans leur étude et qu'en plus cette satisfaction tend à augmenter avec l'âge. À la suite d'une étude longitudinale, Palmore (1968) arrive à la conclusion qu'une personne âgée normale tend à compenser la réduction d'activités ou de rôles par une augmentation d'autres activités. Il a de plus observé qu'une diminution dans les activités était associée à une diminution de la satisfaction à l'égard de la vie.

Cependant, malgré ces appuis empiriques, la théorie de l'activité comporte aussi des lacunes. En effet, elle explique mal pourquoi certaines personnes âgées ne maintiennent pas le même niveau d'occupation qu'à l'âge adulte. En négligeant l'aspect de la personnalité (Havighurst *et al.*, 1964), la théorie de l'activité ne peut expliquer le fait que certaines personnes âgées sont passives et heureuses, tandis que d'autres sont actives et malheureuses. L'étude de Maddox et Eisdorfer (1962) menée auprès de 250 personnes âgées autonomes vivant en Caroline du Nord, âgées de 60 à 94 ans, fait notamment ressortir l'existence de quatre types de personnes. Les variables centrales prises en compte pour cette étude étaient le moral et l'activité. Il existerait donc des personnes ayant un niveau d'activité élevé avec un moral élevé ou bas et des personnes ayant un niveau d'activité faible avec un moral élevé ou bas. Ainsi, le niveau d'activité chez une personne peut baisser sans que nécessairement son degré de satisfaction en soit touché. De plus, Lemon et ses collaborateurs (1972), après avoir analysé 411 entrevues réalisées avec des personnes âgées, n'ont trouvé aucun rapport direct entre le niveau d'activité et le degré de satisfaction.

D'autre part, la théorie néglige les variations dans la signification d'une activité particulière pour un individu en ce qui concerne le type et la qualité de celle-ci. Par exemple, les personnes âgées trouvent que les activités sociales entre amis leur apportent une grande satisfaction (Lemon *et al.*, 1972) et préfèrent les activités informelles, sans cadre strict, aux activités formelles et vécues en solitaire (Couet *et al.*, 1984 ; Longino & Kart, 1982). De plus, le maintien d'une relation intime est plus important que de simples interactions sociales ou même que le maintien d'anciens rôles sociaux pour ce qui est de la satisfaction psychologique de l'individu âgé (Lemon *et al.*, 1972).

Cette théorie se veut le reflet de notre société axée sur la productivité. Par conséquent, la théorie favorise l'organisation du plus grand nombre possible d'activités sociales afin d'améliorer l'intégration de la personne âgée. C'est ainsi que des intervenants bien intentionnés font parfois pression sur des personnes âgées afin de les garder actives contre leur gré (Hétu, 1988). Devant cette situation, il est pertinent de se demander si les activités prévues sont significatives pour la personne âgée, car si les activités proposées n'ont aucune signification pour celle-ci, les objectifs d'intégration, et de plus grande satisfaction à l'égard de la vie, seront difficiles à atteindre. La prudence est donc de mise avant d'appliquer aveuglément cette théorie.

7.2.3 Théorie de la continuité

Plutôt que d'analyser la vieillesse comme une période distincte, selon les rôles que l'individu assume ou n'assume plus, la théorie de la continuité cherche à expliquer par la structure de la personnalité la grande diversité que l'on observe dans les conduites et dans les attitudes des retraités (Atchley, 1971). Ainsi, toutes les expériences et tous les rôles sociaux assumés par un individu continueraient à l'influencer et l'aideraient à s'adapter à sa vieillesse. Selon Atchley (1989), le concept de continuité peut être vu de différentes façons. D'un côté, la continuité peut vouloir dire rester le même, être uniforme et homogène ; une telle vision est difficilement applicable à la population âgée. D'un autre côté, une perspective plus dynamique de la continuité considère qu'une structure de base persiste à travers le temps et permet par le fait même une variété d'adaptations.

La postulat central de la théorie de la continuité est que les adultes et les personnes âgées tentent de protéger et de maintenir les structures internes et externes existantes et qu'elles préfèrent réaliser leurs objectifs en utilisant la continuité, c'est-à-dire en appliquant des stratégies familières dans des secteurs familiers de la vie. Les expériences passées serviraient de base à l'élaboration de stratégies pour composer avec les changements associés au vieillissement normal, soit un vieillissement sans maladie physique ou mentale.

La continuité peut être interne ou externe (Atchley, 1989). La continuité interne correspond chez l'individu au souvenir d'une structure interne quelconque, comme le tempérament, les émotions, l'expérience, les préférences, les dispositions et les habiletés. La continuité interne requiert la mémoire, puisque la perception des changements est liée à l'histoire personnelle de l'individu (Cohler, 1982). La continuité externe correspond, quant à elle, au souvenir d'une structure physique et sociale de l'environnement, des activités et des rôles sociaux. La perception de la continuité externe provient de la conscience d'être et d'agir dans un environnement familier, et dans des tâches familières, et d'interagir avec des personnes familières. De plus, la continuité externe implique le maintien d'une structure comportementale et des relations interpersonnelles de la personne. Qu'elle soit interne ou externe, l'existence de la continuité est déterminée par l'évaluation de « l'ici et maintenant » que l'individu fait en se basant sur ses souvenirs. Ainsi, l'existence de la continuité et des efforts requis ne peut être étudiée que par la personne elle-même.

Une personne peut attribuer plus ou moins de continuité à sa vie. À ce propos, Atchley (1989) distingue trois degrés :

- trop peu de continuité ;
- juste assez de continuité ;
- trop de continuité.

Trop peu de continuité signifie pour la personne de l'imprévisibilité par rapport aux événements de la vie. S'il y a trop peu de continuité, il y a discontinuité. Une continuité optimale signifie que les changements se produisent à un rythme qui est en accord avec les préférences de la personne, avec ses capacités de s'adapter aux exigences sociales. Enfin, trop de continuité crée de l'inconfort chez l'individu, car il n'y a pas assez de changements pour enrichir sa vie.

En conclusion, bien qu'elle soit attirante parce qu'elle comble les faiblesses des théories du désengagement et de l'activité, la théorie de la continuité présente malgré tout certaines limites (Hooyman & Kiyak, 1988). D'abord, elle manque de validité écologique, en considérant les premiers stades de la vie comme critères pour le succès du vieillissement et en postulant que les individus cherchent à maintenir un profil de comportements particulier tout au long de la vie. Or, cela ne peut être qu'inféré, car le style de vie adopté par les personnes âgées peut représenter une réponse au vieillissement, plutôt que le reflet de patrons de comportements adoptés dans le passé. La complexité de la théorie de la continuité rend sa vérification empirique difficile, car les réactions de l'individu au vieillissement sont expliquées par une interaction entre les changements biologiques et physiques, la continuation des patrons de comportements adoptés plus tôt, etc. (Hooyman & Kiyak, 1988).

La vieillesse est une période unique de la vie ; les personnes âgées peuvent choisir de faire des changements radicaux et la plupart vont certainement apporter une myriade de petits changements à leur vie. Or, le degré réel de continuité de ces comportements et de ces intérêts chez les personnes âgées n'a pas encore été déterminé. Par ailleurs, il n'y a aucune évidence que la continuité peut être fonctionnelle chez ce groupe de personnes. Le besoin de continuité peut, par exemple, détruire l'estime de soi chez un individu si une mauvaise santé ou des problèmes financiers l'obligent à modifier son style de vie ; dans un tel cas, le maintien des mêmes comportements peut devenir dysfonctionnel (Fox, 1981-1982). La théorie de la continuité a cependant obligé les chercheurs à admettre la diversité des histoires personnelles avec lesquelles les personnes sont amenées à vieillir. Elle souligne aussi que les stratégies d'adaptation utilisées par les personnes âgées sont sûrement influencées par les réussites et les échecs précédents. Il apparaît donc prématuré et dangereux de conclure que diversité est synonyme de continuité.

7.3 DÉTERMINANTS DU BIEN-ÊTRE

La recherche du bonheur et de ses déterminants est une préoccupation universelle et incessante de l'être humain. Pour la personne âgée, le sentiment de bien-être est susceptible d'être perturbé par diverses situations, telles que la perte du conjoint et la maladie physique. Les théories du vieillissement optimal appartiennent à un champ de recherche visant à établir les déterminants de la qualité de vie et, plus particulièrement, du sentiment de bien-être. C'est dans ce contexte que les gérontologues examinent la relation entre le bien-être et différentes variables telles que l'activité et la personnalité. Ce champ de recherche est important pour tous ceux et celles qui cherchent à améliorer les conditions de vie des personnes âgées, que ce soit par la recherche fondamentale, la recherche appliquée ou l'intervention auprès de cette population (George & Bearon, 1980). Cette section du chapitre aborde dans un premier temps les principales conceptions du bien-être. Par la suite, les instruments de mesure du bien-être sont examinés. Une présentation des variables associées au sentiment de bien-être complète le chapitre.

7.3.1 Différentes conceptions du bien-être

Avant d'examiner les mesures du bien-être et les variables qui le prédisent, il est important, à ce moment-ci, de bien délimiter ce concept. D'entrée de jeu, il faut reconnaître qu'il existe plusieurs conceptions du bien-être et que les chercheurs ne s'entendent pas sur une définition unique. Selon George et Bearon (1980), la difficulté de définir la qualité de la vie provient du fait qu'une telle définition varie considérablement selon les individus et les groupes d'individus : ce qui représente une source de plaisir et de satisfaction pour une personne donnée peut en laisser une autre indifférente. Par conséquent, il s'avère difficile de fournir une définition du bien-être qui soit acceptable pour tous. Néanmoins, nous décrirons brièvement les conceptions les plus courantes du bien-être afin de procurer un aperçu global des fondements théoriques sous-jacents à la recherche sur le bien-être.

Diener (1984) a noté l'existence de trois principaux groupes de définitions du bien-être. Premièrement, le bien-être a été défini à l'aide d'un critère externe tel que la vertu ou la sainteté. Selon ces définitions normatives, le bien-être ne correspond pas à un état, mais plutôt à un attribut de la personne. Les théories de l'activité et du désengagement sont des exemples de modèles qui conçoivent le bien-être en fonction d'un critère externe, puisqu'elles font référence à une norme comportementale concernant l'intégration sociale. Selon le deuxième groupe de définitions, le bien-être est plutôt relié au succès tel qu'il est déterminé par des critères personnels. Par exemple, la notion de bien-être peut représenter la satisfaction des objectifs et des désirs de l'individu. Le troisième groupe de définitions considère le bien-être comme le résultat de la prépondérance des expériences affectives positives. En fonction de ce type de définitions, le bien-être correspondrait à une dominance des expériences affectives positives sur l'ensemble des expériences affectives. Les recherches portent généralement sur le bien-être subjectif au sens où l'entendent les deux derniers groupes de définitions.

L'influence des différentes conceptions du bien-être se traduit dans la diversité des termes qui sont utilisés pour le désigner. Les termes que l'on rencontre le plus souvent sont les suivants :

- le moral ;
- la satisfaction à l'égard de la vie ;
- le bonheur.

Cette diversité lexicale est le reflet des différentes conceptions du bien-être au cours de l'histoire (Kozma *et al.*, 1991). Par exemple, le terme *satisfaction* a été utilisé dès le XVe siècle dans les écrits portant sur la qualité de la vie. À cette époque, il désignait la satisfaction des désirs personnels. En comparaison, le terme *moral* est entré en usage dans la langue anglaise au XIXe siècle pour désigner le bien-être par rapport à un code de conduite normatif. Cette conception du bien-être est illustrée par les théories du désengagement et de l'activité qui, bien qu'elles soient diamétralement opposées, affirment toutes deux que le bien-être dépend de l'adoption d'une conduite concernant l'intégration sociale.

Il faut noter que, dans les écrits en gérontologie, les termes *satisfaction*, *moral* et *bonheur* sont souvent utilisés de manière interchangeable pour parler du bien-être. On peut se demander si ces trois termes correspondent à trois différentes façons de définir un seul concept (le bien-être) ou s'il s'agit plutôt de trois concepts reliés à un même concept d'ordre supérieur. Il semble que cette dernière proposition soit la plus juste puisqu'il existe une forte relation entre les instruments de mesure de la satisfaction, du moral et du bonheur (Horley, 1984). Il faut également noter que les mêmes variables sont reliées de façon similaire aux mesures de ces trois concepts (Larson, 1978). Il semble donc que les différentes conceptions du bien-être comportent un noyau commun. Pour cette raison, le terme *bien-être* est donc employé ici de façon générique pour représenter les autres termes plus spécifiques mentionnés plus haut.

En plus des différentes définitions que nous avons énumérées, il est également possible de distinguer plusieurs théories du bien-être. Celles qui ont été mises en lumière par Diener (1984) sont résumées au tableau 7.1. Les théories « du-bas-vers-le-haut » sont particulièrement répandues et conçoivent le bien-être comme le résultat de l'accumulation d'éléments plus simples. Par exemple, une telle théorie pourrait proposer que le bien-être résulte de la combinaison d'une bonne santé, d'un revenu élevé et de rapports fréquents avec des amis. En comparaison, les théories « du-haut-vers-le-bas » soutiennent que le bien-être correspond à une prédisposition de l'individu à faire l'expérience des situations de manière positive. Ces théories conçoivent le sentiment de bien-être comme une propension à considérer les cir-

Tableau 7.1 Théories du bien-être selon Diener (1984)

Théories	Description
Téléologiques	Le bien-être est ressenti lorsqu'un état, tel que la satisfaction d'un besoin, est atteint.
Plaisir et douleur	Le bien-être est fonction du degré de privation précédant l'atteinte d'un objectif : plus la privation a été grande, plus le degré de bien-être est élevé.
Activité	Le bien-être résulte de l'activité elle-même, plutôt que de l'atteinte du but visé par l'activité.
Du-bas-vers-le-haut	Le bien-être est le résultat de la combinaison d'éléments plus simples.
Du-haut-vers-le-bas	Le bien-être correspond à une propension à considérer les circonstances de la vie d'une manière positive.
Associationnistes	Le bien-être est associé à des processus tels que la mémoire, les attributions et le conditionnement.
Jugement	Le bien-être résulte de la comparaison avantageuse, en fonction d'un critère, entre les conditions actuelles de l'individu et une autre situation.

constances de la vie, telles que la santé et les ressources financières, d'une manière conforme à ce sentiment.

Les théories téléologiques et celles du plaisir et de la douleur affirment que le bien-être est fonction de la satisfaction d'un besoin ou de l'atteinte d'un but. Cependant, les théories du plaisir et de la douleur postulent que le degré de bien-être est fonction du degré de privation précédant la satisfaction d'un besoin ou l'atteinte d'un objectif : plus la privation a été importante, plus la satisfaction d'atteindre l'objectif souhaité sera grande. Dans ce contexte, on peut supposer qu'un homme qui souhaite prendre sa retraite depuis plusieurs années sera plus heureux lorsqu'il la prendra qu'une autre personne indifférente à l'idée de prendre sa retraite. Par comparaison à ces théories, d'autres soutiennent que le bien-être est plutôt un sous-produit de l'activité exercée pour satisfaire un besoin ou pour atteindre un objectif. La théorie de l'activité que nous avons décrite précédemment est un exemple de cette conception du bien-être appliquée aux personnes âgées. Par ailleurs, les théories associationnistes font référence au lien entre le bien-être subjectif et d'autres processus psychologiques tels que les attributions, la mémoire et le conditionnement. Un exemple en est la version révisée de la théorie de la résignation apprise (Abramson *et al.*, 1978). Selon cette théorie, les personnes dépressives se croient responsables des situations désagréables et les attribuent à des causes internes, tandis que les personnes non dépressives attribuent les mêmes situations à des causes indépendantes de leur volonté. Enfin, d'autres théories postulent que le bien-être est le résultat d'une comparaison favorable, en fonction d'un critère, entre la situation actuelle de l'individu et une autre situation. Par exemple, une comparaison avantageuse avec la situation d'individus moins fortunés ou avec des circonstances de vie antérieures difficiles peut contribuer à hausser le sentiment de bien-être.

Comme on peut le constater, les conceptions du bien-être sont nombreuses. Il faut toutefois souligner que peu de théories ont été éprouvées de manière empirique. Néanmoins, la recherche dans ce domaine a connu un essor considérable au cours des dernières décennies. Ce développement a permis l'élaboration d'instruments de mesure du sentiment de bien-être, de même que la détermination de variables qui y sont associées. Nous prêterons maintenant une attention particulière à ces deux derniers points.

7.3.2 Mesures du bien-être

On mesure habituellement le bien-être en demandant au sujet d'évaluer lui-même son propre bien-être. L'auto-évaluation comporte l'avantage d'être une mesure directe et économique. Cependant, cette méthode comporte également une part d'erreur pouvant provenir de différentes sources. Une source d'erreur potentielle est la tromperie de la part du sujet. Celui-ci peut préférer donner certaines réponses plutôt que d'autres afin de dissimuler la vérité ou de projeter une image favorable de lui-même. Le répondant peut également avoir tendance à répondre de manière socialement acceptable ou désirable, ce qui introduit une autre source d'erreur. Les instruments d'autoévaluation comportant un format de réponse fixe, tel que oui ou non, sont également vulnérables à l'erreur découlant de la tendance à répondre de façon systématique, indépendamment du contenu de la question. Ce problème est illustré par un individu qui décide *a priori* de répondre « oui » à toutes les questions d'un instrument offrant un choix de réponses dichotomique (oui ou non).

Les instruments de mesure du bien-être peuvent comporter une seule ou plusieurs questions. Certains chercheurs, tels que Glenn et McLanahan (1981), ont mesuré le bien-être de leurs sujets âgés en leur demandant de répondre à une seule question formulée à peu près de la façon suivante : « Dans l'ensemble, diriez-vous que vous êtes heureux, très heureux ou pas très heureux ces jours-ci ? » Si les instruments de mesure utilisant une seule question présentent l'avantage d'une administration rapide, ils présentent des faiblesses sur le plan métrologique. Il est reconnu qu'un instrument de mesure comportant une seule question est moins fiable qu'un autre comportant plusieurs questions (Anastasi, 1988). Les instruments de mesure du bien-être à questions multiples permettent donc de pallier les problèmes métrologiques que posent les instruments de mesure comportant une seule question. Il s'agit d'ailleurs du type d'instrument le plus souvent utilisé dans les recherches qui examinent le bien-être des personnes âgées. Étant donné qu'il existe de nombreux instruments de mesure du bien-être et qu'une présentation exhaustive dépasserait largement le cadre du présent ouvrage, nous nous limiterons ici à décrire brièvement quatre instruments qui comptent parmi les plus connus. Il s'agit du *Life Satisfaction Index* (LSI ; Neugarten *et al.*, 1961), du *Philadelphia Geriatric Center Morale Scale* (PGC ; Lawton, 1972, 1975), de l'*Affect Balance Scale* (ABS ; Bradburn, 1969 ; Bradburn & Caplovitz, 1965) et du *Memorial University of Newfoundland Scale of Happiness* (MUNSH ; Kozma & Stones, 1980).

Le LSI a été mis au point par Neugarten et ses collaborateurs (1961) et reflète une conception multidimensionnelle du bien-être. Les cinq dimensions théoriques proposées (Havighurst *et al.*, 1964) sont :

- l'enthousiasme ;
- la détermination et le courage ;
- la congruence entre les objectifs visés et ceux qui ont été atteints ;
- l'image de soi ;
- la qualité de l'humeur.

La version originale de l'instrument (LSI-A) se compose de 20 questions pour lesquelles le sujet indique son accord ou son désaccord. Voici un exemple de question du LSI-A: «Je suis tout aussi heureux que lorsque j'étais plus jeune.» Les versions suivantes du LSI constituent des variations quant au format du questionnaire. Par exemple, le LSI-B contient 12 des 20 questions originales, et le sujet répond sur une échelle à trois points (Neugarten *et al.*, 1961). Le regroupement des questions du LSI, au moyen de la technique de l'analyse factorielle, démontre que cet instrument mesure un nombre plus restreint de composantes du bien-être que ne le prévoyaient ses concepteurs (McDowell & Newell, 1987). Par exemple, Hoyt et Creech (1983) ont observé trois composantes sous-jacentes au LSI: la congruence, la qualité de l'humeur et l'optimisme. Il existe donc une différence entre le modèle du bien-être de Neugarten et ses collaborateurs (1961) et ce que mesure réellement le LSI.

Comme le LSI, le PGC est le résultat d'une conception multidimensionnelle du bien-être. Selon Lawton (1972), un bon moral se traduit, entre autres, par un sentiment de satisfaction personnelle, un sentiment d'appartenance au milieu environnant ainsi que l'acceptation de ce qui ne peut pas être changé. Le PGC compte 17 questions telles que «J'ai autant d'entrain que lorsque j'étais plus jeune» et «J'ai plusieurs raisons d'être triste». La plupart des questions demandent une réponse par oui ou non et les questions restantes offrent un autre choix de réponse tel que «satisfait» vs «insatisfait». Le regroupement des questions au moyen de données recueillies avec le PGC a révélé que cet instrument mesure trois dimensions principales: l'agitation (par exemple, se mettre facilement en colère et réagir négativement aux événements), l'attitude face à son propre vieillissement et l'insatisfaction accompagnée de solitude (Lawton, 1975; Morris & Sherwood, 1975).

Pour les concepteurs de l'ABS (Bradburn & Caplovitz, 1965), le bien-être est fonction du rapport entre les états affectifs positif et négatif, lesquels sont indépendants l'un de l'autre. Selon cette perspective, le degré de bien-être est élevé si l'affect positif prédomine sur l'affect négatif, tandis que l'inverse se traduit par un faible degré de bien-être. L'ABS contient 10 questions évaluant les réactions de l'individu aux événements des dernières semaines. La moitié des questions est formulée de telle sorte qu'elles reflètent l'affect positif («Vous êtes-vous senti excité ou intéressé par quelque chose?») et l'autre moitié représente l'affect négatif («Vous êtes-vous senti ennuyé?»). Chaque question exige une réponse par oui ou non. Le résultat obtenu à l'ABS reflète le rapport entre les états affectifs positif et négatif. De façon générale, les résultats des recherches qui ont utilisé l'ABS suggèrent que ces états affectifs ne sont pas corrélés entre eux (McDowell & Newell, 1987). Cependant, l'indépendance relative des états affectifs positif et négatif peut résulter de faiblesses inhérentes à l'ABS. Par exemple, puisque les questions de l'ABS s'appliquent aux dernières semaines, le sujet peut sélectionner des moments différents à l'intérieur de cette période pour évaluer ses affects positif et négatif. Le manque de précision du niveau de mesure temporel de la consigne peut donc être à l'origine de l'absence de corrélation entre les sous-échelles de cet instrument (Kozma *et al.*, 1991).

Le MUNSH a été conçu pour combiner les qualités des instruments précédents en un seul instrument de mesure du bien-être subjectif. En fait, il a été construit en regroupant des questions du PGC, du LSI-Z (Wood *et al.*, 1969), de l'ABS et des questions semblables à celles de l'ABS. Pour répondre au MUNSH, il suffit d'indiquer par oui ou non si chacune des 10 premières questions décrit un sentiment ressenti au cours du dernier mois et si chacune des 14 questions restantes décrit comment la personne se sent généralement. Les questions sont regroupées en quatre sous-échelles correspondant aux états affectifs positif et négatif (EAP, EAN) de même qu'aux expériences positives et négatives (EP et EN). Le résultat au MUNSH est obtenu en calculant la différence entre la somme des états affectifs positifs et des expériences positives (EAP + EP) et la somme des états affectifs négatifs et des expériences négatives (EAN + EN). L'analyse factorielle du MUNSH a révélé une seule composante principale constituée de questions corrélées positivement et d'autres questions corrélées négativement.

Il s'avère difficile pour l'intervenant et le chercheur de choisir parmi la variété d'instruments servant à mesurer le bien-être. Outre qu'il faut vérifier l'applicabilité d'une échelle à la population cible, on doit s'assurer que l'instrument est valide et fidèle. Un instrument est valide si les données qu'il recueille sont le reflet du concept qu'il est censé mesurer. Par ailleurs, la fidélité désigne le degré de précision de l'instrument. Kozma et ses collaborateurs (1991) ont fait une analyse critique des données concernant la validité et la fidélité du LSI, du PGC, de l'ABS et du MUNSH. Il ressort de cette analyse que seuls le PGC et le MUNSH possèdent une fidélité et une validité acceptables.

7.3.3 Variables associées au bien-être

Les gérontologues ont étudié plusieurs variables associées au sentiment de bien-être. Afin de faciliter leur présentation, nous répartirons ces variables dans les cinq catégories suivantes :

- la satisfaction à l'égard des conditions de vie ;
- les stresseurs ;
- la personnalité ;
- l'activité ;
- les variables sociodémographiques et l'environnement.

Avant de poursuivre, il est important de signaler certains points d'ordre méthodologique. Les travaux dans ce domaine utilisent généralement la méthode corrélationnelle et visent à évaluer la relation existant entre le bien-être et d'autres variables. Cette relation est exprimée par un coefficient de corrélation qui peut être négatif, positif ou nul. Un coefficient de corrélation négatif décrit une relation inverse entre deux variables, ce qui suggère que le niveau d'une des variables décroît à mesure que le niveau de l'autre augmente. Inversement, un coefficient de corrélation positif signifie que les niveaux des deux variables augmentent et décroissent ensemble. Par exemple, plus l'état de santé est bon, plus le bien-être est élevé. Un coefficient de corrélation nul signifie que les deux variables ne sont pas reliées l'une avec l'autre. Le coefficient de corrélation mis au carré représente le **pourcentage de variance commune** entre deux variables. Donc, si le coefficient de corrélation entre l'état de santé et le bien-être est de 0,40, ces deux variables ont une variance commune d'environ 16 %. Le pourcentage de variance commune est généralement utilisé pour exprimer l'ordre de grandeur de la relation entre deux variables et s'avère très utile à des fins de comparaison. Par exemple, supposons que la corrélation entre l'état de santé et le bien-être est de 0,40 et que la corrélation entre ce dernier et l'âge n'est que de 0,10. Le pourcentage de variance commune entre l'état de santé et le bien-être (16 %) est supérieur à celui correspondant à la relation entre le bien-être et l'âge (1 %), et on peut en déduire que l'état de santé est plus fortement relié au sentiment de bien-être.

En utilisant la méthode corrélationnelle, le chercheur ne manipule pas les variables qu'il étudie. Par conséquent, il s'avère très difficile de déterminer la nature du lien entre ces variables. Pour illustrer cette difficulté, supposons qu'une corrélation positive est établie entre l'état de santé et le bien-être. Telle qu'elle est établie selon la méthode corrélationnelle, cette relation peut être interprétée de différentes façons. Par exemple, il se peut que l'état de santé exerce une influence sur le bien-être. Inversement, il se peut que le bien-être exerce une influence sur l'état de santé. Une troisième possibilité est que les deux variables ne soient pas reliées entre elles, mais qu'elles soient toutes les deux influencées en même temps par une troisième variable telle que la personnalité. La méthode corrélationnelle impose donc une limite importante à l'interprétation du sens de la relation entre les variables.

Une autre limite méthodologique de ce champ de recherche provient du fait que les résultats sont le plus souvent obtenus à partir de données recueillies à une seule occasion auprès des sujets. Cette méthode, que l'on appelle transversale, ne permet pas d'évaluer la stabilité temporelle du bien-être ni sa relation avec d'autres variables. On ne peut déterminer, par exemple, comment le bien-être varie sur une période de 10 ans ou si la relation entre le bien-être et une autre variable se maintient durant cette même période. La méthode transversale permet de faire des comparaisons entre des cohortes ou des générations et ainsi d'évaluer si des différences existent en fonction de l'âge. Par exemple, il est possible de comparer le bien-être des personnes de 65 à 84 ans à celui des personnes dont l'âge varie entre 25 et 34 ans. Mais si les cohortes diffèrent quant à d'autres variables qui sont également associées au bien-être, telles que la santé (Okun *et al.*, 1984a), il devient difficile de déterminer si le bien-être varie réellement en fonction de l'âge ou de ces autres variables.

Il n'existe pas de solution idéale pour contourner le problème des limites méthodologiques rencontrées dans les recherches sur les variables associées au bien-être. La méthode expérimentale, dans laquelle le niveau de chaque variable indépendante est contrôlé par l'expérimentateur, ne peut pas toujours être appliquée dans ce domaine. On imagine mal comment il serait possible de manipuler la santé ou le revenu d'une personne pour en mesurer les effets sur son sentiment de bien-être. Par ailleurs, si les recherches longitudinales permettent d'évaluer la stabilité de la relation entre le bien-être et d'autres variables, les coûts importants qui y sont rattachés en limitent grandement l'utilisation. Comme tout autre domaine de recherche, celui portant sur le bien-être possède donc des limites dont il faut tenir compte.

– Satisfaction à l'égard des conditions de vie

La catégorie « satisfaction à l'égard des conditions de vie » désigne les circonstances de la vie de l'individu telles qu'elles sont perçues par ce dernier. Il s'agit plus précisément de l'évaluation subjective de variables telles que les suivantes :

- la santé ;
- le logement ;
- le revenu ;
- la vie conjugale ;
- le travail.

De façon générale, la **satisfaction personnelle** vis-à-vis de chacune de ces variables est plus fortement reliée au sentiment de bien-être que leur valeur objective (Diener, 1984). Par exemple, la grande majorité des travaux indiquent une relation directe entre l'**état de santé** et le bien-être (Okun *et al.*, 1984a). Cependant, la corrélation entre l'évaluation subjective de la santé et le bien-être est supérieure à celle observée au moyen d'indices objectifs de la santé (Larson, 1978). De même, le pourcentage de variance commune entre la **satisfaction à l'égard du logement** et le bien-être se situe entre 3 % et 30 % (Kozma *et al.*, 1991), tandis que les qualités objectives du logement et le bien-être partagent seulement 1 % à 4 % de variance commune (Larson, 1978). Dans le même ordre d'idées, 4 % à 9 % de variance commune est généralement observée entre la **satisfaction financière** et le bien-être (Kozma *et al.*, 1991), comparativement à seulement 4% en moyenne lorsque le revenu objectif est mis en relation avec le bien-être (Larson, 1978). Il semble donc que la perception qu'a l'individu de ses conditions de vie est plus fortement reliée au bien-être que ces conditions elles-mêmes.

On a affirmé que la satisfaction des conditions de vie est plus fortement reliée au bien-être parce que ces deux concepts partagent une dimension cognitive commune telle que la comparaison avec d'autres personnes (Kozma *et al.*, 1991). Cependant, on peut se demander si le lien entre la satisfaction à l'égard des conditions de vie et le bien-être reflète un certain chevauchement entre ces deux concepts. Dans ce contexte, la satisfaction ressentie dans un domaine particulier constitue peut-être une facette du sentiment de bien-être général.

– Stresseurs

Le terme *stresseurs* désigne les conditions environnementales qui peuvent être associées à l'état de stress (Lemyre, 1986). On fait habituellement une distinction entre deux types de stresseurs, c'est-à-dire les **événements majeurs** de nature épisodique (voir chapitre 8) et les **stresseurs chroniques**. Les événements majeurs surviennent à un moment précis et marquent un point tournant dans l'existence d'un individu. La retraite et le décès du conjoint constituent des exemples d'événements majeurs qui surviennent souvent à l'étape de la vieillesse. En comparaison, les stresseurs chroniques durent longtemps ou se manifestent de manière répétée. Les difficultés financières et certains problèmes de santé, tels que la douleur accompagnant l'arthrite, peuvent être considérés comme des stresseurs chroniques.

Il existe une relation inverse entre les stresseurs et le sentiment de bien-être, c'est-à-dire qu'une augmentation des stresseurs est associée à une diminution du bien-être. Cependant, l'importance de cette relation varie selon le type de stresseur et le moment où le bien-être est mesuré. Selon l'étude de Landreville et Vézina (1992), la fréquence des stresseurs chroniques au cours du dernier mois est plus fortement reliée au bien-être des personnes âgées que la fréquence des événements majeurs survenus au cours de la dernière année. Par ailleurs, les événements majeurs sont de meilleurs prédicteurs du bien-être tel qu'il est mesuré un an plus tard (Chiriboga, 1984). Pris dans leur ensemble, ces résultats suggèrent que les stresseurs chroniques sont de meilleurs prédicteurs du bien-être à court terme, tandis que les événements majeurs sont plus utiles pour prédire le bien-être à long terme.

– Personnalité

La personnalité est l'organisation des caractéristiques psychologiques particulières à chaque individu. La relation entre le bien-être et certains traits de personnalité, tels que l'**extraversion** et le **névrosisme**, a fait l'objet de recherches. L'extraversion est caractérisée par la sociabilité, l'activité ainsi qu'un intérêt pour le domaine public, tandis que le névrosisme correspond à la tendance à la névrose (Wolman, 1980). Costa et McRae (1980) ont observé que le bien-être est en relation inverse avec le névrosisme, mais qu'il est positivement corrélé avec l'extraversion. Par ailleurs, une synthèse des travaux dans ce domaine, réalisée par Kozma et ses collaborateurs (1991), a révélé que la proportion de variance commune avec le bien-être est plus élevée pour l'extraversion (10 %) que pour le névrosisme (4 %). Il existe donc des différences importantes entre les traits de personnalité dans leur relation avec le sentiment de bien-être.

Un autre aspect de la personnalité, le **lieu de contrôle**, a également été étudié en relation avec le sentiment de bien-être. Le lieu de contrôle, tel qu'il a été conçu par Rotter (1966), correspond à une attente généralisée à l'égard du contrôle sur les circonstances de la vie. Ce contrôle est attribué, à des degrés variables, à soi-même (lieu de contrôle interne) ou à une force extérieure à soi (lieu de contrôle externe). Par exemple, on dit d'un individu qui croit que le succès dépend de l'effort personnel qu'il a un lieu de contrôle *interne*, tandis qu'un individu qui croit que le succès dépend surtout de la volonté divine ou du hasard est considéré comme ayant un lieu de contrôle *externe*. La relation entre le lieu de contrôle et le bien-être est fonction du type de population étudié. Dans une population non placée dans un établissement, le lieu de contrôle interne est directement relié au sentiment de satisfaction (Palmore & Luikart, 1972). En comparaison, le lieu de contrôle externe est en relation directe avec le bien-être chez les personnes âgées qui vivent dans un établissement (Felton & Kahana, 1974). Cette différence peut refléter le fait que, dans un établissement, le contrôle est surtout exercé par les autres. Dans ce contexte, un lieu de contrôle externe est peut-être davantage adaptatif qu'un lieu de contrôle interne.

– Activités

De façon générale, l'**activité physique** est en relation directe avec le sentiment de bien-être. Emery et Blumenthal (1990) ont trouvé que les personnes âgées qui participent à des programmes d'exercice aérobique ou de yoga présentent un degré de satisfaction à l'égard de la vie plus élevé que celles dont la participation est déficiente. Cependant, il faut noter que le simple fait d'être actif sur le plan physique n'est pas nécessairement associé à un degré de bien-être plus élevé, car l'accomplissement d'activités qui ne sont pas désirées n'est pas relié au sentiment de bien-être chez les personnes âgées (Reich *et al.*, 1987). La relation entre l'activité physique et le bien-être est donc fonction de l'intérêt de la personne pour l'activité en cause.

Une autre forme d'activité, l'**activité sociale**, est également en relation directe avec le bien-être chez les personnes âgées. Okun et ses collaborateurs (1984b) ont évalué que la variance commune entre l'activité sociale et le bien-être variait entre 1% et 8% dans les différentes recherches qui ont examiné cette relation. Même si l'on fait une distinction entre les activités sociales formelles, telles que les rapports avec les collègues au travail, et les activités informelles, telles que les rapports avec les amis, le degré de relation entre ces deux types d'activités et le bien-être est similaire (Okun *et al.,* 1984b). Cependant, il faut noter que le lien entre l'activité sociale et le bien-être varie en fonction des membres du réseau de soutien informel : les rapports avec les amis sont plus fortement reliés au bien-être que les rapports avec les membres de la famille. Par exemple, le bien-être des veuves âgées est directement relié aux rapports avec les amis ou les voisins, mais il n'est pas relié aux rapports avec les membres de la famille (Arling, 1976). Larson et ses collaborateurs (1986) ont trouvé que cette différence était en partie attribuable au fait que les personnes âgées partagent davantage d'activités de loisir avec leurs amis qu'avec les membres de leur famille. En outre, ces mêmes auteurs ont affirmé que les rapports avec les amis présentent des caractéristiques absentes des rapports avec les membres de la famille et qui les rendent plus agréables. Parmi ces caractéristiques, on trouve les buts communs, l'acceptation par l'autre et la réciprocité.

– Variables sociodémographiques et l'environnement

Larson (1978) a déjà constaté que les variables sociodémographiques, telles que le **sexe**, l'**âge** et la **race**, étaient faiblement associées au sentiment de bien-être. Dans leur recension des écrits, Kozma et ses collaborateurs (1991) ont évalué que le pourcentage de variance commune entre ces variables et le bien-être était nul ou ne dépassait pas 4%. En outre, ils ont trouvé que les variables servant à décrire l'environnement, telles que la taille de la communauté dans laquelle vit l'individu et la culture, étaient également faiblement associées au bien-être, puisque la variance commune se situait entre 0% et 2%.

– Vue d'ensemble

Aucune recherche n'a évalué la relation entre le bien-être et l'ensemble des variables décrites précédemment. Néanmoins, il est possible d'évaluer l'importance relative de chacune de ces variables en faisant le bilan des recherches dans ce domaine. À la suite d'une recension des écrits, Larson (1978) a conclu que la santé est la variable la plus fortement reliée au bien-être, suivie de l'activité sociale et des variables socioéconomiques, telles que le revenu et l'éducation. L'âge, le sexe, la race et l'emploi sont faiblement reliés au bien-être mais de façon inconsistante. Les estimations de la variance commune pour les différentes variables examinées par Larson (1978) sont présentées au tableau 7.2. Plus récemment, Kozma et ses collaborateurs (1991) ont également effectué une recension des écrits sur les variables associées au bien-être. Leurs estimations de la variance commune entre les groupes de variables et le bien-être sont également présentées au tableau 7.2.

Les observations de Larson (1978) ainsi que de Kozma et ses collaborateurs (1991) présentent certains points communs. Premièrement, ces deux recensions des écrits révèlent que la santé, en particulier la santé subjective, compte parmi les variables les plus fortement reliées au sentiment de bien-être. Deuxièmement, l'activité sociale est également reliée au bien-être, mais ce lien est beaucoup plus modeste que la relation entre le bien-être et la santé. Troisièmement, les variables sociodémographiques sont faiblement reliées au bien-être chez les personnes âgées.

Il faut noter que, même lorsqu'elles sont considérées ensemble, les différentes variables partagent une variance commune relativement peu élevée avec le bien-être. Par exemple, Kozma et ses collaborateurs (1991) ont calculé la variance commune moyenne observée dans 53 recherches portant sur la relation entre différentes variables et le bien-être. Ils ont découvert que la variance commune moyenne n'était que de 28 %. Il est probable que le bien-être subjectif ne peut pas être expliqué par quelques variables parce que le nombre de facteurs qui peuvent intervenir est immense (Diener, 1984).

Tableau 7.2 Estimations de la variance commune entre certaines variables et le bien-être

Recherche et variables examinées	Estimation de la variance commune (%)
Larson (1978)	
Santé	4 à 16
Variables socioéconomiques et activité sociale	1 à 9
Situation de famille, transport et logement	1 à 4
Âge, race, sexe et emploi	0 à 1
Kozma et ses collaborateurs (1991)	
Satisfaction à l'égard des conditions de vie	1 à 30
Stresseurs	2 à 19
Personnalité	0 à 12
Activité	1 à 8
Variables sociodémographiques	1 à 4
Environnement	0 à 2

RÉSUMÉ

- Les principales théories psychosociales du vieillissement, soit les théories du désengagement, de l'activité et de la continuité, se distinguent par le fait qu'elles ont à leur manière tenté d'expliquer le vieillissement optimal.
- La théorie du désengagement considère que le désengagement est sain pour la personne âgée, et qu'il est inévitable, mutuel et universel.
- À l'opposé, la théorie de l'activité présume qu'une vieillesse est réussie lorsque les rôles et les activités sont maintenus ou remplacés.
- La théorie de la continuité préconise davantage la recherche d'un équilibre de manière que les changements se produisent en fonction des capacités d'adaptation de la personne âgée.
- Les trois principaux groupes de définitions du bien-être se distinguent selon que les définitions font référence à des critères externes, à des critères personnels ou à la prépondérance des expériences affectives positives.
- Le terme *bien-être* est utilisé comme terme générique pour désigner la satisfaction, le moral et le bonheur.
- Les théories «du-bas-vers-le-haut» conçoivent le bien-être comme le résultat d'éléments plus simples, tandis que les théories «du-haut-vers-le-bas» soutiennent que le bien-être est une propension à interpréter les circonstances de la vie de manière positive.
- Les théories téléologiques, du plaisir et de la douleur, et de l'activité conçoivent le bien-être comme le résultat de l'atteinte d'un objectif, de la difficulté à atteindre cet objectif et de l'activité exercée pour atteindre cet objectif, respectivement.
- Les théories associationnistes font référence au lien entre le bien-être subjectif et d'autres processus psychologiques tels que les attributions, la mémoire et le conditionnement, tandis que les théories du jugement postulent que le bien-être est le résultat d'une comparaison favorable, en fonction d'un critère, entre la situation actuelle de l'individu et une autre situation.
- Le LSI et le PGC reflètent une conception multidimensionnelle du bien-être.
- Le bien-être, tel qu'il est mesuré par l'ABS et le MUNSH, est fonction du rapport entre les états affectifs positif et négatif.
- La santé, en particulier la santé subjective, est l'une des variables les plus fortement reliées au sentiment de bien-être chez les personnes âgées.
- L'activité sociale est également reliée au bien-être mais ce lien est moins fort que la relation entre le bien-être et la santé.

- Les variables sociodémographiques sont faiblement reliées au bien-être chez les personnes âgées.
- Lorsque différentes variables, telles que la santé et l'activité sociale, sont considérées ensemble, elles partagent une variance commune relativement peu élevée avec le bien-être.

LECTURES SUGGÉRÉES

Atchley, R.C. (1989). A continuity theory of normal aging. *The Gerontologist, 2*, 183-190.

Cavan, R.S., Burgess, E.W., Havighurst, R.J., & Goldhamer, H. (1949). *Personal adjustment in old age.* Chicago : Science Research Associates.

Cumming, E., & Henry, W.E. (1961). *Growing old : The process of disengagement.* New York : Basic Books.

Diener, E. (1984). Subjective well-being. *Psychological Bulletin, 95*, 542-575.

Havighurst, R.J., & Albrecht, R. (1953). *Older people.* London : Longmans, Green.

Kozma, A., Stones, M.J., & McNeil, J.K. (1991). *Psychological well-being in later life.* Toronto : Butterworths.

Larson, R. (1978). Thirty years of research on the subjective well-being of older Americans. *Journal of Gerontology, 33*, 109-125.

RÉFÉRENCES

Abramson, L.Y., Seligman, M.E.D., & Teasdale, J.D. (1978). Learned helplessness in humans : Critique and reformulation. *Journal of Abnormal Psychology, 87*, 49-74.

Anastasi, A. (1988). *Psychological testing* (6e éd.). New York : Macmillan.

Arling, G. (1976). The elderly widow and her family, neighbors and friends. *Journal of Marriage and the Family*, 38, 757-768.

Atchley, R.C. (1971). Retirement and leisure participation : Continuity or crisis ? *The Gerontologist, 11*, 13-17.

Atchley, R.C. (1989). A continuity theory of normal aging. *The Gerontologist, 2*, 183-190.

Bradburn, N.M. (1969). *The structure of psychological well-being*. Chicago : Aldine.

Bradburn, N.M., & Caplovitz, D. (1965). *Reports on happiness*. Chicago : Aldine.

Burbank, P.M. (1986). Psychosocial theories of aging : A critical evaluation. *Advances in Nursing Science, 1*, 73-86.

Burgess, E.W. (1954). Social relations, activities and personal adjustment. *The American Journal of Sociology, 59*, 352-360.

Cavan, R.S., Burgess, E.W., Havighurst, R.J., & Goldhamer, H. (1949). *Personal adjustment in old age*. Chicago : Science Research Associates.

Chiriboga, D.A. (1984). Social stressors as antecedents to change. *Journal of Gerontology, 39*, 468-477.

Cohler, B.J. (1982). Personal narrative and life course. Dans P.B. Baltes & O.G. Brim (dir.), *Life-span development and behavior, vol. 4*. New York : Academic Press.

Costa, P.T., & McRae, R.R. (1980). Influence of extraversion and neuroticism on subjective well-being : Happy and unhappy people. *Journal of Personality and Social Psychology, 38*, 668-678.

Couet, S., Fortin, F., & Hoey, J. (1984). Corrélation entre la satisfaction de la vie, la perception de l'état de santé et les activités chez les personnes âgées. *Canadian Journal of Public Health, 7*, 289-292.

Cumming, E. (1963). Further thoughts on the theory of disengagement. *International Social Science Journal*, 15, 337-393.

Cumming, E., & Henry, W.E. (1961). *Growing old : The process of disengagement*. New York : Basic Books.

Diener, E. (1984). Subjective well-being. *Psychological Bulletin, 95*, 542-575.

Emery, C.F., & Blumenthal, J.A. (1990). Perceived change among participants in an exercise program for older adults. *The Gerontologist, 30*, 516-521.

Felton, B., & Kahana, E. (1974). Adjustment and situationally-bound locus of control among institutionalized aged. *Journal of Gerontology, 29*, 295-301.

Fennell, G., Philipson, C., & Evers, H. (1988). *The sociology of old age*. Milton Keynes, Philadelphia : Open University Press.

Fox, J.H. (1981-1982). Perspectives on the continuity perspective. *International Journal of Aging and Human Development, 14*, 97-114.

George, L.K., & Bearon, L.B. (1980). *Quality of life in older persons.* New York : Human Services Press.

Glenn, N.D., & McLanahan, S. (1981). The effects of offspring on the psychological well-being of older adults. *Journal of Marriage and the Family, 43*, 409-421.

Guillemard, A.-M., & Lenoir, R. (1974). *Retraite et échange social.* Paris : Centre d'études des mouvements sociaux.

Havighurst, R.J. (1961). Successful aging. *The Gerontologist, 1*, 8-13.

Havighurst, R.J. (1968). Personality and patterns of aging. *The Gerontologist, 8*, 20-23.

Havighurst, R.J., & Albrecht, R. (1953). *Older people.* London : Longmans, Green.

Havighurst, R.J., Neugarten, B.L., & Tobin, S.S. (1964). Disengagement, personality and life satisfaction in the later years. Dans P. Hansen (dir.), *Age with a futur.* Philadelphia : F.A. Davis Company.

Hétu, J.-L. (1988). *Psychologie du vieillissement.* Montréal : Éditions du Méridien.

Hochschild, A.R. (1975). Disengagement theory : A critique and proposal. *American Sociological Review, 40*, 553-569.

Hooyman, N.R., & Kiyak, H.A. (1988). Cognitive changes with aging. Dans N.R. Hooyman & H.A. Kiyak (dir.), *Social gerontology : A multidisciplinary perspective.* Boston : Allyn and Bacon, Inc.

Horley, J. (1984). Life satisfaction, happiness, and morale : Two problems with the use of subjective well-being indicators. *The Gerontologist, 24*, 124-127.

Hoyt, D.R., & Creech, J.C. (1983). The Life Satisfaction Index : A methodological and theoritical critique. *Journal of.Gerontology, 38*, 111-116.

Kozma, A., & Stones, M.J. (1980). The measurement of happiness : Development of the Memorial University of Newfoundland Scale of Happiness (MUNSH). *Journal of Gerontology, 35*, 906-912.

Kozma, A., Stones, M.J., & McNeil, J.K. (1991). *Psychological well-being in later life.* Toronto : Butterworths.

Landreville, P., & Vézina, J. (1992). A comparison between daily hassles and major life events as correlates of well-being in older adults. *Canadian Journal on Aging, 11*, 137-149.

Larson, R. (1978). Thirty years of research on the subjective well-being of older Americans. *Journal of Gerontology, 33*, 109-125.

Larson, R., Mannell, R., & Zuzanek, J. (1986). Daily well-being of older adults with friends and family. *Psychology and Aging, 1*, 117-126.

Lawton, M.P. (1972). The dimensions of morale. Dans D.P. Kent, R. Kastenbaum & S. Sherwood (dir.), *Research planning and action for the elderly : The power and potential of social science* (p. 144-165). New York : Behavioral Publications.

Lawton, M.P. (1975). The Philadelphia Geriatric Center Morale Scale : A revision. *Journal of Gerontology, 30*, 85-89.

Lemon, B.W., Bengtson, V.L., & Peterson, J.A. (1972). An exploration of the activity theory of aging : Activity types and life satisfaction among in-movers to a retirement community. *Journal of Gerontology, 4*, 511-523.

Lemyre, L. (1986). *Stress psychologique et appréhension cognitive.* Thèse de doctorat non publiée, Université Laval, Sainte-Foy, Québec, Canada.

Longino, C.F., & Kart, C.S. (1982). Explicating activity theory : A formal replication. *Journal of Gerontology*, 6, 713-722.

Maddox, G.L., & Eisdorfer, C. (1962). Some correlates of activity and morale among the elderly. *Social Forces, 40*, 254-260.

Maddox, G.L. (1964). Disengagement theory : A critical evaluation. *The Gerontologist, 4*, 80-103.

Maddox, G.L. (1965). Facts and artefact ; evidence bearing on disengagement theory from the Duke geriatric project. *Human Development, 8*, 117-130.

McDowell, I., & Newell, C. (1987). *Measuring health : A guide to rating scales and questionnaires.* New York : Oxford University Press.

Morris, J.N., & Sherwood, S. (1975). A retesting and modification of the Philadelphia Geriatric Center Morale Scale. *Journal of Gerontology, 30*, 77-84.

Neugarten, B.L., Havighurst, R.J., & Tobin, S.S. (1961). The measurement of life satisfaction. *Journal of Gerontology, 16*, 134-143.

Okun, M.A., Stock, W.A., Haring, M.J., & Witter, R.A. (1984a). Health and subjective well-being : A meta-analysis. *International Journal of Aging and Human Development, 19*, 111-132.

Okun, M.A., Stock, W.A., Haring, M.J., & Witter, R.A. (1984b). The social activity/subjective well-being relation : A quantitative synthesis. *Research on Aging, 6*, 45-66.

Palmore, E.B. (1968). The effects of aging on activities and attitudes. *The Gerontologist, 8*, 259-263.

Palmore, E., & Luikart, C. (1972). Health and social factors related to life satisfaction. *Journal of Health and Social Behavior, 13*, 68-80.

Passutb, P.M., & Bengtson, V.L. (1988). Sociological theories of aging : Current perspectives and future directions. Dans J.E. Birren & V.L. Bengtson (dir.), *Emergent theories of aging.* New York : Springer Publishing Company.

Reich, J.W., Zautra, A.J., & Hill, J. (1987). Activity, event transactions, and quality of life in older adults. *Psychology and Aging, 2,* 116-124.

Rotter, J.B. (1966). Generalized expectancies for internal versus external control of reinforcement. *Psychological Monographs : General and applied, 80,* 1-28.

Schwartz, A., Snyder, C., & Peterson, J. (1984). *Aging and life : An introduction to gerontology.* New York : Holt, Rinehart and Winston.

Tobin, S.S., & Neugarten, B.L. (1961). Life satisfaction and social interaction in the aging. *The Gerontologist, 16,* 344-346.

Wolman, B.B. (1980). *Dictionary of behavioral science* (2e éd.). New York : Academic Press.

Wood, V., Wyle, M.L., & Sheafer, B. (1969). An analysis of a short self-report measure of life satisfaction : Correlations with rater judgements. *Journal of Gerontology, 24,* 465-469.

Chapitre 8

Transitions

8.1 INTRODUCTION

Tout au long de son existence, l'individu est confronté, qu'il le veuille ou non, à des changements importants qui sollicitent ses capacités d'adaptation. Ces changements sont nombreux et partagent deux points communs : ils peuvent impliquer une modification dans les rôles sociaux et ils peuvent être conceptualisés comme des événements majeurs de l'existence. Alors que le premier point touche davantage l'aspect sociologique, le second concerne davantage les théories du stress (George, 1980). Selon ces dernières, les événements, qu'ils soient positifs ou négatifs, sont considérés comme des « stresseurs » puisqu'ils rompent un équilibre et posent par conséquent un problème d'adaptation. Avec l'avancement en âge, plusieurs événements peuvent se produire qui transformeront radicalement le rôle social de la personne âgée. Parmi ces événements, quatre vont retenir notre attention. Il s'agit de la mort du conjoint, de la retraite, du relogement et de la maladie physique. Ces événements constituent des transitions importantes que certaines personnes âgées peuvent être appelées à vivre.

8.2 MORT DU CONJOINT

La mort du conjoint est l'événement qui requiert le plus d'adaptation si l'on se fie à la position qu'il occupe sur la majorité des échelles des événements de vie, notamment sur l'échelle d'évaluation de la réadaptation sociale élaborée par Holmes et Rahe en 1967 (voir tableau 8.1). Cet événement majeur de l'existence est d'autant plus important à étudier que toutes les personnes qui ont un conjoint y seront un jour ou l'autre confrontées. Il va de soi que cela s'applique d'une manière toute particulière aux personnes âgées, et plus spécialement, aux femmes âgées. Au chapitre 1, on a vu qu'en 1986, au Canada, une personne âgée sur trois était en deuil de son conjoint et qu'une femme âgée sur deux était veuve. Cela signifie concrètement qu'il y avait au Canada, en 1986, près de 900 000 Canadiens âgés qui avaient perdu leur conjoint, et, de ce nombre, 755 000 étaient des femmes. Pour la même année, au Québec, 217 000 personnes âgées, dont 180 000 femmes, étaient dans la même situation. Cette surreprésentation des veuves s'explique par le fait que les femmes ont une espérance de vie plus longue que celle des hommes, qu'elles sont généralement plus jeunes que leur conjoint et qu'elles ont moins tendance à se remarier que les hommes âgés. Et, parce que les femmes ont une espérance de vie plus longue que celle des hommes, elles vivent en moyenne 14 ans sans leur conjoint.

Ces chiffres portent à réfléchir, puisqu'un examen attentif des travaux empiriques suggère que la mort du conjoint peut, *dans certaines conditions*, entraîner des conséquences physiques et psychologiques préjudiciables à la personne. La section suivante a pour objectif d'examiner ces conséquences ainsi que les facteurs susceptibles d'influer sur l'adaptation de la personne âgée à cette transition.

Tableau 8.1 Échelle d'évaluation de la réadaptation sociale de Holmes et Rahe

Rang	Événement	Valeur de changement de la vie
1.	Mort du conjoint	100
2.	Divorce	73
3.	Séparation conjugale	65
4.	Emprisonnement	63
5.	Mort d'un parent proche	63
6.	Blessure ou maladie personnelle	53
7.	Mariage	50
8.	Renvoi professionnel	47
9.	Réconciliation conjugale	45
10.	Retraite	45
11.	Maladie d'un membre de la famille	44
12.	Grossesse	40
13.	Difficultés sexuelles	39
14.	Accroissement de la famille	39
15.	Réadaptation professionnelle	39
16.	Changement dans les revenus	38
17.	Mort d'un ami intime	37
18.	Changement d'orientation professionnelle	36
19.	Changement dans le nombre de discussions avec le conjoint	35
20.	Hypothèque de plus de 10 000 $	31
21.	Saisie d'hypothèque ou emprunt	30
22.	Changement dans les responsabilités professionnelles	29
23.	Départ d'un fils ou d'une fille du foyer familial	29
24.	Difficultés avec la belle-famille	29
25.	Haut fait personnel	28
26.	Début ou fin du travail à l'extérieur pour la conjointe	26
27.	Entrée à l'école ou sortie de l'école	26
28.	Changement dans les conditions de vie	25
29.	Révision d'habitudes personnelles	24
30.	Difficultés avec le patron	23
31.	Changement dans les heures ou les conditions de travail	20
32.	Changement de résidence	20
33.	Changement d'école	20
34.	Changement de loisirs	19
35.	Changement d'activités religieuses	19
36.	Changement d'activités sociales	18
37.	Hypothèque ou emprunt inférieurs à 10 000 $	17
38.	Changement dans les habitudes de sommeil	16
39.	Changement dans le nombre des réunions de famille	15
40.	Changement d'habitudes alimentaires	15
41.	Vacances	13
42.	Noël	12
43.	Infractions mineures à la loi	11

8.2.1 Conséquences de la mort du conjoint

La mort du conjoint amorce une période de transition importante pendant laquelle les capacités d'adaptation de la personne sont mises à l'épreuve (George, 1980). À la suite de cet événement, la personne en deuil devra apprendre à endosser un nouveau rôle, à se définir une nouvelle identité et à adopter un nouveau style de vie (Ferraro, 1989). Pour Vachon et Rogers (1984), la perte du conjoint n'implique pas seulement la transition du mariage au veuvage, mais également la fin d'une longue relation symbiotique, à savoir une relation dans laquelle les personnes âgées ont tendance à se parfaire et à s'aider réciproquement. Ce qui était faisable à deux devient, pour certaines personnes, irréalisable maintenant qu'elles sont seules. Il n'est donc pas étonnant que les personnes interrogées par Holmes et Rahe (1967) aient perçu la mort du conjoint comme le plus important des stresseurs. C'est pourquoi les chercheurs ont voulu déterminer l'existence et la nature des effets préjudiciables de cet événement.

Avant d'examiner quels pourraient être les effets préjudiciables de la mort du conjoint, deux remarques s'imposent. Premièrement, et à l'instar de plusieurs auteurs, dont Wisocki et Averill (1987), il faut regretter que les personnes âgées soient souvent exclues de ces études ou qu'elles n'occupent pas une place plus importante, alors qu'elles sont les plus touchées par cette situation. Deuxièmement, un certain nombre de faiblesses méthodologiques viennent obscurcir les résultats des travaux. Parmi les principales déficiences, on remarque qu'il y a peu d'études longitudinales, qu'il n'y a pas toujours de groupe témoin avec lequel des comparaisons peuvent être faites et qu'on exerce rarement une forme de contrôle sur des variables nuisibles. Ces lacunes empêchent de démontrer avec assurance que les effets observés sont reliés à la perte du conjoint. Notons aussi que la majorité des travaux qui ont étudié les conséquences de cet événement portent sur un nombre relativement limité de sujets. Il faut cependant admettre que, en raison du caractère très émotif de la situation, il n'est pas étonnant qu'un pourcentage important de sujets ne soient pas intéressés à prendre part à ce genre d'étude.

Mais cette dernière constatation soulève un problème additionnel. En raison du taux d'abandon élevé, il faut se demander si les personnes veuves qui participent à ces études sont représentatives de l'ensemble de celles qui ont perdu leur conjoint. Wolfgang Stroebe et ses collaborateurs (1988), de l'Université Tübingen, nous rappellent qu'il existe deux possibilités. La première est que les participants à ces études sont majoritairement ceux pour qui la mort de leur conjoint n'a pas causé de problèmes sérieux. Si c'est le cas, on peut penser que les travaux sous-estiment les effets négatifs. À l'inverse, il est possible que les participants soient ceux qui ont de la difficulté à s'adapter et qui profitent de ces études pour pouvoir en parler ;

si cela s'avère exact, les résultats projettent alors une image plus négative que la réalité. On peut même envisager une troisième possibilité, à savoir que les participants sont représentatifs de l'ensemble des personnes qui ont perdu leur conjoint. La seule façon de vérifier l'exactitude de ces scénarios serait d'avoir des données comparant les caractéristiques des participants avec celles des non-participants. Malheureusement, il est très rare que de telles informations soient colligées et, par conséquent, il faut être prudent lorsque vient le moment d'appliquer les résultats obtenus dans ces travaux à l'ensemble de la population en deuil. C'est donc à l'intérieur de ces limites que les travaux portant sur les conséquences de la mort du conjoint doivent être examinés.

Nous avons tous eu l'occasion d'entendre dire, ou même de remarquer, que la personne endeuillée mourait peu de temps après la mort de la personne aimée. Cette mort prématurée a souvent été attribuée au choc émotionnel ou au chagrin. Mais, dans les faits, cette observation sur le **risque accru de mortalité** est-elle réellement fondée ? Répondre à cette question n'est pas une tâche facile, car les résultats des différentes recherches sont divergents et les auteurs ne s'entendent pas quant à la signification à donner à ces mêmes résultats. En effet, alors que certains travaux démontrent que le taux de mortalité des endeuillés excède, lors des premiers mois de veuvage, celui des gens mariés, et ce, autant chez les veuves (Cox & Ford, 1964) que chez les veufs (Young *et al.*, 1963), d'autres ne remarquent aucune différence (Clayton, 1974). Résultat assez surprenant, les jeunes adultes seraient le groupe à plus haut risque (Stroebe & Stroebe, 1993). Il est du reste difficile d'établir avec certitude une relation claire entre le deuil conjugal et le taux de mortalité. Cette difficulté émane du fait que les chercheurs contrôlent rarement l'influence d'autres variables. À ce propos, Stroebe et Stroebe (1987) soulignent que, sans parler du fait qu'ils peuvent être du même âge, les deux partenaires :

- résident dans un même milieu physique et social ;
- sont en présence des mêmes facteurs environnementaux ;
- partagent les mêmes conditions de vie ;
- adhèrent à un mode de vie commun.

Or, si ces variables ont concouru à la mort d'un des conjoints, il est possible que ces mêmes variables, communes aux deux personnes, occasionnent la mort de l'autre conjoint. Ces variables pourraient alors expliquer, mieux que l'hypothèse du « choc émotionnel », la mort prématurée de l'autre conjoint. Cette allégation, bien qu'intéressante, exige d'être mieux étayée.

Il se pourrait aussi qu'il existe une différence entre les hommes et les femmes. Helsing et Szklo (1981) trouvent en effet un taux de mortalité plus élevé chez les veufs que chez les veuves, celles-ci ayant un taux comparable à celui des femmes mariées. Selon certaines indications, les six mois suivant la mort du conjoint seraient les plus critiques, mais uniquement pour les hommes âgés de plus de 75 ans (Bowling, 1988-1989). Les raisons de cette différence entre les hommes et les femmes demeurent encore obscures. Certains prétendent que les veufs sont plus vulnérables en raison du fait qu'ils sont moins bien intégrés socialement que les femmes, donc plus susceptibles d'isolement (Ferraro, 1989). Outre qu'ils doivent s'adapter à cet événement, les hommes âgés seraient confrontés à des sources de difficultés additionnelles – les tracas de la vie quotidienne – qui viendraient s'ajouter au stress d'avoir perdu leur conjointe. Par exemple, les hommes sont amenés à assumer des tâches domestiques comme celles de préparer les repas, de faire la lessive ou l'entretien ménager, tâches qui, dans le passé, étaient accomplies par la conjointe et auxquelles leur rôle traditionnel ne les a pas préparés (Berardo, 1970). Si cette explication peut sembler vraisemblable à première vue, il faut rappeler, d'une part, qu'elle n'a pas encore été vérifiée empiriquement et que, d'autre part, elle vaudrait autant pour certaines veuves. Ce taux plus élevé de mortalité chez les veufs pourrait aussi s'expliquer par leur âge plus avancé ou par leur moins bonne santé.

La disparition du conjoint exercerait une action négative sur la **santé physique** tant objective que subjective. Par exemple, les résultats d'une étude de Thompson et ses collaborateurs (1984), réalisée auprès de 212 hommes et femmes en deuil de leur conjoint depuis deux mois, démontrent que :

- les sujets développent de nouvelles maladies physiques ;
- ils connaissent une aggravation de leurs maladies ;
- ils consomment plus de médicaments ;
- ils évaluent plus négativement leur état de santé.

Néanmoins, ils n'ont pas visité leur médecin et ils n'ont pas été hospitalisés plus souvent qu'un groupe témoin. Comme il a été démontré dans plusieurs études, dont celles de Ferraro (1985-1986), il est fréquent de remarquer une diminution de la santé physique dans les semaines ou les mois suivant la mort du conjoint, mais les conséquences à plus long terme sont minimes, voire inexistantes. Il faut en outre noter que certains travaux ne trouvent pas cette association entre la perte du conjoint et la détérioration de l'état de santé physique (par exemple, Heyman & Gianturco, 1973 ; Murrell *et al.*, 1988).

Mais quelles pourraient être les *raisons* du déclin de la santé physique suivant la mort du conjoint? À l'heure actuelle, ces raisons ne sont pas bien connues (George, 1980). Néanmoins, une étude prospective réalisée par Schleifer et ses collaborateurs (1983) fournirait un début de réponse. Le but de cette étude était de vérifier le fonctionnement du système immunitaire chez les hommes dont la conjointe est morte du cancer. Ce qui rend cette étude particulièrement intéressante, c'est que les hommes ont pu être évalués *avant* la mort de leur conjointe. Cette évaluation permet de s'assurer que les changements observés sont bien en relation avec l'événement. Les résultats démontrent un affaiblissement du système immunitaire dans les deux mois suivant la perte du conjoint. On peut penser qu'un système immunitaire qui fonctionne en deçà de ses capacités fait augmenter le risque de morbidité et de mortalité. Des études complémentaires s'avèrent toutefois nécessaires avant que l'on puisse tirer des conclusions définitives, d'autant plus que cette étude ne portait que sur des hommes.

Un des résultats les plus communément observés est que les personnes en deuil de leur conjoint manifestent une série de symptômes comme une humeur triste, de l'insatisfaction, des pleurs, de l'auto-accusation, des troubles du sommeil, de la fatigue, une perte d'appétit et quelques autres (Breckenridge *et al.*, 1986). Ces symptômes, comme il sera possible de le voir au chapitre 9, sont analogues à ceux manifestés lors d'un épisode de **dépression.** Toutefois, si les personnes âgées en deuil de leur conjoint présentent des symptômes pouvant être associés à la dépression, la question est de savoir si ces symptômes constituent un véritable épisode dépressif. Deux raisons militent pour la négative. D'une part, comme on le verra au chapitre 9, la présence de symptômes de dépression n'est pas une condition suffisante pour considérer une personne comme cliniquement dépressive. Ainsi, Gallagher et ses collaborateurs (1982) remarquent que, en dépit du fait que les personnes âgées en deuil de leur conjoint présentaient une intensité de dépression plus élevée que celle d'un groupe de personnes non en deuil, cette intensité dépressive était nettement moins élevée que celle présentée par des personnes âgées pour lesquelles on avait établi un diagnostic de dépression majeure. D'autre part, selon l'American Psychiatric Association (1987), un deuil qui se déroule normalement – on parle alors de deuil sans complication – s'accompagne naturellement de ces symptômes. En revanche, si le sujet paraît se sentir indigne de vivre, si on constate chez lui une limitation fonctionnelle de longue durée et un ralentissement psychomoteur sévère, on peut présumer que le deuil s'est compliqué au point que la dépression s'est installée. L'encadré 8.1 fait la description d'une réaction normale à une perte.

Les résultats d'une récente étude de Breckenridge et ses collaborateurs (1986) soutiennent les affirmations précédentes voulant que les personnes âgées en deuil de leur conjoint manifestent davantage certains symptômes de dépression tels que la tristesse, les pleurs, l'insatisfaction, les troubles du sommeil, la perte d'appétit et la perte de poids, mais que l'auto-accusation, la culpabilité, le sentiment d'échec ou de punition – symptômes qui suggèrent un deuil avec complications – sont présents chez moins de 25 % des personnes âgées veuves. Il est d'ailleurs maintenant reconnu que la majorité des personnes en deuil présentent des symptômes nor-

Encadré 8.1 Description d'un deuil sans complication

Cette catégorie doit être utilisée quand le motif de l'examen ou du traitement est une réaction normale au décès d'un être cher (deuil).

Un syndrome dépressif complet constitue fréquemment une réaction normale à une perte de ce type, avec des sentiments dépressifs et des symptômes associés tels que : perte de l'appétit, perte de poids et insomnie. En revanche, des idées morbides d'indignité, un handicap fonctionnel prolongé important et un ralentissement psychomoteur marqué sont peu fréquents et indiquent que le deuil a été compliqué par la survenue d'une dépression majeure.

Dans le deuil sans complication, la culpabilité, si elle existe, concerne principalement des actes du sujet ou des omissions au moment du décès de l'être cher ; en ce qui concerne les idées de mort, les sujets se limitent habituellement à penser qu'il vaudrait mieux être mort ou qu'il aurait mieux valu mourir avec la personne décédée. Le sujet présentant un deuil sans complication considère généralement que son humeur dépressive est « normale », bien qu'il puisse consulter pour des symptômes associés tels qu'une insomnie ou une anorexie.

La réaction à un deuil peut ne pas être immédiate mais elle ne survient que rarement après les deux ou trois premiers mois. La durée d'un deuil « normal » varie considérablement selon les sous-groupes culturels.

Source : American Psychiatric Association (1987) ; traduction (1989), p. 408.

maux de dépression, mais qu'une minorité seulement développent un état dépressif majeur et persistant. À preuve, cette étude de Falleti et ses collaborateurs (1989) qui ont constaté que seulement 5 % des personnes en deuil étaient sévèrement déprimées. Ce résultat rappelle en même temps qu'il ne faut pas négliger le fait qu'une personne en deuil de son conjoint puisse être réellement dépressive. Plusieurs travaux ont montré que la dépression s'installait dans les premières semaines du deuil (par exemple, Bornstein *et al.*, 1973). Cette observation est importante, puisqu'elle justifie la nécessité de faire un dépistage précoce des personnes en deuil qui pourraient se trouver en difficulté. Ce repérage précoce permettrait d'intervenir plus rapidement et ainsi d'éviter que cet état, qui, outre qu'il est désagréable, constitue une véritable menace pour la vie, ne se prolonge inutilement.

La **détresse émotionnelle ou psychologique** est une autre conséquence qui a fait l'objet de travaux de recherche. Souvent, on considère la détresse comme la somme de plusieurs symptômes. Un bon exemple d'instrument servant à sa quantification est l'inventaire bref des symptômes (IBS) de Derogatis et Spencer (1982), en anglais le *Brief Symptom Inventory* (BSI). L'IBS contient une liste de 53 symptômes couvrant neuf dimensions : la somatisation, l'obsession-compulsion, la sensibilité interpersonnelle, la dépression, l'anxiété, l'aliénation sociale, l'anxiété phobique, l'idéation paranoïde et l'hostilité. Cet instrument, ou tout autre du même type, est avantageux, car, une fois le questionnaire rempli, on peut avoir rapidement un profil du sujet relativement à plusieurs entités cliniques. Profitant de cet avantage, des chercheurs se sont demandé s'il n'existait pas des symptômes autres que ceux de la dépression. Ils ont remarqué que les personnes âgées en deuil de leur conjoint présentaient – ce qui ne surprend pas – des symptômes dépressifs, mais aussi des symptômes d'**aliénation sociale** et d'**anxiété** (Thompson *et al.*, 1989 ; Vézina & Voyer, 1991).

Mais c'est souvent l'agrégation de l'ensemble des symptômes qui intéresse le chercheur, puisque cela constitue une estimation de la détresse émotionnelle. C'est ainsi que Gallagher et ses collaborateurs (1983) relèvent que les personnes âgées en deuil ont plus de détresse psychologique et que ce résultat demeure significatif même après avoir contrôlé l'influence des variables sociodémographiques. Cependant, Vézina et Voyer (1991) n'observent aucune différence vraiment significative entre les femmes en deuil et les femmes mariées. Cette contradiction pourrait s'expliquer par une durée moyenne de deuil différente pour les deux recherches. Dans l'étude de Gallagher et ses collaborateurs, les personnes âgées étaient rencontrées en moyenne 2 mois après la mort du conjoint, tandis que dans l'étude de Vézina et Voyer la durée post-deuil était de 18 mois. Cela laisserait présumer que la détresse est présente dans les premiers mois du deuil mais qu'elle s'estompe par la suite. Cette présomption a d'ailleurs été confirmée par l'étude de Thompson et ses collaborateurs (1989) et elle est conforme à ce qu'on a trouvé en ce qui concerne la santé physique : des effets à court terme mais peu d'effet de longue durée. Il est à souligner que si, initialement, les personnes âgées en deuil ressentent un degré de détresse plus élevé que celui des personnes âgées encore mariées, il demeure que le degré de détresse atteint rarement un seuil que l'on pourrait qualifier de sévère ou de pathologique. En réalité, il est maintenant reconnu que la majorité des personnes qui viennent de perdre leur conjoint s'adapteront à cette situation, alors qu'une minorité auront davantage de difficulté à s'adapter à cette transition. La prochaine section a pour objet d'explorer les facteurs qui expliquent ces différences individuelles.

8.2.2 Facteurs facilitant l'adaptation à la perte du conjoint

Il existe plusieurs façons de conceptualiser l'adaptation. Une première façon est d'évaluer dans quelle mesure le fonctionnent quotidien de la personne correspond à ce qu'il était avant la mort du conjoint. Cette conceptualisation établit sans doute des attentes très élevées puisqu'elle considère que la personne redevient ce qu'elle était avant la mort du conjoint. Une seconde façon de le faire est proposée par Weiss (1987). Pour cet auteur, l'adaptation se définit comme l'établissement d'une organisation émotionnelle nouvelle, ainsi que d'un nouveau style de vie permettant de vivre au moment présent, d'investir dans de futurs projets et même de rechercher des expériences gratifiantes. Bien que cette conceptualisation n'exige pas de la personne affligée un retour à son mode de fonctionnement passé, cette définition demeure difficile à opérationnaliser. L'absence – ou un minimum – de problèmes physiques et psychologiques, ou la présence de ces problèmes mais à un niveau équivalent à celui d'un groupe témoin, est la façon la plus commode et la plus courante de concevoir l'adaptation.

Il est permis de dénombrer dans les écrits plusieurs facteurs facilitant l'adaptation à la perte du conjoint. Parmi ceux-ci, notons :

- certains facteurs sociodémographiques ;
- certaines caractéristiques individuelles ;
- les circonstances entourant la mort du conjoint ;
- les stratégies utilisées pour faire face à cette transition ;
- la signification de l'événement ;
- le soutien social.

Examiner en même temps le rôle de tous ces facteurs est une tâche ardue. C'est la raison pour laquelle plusieurs travaux se sont restreints à évaluer la pertinence de quelques-uns de ces facteurs. Cette façon d'opérer, si elle s'avère pratique, empêche cependant d'estimer lequel de ces facteurs est le plus important pour expliquer les différences individuelles.

Parmi les principaux **facteurs sociodémographiques** déterminant l'adaptation, mentionnons l'âge, le sexe et, dans une moindre mesure, le revenu. Une affirmation souvent répétée est que les personnes âgées, en raison de leur **âge**, font preuve de plus de vulnérabilité aux situations qui sont sources de stress, dont la perte du conjoint, que les personnes plus jeunes (Ferraro, 1989). Cette affirmation n'est cependant pas soutenue par les recherches. Après avoir comparé trois groupes de sujets – de jeunes adultes, des adultes d'âge mûr et des personnes âgées –, Ball (1977) observe que ce sont les jeunes adultes qui présentaient la réaction émotionnelle la plus intense. Ce résultat est en contradiction flagrante avec l'idée souvent véhiculée que ce sont les personnes âgées qui sont les plus éprouvées. Ce résultat a trois explications. Premièrement, chez les jeunes adultes, la mort du conjoint est rarement un événement « attendu » et, deuxièmement, cet événement survient au moment où les jeunes adultes ont d'autres responsabilités occupationnelles et familiales, notamment la charge de jeunes enfants (Matthews, 1987). Une troisième explication est possible. On peut envisager la possibilité que les personnes âgées soient plus résistantes qu'on ne l'a cru jusqu'ici. Il est en effet de plus en plus reconnu que la capacité d'adaptation des personnes âgées a été sous-estimée. Cette sous-estimation refléterait une forme d'âgisme. Cette dernière affirmation doit toutefois être nuancée à la lumière d'un commentaire formulé plus haut, à savoir que les sujets qui participent à ces études sur la perte du conjoint ne seraient peut-être pas très représentatifs de l'ensemble des personnes confrontées à cet événement. Il se pourrait fort bien que les participants représentent ceux qui ont surmonté cette épreuve sans trop de difficultés, alors que les personnes qui en ont ressenti les effets nocifs pourraient ne pas être disponibles pour collaborer à la recherche soit parce qu'elles sont mortes elles-mêmes, soit parce qu'elles sont en trop mauvaise santé, ou soit parce qu'elles sont placées dans un établissement. Ce biais d'échantillonnage transmettrait alors l'illusion que les personnes âgées s'adaptent bien, alors que c'est le contraire qui serait vrai.

Comme on l'a vu auparavant, il est possible qu'il existe une **différence selon le sexe**. D'après Stroebe et Stroebe (1983), il ne fait aucun doute que les veuves s'adaptent mieux à leur nouvelle situation que les veufs. Cependant, les preuves à l'appui de cette thèse d'une différence entre les hommes et les femmes sont peu nombreuses et les résultats disponibles sont pour le moins équivoques. Selon certains travaux, en effet, les femmes s'adaptent mieux que les hommes (Bock & Webber, 1972). Plusieurs explications ont été avancées dont certaines s'appuient sur les rôles traditionnels des hommes âgés. Comme nous l'avons déjà mentionné, les hommes rencontreraient des difficultés dans l'exécution des tâches domestiques. D'autre part, cette différence selon le sexe serait liée à l'absence de soutien, l'homme perdant avec la mort de sa conjointe son confident le plus intime. En outre, le veuf ne trouverait pas un groupe de référence sur lequel s'appuyer, puisque la plupart des autres hommes sont encore mariés (Bowling, 1987). La veuve âgée pourrait, quant à elle, se fier sur des amies également veuves qui lui procureraient soutien et réconfort (Matthews, 1987). Puisque les hommes s'attendent à mourir avant leur conjointe, ils seraient moins bien préparés à cet événement (Feinson, 1986), alors que le fait de devenir veuve serait pour la femme un événement davantage prévisible (Matthews, 1987). Finalement, les femmes s'adapteraient mieux que les hommes, car elles maintiendraient des relations sociales avec les membres de la famille et les amis, et elles feraient partie d'organisations formelles (Philblad & Adams, 1972).

Toutefois, ces résultats en faveur d'une meilleure adaptation des femmes sont contredits par certains travaux qui démontrent que les hommes s'adaptent mieux que les femmes (Carey, 1979). Par exemple, les veuves ont un niveau de satisfaction à l'égard de la vie plus bas et un niveau d'anxiété plus élevé que ceux des veufs (Schuster & Butler, 1989). Cette différence aurait pour origine le revenu plus bas des femmes au moment de la mort de leur conjoint (Arens, 1982-1983). Finalement, certains experts de la question soutiennent qu'il y a entre les sexes plus de similitudes que de différences (Gallagher *et al.*, 1983). Les résultats à l'heure actuelle paraissent contradictoires et les explications restent à préciser. Le fait que les hommes participent rarement aux études sur la perte conjugale limite les conclusions que l'on peut tirer.

Une variable qui serait plus importante que le sexe est le **revenu** dans la mesure où le manque d'argent est associé à une adaptation plus difficile. Par exemple, Caserta et ses collaborateurs (1989) ont démontré que le revenu était la variable qui avait le plus d'impact sur l'état de santé perçu. Un faible revenu a une influence négative sur l'état de santé des personnes en deuil et il les rend, faute de ressources suffisantes, plus vulnérables au placement dans un établissement (McCrae & Costa, 1988). Certains auteurs suggèrent que les personnes qui réagissent plus négativement à la perte conjugale possèdent certains **traits de personnalité** distinctifs comme le manque de confiance en soi et une faible estime de soi. Ainsi, ce ne serait pas tellement l'apparition d'un événement de l'existence qui serait nuisible, mais plutôt l'absence de confiance en la possibilité de maîtriser l'événement. Les personnes âgées qui ont un contrôle externe, c'est-à-dire qui croient que ce qui leur arrive est sous l'influence du destin plutôt que sous leur propre influence et qui ont vécu une mort soudaine de leur conjoint, risquent d'avoir une adaptation difficile (Stroebe *et al.*, 1988). L'estime de soi est également une variable associée à l'adaptation. Il semblerait qu'une faible estime de soi avant la mort du conjoint prédisposerait aux difficultés d'adaptation à la suite de cet événement (Lund *et al.*, 1985-1986).

Quelques travaux ont comparé les conséquences de la perte conjugale selon que la mort se produisait à l'improviste ou était prévue. On présume que ces **circonstances** particulières ont des effets différentiels. La mort à la suite d'une longue maladie, par exemple, permettrait d'anticiper l'inéluctable, favoriserait la préparation et ainsi une meilleure adaptation, alors qu'inversement une mort qui survient subitement, sans avertissement, entraînerait des conséquences plus négatives. Cependant, à ce propos, les résultats sont contradictoires. Ball (1977) observe que la mort soudaine du conjoint, comparativement à une mort prévue, est associée à une réaction plus intense, alors que d'autres auteurs ne trouvent pas une telle relation (Dessonville *et al.*, 1988 ; Gerber *et al.*, 1975). Cette absence de relation pourrait s'expliquer de la façon suivante : en raison de leur âge, pour les personnes âgées, la mort du conjoint n'est jamais tout à fait inattendue. De plus, il existe certaines évidences (par exemple, Gerber *et al.*, 1975) voulant qu'une trop longue anticipation puisse même nuire à l'adaptation. Ces résultats peuvent s'expliquer par le fait que prendre soin d'une personne malade exige beaucoup de temps et d'énergie, ce qui éprouve sans doute l'aidant lui-même fragile. Ce dernier, trop occupé à s'occuper de l'autre, pourrait ainsi négliger sa propre santé. Bref, autant qu'une mort soudaine, une trop longue anticipation s'avérerait nuisible pour la personne.

Pour certains auteurs, les conséquences négatives ne seraient pas liées directement à la perte conjugale elle-même, mais plutôt à l'ensemble des **changements concomitants** de cette perte (Gallagher *et al.*, 1983). Vachon et Rogers (1984) rappellent que la perte du conjoint n'implique pas seulement la transition du mariage au veuvage, mais qu'elle met fin à une longue relation de soutien mutuel. Ce soutien mutuel, aussi nommé relation symbiotique par Mishara et Riedel (1984), est caractérisé par le fait que les personnes âgées ont tendance à se compléter, à se soutenir mutuellement. La mort de l'un des conjoints briserait alors cette belle complémentarité. Par conséquent, certaines personnes âgées pourraient être confrontées à des tâches qui étaient régulièrement accomplies par le conjoint disparu. Faute de soutien ou de compétence pour les accomplir, ces tâches, qui peuvent paraître assez triviales, comme effectuer les travaux domestiques, et que Kanner et ses collaborateurs (1981) considèrent comme des embêtements ou des tracas, éprouveraient indûment la personne déjà affligée d'avoir perdu un être cher. Cependant, les travaux de Vézina et Voyer (1991) infirment cette hypothèse, puisque aucune différence dans le nombre de tracas entre les veuves et les femmes mariées n'y a été constatée. Des études supplémentaires sont toutefois nécessaires avant que l'on puisse conclure définitivement.

De même, on peut considérer que ce n'est pas la perte *objective* qui est importante, mais plutôt la *signification* de cette expérience pour la personne (Gass, 1989). Lazarus et Folkman (1984) rappellent qu'un événement, même la mort du conjoint, n'a pas la même signification pour tous. Ainsi, les personnes qui considèrent cet événement comme une menace et qui anticipent d'autres problèmes présentent un risque plus élevé comparativement à celles qui voient dans la mort de leur conjoint un défi à surmonter (Gass, 1989). Certains auteurs soutiennent que la relation entre la perte du conjoint et les conséquences physiques ou psychologiques est également fonction des **stratégies** personnelles utilisées pour faire face à cette situation. Ces stratégies peuvent prendre différentes formes. Ainsi, une personne peut agir en action et en pensée afin de rendre la situation plus tolérable. Certains auteurs sont convaincus que la façon de composer avec la perte du conjoint influe sur la santé physique et mentale. Toutefois, les moyens employés par les personnes en deuil pour composer avec cette situation commencent à peine à attirer l'attention des chercheurs. Gass (1987) mentionne que « se garder active » est une des stratégies utilisées par les veuves pour composer efficacement avec le veuvage, alors que le recours aux médicaments ou à l'alcool est jugé comme une stratégie moins efficace.

La variable adaptative le plus souvent citée dans les écrits demeure la présence d'un **soutien social**. Dans des situations difficiles, comme la perte du conjoint, les personnes qui peuvent recevoir du soutien d'autrui sont moins menacées. C'est d'ailleurs sur ce présupposé que se fondent les groupes d'entraide. Le soutien social est un concept qui englobe deux éléments, l'un de nature quantitative et l'autre de nature plus qualitative. Le premier fait référence à la structure du réseau social et concerne le nombre de confidents, d'intimes, d'amis ou d'organisations qui sont en mesure d'offrir leur aide. Dans ce sens, le réseau reste avant tout un indicateur de disponibilité de soutien. Le soutien qui peut être obtenu de ce réseau peut prendre diverses formes. Ainsi, il peut s'agir d'offrir une aide matérielle, financière ou émotionnelle, de donner des informations ou des conseils sur la façon de composer avec la situation. Il est de plus en plus prouvé que le soutien social joue un rôle important dans l'adaptation à la perte du conjoint, bien que la taille du réseau paraisse moins importante que sa qualité (Bass & Bowman, 1990). Par exemple, Dimond et ses collaborateurs (1987), après avoir interrogé à six reprises, sur une période de deux ans, 192 personnes âgées de 50 à 93 ans, notent que la qualité de soutien reçue était associée à un faible niveau de dépression, à une meilleure santé, à une satisfaction à l'égard de la vie plus élevée et à une meilleure habileté à faire face à cet événement. Il existerait aussi une différence selon que la mort du conjoint est récente ou non. Les proches joueraient un rôle plus important au début du deuil, alors que l'aide provenant des amis serait davantage profitable plus tard (Bankoff, 1983).

Même si les travaux des chercheurs montrent que plusieurs facteurs peuvent faciliter l'adaptation de la personne âgée à la perte du conjoint, il est prématuré d'affirmer avec certitude que l'un ou l'autre de ces facteurs joue le rôle le plus important. Il est toutefois possible d'avancer que, parmi les facteurs énoncés, aucun n'est à lui seul suffisant pour favoriser l'adaptation à cette transition importante.

8.3 RETRAITE

On oublie trop facilement que l'institution de la retraite, telle que nous la connaissons aujourd'hui, est une création très récente. Pour plusieurs auteurs, il s'agit d'une invention sociale caractéristique d'une société industrielle (McDonald & Wanner, 1990). Il faut savoir qu'à l'époque préindustrielle les individus devaient, pour leur survie et celle de leur famille, travailler jusqu'à la mort ou jusqu'à ce qu'ils ne soient plus physiquement aptes à le faire, pour ensuite être pris en charge par la famille ou des organismes de charité. Cette mise à la retraite, forcée par les incapacités, annonçait pour plusieurs une période dans laquelle l'individu était pauvre et en mauvaise santé. En raison, toutefois, d'une espérance de vie plus brève, la retraite était plutôt chose exceptionnelle. Il faut attendre la fin du XIXe siècle pour que soient réunies les conditions nécessaires à l'établissement de la retraite. L'industrialisation amène une productivité accrue qui procure la prospérité économique. Cette industrialisation se traduit également par le recours à la machinerie et à l'établissement d'une nouvelle organisation du travail qui provoque d'importantes mises à pied chez les travailleurs plus âgés. Devant l'aggravation de la pauvreté, fortement répandue parmi les travailleurs âgés, le chancelier allemand Otto von Bismarck instaure en 1889 le premier programme public de pensions pour les travailleurs âgés de plus de 65 ans en réponse aux pressions populaires amenées par les syndicats naissants (Markides & Cooper, 1987). Si le geste de Bismarck paraît méritoire à première vue, il faut souligner une fois de plus que seule une poignée de travailleurs pouvaient espérer vivre assez longtemps pour vraiment en bénéficier. Cette idée d'établir un programme d'assistance aux travailleurs forcés de quitter leur emploi s'étend par la suite aux autres pays européens. Il faut patienter jusqu'aux années 1930 pour voir s'implanter modestement des programmes de pensions en Amérique du Nord.

Une espérance de vie allongée, la volonté sincère d'éliminer l'indigence chez les travailleurs forcés de renoncer à leur emploi et la possibilité de réduire le chômage chez les jeunes en retirant des travailleurs âgés devenus trop gênants, sont des raisons qui ont favorisé l'établissement et la diffusion de la retraite. En effet, la retraite devient une façon de rationaliser le monde du travail en retirant les travailleurs jugés les moins performants pour les remplacer par des employés plus jeunes et plus rapides. De cette façon, la productivité est maximisée et le chômage chez les jeunes, réduit. C'est d'ailleurs à cette époque que le taylorisme fait graduellement son apparition avec une organisation du travail basée tout d'abord sur la productivité, le rendement, dont la composante essentielle est la rapidité d'exécution. On demande aux travailleurs de faire le plus rapidement possible une tâche simple. Cette production à la chaîne désavantage les travailleurs vieillissants qui n'ont plus la même vitesse d'exécution qu'avant. C'est aussi à cette époque que l'opinion voulant que les travailleurs âgés soient improductifs gagne en popularité. En 1905, un médecin canadien, Osler, affirme que les plus belles années de production d'un travailleur sont derrière lui passé l'âge de 40 ans (Matthews & Tindale, 1987). C'est après la Seconde Guerre mondiale que la pleine matérialisation de la retraite se réalise. Les pressions déjà présentes pour mettre à la retraite les travailleurs vieillissants s'intensifient afin de permettre aux jeunes militaires de retour du front de se trouver un emploi. Si bien qu'aujourd'hui la retraite est la règle plutôt que l'exception, alors que par le passé c'était davantage l'inverse qui prévalait. Non seulement la retraite est maintenant chose courante, mais on observe une tendance à la prendre bien avant l'âge normal d'admissibilité aux pensions. Ce mouvement de retraite hâtive, ou de préretraite, peut aussi être le reflet d'une mesure par laquelle de nombreux employeurs diminuent leurs frais d'exploitation en incitant les employés les plus âgés – qui demandent un plus haut salaire en raison de leur ancienneté – à quitter volontairement leur emploi.

Une espérance de vie plus longue, souvent conjuguée à une mise à la retraite plus hâtive, signifie qu'un individu peut vivre plus de 15 ans sans occuper un emploi. Depuis 1950, de nombreuses recherches en psychologie gérontologique visent à déterminer si le fait d'être retiré du monde du travail peut avoir des conséquences nuisibles. En effet, nous avons tous en mémoire l'image d'un travailleur en bonne santé ayant gagné sa vie âprement et planifié sa retraite avec soin, qui est devenu dépressif, est tombé gravement malade ou a rendu l'âme peu de temps après avoir pris sa retraite. La question est maintenant de savoir si ces conséquences sont le fruit du hasard, se limitent à quelques cas particuliers, ou si, au contraire, elles sont la démonstration éloquente que la retraite est un événement nuisible à la santé. Mais avant de répondre à cette question centrale, il faut, en premier lieu, examiner les facteurs qui influent sur la décision de prendre sa retraite et, en second lieu, voir brièvement comment la retraite est conceptualisée.

8.3.1 Décision de prendre sa retraite

Comme on vient de le voir, à une certaine époque les travailleurs ne se retiraient que lorsqu'ils y étaient forcés soit en raison de leur mauvaise santé ou d'une mise à pied. En outre, puisque les programmes de soutien financier étaient inexistants, le nouveau retraité vivait dans la pauvreté. Même après l'introduction de mesures financières compensatoires, les sommes accordées étaient si minimes que cela équivalait à condamner la personne à vivre jusqu'à la fin de ses jours dans l'insuffisance. C'est vraisemblablement cette image négative du retraité âgé, pauvre et en mauvaise santé qui est restée associée à la retraite et qui règne encore dans plusieurs milieux. Cela explique pourquoi, au début, la période de la retraite était abordée par les travailleurs avec beaucoup d'inquiétudes et qu'on tâchait de la retarder le plus possible, même de l'éviter. À preuve, la proportion des travailleurs âgés de plus de 65 ans qui étaient encore sur le marché du travail en 1945 était de 48 % contre seulement 11 % en 1986 (McDonald & Wanner, 1990).

À la lumière de deux constatations, à savoir, premièrement, que la participation des travailleurs de plus de 65 ans sur le marché du travail est en déclin constant depuis les dernières années et que, deuxièmement, on observe une tendance à prendre volontairement une retraite plus précoce – l'âge moyen pour prendre sa retraite est de 60 ans –, il est permis d'affirmer que la perception de la retraite a radicalement changé. D'une situation qu'il fallait fuir, la retraite est maintenant devenue une réalité désirable pour plusieurs individus. Depuis de nombreuses années, il existe un intérêt de la part des chercheurs pour mieux saisir les éléments qui influencent la décision d'un travailleur de prendre sa retraite (Ruchlin & Morris, 1992). Les recherches mettent l'accent sur un groupe de travailleurs pour qui la retraite est intentionnelle, puisqu'il n'y a pas vraiment de choix possible lorsque la retraite est obligatoire ou forcée en raison de la mauvaise santé. Lorsque la retraite est obligatoire, seul l'âge du travailleur est important, alors qu'il peut en être autrement lorsqu'un travailleur décide librement de prendre sa retraite. Cette décision est non seulement influencée par plusieurs variables, mais elle implique invariablement une interaction complexe entre ces variables, interaction qui, à ce jour, exige d'être mieux documentée (Henretta *et al.*, 1992).

L'**âge** est évidemment associé à la volonté de prendre sa retraite puisqu'il est solidement en relation avec d'autres variables comme l'admissibilité aux pensions de la vieillesse ou l'obligation formelle de se retirer (Talaga & Beehr, 1989). Mais l'influence la plus forte de l'âge sur la décision de se retirer s'exerce sans doute par l'intermédiaire de la **santé** et du **revenu escompté** à la retraite. D'ailleurs, ces deux derniers facteurs ont souvent été considérés comme des motifs pour prendre une retraite anticipée. La majorité des travailleurs[1] choisissent de se retirer hâtivement soit parce qu'ils perçoivent leur état de santé comme étant une limite à la poursuite de leur travail ou parce qu'ils escomptent avoir un revenu adéquat au moment de leur retraite (Palmore *et al.*, 1985). Les experts de cette question reconnaissent maintenant que les problèmes de santé non seulement augmentent la probabilité d'une retraite prématurée (Atchley, 1985 ; Beehr, 1986 ; Muller & Boaz, 1988), mais empêchent le retraité d'en profiter le moment venu (Nowak & Brice, 1984). Cependant, plusieurs auteurs avancent que les travailleurs qui désirent prendre une retraite anticipée mentionnent comme raison principale les problèmes de santé parce qu'il s'agit d'un motif socialement plus acceptable que la perspective d'avoir davantage de temps libre, de loisirs (Kasl, 1980). Dans ces conditions, l'état de santé physique serait un prétexte pour prendre une retraite anticipée, et non pas la cause de cette décision. Alors que Muller et Boaz (1988) ont tenté sans succès de vérifier cette hypothèse, Ruchlin et Morris (1992) ont découvert, quant à eux, que la probabilité de se retirer était plus élevée chez les travailleurs dont la santé s'était détériorée que chez les travailleurs qui étaient restés en bonne santé. Les deux possibilités peuvent donc coexister : il se pourrait fort bien que certains travailleurs se retirent en raison d'une santé physique diminuée, alors que d'autres utilisent la mauvaise santé comme excuse.

---

1. Très peu d'études ont porté sur la retraite chez les femmes. D'ailleurs, Szinovacz (1982) a déploré avec justesse cette situation. Toutefois, à la lumière des plus récentes études, il faut avouer que la situation n'a pas beaucoup changé depuis.

L'autre aspect important dans la décision de prendre une retraite anticipée est la question des **ressources financières**. Pour Atchley (1976, 1985), lorsqu'un travailleur vient à considérer la possibilité de la retraite, il compare ses besoins financiers futurs avec les ressources financières escomptées. Si les ressources financières futures s'annoncent insuffisantes pour combler ses besoins financiers à la retraite, le travailleur cherchera alors à retarder celle-ci. Au contraire, lorsque la comparaison est positive, le travailleur pourra alors songer à prendre sa retraite. George et ses collaborateurs (1984) ont d'ailleurs découvert qu'un revenu élevé à la préretraite augmentait la probabilité pour les hommes de se retirer. Pour leur part, Schmitt et McCune (1981) ont découvert que le fait de percevoir son revenu à la retraite comme suffisant était relié avec la retraite. Toutefois, même si l'évaluation est positive, le travailleur n'envisagera pas de prendre sa retraite si celle-ci n'est pas le but désiré. Il est en effet possible que certaines caractéristiques de son emploi l'incitent à ne pas prendre sa retraite. Par exemple, le travailleur peut exercer un travail qui le satisfait, qui le valorise, qui est très riche et stimulant (Talaga & Beehr, 1989).

Les chercheurs se sont aussi efforcés de scruter la relation qui pouvait exister entre le travail et la retraite, notamment pour ce qui est des **attitudes**. En toute logique, on peut présumer qu'il existe une relation inverse entre les attitudes à l'égard du travail et la retraite anticipée. Il est en effet probable qu'une personne ayant une attitude négative envers son emploi soit portée à se retirer plus tôt, alors qu'à l'inverse un travailleur qui a une attitude positive envers son emploi cherchera à retarder sa retraite. Généralement, les travailleurs qui se retirent tôt sont moins attachés à leur emploi que ceux qui se retirent plus tardivement (McDonald & Wanner, 1990). Ces attitudes à l'égard de l'emploi paraissent toutefois jouer un rôle moins important que ceux joués par les aspects financiers et l'état de santé dans la prédiction de la retraite anticipée. Par exemple, selon Atchley et Robinson (1982), les hommes qui sont en bonne santé physique et qui perçoivent leur revenu comme suffisant sont ceux qui voient la retraite de manière positive. De même, on peut penser que les travailleurs à qui sourit l'idée de prendre leur retraite auront tendance à s'en prévaloir tôt, alors que ceux pour qui la retraite n'est pas une bonne idée la repousseront à plus tard. Pendant que les premiers travaux sur cette question suggéraient que la majorité des travailleurs envisageaient la retraite avec des sentiments négatifs, les travaux plus contemporains démontrent que l'âge de la retraite se décide de plus en plus tôt. Ces derniers résultats laissent apparaître un changement d'attitudes à l'égard de la retraite et confirment la tendance observée. Finalement, on pense souvent à tort qu'une bonne attitude envers le travail prédispose un individu à avoir une moins bonne attitude envers la retraite. Les études démontrent au contraire que des travailleurs ayant une attitude positive à l'égard de leur emploi peuvent aussi avoir une attitude positive envers la retraite (par exemple, Fillenbaum, 1971).

Les études sur la préférence des travailleurs pour une retraite anticipée suggèrent que ces derniers occupent des emplois de faible **prestige** et accomplissent des tâches monotones et épuisantes. Comme le mentionne Kasl (1980), la perception d'un déclin de la santé et une habileté réduite à accomplir un effort physique sont aussi d'autres facteurs en cause. À l'inverse, une situation plus élevée, plus prestigieuse et qui est associée généralement avec un revenu élevé, qui est davantage stimulante et qui permet au travailleur d'être plus autonome, rend l'idée de la retraite moins attrayante.

D'autres facteurs peuvent intervenir dans la décision de prendre une retraite anticipée. Il faut considérer l'atteinte des buts occupationnels, les caractéristiques de l'emploi, la situation de famille ainsi que les loisirs (Beehr, 1986). Une personne peut vouloir se retirer parce qu'elle a atteint tous les objectifs qu'elle s'était fixés et qu'elle n'a plus rien à attendre de son emploi ou, au contraire, parce qu'elle est tellement déçue de ne pouvoir atteindre ses objectifs que la retraite devient la seule issue intéressante. Les deux possibilités sont imaginables. Il est aussi probable qu'un travailleur cherchera à prendre sa retraite si les conditions de travail sont devenues indésirables. Par exemple, un travailleur peut juger que son emploi lui demande des déplacements trop nombreux ou qu'il exige beaucoup trop d'efforts physiques (Beehr, 1986). D'ailleurs, certaines études démontrent que les attitudes les plus positives à l'égard de la retraite anticipée sont associées à des emplois qui exigent beaucoup d'efforts physiques, alors qu'un niveau de scolarisation élevé et une situation plus prestigieuse sont associés à une préférence pour une retraite tardive (McGoldrick, 1989). Les personnes qui ont des emplois prestigieux tendent à voir la retraite de façon positive mais la retarderont puisqu'elles aiment trop leur travail, celui-ci constituant une source de gratification et d'accomplissement. Les travailleurs qui ont les emplois les moins prestigieux tendent aussi à voir la retraite de façon positive, mais ils ne peuvent en bénéficier en raison de ressources financières insuffisantes (Atchley, 1985 ; Schulz & Ewen, 1988). Enfin, les travailleurs de niveau intermédiaire tendent à prendre leur retraite tôt, car ils ont des ressources financières suffisantes sans être très attachés à leur emploi.

8.3.2 Conceptualisation de la retraite

On peut conceptualiser la retraite de plusieurs façons. On peut en effet la voir comme un événement, un rôle, une crise ou encore comme un processus (George, 1980 ; Haynes *et al.*, 1987 ; McDonald & Wanner, 1990). En tant qu'**événement**, la mise à la retraite se souligne par une cérémonie où le nouveau retraité est l'objet d'une fête et c'est à cette occasion qu'il reçoit généralement un cadeau d'appréciation pour les années consacrées à son emploi. Cette cérémonie constitue un rite de passage entre la fin de l'emploi et le commencement de la retraite (Atchley, 1985). La retraite peut aussi être conceptualisée comme une **crise** (Guillemard, 1977). Cette façon de conceptualiser la retraite souligne le changement significatif qui survient dans la vie d'un individu. Vue sous cet angle, la retraite est troublante parce qu'elle implique plusieurs pertes. Parmi celles-ci, il faut mentionner la perte du revenu, de l'activité, du statut social, d'un environnement familier, d'un groupe social, d'un horaire strict, etc. (Haynes *et al.*, 1987).

La retraite peut aussi être vue comme un moment de la vie où la personne doit remplir un **rôle** social, ce rôle social impliquant alors des droits et des devoirs. Un rôle se rapporte à des normes sociales ou culturellement transmises, gouvernant les droits et les devoirs associés à une position dans la société. Le rôle de la personne retraitée est toutefois ambigu. D'ailleurs, les experts ont longtemps débattu la nature de ce rôle et même si ce dernier existait vraiment. Pour sa part, Rosow (1974) mentionne que la retraite marque le début d'une période sans rôle précis (*roleless role*), ce qui force les adultes âgés à créer leur propre rôle en l'absence d'un rôle socialement défini. Les droits des retraités incluent le droit au soutien financier même si la personne n'occupe pas d'emploi, le droit de ne pas être stigmatisé par le fait d'être sans emploi, le droit d'occuper ses temps libres comme bon lui semble. Parmi les devoirs, il faut mentionner le devoir d'assumer ses propres responsabilités et d'éviter d'être dépendant d'autrui financièrement (Atchley, 1985 ; McDonald & Wanner, 1990).

Atchley (1976) conceptualise la retraite comme un processus renfermant sept phases, deux situées avant la retraite et cinq après la retraite-événement, et ce processus s'entame dès que la personne commence à songer à la retraite. Il importe de souligner qu'il n'est pas possible d'associer ces phases à un âge particulier ou à une période précise de l'existence. De plus, les personnes ne vivront pas nécessairement toutes les phases de ce modèle (Atchley, 1977). Certaines accéderont à la retraite à la fin du processus, alors que d'autres, selon la situation propre à chacune, termineront leur cheminement de façon plus hâtive (voir figure 8.1). Il faut cependant garder un esprit critique à l'égard de ce modèle, car il demeure théorique. En effet, un nombre très restreint d'études appuient l'hypothèse d'Atchley (1976) quant à certaines phases proposées.

– Préretraite

La **phase de la préretraite** se subdivise en deux sous-phases. La première est une **phase éloignée** où la retraite apparaît comme une étape positive mais encore lointaine qui surviendra un jour. La seconde est une **phase rapprochée** où la personne fixe une date précise pour le moment de son passage à la retraite. Lorsque l'individu se situe dans un espace de temps rapproché de la retraite, il amorce un

Figure 8.1 Les phases hypothétiques de la retraite selon Atchley

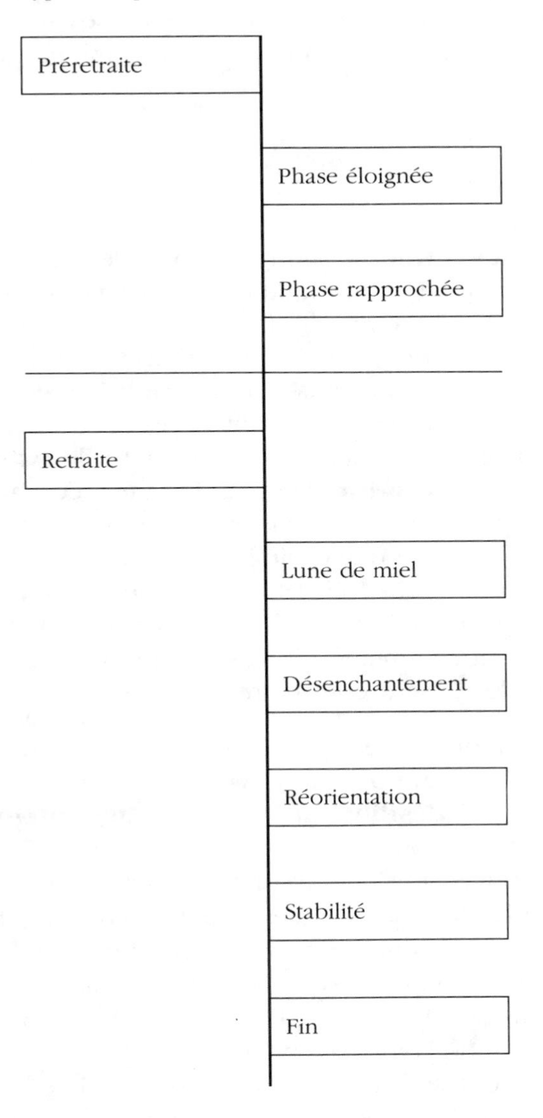

Source: Atchley (1976).

processus lui permettant de se préparer à la séparation du travail et des situations sociales qui sont associées à ce milieu. Les personnes commencent à percevoir des différences subtiles dans la façon dont les autres les perçoivent. Les fantasmes concernant la vie à la retraite se développent. Ces images peuvent s'avérer justes ou erronées. Lorsque ces représentations sont exactes, elles permettent de faciliter la transition lors du passage à la retraite, alors que si elles sont non représentatives, elles engendrent des attentes qui ne pourront être comblées, créant ainsi de l'insatisfaction.

– Retraite

Au moment de la retraite, le nouveau retraité peut se trouver dans une phase qu'Atchley appelle **lune de miel**. Comme son nom le laisse supposer, cette étape se décrit comme une période euphorique où le nouveau retraité tente d'accomplir tout ce qu'il n'a jamais eu le temps de faire. Cependant, ce ne sont pas tous les retraités qui traversent ce stade. Cela s'explique par le fait qu'une orientation positive envers la retraite ainsi qu'une situation financière permettant à la personne de s'offrir les types d'activité qu'elle désire sont nécessaires. La lune de miel ne peut toutefois se prolonger indéfiniment ; ainsi, tôt ou tard, le rythme de vie aura à se stabiliser à l'intérieur d'une **routine**. Une étude effectuée par Ekerdt et ses collaborateurs (1985) visant à vérifier l'existence de certaines étapes du modèle d'Atchley, souligne la présence d'une diminution de la satisfaction à l'égard de la vie, chez certains hommes, après 13 à 18 mois de vie à la retraite. Les auteurs associent cette réduction de la satisfaction à la fin de la lune de miel. Cependant, comme ils le mentionnent eux-mêmes, il n'est pas possible d'affirmer avec certitude qu'il y a une relation de cause à effet entre les deux phénomènes.

Pour une faible proportion des gens, une fois la lune de miel passée, lorsque le rythme des activités diminue ou que la vie à la retraite n'est pas ce à quoi l'on s'attendait, une période de **désillusion** ou de **désenchantement**, de laisser-aller, ou de dépression s'installe. Comme il a été souligné, une évaluation erronée de ce que sera la vie à la retraite peut être à la base de ce désenchantement. Plus l'évaluation est irréaliste, plus le vide et le sentiment d'échec seront grands. Ce qui se présente comme particulièrement pénible est l'écroulement des structures de choix, qui exige une restructuration de ces dernières afin qu'elles soient plus appropriées. Des recherches (Adams & Lefebvre, 1981 ; Ekerdt *et al.*, 1985 ; Haynes *et al.*, 1978) ont associé la diminution de la satisfaction à l'égard de la vie et le taux de mortalité à la retraite à la phase de désillusion. Ces données fournissent des indices de l'existence de cette période mais ne peuvent la prouver avec exactitude. La phase de **réorientation** survient en général chez les personnes qui sont désillusionnées par rapport à leur vie à la retraite. À l'intérieur de cette phase, le retraité effectue une évaluation de la situation en utilisant les expériences passées pour se former progressivement une vision plus réaliste de la vie, tout en tenant compte des ressources disponibles. C'est à cette étape que les gens évaluent de nouvelles possibilités d'engagement, puisque la majorité désirent demeurer actifs et prendre part au monde qui les entoure. La phase de la **stabilité** à la retraite est particulièrement importante. Si la vie d'une personne à la retraite s'avère satisfaisante, les probabilités que cette personne se stabilise et s'engage dans le quotidien sont alors très élevées. La routine permet aux individus de faire face aux changements ou aux imprévus qui peuvent survenir dans le quotidien, puisqu'ils acquièrent un ensemble de critères leur permettant d'effectuer un choix. Cela ne veut pas dire que la vie de retraité soit calme et peu mouvementée. Au contraire, elle peut être très active, mais d'une manière prévisible qui est satisfaisante. Certaines personnes atteindront la stabilité immédiatement après la lune de miel, alors que d'autres y arriveront après une difficile restructuration. La **fin de la retraite** correspond à deux situations précises :

- la retraite n'est plus ce que l'individu désire, et le retour au travail s'impose comme issue ;
- la maladie ou une incapacité physique empêche l'individu de vaquer à ses occupations journalières.

La dépendance s'installe alors et il devient impossible de remplir adéquatement le rôle de retraité, qui implique une certaine autosuffisance ainsi qu'une gestion responsable et personnelle de ses affaires.

8.3.3 Conséquences de la retraite pour l'individu

À la section précédente, on a vu que la retraite peut être conceptualisée de plusieurs façons. Abstraction faite des diverses façons de conceptualiser cet événement, la position dominante est que la retraite est un événement négatif de l'existence. À preuve, de nombreuses études ont comme postulat que la retraite est une transition importante, un événement majeur de l'existence, qui devrait, selon toute vraisemblance, engendrer des problèmes de santé ou nuire au bien-être. Nous avons presque tous l'image d'une personne en bonne santé qui a gagné sa vie âprement, d'un travailleur qui a planifié sa retraite avec attention pour ensuite tomber malade et mourir peu de temps après l'avoir prise. Il ne fait aucun doute que cette image populaire a contribué à l'idée que d'être à la retraite a un impact négatif sur l'individu. Mais qu'en est-il réellement ? Est-ce que les personnes tombent malades après avoir été mises à la retraite ou bien est-ce que les personnes se retirent parce qu'elles sont malades ? Il va sans dire que répondre à ces questions est d'importance capitale, car s'il était prouvé que la retraite amenait des conséquences négatives pour le retraité, il faudrait sérieusement la remettre en question ou prendre des actions prophylactiques pour en réduire les effets.

Depuis l'étude réalisée par Myers (1954), qui avait démontré que la **mortalité** augmentait dans les deux années suivant la mise à la retraite pour diminuer par la suite, plusieurs autres recherches ont tenté de confirmer l'incidence de la retraite sur le taux de mortalité. Toutefois, ces tentatives sont restées vaines dans l'ensemble, puisque les recherches n'ont pas clairement démontré l'existence d'une relation entre l'augmentation de la mortalité et la retraite. Par exemple, Haynes et ses collaborateurs (1978, 1987) ont étudié le taux de mortalité chez près de 4 000 travailleurs sur une période de 10 ans. Les auteurs n'ont observé aucun excès de mortalité significatif chez les retraités comparativement à ceux qui continuent de travailler. Le seul véritable déterminant de la mortalité est l'état de santé. Plutôt que d'être la conséquence de la mise à la retraite, le taux de mortalité plus élevé après la retraite peut donc s'expliquer par une mauvaise santé précédant la retraite et qui, dans bien des cas, motivait le travailleur à prendre sa retraite prématurément. Une autre étude importante vient de Tyhurst et ses collaborateurs (1957). À l'aide de plusieurs indices, ces auteurs ont voulu déterminer si la retraite avait un impact sur la mortalité chez des employés d'une entreprise canadienne de communications comptant 9 000 employés. L'hypothèse voulant que la retraite soit la cause d'une mort prématurée s'avérerait juste si les auteurs constataient une augmentation importante du taux de mortalité après la retraite comparativement à plus tard. Après avoir estimé le taux de mortalité de tous les pensionnés depuis que cette compagnie a mis en place un régime de pension en 1917, Tyhurst et ses collaborateurs n'ont pas obtenu ce profil. Au contraire, ils ont remarqué en réalité que le taux de mortalité suivait une courbe ascendante. Ces auteurs ont également estimé le taux de survie après la retraite. Leurs données montrent que la chance de survivre dans les cinq années suivant la retraite ne diminue pas. Ces résultats sont analogues à ceux obtenus par Haynes à savoir que la retraite n'entraîne pas une mortalité accrue.

Une autre interrogation des chercheurs a été de savoir si la retraite causait une augmentation de la maladie physique. Une des études les plus connues à ce propos est la *Cornell Study of Occupational Retirement* de Streib et Schneider (1971). Cette étude s'est déroulée entre 1952 et 1959 et concernait plus de 1 800 hommes et femmes. Si les auteurs remarquent effectivement que la santé diminue entre les deux évaluations, ils concluent que cette diminution ne peut pas être attribuée au fait d'être à la retraite, puisque ceux et celles qui ont continué de travailler manifestaient un déclin similaire de leur état de santé. En outre, les retraités qui ont subi un déclin de la santé pendant cette période sont les premiers à ne pas l'associer avec la retraite. Ces résultats laissent supposer que la diminution de la santé physique est davantage associée à l'avancement en âge qu'au fait d'être à la retraite. David Ekerdt et Raymond Bossé ont élaboré une vaste étude connue sous le nom de *Normative Aging Study* afin de vérifier, entre autres, l'effet de la retraite sur la santé. Cette étude longitudinale d'envergure s'est déroulée dans la région de Boston et a été menée à partir de 1963 avec près de 2 000 hommes volontaires nés entre 1884 et 1945. Cet échantillon a été sélectionné à partir d'un échantillon comprenant plusieurs milliers d'individus après que des examens eurent confirmé que ceux-ci étaient exempts de problèmes chroniques de santé. Les participants à cette étude avaient un examen physique tous les cinq ans jusqu'à l'âge de 52 ans et un examen tous les trois ans, par la suite. Dans une de leurs nombreuses études, Ekerdt et ses collaborateurs (1983b) administrent le *Cornell Medical Index* avant et après la retraite. Cet index médical contient 195 symptômes somatiques et psychologiques. Bien que les auteurs remarquent une augmentation des plaintes somatiques sur une période de trois à cinq ans, ils n'observent aucune différence entre les hommes qui ont pris leur retraite et ceux qui ont continué de travailler. Des résultats similaires ont été obtenus sur la santé physique telle que l'ont évaluée objectivement des tests médicaux (Ekerdt *et al.*, 1983a). En France, Poitrenaud et ses collaborateurs (1987), dans leur étude longitudinale comparant des hommes retraités et des hommes sur le marché du travail provenant de trois catégories socioprofessionnelles, sont arrivés à la conclusion que la retraite n'avait pas de conséquences néfastes sur la santé. Dans une autre étude prospective se déroulant en Finlande, Salokangas et Joukamaa (1991) ont démontré eux aussi que la retraite n'avait pas d'effet sur la santé physique.

Fait intéressant à souligner, non seulement les études empiriques ont été incapables d'établir un lien entre la mortalité, la morbidité et la retraite, mais certaines études ont montré que la retraite pouvait au contraire avoir un effet salutaire sur la santé. Ainsi, Tyhurst et ses collaborateurs (1957) ont découvert que 40 % des hommes retraités montraient une amélioration de leur santé entre la période précédant la retraite et après la retraite, alors que 37 % ne montraient ni amélioration ni détérioration. Dans l'étude de Streib et Schneider (1971), de 22 % à 40 % des retraités affirment que leur santé est meilleure depuis qu'ils sont à la retraite, alors que 6 % affirment le contraire. Ryser et Sheldon (1969), après avoir colligé des données auprès d'hommes et de femmes âgés de 60 à 70 ans, constatent que deux fois plus de sujets témoignent d'une amélioration de leur santé plutôt que l'inverse. Ekerdt et ses collaborateurs (1983c), après avoir demandé à leurs sujets qui étaient retraités depuis une moyenne de trois ans s'ils croyaient que la retraite avait eu un effet sur leur santé, ont découvert que 50 % des retraités ne manifestaient aucun effet, que 38 % affirmaient que la retraite avait eu un effet bénéfique sur leur santé, alors que 1 % mentionnait que la retraite avait eu un effet nuisible. L'effet positif de la retraite sur la santé pourrait s'expliquer par l'abandon d'un travail déplaisant, exigeant, au profit d'un style de vie plus sain et moins pénible (Ekerdt & Bossé, 1982). Il est d'ailleurs intéressant de constater que les retraités qui prétendent que la retraite a eu un effet positif sur leur santé sont en général ceux qui avaient un travail physiquement exigeant et qui se disaient insatisfaits de leur emploi (Ekerdt *et al.*, 1983c).

La recherche des effets de la retraite s'est également étendue à d'autres sphères, dont le bien-être psychologique. Encore une fois, les effets sont moins importants que certains ne l'avaient prévu, sinon inexistants. Par exemple, Streib et Schneider (1971) ont découvert que la retraite ne produisait aucun changement significatif dans la satisfaction à l'égard de la vie. Thompson (1973), après avoir examiné près de 1 600 hommes, a conclu que la retraite diminuait le « moral ». Toutefois, lorsque l'on tient compte de l'état de santé, de l'âge du retraité ou encore du revenu, on se rend compte que cette relation entre la retraite et le « moral » ne tient plus. En utilisant les données de la *National Longitudinal Survey of the Labor Market Experience of Mature Men (MLS)*, Crowley (1986) a découvert que la retraite n'était pas liée à un bien-être négatif. Des résultats similaires ont été obtenus dans l'étude de Poitrenaud et ses collaborateurs (1987), ceux-ci n'ayant découvert aucun effet nuisible de la retraite sur le bien-être. Palmore et ses collaborateurs (1984), en utilisant les données de six études longitudinales, ont découvert que la situation de retraité avait peu d'effet négatif sur la satisfaction à l'égard de la vie ou le bonheur. Un résultat divergent a été obtenu par Bossé et ses collaborateurs (1987). Ces chercheurs ont découvert que les retraités ayant participé à la *Normative Aging Study* manifestaient plus de symptômes dépressifs, d'anxiété, de somatisation, d'anxiété phobique et d'obsession-compulsion qu'un groupe de travailleurs, et ce, même après avoir contrôlé l'effet de l'âge et de la santé physique (voir figure 8.2). Ils ont avancé préliminairement l'explication suivante : les travailleurs qui ont une pauvre santé mentale sont aussi insatisfaits de leur emploi et prennent donc leur retraite plus tôt.

En résumé, l'opinion fort répandue voulant que la retraite engendre une augmentation de la mortalité ou une dégradation de la santé physique en raison du fait qu'elle constitue un événement majeur de l'existence n'a jamais été clairement confirmée jusqu'à ce jour. En 1976, MacBride, dans son excellent bilan des recherches à ce sujet, concluait à l'absence de preuve. Mais en dépit d'évidences sérieuses, nombreux sont ceux qui, comme Minkler (1981), persistent à assurer le contraire. À l'instar de MacBride (1976) et d'Ekerdt (1987), on peut se demander pour quelles raisons cette notion négative de la retraite persiste. En d'autres mots, pourquoi le mythe de la retraite comme événement nuisible de l'existence maintient-il sa crédibilité et connaît-il de nombreux défenseurs, alors que les résultats vont généralement dans le sens contraire ? Plusieurs explications ont été avancées. Mais avant d'examiner celles-ci, il est permis de s'interroger sur le bien-fondé de l'affirmation voulant que la retraite soit un événement majeur de l'existence. Il semble que l'étude canadienne de Matthews et ses collaborateurs (1982) ait été l'une des premières à s'interroger sur cette question. Notons d'abord que sur l'échelle d'évaluation de la réadaptation sociale de Holmes et Rahe (1967), la retraite se classe au 10e rang, parmi 43 événements (voir tableau 8.1). Cela cons-

Figure 8.2 Moyennes obtenues au SCL-90 par des retraités et des travailleurs

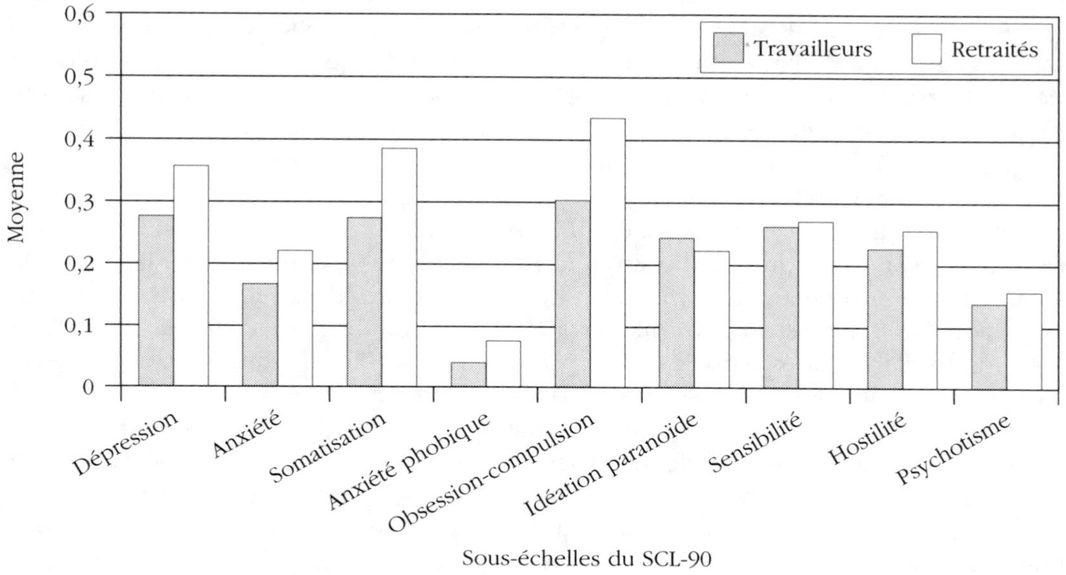

Travailleurs
Retraités
Moyenne
0,6
0,5
0,4
0,3
0,2
0,1
0
Dépression
Anxiété
Somatisation
Anxiété phobique
Obsession-compulsion
Idéation paranoïde
Sensibilité
Hostilité
Psychotisme
Sous-échelles du SCL-90

Source: Bossé et ses collaborateurs (1987).

titue déjà une indication qu'il y a d'autres événements plus stressants dans la vie des individus. Cependant, puisqu'un nombre très restreint de participants à l'étude de Holmes et Rahe étaient à la retraite, on peut se demander quelle position la retraite aurait occupé si l'on avait interrogé des retraités. C'est précisément ce qu'ont fait Matthews et ses collaborateurs. Bien que certains retraités interrogés aient placé la retraite à un niveau très élevé, celle-ci a été placée au 28e rang par l'ensemble des retraités eux-mêmes. Plus récemment, Bossé et ses collaborateurs (1991) ont demandé aux participants à l'étude nommée *Normative Aging Study* s'ils considéraient la retraite comme un événement stressant. Près de 70 % des retraités ont affirmé que la retraite n'était pas stressante et l'ont classée au 30e rang dans une liste contenant 31 autres stresseurs. Ces résultats remettent donc en question l'affirmation que la retraite est un événement perçu comme stressant.

Pour MacBride (1976), l'une des raisons à la base de cette affirmation est l'idée jugée cohérente et intuitivement correcte que la retraite peut nuire à la santé. Cette croyance devient alors très difficile à changer et se renforce même à chaque fois que nous sommes témoins d'un « cas » la confirmant, sans nous interroger sur les causes réelles. La seconde raison tient à la croyance fermement ancrée selon laquelle le rôle du travail est capital. Selon certains postulats, « le travail est le facteur fondamental de l'intégration sociale et c'est à partir de ce facteur que la plupart des individus construisent et renforcent leurs sentiments de valeur et d'identité personnelles » (Poitrenaud *et al.*, 1987, p. 176) ; si l'on adhère à de tels postulats, il devient raisonnable de croire que le fait d'être privé de travail ne peut entraîner que des conséquences néfastes pour l'individu. Cette perception négative de la retraite est dans la ligne de l'idéologie qui confère au travail plusieurs vertus (Ekerdt, 1987). Ceux qui s'opposent à la retraite parce qu'elle est préjudiciable à la santé valorisent de manière explicite cette idéologie. Pendant longtemps, ce raisonnement a été à la base du discours gérontologique dont on peut retracer les aspects les plus fondamentaux dans la théorie de l'activité (voir chapitre 7). Cette théorie stipule que la vieillesse réussie réside dans la participation sociale et que, s'il y a lieu, la personne âgée doit trouver des substituts aux activités perdues. Les nombreuses études qui visent à documenter les conséquences nuisibles de la retraite ont généralement pour toile de fond cette idée. La retraite serait une transition importante, car le travailleur fait plus que de perdre un emploi, il perdrait sa routine, dans laquelle toute sa vie et celle de ses proches étaient structurées. D'ailleurs, les partisans de la position de crise mentionnent que la retraite produit des effets négatifs en raison du fait que l'identité de l'individu se modélise à même le travail et que ce dernier est le rôle le plus légitime qu'une personne puisse accomplir. Dès lors, une personne dépourvue d'emploi en vient à perdre ce rôle, et cette perte réduit le respect que la personne a d'elle-même ; cela amène un retrait additionnel de la vie sociale qui provoque l'isolement, la maladie, et une diminution de la satisfaction à l'égard de la vie. En contrepartie, on peut émettre l'opinion que cette idée n'est pas totalement fausse, mais qu'avec le temps le travailleur en arrive – sauf en de très rares cas – à se détacher de son travail et à affermir son identité et son estime personnelle dans d'autres lieux d'activité. On peut alors penser à un nouveau rôle joué dans la famille ou à toute autre activité non reliée au monde du travail.

Une autre explication de l'affirmation voulant que la retraite soit un événement négatif pourrait venir des conditions outrageusement pénibles qu'ont eu à subir les premières générations de retraités. On se souvient que les programmes d'assistance ont tardé à se matérialiser et que, par la suite, ils offraient un soutien financier limité. Devant cette réalité, il n'était donc pas surprenant que la majorité des travailleurs appréhendent la mise à la retraite, car elle était annonciatrice de conditions de vie très pénibles. On a sans doute conservé cette image élégiaque dans une certaine mesure, malgré l'évidente contradiction représentée par le fait que les travailleurs désirent prendre une retraite hâtive.

8.3.4 Préparation à la retraite

Les programmes de préparation à la retraite ont commencé à voir le jour vers les années 1950 (Olson & Kosloski, 1988). Ces programmes étaient basés sur l'hypothèse que les travailleurs ne souhaitaient pas prendre leur retraite et qu'ils n'en retiraient aucune satisfaction une fois qu'ils l'avaient prise. Par conséquent, la préparation à la retraite se présentait comme un facteur pouvant exercer une influence positive sur la retraite. En effet, la retraite future peut comporter beaucoup d'incertitudes pour la personne ayant à l'affronter et le manque de planification peut être une source d'anxiété et de malaise.

La préparation à la retraite se présente sous deux formes : le counseling et la planification. Chaque type de préparation vise un but différent et ne produit pas des effets semblables. La vision qui sous-tend le counseling consiste à faciliter la transition et l'adaptation à la situation de retraité en changeant les attitudes. Selon cette vision, la retraite est perçue comme une période de crise. Le counseling se donne comme mandat d'aider la personne à faire face à la retraite pour en diminuer les effets négatifs. Le second type de préparation est axé sur la planification, c'est-à-dire qu'il permet à la personne d'envisager les changements que la retraite peut entraîner (par exemple, diminution de revenu, augmentation du temps disponible). Dans cette optique, la préparation peut stimuler la recherche d'information, l'élaboration de questions et de plans. Elle vise également un second but, qui est de tenter de diminuer le niveau d'anxiété ressenti par une personne à l'approche de la retraite. Les personnes qui élaborent des projets sont moins inquiètes au sujet de leur vie à la retraite et s'avèrent plus sereines à l'idée de terminer leur participation active au marché du travail. L'importance de la planification de la retraite réside dans l'assistance qu'elle fournit à l'étape de la préretraite (Kroeger, 1982), en permettant à l'individu d'obtenir de l'information, ce qui, en retour, peut dissiper ses inquiétudes et éventuellement l'amener à définir des plans d'action. Clarifier les inquiétudes face à la retraite permet de se former une conception réaliste, ce qui, en retour, facilite le processus d'adaptation. Planifier la retraite, tout en ayant une vision réaliste de ce que sera la vie à cette étape, permet d'avoir des attentes raisonnables, ce qui peut prévenir les effets négatifs d'une déception engendrée par une évaluation erronée de la situation.

Toutefois, il est important de souligner qu'il existe très peu d'études qui ont vérifié l'efficacité des programmes de préparation à la retraite pour l'adaptation à cette dernière (Ekerdt, 1989). Il devient alors difficile de juger de leur pertinence et de leur nécessité (Olson & Kosloski, 1988), surtout à la lumière des résultats précédents qui suggèrent que la retraite a moins d'effets néfastes sur la santé physique et le bien-être qu'on ne l'avait prévu. On peut cependant affirmer que ces programmes de préparation à la retraite pourraient être utiles à une sous-catégorie de travailleurs pour qui la période de la retraite s'avérerait problématique.

8.4 RELOGEMENT

Lorsqu'on aborde le sujet du relogement des personnes âgées, on pense immédiatement à l'admission dans un établissement comme un centre d'accueil ou un centre hospitalier de soins de longue durée. Cependant, le relogement est un terme générique qui englobe ici plusieurs réalités allant du déménagement dans un autre domicile à l'admission dans un centre d'hébergement collectif, au transfert d'un établissement à un autre ou au déplacement à l'intérieur d'un même établissement. Il faut toutefois souligner que la majorité des travaux ont porté sur le relogement dans un établissement (Baglioni, 1989).

Deux raisons expliquent cet intérêt particulier pour le relogement dans un établissement. La première vient sans doute du fait que, en dépit des efforts pour l'éviter, l'admission ou la vie en milieu spécialisé représente une réalité incontournable pour un certain nombre de personnes âgées (Burnette, 1986). Quoiqu'il soit difficile d'arriver à une évaluation précise, on estime que 6,7 % (4,7 % des hommes et 8,2 % des femmes) des personnes de 65 ans et plus vivent pour l'instant dans un établissement au Canada, ce qui représente, selon Forbes et ses collaborateurs (1987), le taux le plus élevé du monde. Pour les 85 ans et plus, le taux est encore plus dramatique, atteignant 33 % (Forbes *et al.*, 1987). Pour diverses raisons, également, la personne âgée placée dans un établissement pourra être appelée à changer d'établissement. En outre, il est probable qu'en raison d'une santé précaire une personne âgée soit un jour ou l'autre admise dans un centre hospitalier de soins de courte durée. La seconde raison vient du fait que les établissements pour personnes âgées sont envisagés comme des milieux déshumanisants et dépersonnalisants, donc comme des endroits à éviter. Il devient donc justifié dans ces conditions de se questionner sur les effets du relogement des personnes âgées ainsi que sur les conditions qui atténuent ces effets. Mais avant de répondre à ces questions, il est approprié ici de se demander quelles sont les personnes qui risquent d'être placées dans un établissement.

8.4.1 Personnes risquant d'être placées dans un établissement

Grâce à certains travaux (par exemple, Branch & Jette, 1982 ; Shapiro & Tate, 1985) et à certaines recensions des écrits (par exemple, Trahan, 1989 ; Wingard *et al.*, 1987), on connaît mieux certains des facteurs de risque en ce qui concerne le placement d'une personne âgée dans un établissement. Ces facteurs sont :

- être âgé de 85 ans et plus ;
- être une femme ;

- ne pas avoir de réseau de soutien (conjoint, parent, enfant, etc.);
- vivre seul;
- être incapable de réaliser certaines activités de la vie quotidienne telles que se vêtir ou préparer les repas;
- souffrir d'un trouble mental.

Récemment, Shapiro et Tate (1988) ont voulu déterminer la probabilité d'être placé dans un établissement selon la présence ou l'absence de ces facteurs. Les résultats de cette étude confirment l'importance de l'**âge**. La probabilité pour une personne d'être admise dans un établissement est huit fois plus élevée si elle est âgée de plus de 85 ans (16%) plutôt que de 75 ans ou moins (2%), et ce, indépendamment de sa condition sociale, physique ou mentale. Si, en outre, cette personne de 85 ans ne vit pas avec un conjoint, le risque augmente à 19%; il augmente à 31% si elle a été récemment hospitalisée, à 44% si elle vit dans une maison pour retraités, à 53% si elle a besoin d'assistance pour une ou plusieurs activités de la vie quotidienne et à 62% si elle souffre d'un trouble mental. On remarque que la probabilité d'être placé dans un établissement reste en deçà de 50% s'il y a absence de **problème fonctionnel ou mental**.

Cette étude met en lumière un autre résultat particulièrement intéressant, soit la nécessité d'être soutenu par quelqu'un, et, dans cette étude de Shapiro et Tate (1988), il s'agit du conjoint. Le risque d'être placé dans un établissement pour une personne de plus de 85 ans qui a été récemment hospitalisée, qui vit dans une maison pour retraités et qui a un problème fonctionnel et mental est de 62% si elle n'a pas de conjoint. Cette probabilité chute à 37% si cette même personne peut s'appuyer sur un conjoint – à la condition, bien entendu, que celui-ci soit une source d'aide. En d'autres mots, pour deux personnes comparables, le fait d'avoir recours ou non au placement dans un établissement dépendra en grande partie de la disponibilité d'une **aide** (Trahan, 1989). Cette aide peut être soit informelle (par exemple, conjoint, parents, amis, etc.) ou formelle (par exemple, services de soins à domicile, popote roulante, etc.). L'absence de conjoint expliquerait d'ailleurs la surreprésentation des femmes placées dans un établissement.

8.4.2 Conséquences du relogement

Deux préoccupations émergent de l'ensemble des travaux qui ont porté sur le relogement en général et le relogement dans un établissement en particulier. La première concerne la validation de l'hypothèse voulant que le relogement provoque des effets négatifs, mais plus spécialement celle voulant qu'il entrave les chances de survie de la personne (Baglioni, 1989). C'est du reste le taux de mortalité qui est la conséquence la plus étudiée. Des expressions telles que le « choc du transfert », le « stress du relogement » ou le « traumatisme du relogement » sont souvent utilisées en référence à cette idée que le relogement a des effets délétères (Coffman, 1981). Ce n'est pas une tâche facile de déterminer avec certitude si les effets observés sont directement liés au relogement ou s'ils dépendent d'autres variables qui existaient *avant* l'événement (Lieberman, 1969). Ici comme ailleurs, c'est tout le problème de la causalité qui se pose. Par exemple, on constate que les personnes qui viennent d'être placées dans un établissement ont un taux de mortalité plus élevé que celui des personnes qui ne le sont pas. Peut-on en conclure que cette mortalité plus élevée est une réaction au stress du relogement ? La réponse à cette question est assurément non. Il faut plutôt se demander s'il ne s'agit pas là de l'effet d'une mauvaise santé, tant physique que mentale, ou de l'âge avancé des personnes. Il devient facile de confondre les effets de la mauvaise santé et de l'âge avec ceux du relogement. La deuxième préoccupation, qui sera examinée plus loin, découle tout naturellement de la première et porte sur la détermination des facteurs ou des circonstances qui peuvent éventuellement atténuer les effets négatifs du relogement.

Burnette (1986) rappelle que c'est vers les années 1950 que certains se sont demandé si le fait de déplacer une personne âgée de son milieu vers un autre pouvait avoir un impact négatif sur son bien-être. Derrière ce questionnement, il y a l'idée que le relogement est un événement stressant et que, par conséquent, la personne qui vit cette expérience doit en subir des conséquences négatives. Il faut toutefois attendre les années 1960 pour voir apparaître les premiers travaux systématiques sur cette question. Les résultats de certains de ces travaux confirment l'idée que le relogement est un événement préjudiciable à la personne âgée. Par exemple, Aldrich et Mendkoff (1963), après avoir colligé les taux de mortalité pour les années antérieures à la fermeture d'un hôpital, constatent que les patients âgés relogés ont un taux de mortalité significativement plus élevé que le taux auquel on se serait attendu s'ils n'avaient pas été déplacés vers un autre établissement, et que cette augmentation se manifeste surtout dans les trois premiers mois suivant le relogement.

Par la suite, plusieurs études ont été entreprises, surtout dans les années 1970, pour confirmer ces résultats. C'est du reste durant cette période que surgira la controverse en raison des résultats contradictoires obtenus. Certains travaux confirmeront l'hypothèse voulant que le relogement nuise au bien-être et même à la survie des personnes âgées, alors que d'autres infirmeront cette hypothèse. Cette controverse a d'ailleurs donné lieu à plusieurs échanges virulents entre les défenseurs de cette hypothèse (par exemple, Bourestom & Rastalan, 1981 ; Horowitz & Schulz, 1983) et ceux qui prétendent qu'il ne s'agit ni plus ni moins que d'un mythe (par exemple, Borup, 1983 ; Borup & Gallego, 1981 ; Coffman, 1981, 1983).

Lorsque ces travaux, qui s'étendent sur une période de 30 ans et dont on trouve d'excellentes synthèses dans Baglioni (1989), Coffman (1981) et George (1980), sont analysés avec soin, il est possible de trouver une certaine explication à ces résultats contradictoires. Ce qui ressort d'une telle analyse, c'est la diversité des méthodes de recherche utilisées, des populations étudiées, des circonstances et des conditions entourant le relogement, et la façon d'analyser les résultats. Les travaux sont tellement distincts les uns des autres qu'on peut se demander si c'est vraiment le même phénomène qui est à l'étude et s'il est possible de dégager une conclusion générale. Malgré tout, c'est à cette tâche que quelques auteurs, dont Coffman (1981), se sont consacrés en espérant faire la lumière une fois pour toutes sur cette épineuse question.

Après avoir réanalysé l'ensemble des travaux disponibles, Coffman (1981) est parvenu à la conclusion que l'hypothèse des effets nuisibles du relogement, et en particulier du placement dans un établissement, sur la santé n'était pas confirmée. En effet, seulement 6 des 24 études analysées ont constaté une augmentation du taux de mortalité, alors que 8 études ont observé la tendance inverse, c'est-à-dire que les personnes âgées relogées avaient un taux de mortalité moins élevé. Par ailleurs, 12 études n'ont pas relevé d'effet significatif. Toutefois, en raison des limites exposées précédemment, il serait sans doute plus prudent de dire que les travaux n'ont pas permis de soutenir de façon catégorique l'une ou l'autre des positions.

8.4.3 Conditions influant sur l'adaptation au relogement

Plusieurs auteurs (par exemple, Horowitz & Schulz, 1983) sont d'avis qu'un ensemble de conditions peuvent influer, positivement ou négativement, sur l'adaptation des personnes âgées relogées. Parmi ces conditions, on note :

- la préparation ;
- le consentement ;
- le degré de changement environnemental impliqué ;
- certains traits de personnalité ;
- l'état physique ou mental.

Outre le fait que ces conditions pourraient éclaircir la question des résultats contradictoires – les travaux variant pour l'une ou l'autre, sinon plusieurs, de ces conditions –, elles suggèrent des directions à suivre lorsque vient le moment de reloger une personne âgée. Il faut toutefois remarquer qu'aucune recherche n'a étudié ces variables en même temps, ce qui empêche d'établir leur importance relative.

On remarque que les personnes âgées ayant reçu une certaine **préparation** avant d'être déplacées s'adaptent plus facilement. C'est ainsi que Jasnau (1967) observe une augmentation de 35% du taux de mortalité chez les personnes qui ont été déplacées en groupe dans un centre d'accueil, donc sans préparation ni attention particulière. Par contre, les personnes âgées transférées individuellement et avec leur consentement, qui ont donc bénéficié d'une meilleure préparation, présentaient une augmentation du taux de mortalité au-dessous de celle attendue, soit environ 5%. L'étude de Jasnau souligne l'importance d'un autre aspect qui favorise l'adaptation, soit le **consentement** au déplacement. Une personne qui consent à être relogée ou qui a décidé elle-même de l'être s'adaptera plus facilement à son nouvel environnement, quel qu'il soit. Cette hypothèse est d'ailleurs soutenue par Ferrari (1963). Ce dernier note en effet que 94% des personnes qui n'ont pas eu le choix d'être relogées sont mortes dans les 10 semaines suivant leur admission dans l'établissement, alors que le taux de mortalité des personnes relogées avec leur consentement ne dépasse pas 3%.

Le **degré de changement** impliqué par le relogement est une autre condition déterminante : plus le nouvel environnement est différent de celui d'origine, plus l'adaptation à ce nouveau milieu sera ardue (Lieberman, 1969). Dans ce cas, les effets du placement dans un établissement peuvent être vus non pas comme un produit des caractéristiques de ce dernier, mais davantage comme les conséquences de l'effort d'adaptation exigé par ce nouveau milieu (Lieberman, 1969). Bourestom et Tars (1974) ont étudié les effets du relogement en fonction du degré de changement entraîné. Trois groupes de personnes âgées sont alors mis en comparaison. Le premier groupe subit un changement de résidence « radical ». Le changement est qualifié de radical parce que les personnes ont dû s'adapter non seulement à un nouvel environnement, mais aussi à de nouveaux préposés, à de nouveaux programmes ainsi qu'à de nouveaux résidents. Le second groupe est aussi déplacé, mais le changement est jugé moins important, car seul l'établissement est nouveau. À noter que les sujets des deux groupes n'ont pas le choix d'être déplacés. Enfin, des personnes âgées qui ne sont pas transférées servent de groupe de comparaison. Deux résultats sont particulièrement remarquables. Le premier est que les deux groupes de personnes relogées montrent un taux de mortalité supérieur à celui du groupe de comparaison. Ce résultat confirme donc l'hypothèse voulant que le relogement diminue les chances de survie. Le second résultat est que, parmi les personnes relogées, ce sont celles qui ont dû subir un changement d'environnement qualifié de radical qui enregistrent le plus haut taux de mortalité.

Ces trois conditions concordent avec le modèle théorique proposé par Schulz et Brenner (1977). Ces auteurs affirment que l'adaptation à un nouveau milieu est tributaire de deux facteurs intimement liés : le **degré de contrôle** exercé par la personne et la **prévisibilité** du nouvel environnement. Ainsi, le contrôle s'exerce de différentes manières, mais cela peut s'amorcer dès la prise de décision. Une personne âgée qui décide elle-même d'aller vivre ailleurs, que ce soit dans une autre résidence ou dans un établissement, a davantage le sentiment qu'elle maîtrise sa destinée que celle dont le relogement a été décidé par d'autres. La prévisibilité du nouvel environnement dépend de deux facteurs selon Schulz et Brenner (1977). En premier lieu, la prévisibilité est en relation inverse avec l'ampleur du changement entraîné. Si l'environnement qui accueillera la personne âgée est très différent du milieu d'origine, il sera perçu comme imprévisible, voire menaçant, et fera appel d'une manière excessive aux capacités d'adaptation. À l'inverse si le nouvel environnement est semblable au milieu d'origine, ou en est très proche, l'adaptation devrait se faire plus naturellement. En second lieu, la prévisibilité du nouvel environnement est en relation directe avec le niveau de préparation. Si la préparation est adéquate, le nouveau milieu s'apprivoise plus facilement, est moins menaçant, car la personne a déjà l'impression de le connaître.

Selon Lieberman (1974), c'est la **qualité** du nouvel environnement ainsi que la **congruence** entre ce dernier et la personne qui ont un impact sur l'adaptation. Un établissement de qualité reconnaît les besoins de la personne, donne des soins appropriés, offre un environnement stimulant, permet à cette dernière d'exercer un certain contrôle sur son quotidien et n'est pas imperméable à la communauté, aux relations avec le monde extérieur. Un établissement qui infantilise les résidents a un effet dévastateur. Pour ce qui est de la **congruence** entre l'environnement et la personne, mentionnons, par exemple, qu'un établissement encourageant l'autonomie sera menaçant pour une personne âgée passive ; à l'inverse, un milieu qui privilégie la passivité et la dépendance présentera des difficultés pour une personne désirant exercer un certain contrôle sur son existence.

Certains liens ont été établis entre des traits de **personnalité** et l'adaptation des personnes âgées à la vie dans un établissement (Tobin & Lieberman, 1976). Les personnes âgées qui paraissent immunisées contre les effets négatifs sont celles qui démontrent de l'agressivité envers leur entourage, qui sont enclines à blâmer les autres, qui possèdent un faible niveau d'empathie et qui se maintiennent loin des autres par méfiance (Turner *et al.*, 1972), alors que la passivité est associée à une adaptation plus difficile. Les traits de personnalité décrits plus haut sont sans doute déplaisants pour autrui, mais ils peuvent être nécessaires dans un environnement comme un établissement.

Une mauvaise **santé physique** (Lieberman, 1974) ou la présence d'un **trouble mental** (par exemple, Aldrich, 1964) s'inscrivent comme d'importants prédicteurs du traumatisme post-relogement. Par exemple, Eckert (1983) a démontré que seules les personnes ayant une santé physique précaire avant le relogement en subissaient les contrecoups. Un résultat similaire avait été obtenu par Borup et ses collaborateurs (1980), qui ont découvert que les sujets âgés « handicapés » avaient un taux de mortalité plus élevé que celui des sujets âgés « non handicapés ». Mais ces résultats sont troublants, car les personnes qui risquent de subir des effets négatifs lors du relogement sont également celles qui risquent d'être relogées.

Ces résultats, qui confirment l'hypothèse du choc du relogement dans certaines conditions particulières, sont cependant contredits par plusieurs travaux (par exemple, Anderson, 1967; Borup *et al.*, 1979, 1980; Gutman & Herbert, 1976; Miller & Lieberman, 1965; Wittels & Botwinick, 1974). Ainsi, Gutman et Herbert (1976) n'ont pas découvert de changement dans le taux de mortalité relatif à un groupe d'hommes âgés malgré le fait que ceux-ci étaient pour la plupart confus, qu'ils avaient des incapacités fonctionnelles sévères et qu'ils avaient été transférés sans leur consentement dans un autre hôpital. Bien que ces auteurs expliquent *a posteriori* ce résultat par le degré modéré de changement environnemental impliqué, une autre explication pourrait être que le transfert n'a tout simplement pas d'effets négatifs. Des résultats similaires ont été obtenus par Borup et ses collaborateurs (1979, 1980), qui n'ont remarqué aucun changement dans le taux de mortalité des sujets en dépit du caractère involontaire du relogement de ces derniers. Mais dans les travaux de Borup et ses collaborateurs, seules les personnes en condition d'être interviewées ont été étudiées, ce qui devient une limite importante. Puisqu'il semble exister une relation entre l'état physique et mental et les conséquences du relogement, l'absence d'effets pourrait s'expliquer par l'exclusion des sujets les plus vulnérables.

Quelle conclusion peut-on tirer de ces travaux? Premièrement, l'affirmation voulant que le relogement, en raison de son caractère stressant, ait immanquablement des effets nuisibles sur la personne âgée, n'a pas été confirmée. Cela ne signifie pas pour autant que le relogement n'est pas un événement stressant, sauf que les personnes âgées s'y adaptent sans doute mieux qu'on ne pouvait l'imaginer. Deuxièmement, la question des effets du relogement est un problème qui semble mettre en jeu un ensemble complexe de conditions. Mais cela n'est pas surprenant, car il est d'usage pour les chercheurs de faire intervenir l'action de facteurs particuliers afin d'expliquer des résultats qui infirment leur hypothèse (Coffman, 1983). Néanmoins, la question de fond demeure. Est-ce en raison de l'action de ces facteurs qu'on n'observe pas d'effets négatifs ou bien est-ce qu'on n'observe pas d'effets parce qu'il n'y a tout simplement pas d'effets à observer? Il faut se demander, à l'instar de Lieberman (1974), s'il n'y aurait pas lieu d'élargir le type de variables à l'étude. Jusqu'à présent, on a surtout insisté sur le taux de mortalité, oubliant que le relogement peut avoir des conséquences sur d'autres sphères de la vie, comme le bien-être.

L'ambiguïté des résultats précédents ne devrait pas inciter les intervenants à faire preuve de laxisme, et à prendre le relogement, ou le placement dans un établissement en particulier, à la légère. Il paraît évident que certaines personnes âgées réagissent mal au relogement, et, par conséquent, on doit se demander si ce dernier représente bien la meilleure solution. Dans l'affirmative, il faut néanmoins prendre les mesures qui s'imposent afin de prévenir les conséquences négatives éventuelles. Il y a un coût humain pour les erreurs commises.

8.5 MALADIE PHYSIQUE

Pour la majorité des gens, le vieillissement est synonyme de maladie physique. Comme le montre la figure 8.3, le pourcentage de personnes ayant un problème de santé est plus élevé chez la cohorte la plus âgée. La majorité (85 %) des personnes de 65 ans et plus mentionnent au moins un problème de santé, compara-

Figure 8.3 Pourcentage de personnes de différents groupes d'âge ayant un problème de santé

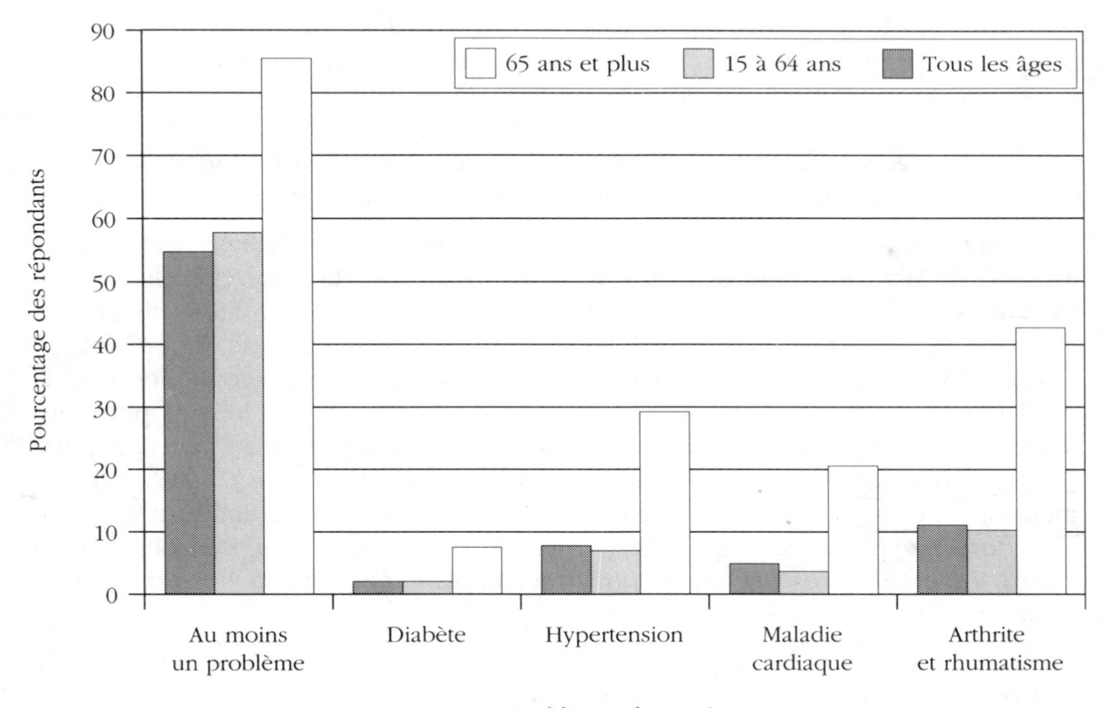

Source: Enquête Santé Canada (1981).

tivement à 54% pour l'ensemble de la population. De même, il existe une relation étroite entre l'âge et le pourcentage de personnes atteintes de maladies physiques particulières. Par exemple, 10% des personnes âgées de 15 à 64 ans sont atteintes d'arthrite, alors que le taux correspondant chez les personnes âgées de 65 ans et plus atteint 42%. Ces chiffres rendent compte de la relation entre l'âge et la maladie physique.

Bien que les progrès de la médecine, au cours du XXe siècle, aient permis de diminuer considérablement le risque de mortalité associé aux maladies aiguës, ils ont aussi augmenté l'espérance de vie et la vulnérabilité à diverses affections chroniques (Lubkin, 1986). Les maladies aiguës et les maladies chroniques, telles que l'arthrose, le diabète, le cancer, l'hypertension et les maladies cardiaques, se distinguent selon que leurs signes sont accentués, aboutissant en quelques jours à la guérison ou à la mort, ou, au contraire, moins prononcés, à évolution lente, progressive ou régressive (*Nouveau Larousse médical*, 1981, p. 604). Aux États-Unis, une commission chargée d'étudier les maladies chroniques a proposé en 1949 la définition suivante de la maladie chronique (citée par le Conseil des affaires sociales et de la famille du Québec, 1978) :

> *La maladie chronique englobe toutes détériorations ou déviations de la normale ayant une ou plusieurs des caractéristiques qui suivent : elles sont permanentes, elles laissent le malade partiellement ou totalement invalide, elles sont causées par une altération pathologique irréversible, elles exigent une rééducation du malade, elles occasionnent au malade une longue période de surveillance, de mise sous observation ou de soins.*

L'augmentation des problèmes de santé physique avec l'âge se traduit, entre autres, par l'accroissement de l'utilisation des ressources de santé et de la consommation de médicaments. Dans les deux cas, on constate une utilisation plus importante par les cohortes les plus âgées. Par exemple, les résultats de l'Enquête Santé Canada (1981) indiquent que le pourcentage de personnes qui consultent un médecin 10 fois ou plus par année est presque trois fois plus élevé chez les personnes âgées de 65 ans et plus que chez les adultes âgés de 20 à 24 ans. En outre, 72% des personnes âgées, comparativement à 39% des jeunes adultes, consomment des médicaments (Enquête Santé Canada, 1981). L'augmentation des problèmes de santé physique avec l'âge se manifeste également par une dépendance accrue envers d'autres personnes pour l'accomplissement des tâches domestiques et des activités de la vie quotidienne.

Outre les conséquences déjà mentionnées, il est généralement admis que la maladie physique peut nuire à l'adaptation psychologique de la personne qui en est atteinte. La présence de détresse psychologique chez la personne atteinte d'une maladie physique représente un obstacle à son intégration sociale et à son fonctionnement dans la vie quotidienne. De plus, la détresse psychologique se traduit par des coûts de soins de santé additionnels. Au Canada, le coût annuel des dépenses associées à la maladie chronique se chiffre à 9 791 $ si la personne est bien adaptée, tandis que ces coûts dépassent 23 000 $ si la personne présente en plus de la détresse psychologique (Browne *et al.*, 1990). On peut supposer que cette différence s'explique par le fait que les problèmes d'ordre psychologique réduisent l'autonomie, augmentent le risque de maladies physiques et se traduisent par une plus grande consommation de médicaments et davantage de consultations auprès des spécialistes de la santé.

La relation entre la maladie physique et l'adaptation est très complexe et implique des facteurs de nature physique, psychologique et sociale (Prugh & Thompson, 1990). En outre, la maladie physique peut avoir un impact psychologique non seulement sur le malade lui-même, mais également sur les membres de son entourage tels que son conjoint et ses enfants. Les personnes âgées sont susceptibles de subir les effets de la maladie physique dans leur adaptation psychologique, étant donné l'importance des problèmes de santé physique dans cette population. La présente section vise à donner un aperçu des connaissances relatives à l'impact de la maladie physique sur l'adaptation et aux caractéristiques psychologiques qui favorisent ou freinent cet impact.

8.5.1 Impact de la maladie physique

Nul ne considère la maladie physique comme une expérience agréable. Si plusieurs personnes dépensent temps et énergie à prévenir la maladie physique, c'est tout autant, sinon davantage, par souci d'assurer leur bien-être et leur qualité de vie que pour assurer leur longévité. Cependant, on peut se demander si le fait d'être atteint d'une maladie physique a réellement des conséquences négatives sur l'adaptation.

La maladie physique est considérée comme un facteur important dans le développement de symptômes dépressifs chez les personnes âgées (Ouslander, 1982). Les résultats de l'étude de Phifer et Murrell (1986) appuient cette affirmation. Ces chercheurs ont employé un devis de recherche prospectif pour déterminer les facteurs associés à l'apparition de symptômes dépressifs chez les personnes âgées. Les sujets ont été évalués une première fois alors qu'aucun d'entre eux ne présentait de symptômes dépressifs importants. Les sujets ont été soumis à une nouvelle évaluation 6 mois plus tard, alors que près de 6 % de l'échantillon total présentait des symptômes dépressifs relativement sévères ; une analyse détaillée indique que ce sous-groupe de sujets présentait initialement davantage de problèmes de santé physique que le groupe de sujets qui est demeuré non dépressif. Ces résultats démontrent donc que la maladie physique contribue au développement de symptômes dépressifs chez les personnes âgées.

La maladie physique peut être à l'origine de divers troubles de santé mentale chez une proportion importante d'individus. Hall et ses collaborateurs (1978) ont étudié 658 patients ayant consulté à une clinique externe de psychiatrie. L'un des trois critères suivants devait être rempli pour qu'une maladie physique soit considérée comme la cause d'un trouble de santé mentale :

- les symptômes du trouble de santé mentale diminuaient après le traitement de la maladie ;
- l'apparition des symptômes était étroitement liée à celle de la maladie physique ;
- la présence d'une maladie physique expliquait les symptômes.

Les résultats ont démontré que, dans 9 % des cas, les problèmes de santé mentale étaient causés par une maladie physique. La dépression, la confusion et l'anxiété comptent parmi les troubles de santé mentale les plus souvent causés par une maladie physique. Les maladies physiques à l'origine de ces troubles de santé mentale sont, par ordre de fréquence, les maladies infectieuses, pulmonaires, thyroïdiennes, diabétiques, hématopoïétiques, hépatiques et du système nerveux central (Hall *et al.*, 1978).

Les résultats des recherches mentionnées précédemment suggèrent que la maladie physique exerce un impact sur l'adaptation. Cependant, les résultats d'autres travaux suggèrent plutôt que les personnes atteintes d'une maladie physique présentent un niveau d'adaptation comparable à celui des personnes qui ne sont pas malades. C'est le cas de l'étude menée par Cassileth et ses collaborateurs (1984) auprès de personnes atteintes d'une maladie chronique. Aucune différence n'a été décelée entre les malades chroniques et la population générale pour ce qui est des mesures d'anxiété, de dépression, d'affect positif, de liens émotionnels et de sentiment de perte de contrôle. En outre, d'autres travaux ont montré que l'adaptation de personnes atteintes de diabète était comparable à celle de la population générale (Mazze *et al.*, 1984) et que la situation des personnes atteintes de cancer était comparable à celle de la population générale en ce qui a trait à la santé mentale globale (Schmale *et al.*, 1983), à la prévalence des troubles de santé mentale (Derogatis *et al.*, 1983 ; Glass, 1983) et à la dépression (Plumb & Holland, 1977). Ces quelques études suggèrent l'absence d'un impact de la maladie physique sur l'adaptation psychologique.

Les recherches qui ont examiné le lien entre la maladie physique et l'adaptation fournissent donc des résultats divergents. Le même constat s'applique dans le cas des études qui ont tenté de déterminer si certaines maladies avaient un impact particulier sur l'adaptation. D'une part, certains auteurs ont noté un niveau d'adaptation comparable chez des personnes atteintes de différentes maladies physiques. Cassileth et ses collaborateurs (1984), par exemple, n'ont pas décelé de différences quant à des mesures d'adaptation entre des personnes atteintes d'arthrite, de diabète, de cancer, de maladie des reins ou de maladie de la peau. D'autre part, des chercheurs ont observé que l'adaptation psychologique variait en fonction de la nature de la maladie physique. Berkman et ses collaborateurs (1986) ont découvert que les personnes âgées atteintes de maladies du foie et de la maladie de Parkinson manifestaient davantage de symptômes dépressifs que les personnes ayant souffert d'une amputation, d'une fracture ou d'une pression artérielle élevée. Il faut remarquer que, dans certaines de ces études, le nombre de sujets atteints d'une même maladie physique est trop faible pour que les résultats obtenus soient considérés comme fiables.

Il faut tenir compte des limites méthodologiques dans l'interprétation des résultats des recherches qui ont porté sur la relation entre la maladie physique et l'adaptation. Premièrement, les études sont difficilement comparables entre elles puisqu'elles diffèrent quant à autant de variables que la nature de la maladie physique, les instruments de mesure de l'adaptation, l'âge des sujets, etc. Ces différences sont probablement à l'origine des divergences observées dans ce champ de recherche. Deuxièmement, les devis de recherche typiquement employés circonscrivent l'interprétation des résultats. La plupart des chercheurs ont recours à un devis corrélationnel dans lequel la maladie physique est mise en relation avec l'adaptation. Les résultats obtenus à l'aide de ce type de devis ne permettent pas de conclure que la maladie physique a un impact sur l'adaptation parce qu'il n'est pas possible d'exclure la relation inverse, c'est-à-dire l'influence de l'adaptation sur la maladie physique. Il faut noter que l'existence de cette dernière relation est tout à fait plausible. On sait déjà que la relation entre la maladie physique et les symptômes dépressifs est bidirectionnelle (Aneshensel *et al.*, 1984). En outre, d'autres problèmes d'adaptation, dont l'hostilité et l'anxiété, précèdent la manifestation clinique de différents problèmes de santé physique tels que la maladie coronarienne (Friedman & Booth-Kewley, 1987).

En considérant l'ensemble des résultats des recherches dans ce domaine ainsi que leurs limites, il apparaît justifié de conclure que la maladie physique n'est pas toujours accompagnée de difficultés sur le plan de l'adaptation. Il faut considérer que l'adaptation à la maladie physique est un processus complexe où entrent en jeu à la fois des caractéristiques de la maladie et des caractéristiques du malade, et que ces deux facteurs déterminent l'ampleur et la nature de l'impact de la maladie sur l'adaptation (Moos & Schaefer, 1984). Nous porterons maintenant notre attention sur les caractéristiques de la maladie physique qui peuvent avoir un impact sur l'adaptation.

8.5.2 Caractéristiques de la maladie physique et adaptation

Plusieurs caractéristiques de la maladie physique peuvent être reliées à l'adaptation de la personne qui en est atteinte. Parmi celles-ci, mentionnons :

- les changements organiques ;
- la douleur ;
- l'incapacité.

Les changements organiques occasionnés par la maladie, en particulier les altérations métaboliques, endocriniennes ou neurologiques, peuvent se manifester par des symptômes de trouble de santé mentale. Les endocrinopathies (les troubles de la thyroïde, le diabète, etc.), les maladies infectieuses (la pneumonie, la mononucléose, etc.) et les affections neurologiques (la maladie d'Alzheimer, l'accident cérébro-vasculaire, etc.) sont quelques exemples de maladies pouvant causer un trouble de santé mentale d'origine physique (Hall *et al.*, 1978). Le traitement d'un trouble de santé mentale consécutif à une maladie physique est orienté prioritairement vers le traitement de la maladie elle-même.

La **douleur** est une autre caractéristique de certaines maladies physiques qui est susceptible d'influer sur l'adaptation de la personne. Il n'est pas évident que la sensibilité à la douleur change avec l'âge (Harkins, 1987). Cependant, Harkins (1987) rappelle que la prévalence de certains problèmes de santé physique caractérisés par la douleur, tels que l'arthrite rhumatoïde, l'arthrose et l'angine de poitrine, augmente avec l'âge. Les personnes atteintes d'une maladie physique douloureuse ont plus de difficulté à s'adapter que les personnes non malades ou qui n'éprouvent pas de douleur. Il a été observé que les personnes atteintes d'arthrite rhumatoïde obtenaient des scores plus élevés que ceux de la population générale dans les mesures de symptômes d'anxiété et de dépression (Gardiner, 1980). De même, Vasquez-Barquero et ses collaborateurs (1985) ont découvert que les personnes atteintes de la maladie cardiaque ischémique accompagnée d'angine de poitrine présentaient davantage de troubles de santé mentale que les personnes non atteintes d'angine de poitrine (Vasquez-Barquero *et al.*, 1985). Ces résultats illustrent bien la relation pouvant exister entre la douleur et l'adaptation.

Une relation positive entre la douleur et les symptômes dépressifs a été observée dans la population adulte en général (Roy *et al.*, 1984). Puisque la douleur accompagne plusieurs maladies physiques courantes à l'étape de la vieillesse, son lien avec la dépression chez la population âgée est particulièrement important. Parmelee et ses collaborateurs (1991) ont exploré cette relation chez 598 personnes âgées placées dans un établissement. Les sujets de cette recherche ont été répartis en trois groupes selon le diagnostic de dépression établi : dépression majeure, dépression mineure ou absence de dépression. Les chercheurs ont constaté que l'intensité de la douleur variait selon le diagnostic de dépression porté. Les sujets ayant reçu un diagnostic de dépression majeure manifestaient le niveau de douleur le plus intense, suivi du groupe ayant reçu un diagnostic de dépression mineure. Le niveau de douleur le plus faible était manifesté par les sujets jugés non dépressifs. La nature corrélationnelle de cette recherche ne permet pas de déterminer l'ordre de causalité entre la douleur et les symptômes de dépression. Il est donc possible que la dépression soit causée par la douleur comme il est également possible qu'une personne dépressive ait tendance à manifester plus de douleur.

La maladie physique, et particulièrement la maladie chronique, est souvent à l'origine d'une ou plusieurs **incapacités** qui limitent les activités du malade. L'Organisation mondiale de la santé (1988) définit l'incapacité comme « toute réduction ou absence (résultant d'une déficience) de la capacité d'exécuter une activité de la manière ou dans la plénitude considérée comme normale par un être humain » (p. 24). L'incapacité peut se manifester sur divers plans tels que la mobilité, la communication et les activités de la vie quotidienne telles que se nourrir et se laver. Au Canada, 45 % des personnes âgées de 65 ans et plus manifestent une incapacité, laquelle prend la forme d'une limitation de la mobilité chez 75 % d'entre elles (Enquête sur la santé et les limitations d'activités, 1988). L'ensemble des recherches qui ont porté sur la relation entre l'incapacité et l'adaptation ont relevé une relation directe entre ces variables. Par exemple, les personnes qui souffrent d'une incapacité obtiennent, dans les mesures de symptômes d'anxiété et de dépression, des scores plus élevés que ceux des personnes qui ne souffrent pas d'incapacité (Turner & McLean, 1989 ; Zautra *et al.,* 1989). Cependant, la relation entre l'incapacité et l'adaptation chez les personnes âgées est bidirectionnelle. En effet, Zautra et ses collaborateurs (1989) ont observé que le changement dans le niveau d'incapacité sur une période de 10 mois était un prédicteur de l'adaptation et que le bien-être psychologique était relié au niveau d'incapacité mesuré 10 mois plus tard. Il est donc justifié de considérer que l'incapacité, comme la douleur, peut exercer une influence sur l'adaptation, mais qu'elle peut aussi être influencée par cette dernière.

Comme on peut le constater, différentes caractéristiques de la maladie physique sont susceptibles d'influer sur l'adaptation du malade. Cependant, le lien entre certaines de ces caractéristiques, telles que la douleur et l'incapacité, et l'adaptation opère dans les deux sens. En outre, il faut remarquer que tous les individus confrontés à ces caractéristiques ne présentent pas des difficultés d'adaptation. Par exemple, bien que 32 % à 35 % des personnes de 65 ans et plus qui manifestent une incapacité aient également un score élevé dans une mesure des symptômes dépressifs, de tels symptômes sont absents chez la majorité des individus de cette population (Turner & Noh, 1988). Dans le même ordre d'idées, seulement la moitié des personnes atteintes d'arthrite rhumatoïde présentaient des symptômes relativement sévères de trouble de santé mentale (Gardiner, 1980), bien que la douleur soit un symptôme important de cette maladie. Ainsi, la présence de douleur ou la présence d'une incapacité ne sont pas à elles seules des conditions suffisantes pour provoquer des difficultés d'adaptation chez une personne atteinte d'une maladie physique. Ces résultats suggèrent qu'il existe des différences individuelles et que ces différences pourraient aussi jouer un rôle important dans l'adaptation du malade.

8.5.3 Caractéristiques de la personne et adaptation

Certaines caractéristiques de la personne sont associées à l'adaptation de la personne atteinte d'une maladie physique. Parmi ces caractéristiques, notons :

- les évaluations cognitives ;
- les stratégies de gestion de la maladie et de ses conséquences ;
- le soutien social.

Les **évaluations cognitives** ainsi que les stratégies de gestion de la maladie sont des composantes centrales de divers modèles d'adaptation à la maladie physique (Cohen & Lazarus, 1979 ; Leventhal *et al.*, 1984 ; Moos & Schaefer, 1984). Les évaluations cognitives se rapportent aux interprétations subjectives de la maladie et des ressources disponibles pour y faire face. Les stratégies de gestion de la maladie correspondent aux pensées et aux comportements utilisés pour gérer la maladie physique, c'est-à-dire pour modifier les situations problématiques qui en découlent ou les émotions suscitées par les évaluations cognitives. La figure 8.4 illustre les relations entre les évaluations cognitives, les stratégies de gestion du stresseur et l'adaptation psychologique, telles qu'elles ont été proposées par la théorie d'adaptation au stress de Lazarus et Folkman (1984). Selon cette théorie, les évaluations cognitives et les stratégies de gestion du stresseur agissent à titre de médiateurs entre le stresseur (par exemple, la maladie physique ou ses conséquences) et l'adaptation de la personne. Les évaluations cognitives sont fonction des caractéristiques du stresseur et de la personne. Elles influent sur le choix des stratégies utilisées et ces dernières, à leur tour, exercent une influence sur le processus d'adaptation au stresseur.

On peut distinguer généralement deux types d'évaluations cognitives reliées à l'adaptation d'une personne atteinte d'une maladie physique. Le premier type correspond à la signification de la maladie pour la personne qui en est atteinte. La maladie peut avoir différents sens tels qu'un dommage, une menace, une perte ou un défi. La signification de la maladie physique dépend, entre autres, de la valeur accordée à la santé physique et des croyances relatives à la maladie. Par exemple,

Figure 8.4 Représentation de la théorie du stress de Lazarus et Folkman (1984)

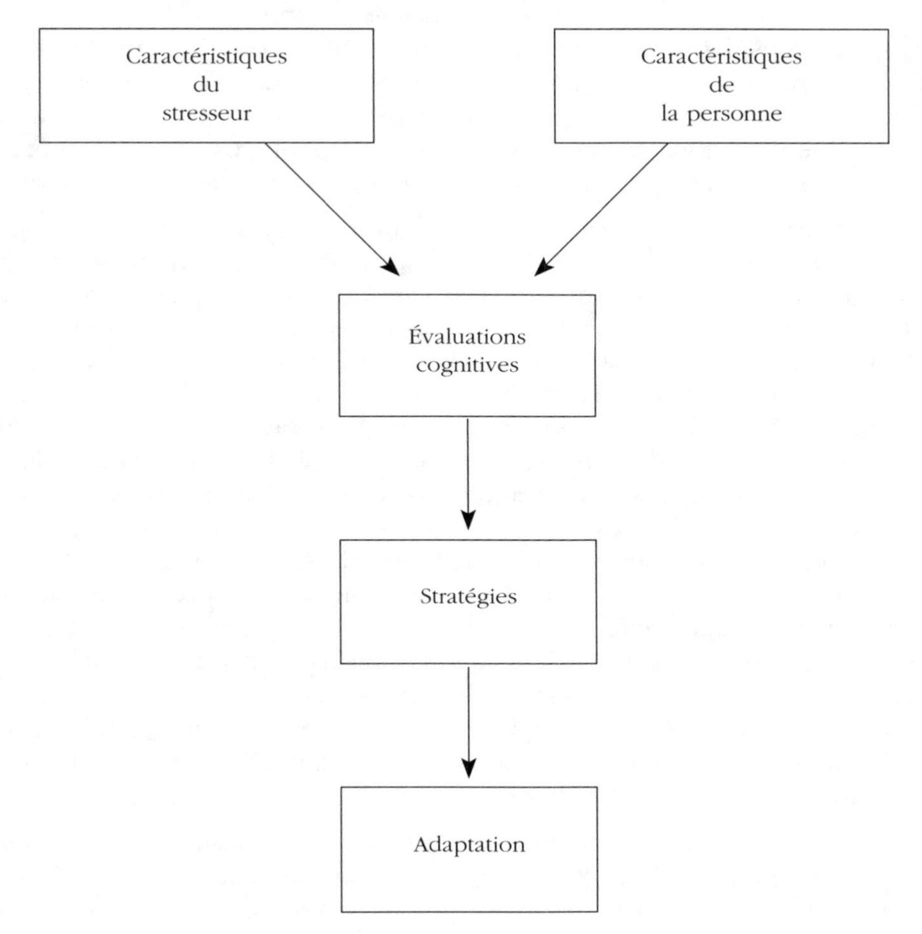

on peut supposer qu'une personne âgée qui pratique le golf quotidiennement perçoit davantage une fracture de la cheville comme un dommage qu'une personne âgée sédentaire. L'importance de la relation entre la signification de la maladie et l'adaptation de personnes âgées atteintes d'une maladie chronique est illustrée par les résultats d'une étude menée par Landreville et Vézina (1994). Les sujets de cette étude étaient atteints d'une maladie coronarienne accompagnée d'angine de poitrine. L'échantillon a été divisé en deux groupes : les personnes qui avaient des symptômes dépressifs et les personnes non dépressives. Landreville et Vézina (1994) ont demandé aux sujets de chaque groupe d'évaluer la signification des embêtements découlant de l'angine. Ces embêtements correspondent, par exemple, à la nécessité de diminuer ou de cesser tout effort physique à l'approche d'une nouvelle crise d'angine. Les résultats obtenus démontrent que les personnes qui ont des symptômes dépressifs considèrent davantage ces embêtements comme une menace à leur propre santé physique et une atteinte à leur estime personnelle ainsi qu'au bien-être d'une personne aimée que les personnes non dépressives. La signification accordée aux conséquences de l'angine de poitrine est donc liée aux symptômes dépressifs chez les personnes âgées atteintes d'une maladie coronarienne.

La **perception du contrôle** correspond à un autre type d'évaluation cognitive pertinente en fonction de l'adaptation à la maladie physique, en particulier la maladie chronique. Il faut souligner que plusieurs maladies chroniques ne peuvent être entièrement contrôlées : ces maladies sont souvent incurables et leur traitement est palliatif plutôt que curatif (Kart *et al.*, 1978). En outre, les symptômes de certaines maladies chroniques, tels que la douleur, peuvent être soulagés mais ne peuvent pas être éliminés complètement. Vivre avec une maladie chronique signifie donc, dans plusieurs cas, apprendre à tolérer le mieux possible les symptômes de la maladie et à se plier aux exigences du traitement médical. Néanmoins, il est rare que le malade soit tout à fait impuissant face à sa maladie. Il préserve généralement un certain contrôle sur des aspects de la maladie ou de ses conséquences. Par exemple, l'arthrose est caractérisée par des accès de douleur aux articulations des mains. Pour prévenir et soulager cette douleur, on conseille de diminuer les tensions articulaires et de prodiguer de la chaleur aux articulations atteintes (Latulippe *et al.*, 1987). Cela peut être fait en transportant des objets lourds avec les avant-bras plutôt qu'avec les mains et en recourant à des enveloppements chauds (Latulippe *et al.*, 1987). Cet exemple démontre que le malade n'est pas complètement impuissant face à l'arthrose, bien que son influence sur cette maladie soit limitée.

Le contrôle personnel est généralement perçu comme désirable et préférable à l'absence de contrôle. Cependant, les recherches qui ont examiné la relation entre la perception de contrôle sur la maladie physique et l'adaptation révèlent que cette relation n'est pas toujours positive. Certains chercheurs ont trouvé une relation positive entre la perception de contrôle et l'adaptation psychologique (Jensen & Karoly, 1991), mais d'autres ont observé une relation inverse (Affleck *et al.*, 1987). D'autres chercheurs, enfin, n'ont pas découvert de relation entre la perception de contrôle sur le traitement de la maladie et les symptômes dépressifs (Devins *et al.*, 1981). Cette divergence dans les écrits scientifiques suggère que la nature de la relation entre la perception de contrôle sur la maladie et l'adaptation varie selon les conditions, comme l'ont observé Affleck et ses collaborateurs (1987). Ces chercheurs ont découvert une relation positive entre le contrôle du cours de la maladie et la perturbation de l'humeur, mais une relation inverse entre cette variable et le contrôle des symptômes chez les personnes atteintes de maladies chroniques. Les résultats d'Affleck et ses collaborateurs (1987) révèlent que la nature de la relation entre la perception de contrôle sur la maladie physique et l'adaptation dépend de l'aspect de la maladie soumis au contrôle personnel. D'autres facteurs, tels que le désir du contrôle par le malade, peuvent également intervenir dans cette relation.

L'individu utilise des **stratégies** pour faire face à la maladie, c'est-à-dire pour en modifier certains aspects et atténuer les émotions qu'il ressent face à celle-ci. À titre d'exemples de stratégies, mentionnons les efforts pour obtenir de l'information médicale, trouver un sens positif à la maladie physique, diminuer l'intensité de la douleur et demeurer autonome malgré la présence d'une incapacité. Bien qu'elles soient utilisées dans un but adaptatif, les stratégies ne sont pas toujours en relation positive avec l'adaptation psychologique, comme l'ont souligné Rodin et ses collaborateurs (1991). Par exemple, les stratégies qui consistent à éviter et à nier la maladie peuvent être utiles à court terme. Cependant, les mêmes stratégies peuvent éventuellement contribuer à aggraver la maladie en retardant la consultation d'un médecin. Dans le même ordre d'idées, le fait de rechercher de l'information médicale pour prévenir la maladie ou la contrôler peut être efficace dans la mesure où ce but peut être atteint. Cependant, si les chances de prévenir ou de contrôler la maladie sont nulles, ce genre de stratégie n'est pas efficace et peut même contribuer à accroître le sentiment de détresse psychologique.

Le choix des stratégies utilisées pour faire face à la maladie chronique est fonction, entre autres, des évaluations cognitives. Bombardier et ses collaborateurs (1990) ont observé une relation positive entre l'évaluation de la nécessité de se retenir d'agir face à la maladie chronique et le recours à des stratégies axées sur la gestion des émotions. De même, l'évaluation du degré de stress, de dommage et de menace associé à la douleur ainsi que l'évaluation de l'efficacité personnelle à la gérer sont reliées aux stratégies de gestion de la douleur chez les personnes âgées atteintes d'arthrose (Regan *et al.*, 1988). L'âge est également relié au choix de stratégies pour gérer la maladie chronique. Felton et Revenson (1987) ont examiné la corrélation entre l'âge et les stratégies de gestion de la maladie parmi un échantillon de 150 malades chroniques dont l'âge variait entre 41 ans et 89 ans. Ils ont découvert que les malades les plus âgés affirmaient utiliser moins les stratégies caractérisées par l'expression des émotions et la recherche d'information médicale que les malades plus jeunes. Felton et Revenson (1987) ont émis l'hypothèse que la diminution de la stratégie d'expression des émotions avec l'âge était le résultat du développement. Par ailleurs, ils ont suggéré que la diminution de la recherche d'information avec l'âge reflétait plutôt un effet de cohorte. D'autres variables, dont les caractéristiques du malade et de l'incapacité, sont aussi reliées au choix des stratégies pour faire face à la maladie chronique (Viney & Westbrook, 1982).

La plupart des travaux qui ont examiné les stratégies utilisées pour faire face à la maladie chronique ont considéré celle-ci dans son ensemble. Cependant, certaines caractéristiques de la maladie physique, telles que la douleur, sont étroitement liées à l'adaptation. La relation entre les stratégies de gestion de la douleur et l'adaptation a fait récemment l'objet de plusieurs travaux de recherche menés auprès de populations aussi diverses que les personnes atteintes d'arthrose (Keefe *et al.*, 1987), de douleur au dos (Keefe *et al.*, 1990) et de douleur chronique (Jensen & Karoly, 1991). Les résultats de ces travaux démontrent que certaines stratégies, telles qu'ignorer la douleur, sont en relation positive avec l'adaptation, tandis que l'inverse est vrai pour d'autres stratégies, telles que réagir à la douleur comme s'il s'agissait d'une catastrophe. L'étude des stratégies visant à faire face à des caractéristiques particulières de la maladie physique devrait nous permettre d'approfondir notre compréhension du processus d'adaptation à la maladie physique.

Le **soutien social** est un autre facteur lié à l'adaptation de la personne atteinte d'une maladie physique. Le soutien social atténue l'influence des problèmes de santé physique sur l'apparition des symptômes dépressifs chez les personnes âgées (Phifer & Murrell, 1986). Bien que le soutien social soit généralement perçu comme une ressource personnelle favorisant l'adaptation, certaines formes de soutien social semblent nuire à l'adaptation des personnes qui ont une maladie physique (Elliott *et al.*, 1991 ; Revenson *et al.*, 1991). Pour illustrer cette situation, Revenson et ses collaborateurs (1991) ont distingué le « soutien positif » du « soutien problématique ». Le soutien positif correspond aux interactions sociales qui procurent de l'affection et de l'aide concrète tout en confirmant la valeur personnelle de l'individu. En comparaison, le soutien problématique n'est pas perçu comme aidant, bien que cela puisse être l'intention de celui qui le procure. Revenson et ses collaborateurs (1991) ont observé que le soutien positif et le soutien problématique étaient associés différemment aux symptômes dépressifs de personnes atteintes d'arthrite rhumatoïde : le soutien positif présente une corrélation négative avec les symptômes dépressifs, mais le soutien problématique est associé à davantage de symptômes dépressifs. La relation entre le soutien social et l'adaptation chez les personnes qui ont une maladie physique n'est donc pas toujours positive. De plus, il faut considérer que la relation entre le soutien social et l'adaptation chez les personnes qui ont une maladie physique peut être réciproque.

En somme, certaines caractéristiques de la personne atteinte d'une maladie chronique sont reliées à son adaptation psychologique. Ces caractéristiques peuvent constituer des ressources qui favorisent l'adaptation, mais elles peuvent aussi lui nuire. Il faut souligner, d'une part, que la relation de cause à effet entre les caractéristiques de la personne et l'adaptation à la maladie chronique n'a pas été beaucoup étudiée. Il semble, d'autre part, que la relation entre les stratégies adoptées et l'adaptation à la maladie chronique soit bidirectionnelle (Felton & Revenson, 1984). Les relations entre les caractéristiques de la personne atteinte d'une maladie chronique et son adaptation psychologique peuvent donc être circulaires.

RÉSUMÉ

- Pour de nombreuses personnes, la mort du conjoint représente le plus important des stresseurs. Cet événement concerne d'une façon toute particulière les personnes âgées, et, surtout, les femmes âgées.
- Les personnes âgées sont néanmoins sous-représentées dans les travaux visant à déterminer les conséquences physiques et psychologiques de la perte du conjoint.
- La perte du conjoint est associée à un risque accru de mortalité, en particulier chez les hommes âgés de plus de 75 ans. Une explication possible de cette vulnérabilité des hommes âgés viendrait du rôle traditionnel qu'ils ont endossé.
- La perte du conjoint est également associée à la morbidité. Les personnes en deuil manifestent souvent des symptômes de dépression ou de détresse émotionnelle. Dans plusieurs cas, ces symptômes font partie intégrante d'une réaction jugée normale. Cependant, si la réaction s'accompagne d'un sentiment d'indignité, d'une limitation fonctionnelle de longue durée et d'un ralentissement psychomoteur, la présence d'un état dépressif peut être soupçonnée.
- Il apparaît de manière générale que les personnes âgées s'adaptent mieux à la mort du conjoint que les adultes plus jeunes, que les femmes âgées s'y adaptent mieux que les hommes âgés et que les personnes recevant du soutien d'une façon ou d'une autre risquent moins d'en subir les contrecoups.
- La retraite est une invention sociale caractéristique d'une société industrielle.
- La décision volontaire de prendre sa retraite est influencée par plusieurs facteurs, notamment par l'âge du travailleur, son état de santé, l'attente d'un revenu suffisant à la retraite, les attitudes envers le travail et envers la retraite ainsi que la situation professionnelle.
- La retraite peut être vue comme un événement, un rôle social, une crise ou encore comme un processus.
- La croyance que la retraite cause la mortalité ou la maladie, ou qu'elle diminue le bien-être, n'a jamais été confirmée jusqu'à ce jour.
- La majorité des retraités ne considèrent pas la retraite comme un événement stressant.
- La position voulant que la retraite soit dommageable pour la santé est fortement fonction de l'idée que le travail joue un rôle fondamental dans la construction de l'identité personnelle.
- Les programmes de préparation à la retraite sont conçus pour faciliter la transition entre le travail et la retraite. Devant l'absence d'effets négatifs de la retraite,

certains remettent en cause leur pertinence. En outre, peu d'efforts ont été effectués pour vérifier l'efficacité de ces programmes.

- Le relogement implique plusieurs réalités comprenant, notamment, le déménagement dans un autre domicile, le placement dans un établissement ou le transfert d'un établissement à un autre ou à l'intérieur d'un même établissement.
- Près de 7% des personnes âgées au Canada vivent pour l'instant dans un établissement. Un âge avancé, un problème fonctionnel ou mental ainsi que l'absence de soutien sont les variables qui prédisent le mieux le recours à cette solution.
- L'hypothèse voulant que le relogement entraîne des conséquences néfastes n'est pas à ce jour confirmée.
- Plusieurs facteurs faciliteraient le relogement, notamment le degré de préparation, le consentement de la personne concernée, le degré de changement impliqué, certains traits de personnalité et l'état de santé physique ou mental de la personne avant le relogement.
- Une personne âgée atteinte de problèmes de santé physique ou mentale risquerait davantage de subir les contrecoups du relogement.
- La majorité des personnes âgées manifestent au moins un problème de santé physique.
- La maladie chronique est plus fréquente durant la vieillesse et est caractérisée par une durée prolongée, une évolution progressive et un traitement palliatif.
- Il n'est pas prouvé que la maladie physique nuise à l'adaptation des personnes âgées.
- L'adaptation à la maladie physique est reliée, entre autres, aux changements organiques, à la douleur et à l'incapacité qui y sont associés.
- Les évaluations cognitives, les stratégies de gestion de la maladie et le soutien social sont également associés à l'adaptation à la maladie physique.

LECTURES SUGGÉRÉES

Cohen, F., & Lazarus, R.S. (1979). Coping with the stresses of illness. Dans G.C. Stone, F. Cohen & N.E. Adler (dir.), *Health psychology* (p. 217-254). San Francisco : Jossey-Bass.

Ekerdt, D.J. (1987). Why the notion persists that retirement harms health. *The Gerontologist, 27*, 454-457.

George, L.K. (1980). *Role transitions in later life*. Monterey, CA : Brooks/Cole Publishing Company.

Gregg, C.H., Robertus, J.L., & Stone, J.B. (1989). *The psychological aspects of chronic illness*. Springfield, IL : Charles Thomas.

Horowitz, M.J., & Schulz, R. (1983). The relocation controversy : Criticism and commentary on five recent studies. *The Gerontologist, 23*, 229-234.

Lund, D.A. (1989). *Older bereaved spouses*. New York : Hemisphere Publishing Corporation.

MacBride, A. (1976). Retirement as a life crisis : myth or reality ? A review. *Canadian Psychiatric Association Journal, 21*, 547-556.

Matthews, A.M., & Tindale, J.A. (1987). Retirement in Canada. Dans K.S. Markides et C.L. Cooper (dir.), *Retirement in industrialized societies* (p. 43-75). New York : John Wiley and Sons.

Prugh, D.G., & Thompson, T.L. (1990). Illness as a source of stress : Acute illness, chronic illness, and surgical procedures. Dans J.D. Noshpitz & R.D. Coddington (dir.), *Stressors and the adjustment disorders* (p. 60-142). New York : John Wiley and Sons.

Revenson, T.A. (1990). Social support processes among chronically ill elders : Patient and provider perspectives. Dans H. Giles, N. Coupland & J.M. Wiemann (dir.), *Communication, health and the elderly* (p. 92-113). Manchester : University of Manchester Press.

Schulz, R., & Brenner, G. (1977). Relocation of the aged : A review and theoretical analysis. *Journal of Gerontology, 32*, 323-333.

Stroebe, M.S., Stroebe, W., & Hansson, R.O. (1993). *Handbook of bereavement : Theory, research, and intervention*. New York : Cambridge University Press.

RÉFÉRENCES

Adams, O., & Lefebvre, L. (1981). Retirement and mortality. *Aging and Work, 4*, 115-120.

Affleck, G., Tennen, H., Pfeiffer, C., & Fifield, J. (1987). Appraisals of control and predictability in adapting to a chronic disease. *Journal of Personality and Social Psychology, 53*, 273-279.

Aldrich, C.K., & Mendkoff, E. (1963). Relocation of the aged and disabled : A mortality study. *Journal of the American Geriatrics Society, 11*, 185-194.

Aldrich, C.K. (1964). Personality factors and mortality in the relocation of the aged. *The Gerontologist, 4*, 92-93.

American Psychiatric Association (1987). *Manuel diagnostique et statistique des troubles mentaux* (1989). Traduction du manuel anglais. Paris : Masson.

Anderson, N.N. (1967). Effects of institutionalization on self-esteem. *Journal of Gerontologist, 22*, 313-317.

Aneshensel, C.S., Frerichs, R.R., & Huba, G.J. (1984). Depression and physical illness : A multiwave, nonrecursive causal model. *Journal of Health and Social Behavior, 25*, 350-371.

Arens, D.A. (1982-1983). Widowhood and well-being : An examination of sex differences within a causal model. *International Journal of Aging and Human Development, 15*, 27-40.

Atchley, R.C. (1976). *The sociology of retirement.* Cambridge, Mass. : Schenkman.

Atchley, R.C. (1977). *The social forces in later life : An introduction to social gerontology.* Belmont, CA : Wadsworth Publishing Company Inc.

Atchley, R.C. (1985). *Social forces and aging : An introduction to social gerontology* (4e éd.). Belmont, CA : Wadsworth Publishing Company Inc.

Atchley, R.C., & Robinson, J.L. (1982). Attitudes toward retirement and distance from the event. *Research on Aging, 4*, 299-313.

Baglioni, A.J. (1989). Residential relocation and health of the elderly. Dans K.S. Markides & C.L. Cooper (dir.), *Aging, stress and health* (p. 119-137). New York : John Wiley and Sons.

Ball, J.F. (1977). Widow's grief : The impact of age and mode of death. *Omega, 7*, 307-333.

Bankoff, E.A. (1983). Social support and adaptation to widowhood. *Journal of Marriage and the Family, 45*, 827-839.

Bass, D.M., & Bowman, K. (1990). The impact of an aged relative's death on the family. Dans K.F. Ferraro (dir.), *Gerontology : Perspectives and Issues* (p. 333-356). New York : Springer Publishing Company.

Beehr, T.A. (1986). The process of retirement : A review and recommendation for future investigation. *Personnel Psychology, 39*, 31-55.

Berardo, F. (1970). Survivorship and social isolation : The case of the aged widower. *Family Coordinator, 19*, 11-25.

Berkman, L.F., Berkman, C.S., Kasl, S., Freeman, D.H., Leo, L., Ostfeld, A.M., Cornoni-Huntley, J., & Brody, J.A. (1986). Depressive symptoms in relation to physical health and functioning in the elderly. *American Journal of Epidemiology, 124*, 372-388.

Bock, A.M. (1984). From wife to widow : A changing lifestyle. *Journal of Gerontological Nursing, 10*, 8-15.

Bock, E., & Webber, I.L. (1972). Suicide among the elderly : Isolating widowhood and mitigating alternatives. *Journal of Marriage and the Family, 34*, 24-31.

Bombardier, C.H., D'Amico, C., & Jordan, J.S. (1990). The relationship of appraisal and coping to chronic illness adjustment. *Behavior Therapy and Research, 28*, 297-304.

Bornstein, P.E., Clayton, P.J., Halikas, J.A., Maurice, W.L., & Robins, E. (1973). The depression of widowhood after thirteen months. *American Journal of Psychiatry, 22*, 561-566.

Borup, J.H. (1983). Relocation mortality research : Assessment, reply, and the need to refocus on the issues. *The Gerontologist, 23*, 235-242.

Borup, J.H., & Gallego, D.T. (1981). Mortality as affected by interinstitutional relocation : Update and assessment. *The Gerontologist, 21*, 8-16.

Borup, J.H., Gallego, D.T., & Heffernan, P.G. (1979). Relocation and its effect on mortality. *The Gerontologist, 19*, 135-140.

Borup, J.H., Gallego, D.T., & Heffernan, P.G. (1980). Relocation : Its effect on health, functioning and mortality. *The Gerontologist, 20*, 468-479.

Bossé, R., Aldwin, C.M., Levenson, M.R., & Ekerdt, D.J. (1987). Mental health differences among retirees and workers : Findings from the Normative Aging Study. *Psychology and Aging, 2*, 383-389.

Bossé, R., Aldwin, C.M., Levenson, M.R., & Workman-Daniels, K. (1991). How stressful is retirement ? Findings from the Normative Aging Study. *Journal of Gerontology, 46*, 9-14.

Bourestom, N., & Rastalan, L. (1981). The effects of relocation on the elderly : A reply to Borup, J.H., Gallego, D.T., & Hefferman, P.G. *The Gerontologist, 21*, 4-7.

Bourestom, N., & Tars, S. (1974). Alterations in life patterns following nursing home relocation. *The Gerontologist, 14*, 506-510.

Bowling, A. (1987). Mortality after bereavement : A review of the literature on survival periods and factors affecting survival. *Social Science and Medicine, 24*, 117-124.

Bowling, A. (1988-1989). Who dies after widow(er)hood? A discriminant analysis. *Omega, 19*, 135-153.

Branch, L.G., & Jette, A.M. (1982). A prospective study of long-term care institutionalization among the aged. *American Journal of Public Health, 72*, 1373-1379.

Breckenridge, J.N., Gallagher, D., Thompson, L.W., & Peterson, J. (1986). Characteristic depressive symptoms of bereaved elders. *Journal of Gerontology, 41*, 163-168.

Browne, G.B., Arpin, K., Corey, P., Fitch, M., & Gafni, A. (1990). Individual correlates of health service utilization and the cost of poor adjustment to chronic illness. *Medical Care, 28*, 43-58.

Burnette, K. (1986). Relocation and the elderly : Changing perspectives. *Journal of Gerontological Nursing, 12*, 6-11.

Carey, R.G. (1979). Weathering widowhood : Problems and adjustment of the widowed during the first year. *Omega, 10*, 163-173.

Caserta, M.S., Lund, D.A., & Dimond, M.F. (1989). Older widows' early bereavement adjustments. *Journal of Women and Aging, 1*, 1-21.

Cassileth, B.R., Lusk, E.J., Strouse, T.B., Miller, D.S., Brown, L.L., Cross, P.A., & Tenaglia, A.N. (1984). Psychosocial status in chronic illness. A comparative analysis of six diagnostic groups. *The New England Journal of Medicine, 311*, 506-511.

Clayton, P.J. (1974). Mortality and morbidity in the first year of widowhood. *Archives of General Psychiatry, 30*, 747-750.

Clayton, P.J., Halikas, J.A., & Maurice, W.L. (1972). The depression of widowhood. *International Journal of Psychiatry, 120*, 71-78.

Coffman, T.L. (1981). Relocation and survival of institutionalized aged : A re-examination of the evidence. *The Gerontologist, 21*, 483-500.

Coffman, T.L. (1983). Toward an understanding of geriatric relocation. *The Gerontologist, 23*, 453-457.

Cohen, F., & Lazarus, R.S. (1979). Coping with the stresses of illness. Dans G.C. Stone, F. Cohen & N.E. Adler (dir.), *Health psychology* (p. 217-254). San Francisco : Jossey-Bass.

Conseil des affaires sociales et de la famille du Québec (1978). *Les objectifs et les moyens susceptibles d'améliorer la situation des malades chroniques.* Québec : Éditeur officiel du Québec.

Cox, P.R., & Ford, J.R. (1964). The mortality of widows shortly after widowhood. *Lancet, 1,* 163-164.

Crowley, J.E. (1986). Longitudinal effects of retirement on men's well-being and health. *Journal of Business and Psychology, 1,* 95-113.

Derogatis, L.R., & Spencer, P.M. (1982). *The Brief Symptom Inventory (BSI) : Administration, scoring and procedures manual – I.* Johns Hopkins University School of Medicine.

Derogatis, L.R., Morrow, G.R., Fetting, *et al.* (1983). The prevalence of psychiatric disorders among cancer patients. *Journal of the American Medical Association, 249,* 751-757.

Dessonville, C., Thompson, L.W., & Gallagher, D. (1988). The role of anticipatory bereavement in older widow's adjustment to widowhood. *The Gerontologist, 28,* 792-796.

Devins, G.M., Binik, Y.M., Hollomby, D.J., Barré, P.E., & Guttman, R.D. (1981). Helplessness and depression in end-stage renal disease. *Journal of Abnormal Psychology, 90,* 531-545.

Dimond, M., Lund, D.A., & Caserta, M.S. (1987). The role of social support in the first two years of bereavement in an elderly sample. *The Gerontological Society of America, 27,* 599-604.

Duran, A., Turner, C.W., & Lund, D.A. (1989). Social support, perceived stress and depression following the death of a spouse in later life. Dans D.A. Lund (dir.), *Older bereaved spouses* (p. 69-77). New York : Hemisphere Publishing Corporation.

Eckert, J.K. (1983). Dislocation and relocation of the urban elderly : Social networks as mediators of relocation stress. *Human Organization, 42,* 39-45.

Ekerdt, D.J. (1987). Why the notion persists that retirement harms health. *The Gerontologist, 27,* 454-457.

Ekerdt, D.J. (1989). Retirement preparation. *Annual Review of Gerontology and Geriatrics, 9,* 321-356.

Ekerdt, D.J., Baden, L., Bossé, R., & Dibbs, E. (1983a). The effect of the retirement on physical health. *American Journal of Public Health, 73,* 779-783.

Ekerdt, D.J., & Bossé, R. (1982). Change on self-reported health with retirement. *International Journal of Aging and Human Development, 15,* 213-223.

Ekerdt, D.J., Bossé, R., & Goldie, C. (1983b). The effect of retirement on somatic complaints. *Journal of Psychosomatic Research, 27,* 61-67.

Ekerdt, D.J., Bossé, R., & Levkoff, S. (1985). An empirical test for phases of retirement : Findings from the Normative Aging Study. *Journal of Gerontology, 40*, 95-101.

Ekerdt, D.J., Bossé, R., & LoCastro, J.S. (1983c). Claims that retirement improves health. *Journal of Gerontology, 38*, 231-236.

Elliott, T.R., Herrick, S.M., Patti, A.M., Witty, T.E., Godshall, F.J., & Spruell, M. (1991). Assertiveness, social support, and psychological adjustment following spinal cord injury. *Behaviour Research and Therapy, 29*, 485-493.

Enquête Santé Canada (1981). *La santé des Canadiens : rapport de l'Enquête Santé Canada* (catalogue 82-538F). Ottawa : Ministre des Approvisionnements et Services Canada.

Enquête sur la santé et les limitations d'activités (1988). *Faits saillants : personnes ayant une incapacité au Canada* (catalogue 82-602). Ottawa : Ministre des Approvisionnements et Services Canada.

Falleti, M.V., Gibbs, J.M., Clark, M.C., Pruchno, R.A., & Berman, E.A. (1989). Longitudinal course of bereavement in older adults. Dans D.A. Lund (dir.), *Older bereaved spouses* (p. 37-51). New York : Hemisphere Publishing Corporation.

Feinson, M.C. (1986). Aging widows and widowers : Are there mental health differences ? *International Journal on Aging and Human Development, 23*, 241-255.

Felton, B.J., & Revenson, T.A. (1984). Coping with chronic illness : A study of illness controllability and the influence of coping strategies on psychological adjustment. *Journal of Consulting and Clinical Psychology, 52*, 343-353.

Felton, B.J., & Revenson, T.A. (1987). Age differences in coping with chronic illness. *Psychology and Aging, 2*, 164-170.

Fenwick, R., & Barresi, C.M. (1981). Health consequences of marital status change among the elderly : A comparaison of cross-sectional and longitudinal analyses. *Journal of Health and Social Behavior, 22*, 106-116.

Ferrari, N. (1963). Freedom of choice. *Social Work, 8*, 104-106.

Ferraro, K.F. (1985-1986). The effect of widowhood on the health status of older persons. *International Journal of Aging and Human Development, 21*, 9-25.

Ferraro, K.F. (1989). Widowhood and health. Dans K. Markides & C.L. Cooper (dir.), *Aging, stress and health* (p. 69-83). New York : John Wiley and Sons.

Ferraro, K.F., Mutran, E., & Barresi, C.M. (1984). Widowhood, health, and friendship support in later life. *Journal of Health and Social Behavior, 25*, 245-259.

Fillenbaum, G.G. (1971). On the relation between attitude to work and attitude to retirement. *Journal of Gerontology, 26*, 244-248.

Forbes, W.F., Jackson, J.A., & Kraus, A.S. (1987). *Institutionalization of the elderly in Canada.* Toronto : Butterworths.

Friedman, H.S., & Booth-Kewley, S. (1987). The «disease-prone personality» : A meta-analytic view of the construct. *American Psychologist, 42*, 539-555.

Gallagher, D.E., Breckenridge, J.N., Thompson, L.W., & Dessonville, C. (1982). Similarities and differences between normal grief and depression in older adults. *Essence, 5*, 127-140.

Gallagher, D.E., Breckenridge, J.N., Thompson, L.W., & Peterson, J.A. (1983). Effects of bereavement on indicators of mental health in elderly widows and widowers. *Journal of Gerontology, 38*, 565-571.

Gallagher, D.E., Lovett, S., Hanley-Dunn, P., & Thompson, L.W. (1989). Use of select coping strategies during late-life spousal bereavement. Dans D.A. Lund (dir.), *Older bereaved spouses* (p. 111-121). New York : Hemisphere Publishing Corporation.

Gardiner, B.M. (1980). Psychological aspects of rheumatoid arthritis. *Psychological Medicine, 10*, 159-163.

Gass, K.A. (1987). The health of conjugally bereaved older widows : The role of appraisal, coping and resources. *Research in Nursing and Health, 10*, 39-47.

Gass, K.A. (1989). Appraisal, coping, resources : Markers associated with the health of aged widows and widowers. Dans D.A. Lund (dir.), *Older bereaved spouses* (p. 79-95). New York : Hemisphere Publishing Corporation.

Gass, K.A., & Chang, A.S. (1989). Appraisals of bereavement, coping, resources, and psychosocial health dysfunction in widows and widowers. *Nursing-Research, 38*, 31-36.

George, L.K. (1980). *Role transitions in later life.* Monterey, CA : Brooks/Cole Publishing Company.

George, L.K., Fillenbaum, G.G., & Palmore, E. (1984). Sex differences in the antecedents and consequences of retirement. *Journal of Gerontology, 39*, 364-371.

Gerber, I., Rusalem, R., Hannon, N., Battin, D., & Arkin, A. (1975). Anticipatory grief and aged widows. *Journal of Gerontology, 30*, 225-229.

Glass, R.M. (1983). Psychiatric disorders among cancer patients. *Journal of the American Medical Association, 249*, 782-783.

Guillemard, A.M. (1977). La préparation à la retraite : surmonter une crise ou normer les conduites ? *Gérontologie, 26*, 23-30.

Gutman, G., & Herbert, C. (1976). Mortality rates among relocated extended care patients. *Journal of Gerontology, 31*, 352-357.

Hall, R.C.W., Popkin, M.K., Devaul, R.A., Faillace, L.A., & Stickney, S.K. (1978). Physical illness presenting as psychiatric disease. *Archives of General Psychiatry, 35*, 1315-1320.

Harkins, S.W. (1987). Pain. Dans G.L. Maddox (dir.), *The encyclopedia of aging* (p. 509-511). New York : Springer.

Haynes, S.G., McMichael, A.J., & Tyroler, H.A. (1978). Survival after early and normal retirement. *Journal of Gerontology, 33*, 269-278.

Haynes, S.G., McMichael, A.J., & Tyroler, H.A. (1987). Stress research in the evaluation of illness and death around normal, involuntary retirement : A review. Dans L. Levi (dir.), *Society, stress, and disease* (p. 204-218). Oxford : Oxford University Press.

Helsing, K.J., & Szklo, M. (1981). Mortality after bereavement. *American Journal of Epidemiology*, 14, 41-52.

Henretta, J.C., Chan, C.G., & O'Rand, A.M. (1992). Retirement reason versus retirement process : Examining the reasons for retirement typology. *Journal of Gerontology, 47*, S1-S7.

Heyman, D.K., & Gianturco, D.T. (1973). Long term adaptation by the elderly to bereavement. *Journal of Gerontology, 28*, 359-362.

Holmes, T.H., & Rahe, R.H. (1967). The Social Readjustment Rating Scale. *Journal of Psychosomatic Research, 11*, 213-218.

Horowitz, M.J., & Schulz, R. (1983). The relocation controversy : Criticism and commentary on five recent studies. *The Gerontologist, 23*, 229-234.

Jacobs, S.C., Kasl, S.V., Ostfeld, A.M., Berkman, L., Kosten, T.R., & Charpentier, P. (1986). The measurement of grief : Bereaved versus non-bereaved. *The Hospice Journal, 2*, 21-36.

Jasnau, K.F. (1967). Individual and mental health effects of involuntary relocation and institutionalization on the elderly : A review. *Journal of American Geriatrics Society, 15*, 280-284.

Jensen, M.P., & Karoly, P. (1991). Control beliefs, coping efforts, and adjustment to chronic pain. *Journal of Consulting and Clinical Psychology, 59*, 431-438.

Johnson, R.J., Lund, D.A., & Dimond, M.F. (1986). Stress, self-esteem and coping during bereavement among the elderly. *Social Psychology Quarterly, 49*, 273-279.

Jones, D.R., & Goldblatt, P.O. (1987). Cause of death in widow(er)s and spouses. *Journal of Biosocial Science, 19*, 107-121.

Kanner, A.D., Coyne, J.C., Schaefer, C., & Lazarus, R.S. (1981). Comparison of two modes of stress measurement : Daily hassles and uplifts versus major life events. *Journal of Behavioral Medicine, 4*, 1-39.

Kart, C.S., Metress, E.S., & Metress, J.F. (1978). *Aging and health. Biological and social perspectives.* Menlo Park, CA : Addison-Wesley.

Kasl, S.V. (1980). The impact of retirement. Dans C.L. Cooper et R. Payne (dir.), *Current concerns in occupational stress* (p. 137-186). New York : John Wiley and Sons.

Keefe, F.J., Caldwell, D.S., Queen, K.T., Gil, K.M., Martinez, S., Crisson, J.E., Ogden, W., & Nunley, J. (1987). Pain coping strategies in osteoarthritis patients. *Journal of Consulting and Clinical Psychology, 55*, 208-212.

Keefe, F.J., Crisson, J., Urban, B.J., & Williams, D.A. (1990). Analyzing chronic low back pain : The relative contribution of pain coping strategies. *Pain, 40*, 293-301.

Kroeger, N. (1982). Preretirement education : Sex differences in access, sources, and use. Dans M. Szinovacz (dir.), *Women's retirement : Policy implications in recent research* (p. 95-112). Beverly Hills, CA : Sage.

Landreville, P., & Vézina, J. (1994). *Differences in appraisal and coping between elderly coronary artery disease patients high and low in depressive symptoms. Journal of Mental Health*, 3, 79-89.

Latulippe, L., Grondin, C., & Garceau, C. (1987). Affectations de l'appareil locomoteur. Dans M. Arcand & R. Hébert (dir.), *Précis pratique de gériatrie* (p. 377-393). Saint-Hyacinthe, Québec : Édisem.

Lazarus, R.S., & Folkman, S. (1984). *Stress, appraisal, and coping.* New York : Springer.

Leventhal, H., Nerenz, D.R., & Steele, D.J. (1984). Illness representations and coping with health threats. Dans A. Baum, S.E. Taylor & J.S. Singer (dir.), *Handbook of psychology and health. IV. Social psychological aspects of health* (p. 219-252). Hillsdale, NJ : Lawrence Erlbaum Associates.

Lieberman, M.A. (1969). Institutionalization of the aged : Effects on behavior. *Journal of Gerontology, 24*, 330-339.

Lieberman, M.A. (1974). Relocation research and social policy. *The Gerontologist, 14*, 494-501.

Lieberman, M.A., Videka-Sherman, L. (1986). The impact of self-help groups on the mental health of widows and widowers. *American Journal of Orthopsychiatric, 56*, 435-449.

Lubkin, I.M. (1986). *Chronic illness : Impact and interventions.* Boston : Jones and Bartlett.

Lund, D.A., Caserta, M.S., & Dimond, M.F. (1989). Impact of spousal bereavement on the subjective well-being of older adults. Dans D.A. Lund (dir.), *Older Bereaved Spouses* (p. 3-15). New York : Hemisphere Publishing Corporation.

Lund, D.A., Dimond, M.F., Caserta, M.S., Johnson, R.J., Poulton, J.L., & Connelly, J.R. (1985-1986). Identifying elderly with coping difficulties after two years of bereavement. *Omega, 16*, 213-224.

MacBride, A. (1976). Retirement as a life crisis : myth or reality ? A review. *Canadian Psychiatric Association Journal, 21*, 547-556.

Markides, K.S., & Cooper, C.L. (1987). Industrialization and retirement : An International perspective. Dans K.S. Markides et C.L. Cooper (dir.), *Retirement on industrialized societies* (p. 1-8). New York : John Wiley and Sons.

Matthews, A.M. (1987). Widowhood as an expectable life event. Dans Victor W. Marshall (dir.), *Aging in Canada : Social perspectives* (p. 343-356). Don Hills : Fitzhenry and Whiteside.

Matthews, A.M., & Tindale, J.A. (1987). Retirement in Canada. Dans K.S. Markides et C.L. Cooper (dir.), *Retirement in industrialized societies* (p. 43-75). New York : John Wiley and Sons.

Matthews, A.M., Brown, K.H., Davis, C.K., & Denton, M.A. (1982). A crisis assessment technique for the evaluation of life events : Transition to retirement as an example. *Canadian Journal on Aging, 1*, 28-39.

Mazze, R.S., Lucido, D., & Shamoon, H. (1984). Psychological and social correlates of glycemic control. *Diabetes Care, 7*, 360-366.

McCrae, R.R., & Costa, P.T. (1988). Psychological resilience among widowed men and women : A 10-year follow-up of a national sample. *Journal of Social Issues, 44*, 129-142.

McDonald, P.L., & Wanner, R.A. (1990). *Retirement in Canada.* Toronto : Butterworths.

McGoldrick, A.E. (1989). Stress, early retirement and health. Dans K.S. Markides et C.L. Cooper (dir.), *Aging, stress and health* (p. 91-118). New York : John Wiley and Sons.

Miller, D., & Lieberman, M.A. (1965). The relationship of affect state and adaptive capacity to reactions to stress. *Journal of Gerontology, 20*, 492-497.

Minkler, M. (1981). Research on the health effects of retirement : An uncertain legacy. *Journal of Health and Social Behavior, 22*, 117-130.

Mishara, B., & Riedel, R.G. (1984). *Le vieillissement.* Paris : Presses universitaires de France.

Moos, R.H., & Schaefer, J.A. (1984). The crisis of physical illness : An overview and conceptual approach. Dans R.H. Moos (dir.), *Coping with physical illness. 2: New perspectives* (p. 3-25). New York : Plenum.

Moss, M.S., & Moss, S.Z. (1984-1985). Some aspects of the elderly widow(er)'s persistent tie with the deceased spouse. *Omega, 15*, 195-206.

Muller, C.F., & Boaz, R.F. (1988). Health as a reason or a rationalization for being retired? *Research on Aging, 10*, 37-55.

Murrell, S.A., Himmelfarb, S., & Phifer, J.F. (1988). Effects of bereavement : Loss and pre-event status on subsequent physical health in older adults. *International Journal of Aging and Human Development, 27*, 89-107.

Myers, R.J. (1954). Factors in interpreting mortality after retirement. *American Statistical Association Journal, 49*, 499-509.

Nouveau Larousse médical (1981). Paris : Librairie Larousse.

Nowak, C.A., & Brice, G.C. (1984). The process of retirement. Implications for late-life counselling. Dans J.C. Hansen et S.H. Cramer (dir.), *Perspective on work and the family* (p. 106-123). Rockville, Maryland : Aspen Systems Corporation.

Olson, E.A., & Kosloski, K.D. (1988). *Retirement planning programs : Are they still relevant ?* Communication présentée à la 41e Réunion scientifique annuelle de la Gerontological Society of America, San Francisco, Californie.

Organisation mondiale de la santé (1988). *Classification internationale des handicaps : déficiences, incapacités et désavantages.* Paris : CTNERHI-INSERM.

Ouslander, J.G. (1982). Physical illness and depression in the elderly. *Journal of the American Geriatrics Society, 30*, 593-599.

Palmore, E.B., Burchett, B.M., Fillenbaum, G.G., George, L.K., & Wallman, L. M. (1985). *Retirement : Causes and Consequences.* New York : Springer Publishing Company.

Palmore, E.B., Fillenbaum, G.G., & George, L.K. (1984). Consequences of retirement. *Journal of Gerontology, 39*, 109-116.

Parmelee, P.A., Katz, I.R., & Lawton, M.P. (1991). The relation of pain to depression among institutionalized aged. *Journal of Gerontology: Psychological Sciences, 46*, P15-21.

Phifer, J.F., & Murell, S.A. (1986). Etiologic factors in the onset of depressive symptoms in older adults. *Journal of Abnormal Psychology, 95*, 282-291.

Philblad, C.T., & Adams, D.L. (1972). Widowhood, social participation and life satisfaction. *Aging and Human Development, 3*, 323-330.

Plumb, M.M., & Holland, J. (1977). Comparative studies of psychological function in patients with advanced cancer. I. Self-reported depressive symptoms. *Psychosomatic Medicine, 39*, 264-276.

Poitrenaud, J., Vallery-Masson, J., & Barrere, H. (1987). Effets de la retraite sur le bien-être psychologique et sur la santé : étude comparative de trois catégories socio-professionnelles. *Revue de psychologie appliquée, 2*, 175-191.

Prugh, D.G., & Thompson, T.L. (1990). Illness as a source of stress : Acute illness, chronic illness, and surgical procedures. Dans J.D. Noshpitz & R.D. Coddington (dir.), *Stressors and the adjustment disorders* (p. 60-142). New York : John Wiley and Sons.

Regan, C.A., Lorig, K., & Thorensen, C.E. (1988). Arthritis appraisal and ways of coping. Scale development. *Arthritis Care and Research, 1*, 139-150.

Revenson, T.A., Schiaffino, K.M., Majerowitz, D.S., & Gibofsky, A. (1991). Social support as a double-edged sword : The relation of positive and problematic support to depression among rheumatoid arthritis patients. *Social Science and Medicine, 33*, 807-813.

Rodin, G., Craven, J., & Littlefield, C. (1991). *Depression in the medically ill : An integrated approach*. New York : Brunner/Mazel.

Rosow, I. (1974). *Socialization to old age*. Berkely : University of California Press.

Roy, R., Thomas, M., & Matas, M. (1984). Chronic pain and depression : A review. *Comprehensive Psychiatry, 25*, 96-105.

Ruchlin, H.S., & Morris, T.N. (1992). Deteriorating health and the cessation of employment among older workers. *Journal of Aging and Health, 4*, 43-57.

Ryser, C., & Sheldon, A. (1969). Retirement and health. *Journal of the American Geriatrics Society, 17*, 180-190.

Salokangas, R.K.R., & Joukamaa, M. (1991). Physical and mental health changes in retirement age. *Psychotherapy and Psychosomatics, 55*, 100-107.

Schleifer, S.J., Keller, S.E., Camerino, M., Thornton, J.C., & Stein, M. (1983). Suppression of lymphocyte stimulation following bereavement. *JAMA, 250*, 374-377.

Schmale, A.H., Morrow, G.R., Schmitt, M.H., *et al.* (1983). Well-being of cancer survivors. *Psychosomatic Medicine, 45*, 163-169.

Schmitt, N., & McCune, J. (1981). The relationship between job attitudes and the decision to retire. *Academy of Management Journal, 24*, 795-802.

Schulz, R., & Ewen, R.B. (1988). *Adult development and aging : Myths and emerging realities.* New York : MacMillan Publishing Company.

Schulz, R., & Brenner, G. (1977). Relocation of the aged : A review and theoretical analysis. *Journal of Gerontology, 32*, 323-333.

Schuster, T.L., & Butler, E.W. (1989). Bereavement, social networks, social support and mental health. Dans D.A. Lund (dir.), *Older bereaved spouses* (p. 55-68). New York : Hemisphere Publishing Corporation.

Shapiro, E., & Tate, R. (1985). Predictors of long-term care facility use among the elderly. *Canadian Journal on Aging, 4*, 11-19.

Shapiro, E., & Tate, R. (1988). Who is really at risk of institutionalization? *The Gerontologist, 28*, 237-245.

Statistique Canada (1988). *Annuaire du Canada.* The Bryant Press Limited.

Streib, G.F., & Schneider, S.J. (1971). *Retirement in American Society.* Ithaca : Cornell University Press.

Stroebe, M.S., & Stroebe, W. (1983). Who suffers more? Sex differences in health risks of the widowed. *Psychological Bulletin, 93*, 279-301.

Stroebe, M.S., & Stroebe, W. (1993). The mortality of bereavement : A review. Dans M.S. Strœbe, W. Strœbe & R.O. Hansson (dir.), *Handbook of bereavement : Theory, research, and intervention* (p. 175-195). New York : Cambridge University Press.

Stroebe, W., & Stroebe, M.S. (1987). *Bereavement and health.* New York : Cambridge University Press.

Stroebe, W., Stroebe, M.S., & Domittner, G. (1988). Individual and situational differences in recovery from bereavement : A risk group identified. *Journal of Social Issues, 44*, 143-158.

Szinovacz, M. (1982). *Women's retirement : Policy implications in recent research.* Beverly Hills, CA : Sage.

Talaga, T., & Beehr, J.A. (1989). Retirement : A psychological perspective. Dans C.L. Cooper & Robertson (dir.), *International review of industrial and organizational psychology, 1989* (p. 185-211). New York : John Wiley and Sons.

Thompson, G.B. (1973). Work versus leisure roles : An investigation of morale among employed and retired men. *Journal of Gerontology, 29*, 339-344.

Thompson, L.W., Breckenridge, N.J., Gallagher, D., & Peterson, J. (1984). Effects of bereavement on self-perceptions of physical health in elderly widows and widowers. *Journal of Gerontology, 39*, 309-314.

Thompson, L.W., Gallagher, D., Cover, H., Gilewski, M., & Peterson, J. (1989). Effects of bereavement on symptoms of psychopathology in older men and women. Dans D.A. Lund (dir.), *Older bereaved spouses* (p. 17-24). New York : Hemisphere Publishing Corporation.

Tobin, S.S. (1979). Institutionalization of the aged. Dans N. Datan & N. Lohmann (dir.), *Transitions of aging* (p. 195-211). New York : Academic Press.

Tobin, S.S., & Lieberman, M.A. (1976). *Last home for the aged : Critical implications of institutionalization.* San Francisco : Jossey-Bass.

Trahan, L. (1989). *Les facteurs de prédiction de l'hébergement en milieu institutionnel : une revue de la littérature.* Québec : Ministère de la Santé et des Services sociaux.

Turner, B.F., Tobin, S.S., & Lieberman, M.A. (1972). Personality traits as predictors of institutional adaptation among the aged. *Journal of Gerontology, 27*, 61-68.

Turner, R.J., & McLean, P.D. (1989). Physical disability and psychological distress. *Rehabilitation Psychology, 34*, 225-242.

Turner, R.J., & Noh, S. (1988). Physical disability and depression : A longitudinal analysis. *Journal of Health and Social Behavior, 29*, 23-37.

Tyhurst, J.S., Salk, L., & Kennedy, M. (1957). Mortality, morbidity and retirement. *American Journal of Public Health, 47*, 1434-1444.

Vachon, M.L.S., & Rogers, J. (1984). Primary prevention programming and widowhood. Dans D.P. Lunsden (dir.), *Community mental health action : Primary prevention programming in Canada* (p. 143-152). The Canadian Public Health Association.

Vachon, M.L.S., Sheldon, A.R., Lancee, W.J., Lyall, W.A.L., Rogers, J., & Freeman, S.J.J. (1982). Correlates of enduring distress patterns following bereavement :

Social network, life situation and personality. *Psychological Medicine, 12*, 783-788.

Vasquez-Barquero, J.L., Acero, J.A.P., Ochoteco, A., & Manrique, J.F. (1985). Mental illness and ischemic heart disease : Analysis of psychiatric morbidity. *General Hospital Psychiatry, 7*, 15-20.

Vézina, J., & Voyer, L. (1991). *Détresse psychologique et embêtements suivant la perte du conjoint chez des femmes âgées.* Rapport de recherche. Laboratoire de psychogérontologie, École de psychologie, Université Laval.

Viney, L.L., & Westbrook, M.T. (1982). Coping with chronic illness : The mediating role of biographic and illness-related factors. *Journal of Psychosomatic Research, 26*, 595-605.

Weiss, R.S. (1987). Recovery from bereavement : Findings and issues. Dans J.A. Steinberg & M.M. Silverman (dir.), *Preventing mental disorders* (p. 108-121). Rockville : DHHS Publication.

Wingard, D.L., Jones, D.W., & Kaplan, R.M. (1987). Institutional care utilization by the elderly : A critical review. *The Gerontologist, 27*, 156-163.

Wisocki, P.A., & Averill, J.R. (1987). The challenge of bereavement. Dans L.L. Carstensen & B.A. Edelstein (dir.), *Handbook of Clinical Gerontology* (p. 312-321). New York : Pergamon Press.

Wittels, I., & Botwinick, J. (1974). Survival in relocation. *Journal of Gerontology, 29*, 440-443.

Young, M., Benjamin, B., & Wallis, C. (1963). The mortality of widowers. *Lancet, 2*, 454-456.

Zautra, A.J., Maxwell, B.M., & Reich, J.W. (1989). Relationship among physical impairment, distress, and well-being in older adults. *Journal of Behavioral Medicine, 12*, 543-557.

Zisook, S., & Shuchter, S.R. (1986). The first four years of widowhood. *Psychiatric Annals, 16*, 288-294.

Chapitre 9

Solitude

9.1 INTRODUCTION

Depuis les années 1970, la solitude est l'objet d'un intérêt accru, et ce, pour plusieurs raisons : elle est considérée comme un problème social important pour plusieurs segments de la population (Mullins *et al.*, 1991), tous risquent un jour ou l'autre d'en faire l'expérience et il s'agit d'une expérience déplaisante en soi, et indésirée (Peplau & Perlman, 1982). À cet égard, les personnes âgées constituent une population cible de choix en raison des nombreuses pertes qu'elles sont appelées à vivre. Une affirmation d'ailleurs souvent entendue est que la solitude accompagne le vieillissement à un point tel que les deux sont intimement liés. Ainsi, selon une enquête réalisée par Harris et ses collaborateurs (1981) pour le compte du NCOA (National Council on the Aging), 65 % des Américains âgés de 18 à 65 ans croient que la solitude est un problème très sérieux pour les adultes âgés et 45 % des personnes de 65 ans et plus partagent cette opinion concernant leurs semblables.

Cette idée fort répandue peut prendre sa source dans les conditions de vie des personnes âgées. En effet, en 1986, on pouvait constater que 35 % des hommes âgés au Canada étaient célibataires, veufs ou divorcés. La situation était encore plus

Tableau 9.1 Répartition de l'état matrimonial au Canada et au Québec en 1986

	Canada		Québec	
État matrimonial	Hommes	Femmes	Hommes	Femmes
Mariés	76,60 %	41,00 %	74,90 %	37,90 %
Célibataires	7,50 %	8,60 %	8,80 %	14,00 %
Veufs	13,50 %	48,20 %	14,30 %	46,60 %
Divorcés	2,30 %	2,10 %	2,00 %	1,40 %

dramatique pour les femmes âgées, 67 % d'entre elles partageant ce profil. Un profil similaire prévalait au Québec (voir tableau 9.1). En outre, nombreux sont ceux qui voient la personne âgée comme quelqu'un qui s'ennuie parce que personne ne lui téléphone ou parce qu'elle attend en vain la visite de ses enfants ou de ses petits-enfants. Finalement, comme nous avons eu l'occasion de le voir dans un chapitre précédent, la vie d'une personne âgée peut se caractériser par de nombreuses pertes qui l'éloignent de son réseau social et peuvent engendrer de la solitude : outre le fait que la personne âgée peut être en situation de veuvage ou que ses enfants ont quitté la demeure familiale, elle peut, par exemple, être forcée de prendre sa retraite, de déménager, ou encore être aux prises avec des incapacités physiques. C'est ce tableau représentant les conditions de vie des personnes âgées qui amène plusieurs auteurs à penser que ces dernières souffrent de solitude et se sentent désespérément seules. Pour d'autres, il va de soi que la vieillesse s'accompagne de solitude, étant donné que la société dans laquelle nous vivons tend à marginaliser les personnes âgées, à les mettre de côté.

Assez paradoxalement, et malgré une augmentation de l'intérêt pour cette question, il faut bien admettre que très peu de recherches empiriques ont été réalisées sur le sujet, comme si le phénomène de la solitude chez les personnes âgées allait tellement de soi qu'il était inutile d'en savoir davantage. Bien que l'on en parle beaucoup et que l'on n'hésite pas à affirmer que la solitude est *le* problème de la vieillesse et des personnes âgées, ce problème demeure très peu mais surtout très mal documenté.

Le présent chapitre a pour objectif de mieux situer la problématique de la solitude dans la vie des personnes âgées. Pour ce faire, nous tenterons de cerner l'ampleur réelle de la solitude, de définir ce que les auteurs entendent par ce concept, pour ensuite nous arrêter aux nombreux facteurs qui ont été associés au fait de « se sentir seul », d'expérimenter la solitude. Une brève description des moyens pouvant être mis en œuvre pour surmonter ce problème termine ce chapitre.

9.2 AMPLEUR DU PROBLÈME

Comme nous venons de le dire, il est manifestement très tentant d'affirmer que les personnes âgées vivent isolées de leurs proches et de leurs amis et que, par conséquent, la solitude est un problème social qui accompagne nécessairement l'avancement en âge. Mais qu'en est-il dans les faits? À l'instar de Peplau et ses collaborateurs (1982), on peut s'interroger sur la justesse d'un tel raisonnement. Après avoir interrogé plus de 1 000 personnes de 16 ans et plus, Fischer et Philipps (1982) ont constaté que 23% des femmes âgées et 33% des hommes âgés étaient considérablement isolés de leurs proches et de leurs amis. Ces résultats confirment la première partie du raisonnement voulant qu'un pourcentage important de personnes âgées soient isolées. Toutefois, certains autres résultats contredisent ceux de Fischer et Philipps (1982). Dans leur étude, Kaufman et Adams (1987), après avoir interrogé près de 2 000 personnes de 60 ans et plus, ont observé que seulement 3% d'entre elles vivaient un isolement important (voir figure 9.1). Que les personnes âgées soient isolées ou non de leur réseau social, il est pertinent de se demander si elles sont pour autant vulnérables à la solitude. Les auteurs sont unanimes à affirmer que l'isolement social, c'est-à-dire la condition objective d'être

Figure 9.1 Distribution de l'isolement social et de l'isolement affectif (solitude) selon Kaufman et Adams

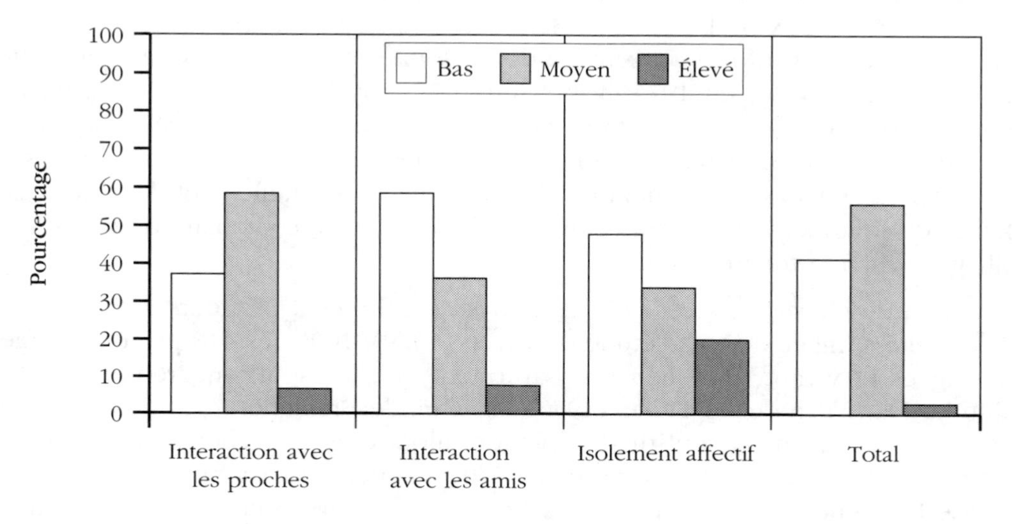

Source: Kaufman et Adams (1987).

seul, n'est pas synonyme de solitude, malgré l'habitude regrettable d'utiliser de manière interchangeable ces deux expressions (Mullins *et al.*, 1987). Ainsi, dans une étude maintenant classique, Townsend (1968) a relevé que 40 % des sujets qui étaient isolés de leur réseau social manifestaient un sentiment de solitude. Le fait, pour les personnes âgées, d'être isolées de leur réseau social, de ne plus avoir autant d'amis ou de proches qu'autrefois, ne signifie pas que ces personnes n'ont plus de relations sociales ou que celles-ci sont insatisfaisantes. À l'inverse, les relations avec les proches ou les amis ne constituent pas un rempart indéfectible contre la solitude. Ainsi, en dépit du fait que seulement 3 % des personnes âgées de l'étude de Kaufman et Adams (1987) avaient un degré d'isolement élevé, 20 % d'entre elles se disaient très affectées par la solitude (voir figure 9.1)

Les plus importantes enquêtes qui ont examiné l'étendue du problème sont, sans aucun doute, celles commanditées par le National Council on the Aging (NCOA) sous la direction de Louis Harris et Associés en 1974 et en 1981. En 1974, plus de 4 000 personnes de 18 ans et plus ont été interrogées à domicile alors qu'en 1981 c'est tout près de 3 500 autres personnes qui ont été rencontrées. La question de la solitude a été abordée de deux façons. Premièrement, les enquêteurs demandaient aux sujets si la solitude était pour eux un sérieux problème ; deuxièmement, ils leur demandaient si, d'après eux, la solitude constituait un problème sérieux pour les personnes âgées. Deux résultats sont dignes de mention. D'une part, la majorité des répondants, jeunes ou vieux, partageaient l'idée que la solitude est un sérieux problème dans la vieillesse. C'est ainsi que, en 1974, 61 % des répondants âgés de 18 à 64 ans et, en 1981, 65 % de ces répondants considéraient que la solitude était un sérieux problème pour les personnes âgées. Curieusement, cette idée était partagée par un fort pourcentage de personnes âgées de plus de 65 ans, alors que 56 % d'entre elles en 1974 et 45 % en 1981 croyaient que la solitude était un sérieux problème pour les « autres » personnes âgées. Toutefois, ces opinions ne s'accordent pas avec la réalité, puisque seulement 12 % des personnes âgées, en 1974, et 13 %, en 1981, attestaient qu'elles vivaient personnellement de sérieux problèmes de solitude. Ces résultats infirment donc la croyance voulant que la solitude soit un problème très répandu.

À peu de chose près, ces chiffres ont été confirmés à plusieurs autres reprises dans d'autres milieux. Dans l'étude de Kivett (1979), 16 % des 418 personnes âgées interrogées et vivant en milieu rural affirment qu'elles souffrent fréquemment de solitude. Dans l'étude de Fidler (1976), en Grande-Bretagne, 73 % des personnes âgées disent ne jamais souffrir de solitude, alors que 7 % d'entre elles disent se sentir seules la plupart du temps et 20 % de manière occasionnelle. Toujours en Grande-Bretagne, dans l'étude de Bowling et ses collaborateurs (1989), seulement 23 % des personnes âgées de 85 ans et plus disent qu'elles éprouvent de la solitude souvent ou la plupart du temps, 25 % quelquefois et 52 % jamais. En Suisse, seulement 19% des personnes de 70 ans et plus éprouvent de la solitude souvent ou quelquefois (Berg *et al.*, 1981). En Suède, 40% des personnes âgées de 55 à 74 ans disent qu'elles se sentent seules souvent ou quelquefois (Mullins *et al.*, 1991). Aux États-Unis, plus de 2 000 personnes de 18 à 89 ans ont répondu à un questionnaire publié dans trois quotidiens dominicaux (Revenson & Johnson, 1984). Les auteurs ont constaté que les personnes âgées se sentaient moins seules que les plus jeunes ou que les adultes d'âge moyen (voir figure 9.2). De fait, les études démontrent unanimement que les adolescents représentent le groupe le plus vulnérable à la solitude. À la lumière de ces résultats, il faut donc admettre que le stéréotype voulant que la solitude soit une condition intrinsèque du vieillissement a peu de fondement empirique solide. Pour Revenson (1986), il est clair que l'association solitude/vieillesse a été exagérée et qu'il s'agit en fait d'un mythe bien entretenu. Mais comme n'importe quel stéréotype, cette idée préconçue ne se corrige pas facilement, si bien qu'elle est encore ancrée dans l'esprit de plusieurs. Quelques mises en garde s'imposent. D'un part, il faut en effet déplorer l'absence d'étude épidémiologique d'envergure qui permettrait d'avoir un aperçu plus juste de l'étendue réelle du problème. D'autre part, les études précédentes ont souvent été réalisées auprès de personnes âgées volontaires, en bonne santé, en mesure de répondre de manière autonome et qui résidaient encore chez elles. Il est donc légitime de

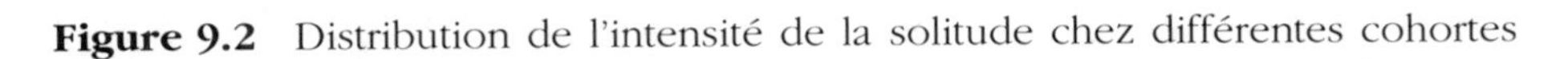

Figure 9.2 Distribution de l'intensité de la solitude chez différentes cohortes

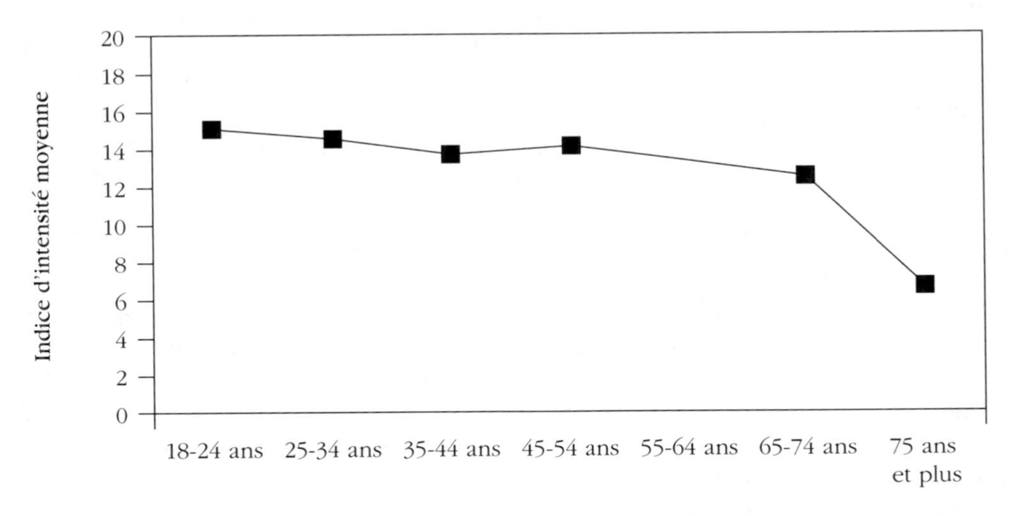

Source: Revenson et Johnson (1984).

se demander quelle est l'ampleur du problème chez les personnes qui ne partagent pas ces caractéristiques. Cela dit, il ne serait pas approprié pour autant de rejeter les résultats des études précédentes qui infirment la croyance populaire, sous prétexte que les études ont des limites, et de continuer d'affirmer « par défaut » que la solitude demeure un problème courant chez les personnes âgées. Les résultats qui démontrent que la solitude n'est pas aussi répandue que certains le pensaient ne sont pas négligeables.

Les enquêtes de Harris et Associés révèlent une autre donnée intéressante : la solitude n'est pas ce qui préoccupe le plus les personnes âgées américaines. En 1974, la solitude était le quatrième souci précédé, en importance, par la peur du crime, la mauvaise santé et la crainte de ne pas avoir suffisamment d'argent pour vivre. En 1981, le souci de la solitude occupait le sixième rang, devancé par la hausse des coûts de l'énergie, la peur du crime, la mauvaise santé, la crainte de ne pas avoir suffisamment d'argent pour vivre et le transport. À l'exception de la hausse des coûts de l'énergie, qui paraît être assez circonstancielle dans la mesure où l'enquête s'est déroulée pendant la crise du pétrole, et du transport, qui n'était pas une préoccupation incluse dans l'enquête de 1974, les soucis des personnes âgées demeurent constants. Il est intéressant de constater que les personnes de 18 à 65 ans ont sensiblement les mêmes ennuis que les personnes plus âgées, mis à part les préoccupations relatives à la santé pour les personnes plus âgées, à l'emploi et à l'éducation pour les plus jeunes (Harris & Associés, 1981).

Bien que la solitude n'affecte pas l'ensemble des personnes âgées et qu'elle ne paraisse pas être leur préoccupation dominante, il demeure nécessaire de déterminer quelles personnes en souffrent plus particulièrement et de circonscrire les facteurs qui contribuent ou exacerbent la solitude chez ces personnes. On peut en effet penser que certains sous-groupes sont plus vulnérables que d'autres. Mais avant d'aborder cette question, il est opportun de tenter de définir la solitude.

9.3 CONCEPTUALISATIONS DE LA SOLITUDE

La solitude n'est pas un phénomène, un construit, facile à conceptualiser, bien que nous sachions tous intuitivement ce qu'elle est (Peplau & Perlman, 1982 ; Rook, 1988). Il n'existe pas de définition uniformisée de la solitude, comme en fait foi la collection des définitions recensées par Peplau et Perlman (1982, p. 4). Toutefois, selon ces chefs de file dans l'étude de la solitude, bien que les définitions recensées forment un ensemble hétéroclite, reflet des diverses perspectives théoriques qui se sont intéressées à cette question – psychodynamique, humaniste, existentielle, cognitive ou interactionniste –, les diverses conceptualisations partagent certains points communs. Premièrement, les auteurs s'entendent pour affirmer que la solitude est avant tout une expérience subjective. Deuxièmement, la solitude est perçue comme une expérience très négative, pénible à vivre, qui s'accompagne souvent d'affects négatifs tels que la personne est de mauvaise humeur, ressent de l'anxiété, de l'ennui, est malheureuse et insatisfaite de ses relations sociales, se sent marginalisée et aliénée (Berg *et al.*, 1981 ; Creecy *et al.*, 1985 ; De Grâce *et al.*, 1987 ; Peplau & Perlman, 1982 ; Perlman *et al.*, 1978 ; Schmitt & Kurdek, 1985). Troisièmement, en aucun temps la solitude ne se rapporte au nombre objectif de contacts humains qu'une personne peut avoir (Perlman, 1988 ; Townsend, 1973). Elle correspond chez l'individu à la perception d'une déficience de son réseau de relations sociales (Russel *et al.*, 1984), si bien qu'une personne peut ressentir de la solitude dans une foule. Reflétant ces conceptions, Peplau et Perlman (1982) définissent donc la solitude comme une expérience déplaisante qui apparaît lorsque le réseau social de la personne est déficient ou perçu comme déficient tant au point de vue qualitatif qu'au point de vue quantitatif. La personne ressent de la solitude lorsqu'il y a un déséquilibre entre les relations sociales réelles et les relations sociales désirées. Cette définition de la solitude par Peplau et Perlman est résolument cognitive. Donc, même si, objectivement, la personne âgée n'a pas de raisons de se sentir seule, elle pourra expérimenter la solitude si ses relations sociales sont en deçà de ce qu'elle souhaite ou si ces dernières ne comblent pas entièrement ses besoins (Peplau & Perlman, 1982).

Théoriquement, il est d'usage de distinguer entre différentes formes de solitude. Pour sa part, Weiss (1982, 1987) propose une taxinomie comprenant deux formes spécifiques de solitude : une première qui résulte de l'isolement social et une seconde qui résulte de l'isolement affectif. La solitude qui résulte de l'isolement social vient d'une absence d'appartenance à un groupe social qui permettrait à la personne de partager des affinités ou des intérêts communs, ou d'une insatisfaction vis-à-vis du groupe social dont la personne fait partie. Ce type de solitude risque de survenir lorsque la personne est coupée de son réseau social naturel. Ainsi, on peut penser à une personne âgée qui déménage dans un nouveau quartier. Pendant une période plus ou moins longue, elle se sentira étrangère et pas du tout intégrée à ce milieu, elle connaîtra de l'ennui. Si elle possède les habiletés sociales nécessaires, elle finira par s'intégrer à son nouveau réseau social. La seconde forme de solitude survient lorsque disparaît une présence attachante, rassurante. Ainsi, une personne âgée qui vient de perdre son conjoint ou de vivre une rupture amoureuse expérimentera de la solitude affective ou émotionnelle (Marangoni & Ickes, 1989). On considère que la solitude peut être transitoire, passagère ou, au contraire, qu'elle peut constituer une condition plus chronique, généralement d'une durée de plus de deux ans. Pour certains auteurs, comme Moustakas (1961) de l'école existentielle, il y a une forme de solitude qui est saine : c'est l'expérience qu'a l'humain d'être profondément seul face aux grandes questions de la vie (naissance, mort).

Cette solitude permet de développer son identité et d'établir un contact réel avec l'autre (Moustakas, 1961). Toutefois, le type de solitude dont il sera question ici est l'expérience humaine négative qu'ont décrite la majorité des experts de cette question.

Bien que la solitude ne soit pas une expérience qui accompagne nécessairement l'avancement en âge, il ne demeure pas moins qu'il s'agit d'une réalité très concrète pour certaines personnes âgées. La prochaine section tentera de déterminer les facteurs qui ont été le plus souvent reliés au sentiment de solitude chez les personnes âgées.

9.4 FACTEURS RELIÉS AU SENTIMENT DE SOLITUDE

Au cours des 20 dernières années, les chercheurs ont tenté d'établir quels étaient les facteurs les plus reliés au sentiment de solitude, au même titre que l'on recherche les facteurs reliés au bien-être (voir chapitre 7). Un coup d'œil sur l'ensemble de ces recherches nous permet premièrement d'affirmer que ce champ d'étude est relativement pauvre en recherches empiriques, si l'on considère que nombre de recherches mentionnent que la solitude est un problème prédominant dans la vieillesse. Ce constat est surprenant et décevant. Deuxièmement, il est aussi navrant de constater que ces études sont, dans l'ensemble, de nature corrélationnelle, c'est-à-dire qu'elles tentent seulement d'établir si une variable donnée est en relation avec le sentiment de solitude. Cette façon de faire a pour résultat que l'on se retrouve aujourd'hui avec une abondance de facteurs, généralement sociodémographiques, reliés, à des degrés divers, avec la solitude. Troisièmement, fait assez inédit, la majeure partie de ces chercheurs se contentent de poser des questions telles que « Souffrez-vous de la solitude? », « Diriez-vous que vous vous sentez seuls rarement, quelquefois, souvent ou toujours? » plutôt que de s'appuyer sur des questionnaires éprouvés tels que l'échelle de solitude UCLA (Russell *et al.*, 1984). Finalement, l'ensemble des facteurs étudiés sont rarement articulés autour d'une théorie ou d'un modèle théorique, bien que Peplau et Perlman aient formulé un tel modèle en 1984 (Perlman, 1988).

Dans ce modèle (voir figure 9.3), les auteurs prennent le soin de distinguer entre les facteurs prédisposants, c'est-à-dire ceux qui rendent les personnes vulnérables à la solitude, et les facteurs précipitants, soit ceux qui déclenchent la solitude. Les facteurs prédisposants sont : 1) les caractéristiques de l'individu, comme la timidité, le fait d'avoir peu d'habiletés sociales, ou de ne pas être suffisamment affirmatif ; 2) les caractéristiques de la situation, comme de vivre isolé ; 3) les valeurs culturelles, comme l'individualisme. Les facteurs précipitants sont des facteurs tels qu'une rupture amoureuse, le déménagement dans une autre ville, la

Figure 9.3 Modèle théorique de Peplau et Perlman

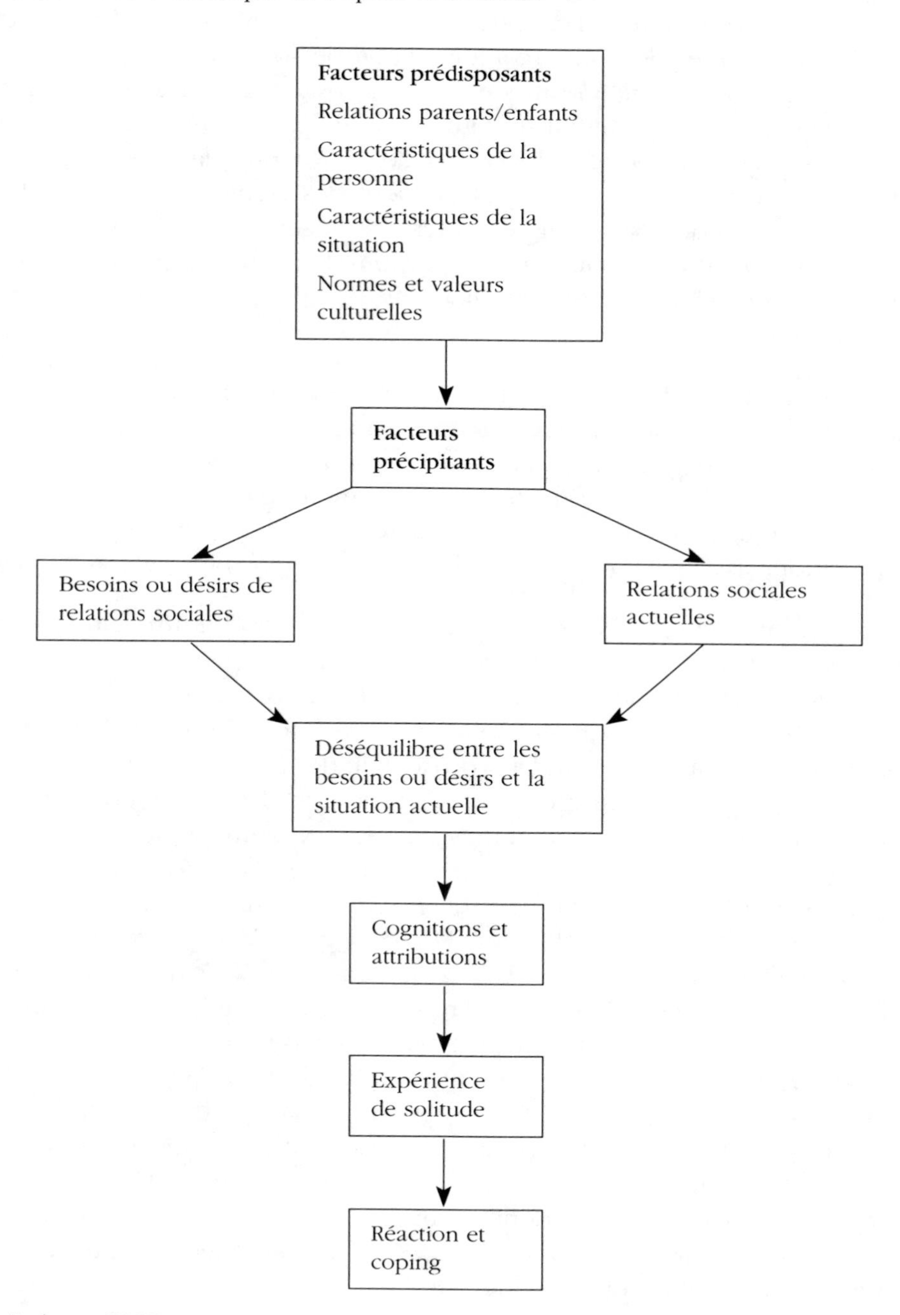

Source: Perlman (1988).

retraite, l'hospitalisation, la maladie ou tout autre facteur qui change radicalement le tissu social d'une personne. Les facteurs précipitants créent alors un déséquilibre entre les besoins ou les désirs de relations d'une personne et ses relations sociales actuelles. Ce qui particularise le modèle théorique de Peplau et Perlman, c'est le rôle joué par le processus cognitif qui intervient entre les déficits sociaux et l'expérience de la solitude. En outre, selon ce modèle, ce à quoi la personne attribue sa solitude ainsi que le sentiment de contrôle sont des éléments pouvant influer sur l'intensité de la solitude. Par exemple, l'intensité du sentiment de solitude sera plus élevée si la personne s'attribue l'entière responsabilité de sa condition ou si elle croit qu'il est vain de tenter de remédier à la situation, que celle-ci ne changera jamais.

Toutefois, faut-il le rappeler, les facteurs mis en relation avec la solitude n'ont pas été intégrés à ce modèle. Quoi qu'il en soit, il est opportun de se demander quels sont les facteurs qui sont reliés avec la solitude. Les résultats des recherches permettent de constater que ces facteurs sont nombreux et diversifiés. Il peut s'agir de l'état matrimonial, de l'âge, du sexe, du revenu, de l'éducation, du milieu de vie, des relations avec les amis ou avec les proches et de plusieurs autres facteurs.

Les études ont démontré qu'il existe une relation entre la **situation de famille** et la solitude. Ainsi, on observe régulièrement que les personnes âgées mariées expérimentent moins la solitude que les personnes âgées non mariées (Berg *et al.*, 1981 ; Lee & Ishii-Kuntz, 1987 ; Mullins *et al.*, 1989), ce qui atteste de nouveau la fonction prophylactique du mariage (ou le fait de vivre avec un conjoint). Par exemple, dans leur étude, Berg et ses collaborateurs (1981) mentionnent que 6 % des hommes mariés et 15 % des femmes mariées expérimentent la solitude, comparativement à 69 % des hommes non mariés et à 54 % des femmes non mariées. Ce résultat est important, compte tenu du profil des adultes âgés en ce qui a trait à la situation de famille (voir tableau 9.1), et suggère déjà que les femmes âgées seraient particulièrement vulnérables à la solitude avec l'avancement en âge. S'il apparaît que le mariage (ou le fait d'avoir un conjoint) protège les personnes âgées de la solitude, cela n'exclut pas la possibilité que des personnes âgées mariées puissent se sentir seules. En effet, une autre variable importante est la **satisfaction conjugale**. On observe parmi les personnes âgées mariées que la satisfaction conjugale est en relation inverse avec le sentiment de solitude : plus la satisfaction conjugale est faible, plus la solitude est élevée ou fréquente (De Grâce *et al.*, 1987 ; Perlman *et al.*, 1978). Une donnée intéressante nous provient de l'étude réalisée par De Grâce et ses collaborateurs (1987) ; ces chercheurs ont découvert que la solitude ne variait pas d'une situation de famille à une autre pour les personnes âgées placées dans un établissement.

Parmi la catégorie des personnes non mariées, les personnes âgées veuves ont été couramment désignées comme celles risquant le plus d'expérimenter la solitude (par exemple, Berg *et al.*, 1981 ; De Grâce *et al.*, 1987 ; Kivett, 1979 ; Revenson & Johnson, 1984). Ainsi, Lopata (1969) mentionne que la moitié des personnes veuves de son étude affirment que la solitude est maintenant pour elles un problème sérieux. Des chiffres similaires ont été obtenus dans une étude plus récente, celle de Berg et ses collaborateurs (1981), où 44 % des veufs et 43 % des veuves ont répondu par l'affirmative à la question suivante : « Vous sentez-vous seul ? » En outre, la **durée du veuvage** serait une variable importante, car des chercheurs ont remarqué que l'intensité de la solitude était inversement proportionnelle au temps de veuvage (Lopata *et al.*, 1982 ; Revenson & Johnson, 1984). Townsend (1973) note que la grande majorité des personnes âgées sont affectées par la solitude lorsque la mort du conjoint est survenue depuis moins de 5 ans, que ce pourcentage diminue à 50 % lorsque l'événement est survenu il y a entre 5 et 10 ans, et à 25 % lorsqu'il est survenu il y a plus de 10 ans. En ce qui concerne les personnes célibataires et divorcées, les résultats sont moins clairs. Aucune recherche n'a permis d'observer une relation entre le fait d'être célibataire ou divorcé et la solitude chez les personnes âgées (Berg *et al.*, 1981 ; Gubrium, 1975).

Le facteur **âge** a, bien entendu, été mis en relation avec le sentiment de solitude. Comme nous avons eu l'occasion de le voir précédemment, l'avancement en âge, contrairement à certaines croyances, ne paraît pas être une condition suffisante pour engendrer de la solitude. Plusieurs études, en effet, ne font état d'aucune relation entre l'avancement en âge et la solitude (par exemple, Baum, 1982 ; Perlman *et al.*, 1978), ou, si l'on observe l'existence d'une relation, on note plutôt une relation inverse (Revenson & Johnson, 1984). Il est communément démontré que la solitude est plus fréquente chez les adolescents, pour diminuer par la suite. C'est ainsi que 79 % des personnes de 18 ans et moins disent se sentir seules quelquefois ou souvent, comparativement à 59 % pour les personnes de 45 à 54 ans et à 37 % pour celles âgées de plus 50 ans (Parlee, 1979). Une explication de cette situation peut être que, avec le temps, les personnes ont des attentes plus réalistes par rapport à leurs relations sociales, alors que les jeunes ont au contraire des attentes trop élevées, idéalistes même (Peplau *et al.*, 1982). Ces attentes ne pouvant pas être comblées, les adolescents connaîtraient du désappointement. Une seconde explication peut être la suivante : si les personnes âgées ont un réseau social moins étendu – ce qui est loin d'être démontré –, la qualité de ces relations, quant à elle, serait excellente. Ainsi, Revenson et Johnson (1984) affirment, d'une part, que les répondants âgés de leur étude disent avoir plus d'amis que les répondants de moins de 65 ans, et, d'autre part, que les premiers sont davantage satisfaits du nombre d'amis qu'ils ont. Une troisième explication peut être la tendance, soulignée par les résultats précédents, à ne pas reconnaître le sentiment de solitude en vieillissant (Peplau *et al.*, 1982). Il faut toutefois avoir à l'esprit qu'il s'agit d'études utilisant un devis transversal et que, par conséquent, il n'est pas possible de déterminer s'il s'agit d'une différence entre les cohortes ou d'une influence développementale.

Certaines études suggèrent qu'il pourrait exister une différence à l'intérieur des sous-groupes de personnes âgées. Dean (1962) note que 53 % des sujets âgés de plus de 80 ans affirment qu'ils souffrent de solitude, comparativement à seulement 29 % pour les personnes âgées de 70 à 79 ans. Townsend (1973) obtient des résultats similaires. Kaufman et Adams (1987) notent aussi que les personnes très âgées de leur étude souffrent plus de solitude. Cette recrudescence de la solitude à un âge avancé pourrait s'expliquer par la plus grande présence d'incapacités physiques, un appauvrissement du réseau social, la probabilité plus grande de perdre son conjoint et des difficultés de transport.

Le **sexe** est un autre facteur souvent considéré, et, selon la grande majorité des études, la solitude est plus fréquente chez les femmes. Ainsi, Berg et ses collaborateurs (1981) observent que 25 % des femmes de leur étude souffrent de la solitude quelquefois ou souvent, comparativement à 12 % pour les hommes. De même, Baum (1982) mentionne que les femmes âgées sont plus affectées que les hommes âgés. L'observation du fait que la femme âgée puisse être plus vulnérable à la solitude est importante, compte tenu que les femmes âgées surpassent en nombre les hommes âgés. Comme nous l'avons mentionné au chapitre 1, ce phénomène est appelé la féminisation de la vieillesse. Cependant, cette observation n'est peut-être pas surprenante si l'on considère que ce facteur peut être confondu avec l'état matrimonial et l'âge avancé. On se souvient que près de 50 % des femmes âgées sont veuves et que leur espérance de vie est supérieure à celle des hommes. Une autre explication est plausible. Il est possible que les femmes prêtent une attention plus particulière à leurs relations sociales, qu'elles aient des attentes plus grandes, et que le fait d'en être privées ou insatisfaites les rende plus vulnérables à la solitude. Finalement, il se peut que les femmes admettent plus facilement que les hommes leur sentiment de solitude, une telle admission pouvant être perçue comme une marque de faiblesse pour les hommes.

L'**évaluation subjective de la santé** est un facteur constamment considéré comme étant en relation inverse avec la solitude : plus les personnes âgées estiment que leur santé est précaire, plus leur sentiment de solitude est intense ou fréquent (Baum, 1982 ; Berg *et al.*, 1981 ; Creecy *et al.*, 1985 ; De Grâce *et al.*, 1987 ; Kaufman & Adams, 1987 ; Kivett, 1979 ; Lee & Ishii-Kuntz, 1987 ; Mullins *et al.*, 1989 ; Perlman *et al.*, 1978 ; Townsend, 1968). Pour Kaufman et Adams (1987), les personnes âgées en mauvaise santé, ou qui s'estiment comme telles, ont peut-être moins le désir de s'engager dans des activités sociales avec leurs proches ou leurs amis. Une autre explication peut être que leur mauvaise santé les amène à rechercher de l'aide sans que cette aide soit disponible ou satisfaisante. Il est aussi permis de penser qu'une personne âgée en mauvaise santé n'est plus en mesure d'apprécier ses relations sociales ; puisqu'il s'agit d'une évaluation subjective, il se pourrait que cette dernière soit davantage le reflet d'une insatisfaction générale.

Les **incapacités physiques** qui réduisent la mobilité et l'autonomie dans les tâches de la vie courante sont aussi un facteur relié à la solitude. Ainsi, Townsend (1968) affirme que les incapacités physiques sont reliées à la solitude et que cette relation existe tant chez les personnes âgées qui demeurent seules que chez celles demeurant avec d'autres. Tunstall (1966) mentionne que, parmi les sujets de son étude, 13 % des hommes âgés sans incapacités expérimentent la solitude, comparativement à 43 % pour les hommes âgés souffrant d'incapacités. Des résultats similaires sont obtenus pour les femmes : 52 % des femmes atteintes d'incapacités physiques affirment qu'elles souffrent de solitude, comparativement à 25 % pour les femmes sans incapacités. Les résultats sont plus contradictoires concernant la vision et l'audition : alors que, en général, les problèmes de **vision** (Kivett, 1979) et d'**audition** (Perlman *et al.*, 1978) paraissent reliés à la solitude, Berg et ses collaborateurs n'observent aucune relation entre ces problèmes physiques et la solitude.

À plusieurs reprises, la solitude a été mise en relation avec le **revenu**. Cependant, comme le rappelle Perlman (1988), l'existence d'une telle relation est plus incertaine qu'on ne le croit. Plusieurs études ont observé une relation entre la solitude et un faible revenu (Creecy *et al.*, 1985 ; De Grâce *et al.*, 1987 ; Fischer & Philipps, 1982 ; Lee & Ishii-Kuntz, 1987). Selon les explications les plus répandues, un trop faible revenu causerait des contraintes sociales importantes ou encore créerait de l'insatisfaction à l'égard de la vie. Toutefois, Berg et ses collaborateurs (1981) n'observent pas cette relation entre le revenu et la solitude. L'existence d'un supplément de revenu disponible pour les personnes âgées résidant en Suisse pourrait expliquer pourquoi ces auteurs n'observent pas de relation entre ces deux réalités.

L'**éducation** a aussi été mise en relation avec le sentiment de solitude. Plusieurs études montrent en effet que la solitude se rencontre plus fréquemment chez les personnes âgées les moins scolarisées (par exemple, Baum, 1982 ; De Grâce *et al.*, 1987 ; Fischer & Philipps, 1982 ; Kaufman & Adams, 1987). Selon Kaufman et Adams (1987), cette relation s'explique par le fait que les personnes âgées qui sont plus scolarisées ont plus d'occasions de s'engager dans des activités sociales diversifiées et enrichissantes. En outre, il arrive souvent qu'un niveau de scolarité plus élevé corresponde à un revenu supérieur.

Quelques recherches ont permis de comparer le niveau de solitude selon **le milieu de vie** de la personne âgée. Ainsi, contrairement à ce que l'on pourrait penser, le niveau de solitude ne varie pas selon que les personnes âgées sont placées dans un établissement ou non (Berg *et al.*, 1981 ; De Grâce *et al.*, 1987 ; Mellor & Ederlmann, 1988) ou encore selon qu'elles résident en milieu urbain ou en milieu rural (Woodward *et al.*, 1974). La variable qui semble jouer un rôle important, ce n'est pas le milieu en soi, mais la **satisfaction à l'égard du milieu** (Berg *et al.*, 1981 ; De Grâce *et al.*, 1987 ; Perlman *et al.*, 1978 ; Woodward *et al.*, 1974) : plus les personnes âgées sont satisfaites de leur milieu de vie, moins elles ressentent de solitude. Pour leur part, Perlman et ses collaborateurs (1978) mentionnent que les personnes âgées qui ont déménagé contre leur gré souffrent davantage de la solitude. Ce dernier résultat laisse suggérer que le **degré de contrôle** qu'une personne âgée peut exercer est un facteur important à considérer dans l'étude de la solitude. Moore et Schultz (1987) font remarquer que la perception d'une plus grande responsabilité et un plus grand contrôle sont reliés à moins de solitude et à un meilleur bien-être général.

Un facteur qui a aussi attiré l'attention des chercheurs est le fait de **vivre seul**. La moitié des personnes âgées de l'étude de Henderson et ses collaborateurs (1986), comparativement à 17 % pour celles qui ne vivent pas seules, mentionnent qu'elles souffrent de solitude. Bien que le fait de vivre seul semble être relié à la solitude, les experts de cette question affirment que cela n'est pas une condition suffisante pour évoquer le sentiment de solitude. D'ailleurs, Tunstall (1966) remarque que seulement 15 % des hommes et des femmes âgés vivant seuls disent souffrir souvent de solitude.

Finalement, il est pertinent de se demander si les relations avec les **enfants** et les **petits-enfants** jouent un rôle important. L'idée qu'une personne âgée séparée de ses enfants ou de ses petits-enfants peut davantage se sentir seule est sans doute séduisante (Townsend, 1973). Mais, contrairement à ce que plusieurs croient, la solitude est peu reliée aux interactions avec les enfants et les petits-enfants (Lee & Ishii-Kuntz, 1987 ; Mullins *et al.*, 1987 ; Perlman *et al.*, 1978). Berg et ses collaborateurs (1981) ont, quant à eux, observé une relation entre les contacts avec les enfants et la famille et la solitude, mais seulement pour les hommes âgés.

La présence d'**amis** paraît avoir un effet plus bénéfique que celle des enfants ou de la famille sur le bien-être des personnes âgées. Arling (1976), dans une étude menée auprès de 409 veuves âgées, remarque que ce sont les contacts avec les amis et les voisins, et non les contacts avec les membres de la famille, qui sont reliés à une baisse de la solitude. De Grâce et ses collaborateurs (1987) constatent que le fait d'avoir peu d'amis, peu d'amis intimes et peu de contacts avec les amis est relié à une augmentation de la solitude. Dans leur étude sur les personnes âgées canadiennes séjournant occasionnellement en Floride, Mullins et ses collaborateurs (1989) observent que les personnes qui souffrent le plus de solitude sont celles qui ont le moins d'amis. Perlman et ses collaborateurs (1978) remarquent que la solitude est plus reliée aux contacts avec les amis qu'aux relations avec les enfants, et qu'elle n'est pas du tout reliée aux contacts avec les autres parents. Plusieurs études ont trouvé des relations significatives entre la présence d'un **confident** et une diminution du sentiment de solitude (Arling 1976 ; Bowling *et al.*, 1989 ; Creecy *et al.*, 1985 ; Kivett, 1979 ; Perlman *et al.*, 1978 ; Revenson & Johnson, 1984).

Comment comprendre ces différences importantes entre le faible impact de la famille sur la solitude des personnes âgées en contraste avec celui, très positif, des amis ou d'un confident ? Plusieurs auteurs mentionnent que les personnes âgées préfèrent les contacts avec leurs semblables aux relations avec leurs enfants ou leurs proches. Une raison de cette préférence vient du fait que les relations avec la famille sont souvent obligatoires, alors que les contacts avec les amis sont libres (Mullins & McNicholas, 1986). Il faut comprendre que l'intimité et la réciprocité des liens sont des facteurs vitaux pour le bien-être des adultes âgés. Or, il semble que sur le plan familial il n'y ait pas la même réciprocité qu'en amitié (Lee & Ishii-Kuntz, 1987). Les amis semblent pouvoir offrir davantage de réciprocité que les parents ou les enfants. Ces derniers ont un style de vie différent, ont adhéré à des valeurs différentes, ont des intérêts différents, si bien que cela provoque un fossé générationnel important qui rend les échanges peu gratifiants.

Après avoir examiné certains facteurs reliés à la solitude, on peut maintenant s'interroger sur la façon de prévenir ou de diminuer le sentiment de solitude chez la personne âgée.

9.5 TYPES D'INTERVENTION

De façon générale, la prévention ou la diminution du sentiment de solitude chez la personne âgée requiert une prise en compte des ressources matérielles et physiques de cette dernière. Dans ce contexte, il est important d'assurer l'accès aux moyens de transport ainsi que de diminuer l'impact des troubles d'audition et de vision (Kivett, 1979). Par ailleurs, trois principaux types d'intervention psychosociale peuvent également s'avérer utiles pour prévenir ou combattre la solitude. Le premier type d'intervention consiste à établir des groupes de soutien pour les personnes qui ont perdu leur conjoint. Le second type est basé sur une analyse relationnelle de la solitude et vise à développer le réseau social des individus. Quant au troisième type d'intervention, il a pour but de modifier les caractéristiques personnelles qui conduisent au sentiment de solitude. Avant d'examiner chacun de ces types d'intervention, il est important de souligner que le choix d'une intervention particulière doit permettre de répondre aux besoins de chaque individu. Les personnes qui ont perdu leur conjoint n'ont pas nécessairement les mêmes besoins que celles qui se sentent seules parce qu'elles ne parviennent pas à établir de relations durables. Ces différences doivent être prises en compte pour éclairer le choix d'un mode d'intervention particulier. Comme l'a souligné Austin (1989), un examen attentif de l'individu, de son environnement et de ses rapports avec les autres permet de comprendre le processus menant à la solitude et peut être utile à l'élaboration d'un programme d'intervention.

Les personnes âgées dont le conjoint est mort peuvent prévenir ou diminuer le sentiment de solitude en adhérant à un groupe de soutien comme celui mis au point par Weiss (1976). L'objectif initial de ce type d'intervention était de transmettre de l'information et du soutien aux personnes ayant vécu une séparation conjugale. Le programme a été élargi pour inclure également les personnes dont le conjoint est mort. Le groupe se réunit toutes les semaines durant huit semaines et les rencontres sont consacrées à des présentations sur des thèmes particuliers et à des échanges en groupe. En ce qui concerne les veufs et les veuves, il peut être pertinent de discuter de thèmes tels que les stratégies à utiliser pour faire face à la perte du conjoint et pour se faire de nouvelles connaissances. Ce type d'intervention peut servir à combattre l'isolement et la solitude résultant de l'effritement du réseau social consécutif à la mort du conjoint. Il peut aussi fournir des occasions de rencontre avec d'autres personnes qui ont déjà perdu leur conjoint et qui sont désireuses de partager leur expérience. Cela peut contribuer à faciliter la réintégration au sein de la communauté (Kivett, 1979).

Un autre type d'intervention consiste à développer le réseau social des personnes âgées par des programmes de visite à domicile. Par exemple, Mulligan et Bennett (1977-1978) ont décrit un programme de 12 visites à domicile d'une durée d'une heure chacune, effectuées par des bénévoles toutes les deux semaines. On a réalisé une évaluation de ce programme en comparant un groupe de sujets ayant été visités sur une base régulière à un groupe témoin n'ayant été visité qu'au début et à la fin de l'intervention. Les résultats indiquent que les sujets du groupe ayant participé au programme démontrent à la suite de l'intervention une amélioration supérieure quant à l'entretien de leur domicile, de même qu'en ce qui a trait à leur état mental. De plus, une relance menée six mois après la fin de l'intervention a permis de constater qu'une proportion plus élevée de participants au programme demeuraient toujours à leur domicile et que ce groupe présentait un niveau plus faible d'isolement social. Il faut noter que le petit nombre de sujets composant chaque groupe invite à la prudence dans l'interprétation de ces résultats. En effet, on peut se demander si les mêmes résultats auraient été obtenus avec des groupes plus grands. En outre, bien que, à la relance, une amélioration ait été observée pour ce qui est de l'isolement, il faut remarquer que cet effet n'a pas été décelé immédiatement à la fin de l'intervention. Il est possible que cet effet ne soit pas attribuable aux visites elles-mêmes, mais qu'il soit plutôt une conséquence indirecte de l'intervention. On peut penser, par exemple, que l'amélioration de l'état mental facilite les rapports sociaux et permet ainsi de diminuer l'isolement.

Bien que les visites à domicile faites par un bénévole semblent bénéfiques aux personnes âgées, il faut noter que les effets de ce type d'intervention semblent être fonction du rôle exercé par le visiteur. Martin et Kiely (1983) ont comparé un groupe de sujets visités par un bénévole jouant le rôle de visiteur amical à un groupe pour lequel le bénévole jumelait les rôles de visiteur amical et d'intermédiaire à court terme, ce dernier rôle consistant à favoriser les liens entre les personnes âgées et les ressources présentes dans leur quartier. Les résultats de Martin et Kiely (1983) suggèrent que les personnes âgées visitées par un bénévole qui assume le rôle d'intermédiaire en plus de celui de visiteur amical présentent une diminution plus importante de l'isolement et de la solitude que les personnes âgées visitées par un visiteur amical seulement. Une fois de plus, le petit nombre de sujets composant chaque groupe pose le problème de la fiabilité des résultats. Néanmoins, on peut penser que les rapports avec un intermédiaire à court terme contribuent au développement du réseau social de la personne âgée en favorisant l'utilisation des ressources communautaires par cette dernière.

Les programmes de sécurisation téléphonique constituent une façon pratique et économique d'aider la personne âgée à maintenir des rapports quotidiens avec une autre personne. Ces programmes visent généralement à offrir de l'aide, en cas d'urgence, aux personnes âgées vivant seules. Les participants communiquent quotidiennement avec un bénévole pour l'informer que tout va bien. Si un participant ne téléphone pas, il reçoit alors un téléphone ou la visite d'un proche. Bien que les participants ne soient pas encouragés à converser longuement avec le bénévole, il semble que les rapports sont généralement cordiaux. D'ailleurs, des participants à ce type de programme disent se sentir moins seuls, plus autonomes et plus en sécurité (King, 1991). Cependant, des études de contrôle sont nécessaires pour évaluer l'efficacité de ces programmes.

Comme nous l'avons mentionné précédemment, un troisième type d'intervention psychosociale visant à combattre la solitude consiste à modifier les caractéristiques de la personne qui contribuent à sa solitude. Par exemple, un modèle de thérapie cognitive pour le traitement de la solitude a été proposé par Young (1982). Ce type d'intervention vise à modifier les pensées dysfonctionnelles qui constituent des obstacles au développement de relations sociales. De manière plus spécifique, Young (1982) a suggéré l'existence d'une hiérarchie de six stades dans les rapports avec les autres. Les objectifs de chacun de ces stades sont les suivants :

- surmonter l'anxiété et le sentiment de tristesse reliés au fait d'être seul ;
- participer à des activités avec des camarades ;
- échanger des confidences avec un ami ;

- rencontrer un partenaire approprié ;
- établir une relation intime avec un partenaire par le biais de confidences et de rapports sexuels ;
- s'engager dans une relation à long terme avec un partenaire.

Selon Young (1982), la personne souffrant de solitude ne réussit pas à atteindre l'un ou l'autre de ces objectifs, en raison de croyances erronées. Par exemple, la participation à des activités avec des camarades est difficile ou impossible en raison de la crainte du ridicule. Le traitement vise à amener la personne à évaluer la validité de telles croyances. Le thérapeute peut inviter le sujet à donner des preuves que les autres sont constamment en train d'examiner et d'évaluer son comportement. Une autre stratégie consiste à demander au sujet d'évaluer la probabilité qu'il soit ridiculisé en cas de faux pas. L'efficacité de ce type d'intervention auprès des personnes âgées n'a toutefois pas été démontrée.

Une autre forme d'intervention consiste à développer les habiletés sociales de personnes souffrant de solitude. Ce type d'intervention est illustré par les travaux de Jones et ses collaborateurs (1982). Selon ces chercheurs, les personnes souffrant de solitude présentent un style de conversation particulier : 1) elles font moins référence à leur interlocuteur et lui posent moins de questions ; 2) elles changent de sujet de conversation plus souvent ; 3) elles mettent plus de temps à combler un vide à l'intérieur d'une conversation. L'intervention vise à aider le client à combler ces lacunes par le biais de démonstrations, de mises en situation et d'évaluations. Cette intervention s'avère supérieure à l'absence de traitement et à un traitement de contrôle de l'attention pour produire les changements désirés et réduire le sentiment de solitude. Il faut noter que ces observations ont été faites auprès d'une clientèle composée uniquement d'élèves de niveau universitaire.

Cette section a montré différentes formes d'intervention qui peuvent être utilisées pour venir en aide aux personnes âgées souffrant de solitude. Cependant, la solitude constitue un problème qui a reçu très peu d'attention de la part des cliniciens (Rook & Peplau, 1982), et l'efficacité de plusieurs de ces types d'intervention reste à démontrer. Il est nécessaire de poursuivre les travaux en ce sens afin de permettre aux intervenants de faire le meilleur choix d'intervention possible pour prévenir ou traiter la solitude chez les personnes âgées.

RÉSUMÉ

- La solitude est considérée comme un problème social important, mais elle demeure très peu et très mal documentée.
- La solitude chez les personnes âgées n'est pas aussi fréquente qu'on l'a cru.

- Il faut distinguer entre isolement social et sentiment de solitude, qui sont deux entités bien distinctes.
- Les personnes âgées mariées souffrent moins de solitude que les personnes âgées non mariées.
- Chez les personnes mariées, l'insatisfaction conjugale accroît le sentiment de solitude.
- Les personnes âgées qui viennent de perdre leur conjoint sont particulièrement vulnérables à la solitude.
- Il n'y a pas nécessairement de relation entre l'avancement en âge et la solitude, bien que les personnes très âgées se sentent plus seules.
- Habituellement, les femmes se disent plus seules que les hommes.
- Une évaluation négative de sa santé et des incapacités physiques sont reliées à la solitude.
- Un revenu faible et un niveau de scolarisation moins élevé accroissent le sentiment de solitude chez les personnes âgées.
- Ce n'est pas le lieu où vit la personne âgée qui détermine la solitude, mais davantage l'insatisfaction à l'égard du milieu de vie.
- La solitude se rencontre souvent chez les personnes âgées qui vivent seules, mais cette situation n'entraîne pas nécessairement un sentiment de solitude.
- Les études ont régulièrement démontré que les relations avec les amis sont plus importantes que les relations avec les enfants ou avec les membres de la famille.
- Il existe trois principaux types d'intervention psychosociale pour prévenir ou combattre la solitude. Le choix d'une intervention particulière doit tenir compte des besoins propres du sujet.
- Le premier type d'intervention consiste à établir un groupe de soutien pour les personnes qui ont perdu leur conjoint ; ce type d'intervention initialement conçu pour les personnes séparées peut être utilisé auprès des veufs et des veuves ; ce type d'intervention vise à transmettre de l'information, à permettre aux membres du groupe de partager leur expérience et à offrir du soutien.
- Le second type d'intervention vise à développer le réseau social des personnes âgées et peut prendre la forme de visites à domicile faites par un bénévole ou de programmes de sécurisation téléphonique.
- Le troisième type d'intervention a pour but de modifier les caractéristiques de la personne qui conduisent au sentiment de solitude ; la thérapie cognitive de la solitude ainsi que l'entraînement aux habiletés sociales sont des exemples de ce type d'intervention.
- L'efficacité de plusieurs types d'intervention reste à démontrer.

LECTURES SUGGÉRÉES

Beaupré, C., & De Grâce, G.-R. (1986). La solitude chez les personnes âgées : une recension des recherches empiriques. Dans G.-R. De Grâce & P. Joshi (dir.), *Les crises de la vie adulte*. Montréal : Décarie.

Hofat, M., & Crandall, R. (1987). Loneliness : Theory, research, and applications. *Journal of Social Behavior and Personality* (numéro spécial), 2 (2e partie).

Peplau, L.A., & Perlman, D. (1982). *Loneliness : A sourcebook of current theory, research and therapy*. New York : John Wiley and Sons.

RÉFÉRENCES

Arling, G. (1976). Resistance to isolation among elderly widows. *International Journal of Aging and Human Development, 7*, 67-86.

Austin, A.G. (1989). Becoming immune to loneliness : Helping the elderly fill a void. *Journal of Gerontological Nursing, 15*, 25-28.

Baum, S.K. (1982). Loneliness in elderly persons : A preliminary study. *Psychological Reports, 50*, 1317-1318.

Berg, S., Mellstrom, D., Persson, G., & Svanborg, A. (1981). Loneliness in the Swedish aged. *Journal of Gerontology, 36*, 342-349.

Bowling, A.P., Edelmann, R.J., Leaver, J., & Hoekel, T. (1989). Loneliness, mobility, well-being and social support in a sample of over 85 year-olds. *Personality and Individual Differences, 10*, 1189-1192.

Creecy, R.F., Berg, W.E., & Wright, R. (1985). Loneliness among the elderly : A causal approach. *Journal of Gerontology, 40*, 487-493.

Dean, L.R. (1962). Aging and the decline of affect. *Journal of Gerontology, 17*, 440-446.

De Grâce, G.-R., Joshi, P., & Beaupré, C. (1987). Les caractéristiques psychosociales associées à la solitude chez les personnes âgées, selon le type d'habitat. *Revue canadienne des sciences du comportement, 19*, 298-313.

Fidler, J. (1976). Loneliness : The problems of the elderly and retired. *Royal Society of Health Journal, 96*, 39-44.

Fischer, C.S., & Philipps, S.L. (1982). Who is alone? Social characteristics of people with small networks. Dans L.A. Peplau & D. Perlman (dir.), *Loneliness : A sourcebook of current theory, research and therapy* (p. 21-39). New York : John Wiley and Sons.

Gubrium, J. (1975). Being single in old age. *International Journal of Aging and Human Development, 6*, 29-41.

Harris, L., & Associés (1974). *The myth and reality of aging in America.* The National Council on the Aging.

Harris, L., & Associés (1981). *Aging in the eigthies : America in transition.* Washington, DC : The National Council on the Aging.

Henderson, A., Scott, R., & Kay, D.W.K. (1986). The elderly who live alone : Their mental health and social relationships. *Australian and New Zealand Journal of Psychiatry, 20*, 202-209.

Jones, W.H., Hobbs, S.A., & Hockenbury, D. (1982). Loneliness and social skill deficits. *Journal of Personality and Social Psychology, 42*, 682-689.

Kaufman, A.V., & Adams, J.P. (1987). Interaction and loneliness : A dimensional analysis of the social isolation of a sample of older Southern adults. *The Journal of Applied Gerontology, 6*, 389-404.

King, H. (1991). A telephone reassurance service : A natural support system for the elderly. *Journal of Gerontological Social Work, 16*, 159-177.

Kivett, V.R. (1979). Discriminators of loneliness among the rural elderly : Implications for intervention. *The Gerontologist, 19*, 108-115.

Lee, G.R., & Ishii-Kuntz, M. (1987). Social interaction and emotional well-being among the elderly. *Research on Aging, 9*, 459-482.

Lopata, H.A. (1969). Loneliness : Forms and components. *Social Problems, 17*, 248-262.

Lopata, H.A., Heinemeann, G.D., & Baum, J. (1982). Loneliness : Antecedents and coping strategies in the lives of widows. Dans L.A. Peplau & D. Perlman (dir.), *Loneliness : A sourcebook of current theory, research and therapy* (p. 310-326). New York : John Wiley and Sons.

Marangoni, C., & Ickes, W. (1989). Loneliness : A theoretical review with implications for measurement. *Journal of Social and Personal Relationship, 6*, 93-128.

Martin, L., & Kiely, M.C. (1983). Le bénévolat : un lien entre des personnes âgées et la communauté. *Revue canadienne de santé communautaire, 2*, 59-70.

Mellor, K.S., & Ederlmann, R.J. (1988). Mobility, social support, loneliness and well-being in two groups of older adults. *Personality and Individual Differences, 9*, 1-5.

Monk, A. (1988). Aging, loneliness and communications. *American Behavioral Scientist, 31*, 532-563.

Moore, D., & Schultz, N.R. (1987). Loneliness among the elderly : The role of perceived responsability and control. *Journal of Social Behavior and Personality, 2*, 215-224.

Moustakas, C.E. (1961). *Loneliness.* Englewood Cliffs, NJ : Prentice-Hall.

Mulligan, M.A., & Bennett, R. (1977-1978). Assessment of mental health and social problems during multiple friendly visits : The development and evaluation of a friendly visiting program for the isolated elderly. *International Journal of Aging and Human Development, 8*, 43-65.

Mullins, L.C., & McNicholas, N. (1986). Loneliness among the elderly : Issues and considerations for professionals in aging. *Gerontology and Geriatrics Education, 7*, 55-65.

Mullins, L., Johnson, D.P., & Anderson, L. (1987). Loneliness of the elderly : The impact of family and friends. *Journal of Social Behavior and Personality, 2* (2e partie), 225-238.

Mullins, L.C., Sheppard, H.L., & Anderson, L. (1991). Loneliness and social isolation in Sweden : Differences in age, sex, labor force status, self-rated health, and income adequacy. *Journal of Applied Gerontology, 10*, 455-468.

Mullins, L.C., Tucker, R., Longino, C.F., & Marshall, V. (1989). An examination of loneliness among elderly Canadian seasonal residents in Florida. *Journal of Gerontology : Social Science, 44*, 80-86.

Paloutzian, R.F., & Ellison, C.W. (1982). Loneliness, spiritual well-being and the quality of life. Dans L.A. Peplau & D. Perlman (dir.), *Loneliness : A sourcebook of current theory, research and therapy* (p. 310-326). New York : John Wiley and Sons.

Parlee, M.B. (1979). The friendship bond : PT's survey report on friendship in America. *Psychology Today* (octobre), 43-54.

Peplau, L.A., & Perlman, D. (1982). Perspective on loneliness. Dans L.A. Peplau & D. Perlman (dir.), *Loneliness : A sourcebook of current theory, research and therapy* (p. 1-18). New York : John Wiley and Sons.

Peplau, L.A., Bikson, T.R., Rook, K.S., & Goodchilds, J.D. (1982). Being old and living alone. Dans L.A. Peplau & D. Perlman (dir.), *Loneliness : A living source-*

book of current theory, research and therapy (p. 327-347). New York : John Wiley and Sons.

Perlman, D. (1988). Loneliness : A life-span, family perspective. Dans R.M. Milardo (dir.), *Families and social networks* (p. 190-220). Newbury Park : Sage.

Perlman, D., Gerson, A.C. & Spinner, B. (1978). Loneliness among senior citizens : An empirical report. *Essence, 2*, 239-248.

Perlman, D., & Peplau, L.A. (1982). Theoretical approaches to loneliness. Dans L.A. Peplau & D. Perlman (dir.), *Loneliness : A sourcebook of current theory, research and therapy* (p. 123-134). New York : John Wiley and Sons.

Perlman, D., & Peplau, L.A. (1984). Loneliness research : A study of empirical findings. Dans L.A. Peplau & S.E. Goldston (dir.), *Preventing the harmful consequences of severe and persistent loneliness.* Washington, DC : U.S. Government Printing Office.

Revenson, T.A. (1986). Debunking the myth of loneliness in late life. Dans E. Seidman & J. Rappaport (dir.), *Redefining social problems* (p. 115-133). New York : Plenum Press.

Revenson, T.A., & Johnson, J.L. (1984). Social and demographic correlates of loneliness in late life. *American Journal of Community Psychology, 12*, 71-85.

Rook, D.S. (1988). Toward a more differentiated view of loneliness. Dans S. Duck, *Handbook of personal relationships : Theory, research and interventions* (p. 571-589). New York : John Wiley and Sons.

Rook, K.S. (1984). Research on social support, loneliness and social isolation : Toward an integration. *Review of Personality and Social Psychology, 4* , 239-264.

Rook, K.S., & Peplau, L.A. (1982). Perspective on helping the lonely. Dans L.A. Peplau & D. Perlman (dir.), *Loneliness : A sourcebook of current theory, research and therapy* (p. 351-378). New York : John Wiley and Sons.

Russell, D., Peplau, L.A., & Cutrona, C.E. (1984). The revised UCLA loneliness scale : Concurrent and discriminant validity evidence. *Journal of Personality and Social Psychology, 39*, 472-480.

Schmitt, P.J., & Kurdek, L.A. (1985). Age, gender differences and personality correlates of loneliness in different relationships. *Journal of Personality Assessment, 49*, 485-496.

Townsend, P. (1968). Isolation, desolation and loneliness. Dans E. Shanas, P. Townsend, D. Wedderburn *et al., Old people in three industrial societies* (p. 259-287). New York : Atherton.

Townsend, P. (1973). Isolation and loneliness in the aged. Dans R.S. Weiss (dir.), *Loneliness : The experience of emotional and social isolation* (p. 175-188). Cambridge, Mass. : M.I.T. Press.

Tunstall, J. (1966). *Old and alone.* New York : Humanities Press.

Weiss, R.S. (1976). Transition states and other stressful situations : Their nature and programs for their management. Dans G. Caplan & M. Killilea (dir.), *Support systems and mutual help : Multidisciplinary explorations* (p. 213-232). New York : Grune & Stratton.

Weiss, R.S. (1982). Issues in the study of loneliness. Dans L.A. Peplau & D. Perlman (dir.), *Loneliness : A sourcebook of current theory, research and therapy* (p. 71-80). New York : John Wiley and Sons.

Weiss, R.S. (1987). Reflections on the present state of loneliness research. Dans M. Hofat & R. Crandall (dir.), Loneliness : Theory, research, and applications (numéro spécial). *Journal of Social Behavior and Personality, 2,* 1-16.

Woodward, H., Gingles, R., & Woodward, J.C. (1974). Loneliness and the elderly as related to housing. *The Gerontologist, 14,* 349-351.

Young, J.E. (1982). Loneliness, depression and cognitive therapy : Theory and application. Dans L.A. Peplau & D. Perlman (dir.), *Loneliness : A sourcebook of current theory, research and therapy* (p. 379-405). New York : John Wiley and Sons.

Chapitre 10

Dépression

10.1 INTRODUCTION

La dépression, avec les troubles mentaux organiques, est le problème de santé mentale le plus fréquemment rencontré chez les personnes âgées. La détérioration de la santé, les changements physiques et sensoriels, la mise à la retraite, le départ des enfants, la mort du conjoint et des proches ne sont que quelques-unes des vicissitudes qui accompagnent le vieillissement. Dès lors, il ne faut pas se surprendre si certains auteurs sont d'avis que les personnes âgées sont plus vulnérables à ce trouble affectif que d'autres couches de la population. Mais, contrairement aux démences qui retiennent beaucoup l'attention du public en raison de leur effet pernicieux sur l'ensemble de l'intégrité physique et cognitive des personnes atteintes, il faut avouer, malgré l'abondance des écrits, que la dépression gériatrique reste un problème mal connu (Vézina, 1989).

Un constat sommaire de la situation actuelle oblige à affirmer que plusieurs conceptions fautives de la dépression existent encore de nos jours, que celle-ci est souvent ignorée par les professionnels de la santé et qu'elle est négligée par les proches ainsi que par les personnes âgées elles-mêmes. Les symptômes de la dépression sont souvent méconnus ou incorrectement interprétés. Pour ces raisons, la dépression gériatrique n'est pas traitée, ou l'est rarement. Étant donné qu'une personne âgée dépressive est une candidate au suicide, l'importance du dépistage de la dépression dans la vieillesse apparaît pourtant évidente.

L'objectif de ce chapitre est, dans un premier temps, de brosser le tableau clinique de la dépression, de souligner les difficultés rencontrées lors de son dépistage, de faire le point sur sa prévalence, de décrire quelques instruments d'évaluation communément utilisés et de faire un bref survol des causes probables de ce trouble. Les possibilités d'intervention auprès d'une personne âgée dépressive sont présentées à la fin de ce chapitre.

10.2 CLASSIFICATION ET TABLEAU CLINIQUE DE LA DÉPRESSION

Pour commencer, il est important de spécifier que le terme *dépression* ne fait pas référence ici à la tristesse ni à la « déprime » passagère qui peut meubler à l'occasion le quotidien, mais plutôt à un trouble affectif plus sévère qui touche la qualité de la vie. Selon la troisième édition révisée du *Diagnostic and Statistical Manual of Mental Disorders* (American Psychiatric Association, 1987) – le DSM-III-R –, ce trouble est caractérisé par un ensemble de symptômes d'intensité et de durée variables à l'intérieur duquel on peut différencier l'épisode de dépression majeure, la dysthymie et la dépression atypique. Cependant, puisque les travaux en psychologie gérontologique n'ont pas porté, ou très peu, sur ces deux dernières catégories de dépression, le présent chapitre se limitera à la dépression majeure.

Avant d'affirmer qu'une personne âgée est dépressive, il faut s'assurer qu'elle manifeste un ensemble de symptômes. Le tableau 10.1 résume les critères de l'épisode de dépression majeure[1] selon le DSM-III-R.

Dans la dépression majeure, le premier symptôme est soit l'humeur dysphorique, soit la perte de plaisir pour les activités usuelles. La personne peut alors se plaindre d'être triste, découragée ou déprimée, ou encore, d'avoir perdu tout intérêt ou son enthousiasme coutumier pour des activités qui lui procuraient, il n'y a pas

---

1. Une dépression majeure n'est pas nécessairement une dépression sévère.

Tableau 10.1 Tableau clinique de l'épisode dépressif majeur selon le DSM-III-R

A. Humeur dépressive présente presque tous les jours, ou diminution d'intérêt ou de plaisir dans presque toutes les activités, presque tous les jours.
B. Au moins quatre des symptômes suivants presque tous les jours pendant au moins deux semaines :
   1) perte de poids importante (sans régime) ou prise de poids importante ;
   2) trouble du sommeil se manifestant par de l'insomnie ou de l'hypersomnie ;
   3) agitation ou ralentissement psychomoteur manifeste ;
   4) perte d'énergie ou fatigue ;
   5) sentiments d'indignité, ou sentiment de culpabilité excessif ou inapproprié ;
   6) diminution de la capacité de penser ou de se concentrer (les personnes âgées se plaignent surtout de troubles de la mémoire) ;
   7) pensées récurrentes de mort ou de suicide ou tentatives de suicide.
C. Facteurs d'exclusion :
   1) absence d'un facteur organique à l'origine du désordre ou contribuant à son maintien ;
   2) désordre ne constituant pas une réaction normale au deuil ;
   3) absence d'idées délirantes ou d'hallucinations ;
   4) absence de schizophrénie, de trouble délirant ou psychotique.

Source : American Psychiatric Association (1987).

si longtemps, de la satisfaction. Mais la simple présence d'une humeur dysphorique ou d'une perte d'intérêt n'est pas suffisante. Il faut que l'une ou l'autre soit présente depuis une certaine période, usuellement de deux semaines pour l'épisode de dépression majeure et de deux ans pour la dysthymie, et soit accompagnée d'au moins quatre autres symptômes parmi ceux présentés au tableau 10.1.

Une personne dépressive peut perdre l'appétit, ce qui se traduit par une perte de poids involontaire mais considérable. À l'occasion, elle consomme davantage de nourriture, mais sans en retirer beaucoup de plaisir. Un trouble du sommeil peut aussi être observé. La personne peut avoir de la difficulté à s'endormir, se réveiller au milieu de la nuit ou encore très tôt le matin. Certaines personnes dépressives manifestent de l'hypersomnie, c'est-à-dire qu'elles dorment plus qu'il n'est nécessaire. L'activité motrice peut aussi être perturbée et se caractériser par une lenteur généralisée. La démarche, le processus de pensée, le temps de réaction sont lents, la voix est monotone. À l'inverse, on peut observer chez certaines personnes une agitation hors de l'ordinaire, comme se frictionner sans arrêt les mains, ou encore, ne pas pouvoir tenir en place. Une personne dépressive peut se plaindre d'être toujours fatiguée, de manquer d'énergie. Elle peut aussi avoir de la difficulté à penser et à se concentrer, ce qui se traduit par l'inachèvement des tâches même les plus simples. Elle se sent résignée, indigne, désespérée, peut avoir des sentiments de culpabilité. Enfin, des pensées reliées à la mort ou au suicide peuvent également se manifester.

Si les critères de l'épisode dépressif majeur paraissent clairement circonscrits, il est reconnu que cette condition peut, chez certaines personnes âgées, se manifester différemment, ce qui crée des problèmes importants lorsque vient le temps de faire le dépistage clinique de la dépression et d'en estimer la prévalence. La dépression gériatrique, en raison de son caractère atypique, est le désordre le plus mal connu (Cohen & Eisdorfer, 1986).

10.3 DIFFICULTÉS DE DIAGNOSTIC CHEZ LES PERSONNES ÂGÉES

Si les symptômes de la dépression sont bien délimités, il peut paraître paradoxal d'affirmer que le dépistage de ce trouble constitue un défi (Salzman & Shader, 1979). Certains symptômes de la dépression sont analogues à d'autres syndromes, alors que certaines maladies et certains médicaments produisent des symptômes identiques à ceux de l'épisode de dépression. Pour nous rendre compte de toute la complexité de la tâche, ajoutons à tout cela que les personnes âgées n'avouent pas, volontairement ou non, leur humeur dépressive.

Un coup d'œil attentif sur le tableau 10.1 indique que plusieurs des symptômes de dépression majeure sont assimilables au processus du vieillissement normal ou sont des indices d'une maladie physique. Ainsi, certaines personnes âgées se plaignent d'avoir de la difficulté à s'endormir et de s'éveiller souvent la nuit ou encore très tôt le matin. Puisqu'elles n'ont plus autant d'énergie qu'avant, elles se fatiguent plus rapidement et mettent plus de temps à récupérer. Les changements sensoriels qu'elles subissent peuvent rendre leurs activités moins satisfaisantes. La nourriture semble moins attrayante et l'envie de manger diminue. Finalement, certaines personnes âgées disent avoir des difficultés de mémoire. Comme on l'a vu précédemment, une personne âgée dépressive peut aussi avoir des difficultés de sommeil, être privée d'énergie, cesser toute participation aux activités, manger très peu et se plaindre de troubles de concentration et de mémoire.

Ne soupçonnant pas sa condition, croyant à tort qu'il est normal à son âge de se sentir ainsi, ou encore, n'étant pas habituée à exprimer sa détresse, la personne âgée ne parlera pas de son humeur dysphorique. Elle manifestera plutôt certaines plaintes de nature somatique telles que la constipation, les douleurs abdominales, la flatulence, l'insomnie ou encore la fatigue extrême, qu'elle attribuera à son âge. Lorsque la dépression est ainsi camouflée derrière d'autres symptômes, il s'agit alors d'une **dépression masquée** (Ruegg *et al.*, 1988). Certains auteurs allèguent que celle-ci ne concerne pas uniquement les plaintes somatiques, mais qu'elle s'étend à toutes les autres situations dans lesquelles l'humeur dysphorique ou la perte d'intérêt sont reléguées à l'arrière-plan. S'arrêter uniquement à la manifestation somatique et associer à l'attitude décrite par Epstein (1976) le fait de considérer ses symptômes comme faisant partie intégrante du vieillissement normal ont pour résultat que la personne âgée dépressive n'est pas identifiée comme telle et est ainsi privée d'un traitement approprié.

Lorsque les symptômes prédominants sont les troubles de la mémoire et la difficulté à maintenir sa concentration, on risque de conclure fautivement que la personne âgée dépressive souffre de démence. Cette condition se nomme la **pseudodémence dépressive** et constitue un état de dépression qui entraîne des perturbations cognitives chez une personne non démente (Lévesque *et al.*, 1990). En outre, ces deux syndromes ne sont pas mutuellement exclusifs, si bien qu'ils peuvent coexister : une personne âgée démente peut aussi être dépressive en réaction à sa condition, et une personne dépressive peut développer de la démence (Feinberg & Goodman, 1984). Même s'il existe des variations entre les études, on estime qu'entre 20 % et 30 % des personnes atteintes de démence sont dépressives (Teri & Reifler, 1987). Puisque le pronostic et le traitement sont différents pour les deux types de trouble, il est essentiel de poser le diagnostic approprié. Wells (1979) offre quelques indices pour aider à distinguer une personne âgée pseudodémente d'une personne réellement démente. Dans le cas de la pseudodémence, le moment de l'apparition des symptômes peut être précisé, et ceux-ci arrivent brusquement, souvent à la suite d'un événement particulier. La progression des symptômes est souvent rapide, alors qu'elle est plutôt lente et progressive dans les cas de démence. La personne pseudodémente a généralement une histoire passée de trouble affectif (Charatan, 1985). La personne démente a des troubles de mémoire, tandis que la personne pseudodémente se plaint d'en avoir. Lors d'une évaluation, la personne pseudodémente ne répond pas ou répond invariablement « Je ne sais pas », alors que la personne démente tente au contraire de dissimuler ses déficits en répondant de manière approximative. La personne démente déploie beaucoup d'efforts pour accomplir la tâche qui lui est proposée, alors qu'inversement la personne pseudodémente ne fait rien du tout, se montre passive, dit qu'elle ne pourra pas y arriver, que cela ne sert à rien, etc. La performance des personnes dites pseudodémentes fluctue selon leur humeur, ce qui n'est pas le cas pour un syndrome démentiel. Devant un cas incertain, il est usuellement recommandé d'établir un diagnostic provisoire de dépression (Lévesque *et al.,* 1990) et de traiter la personne âgée en conséquence. Le tableau 10.2 énumère quelques différences entre ces conditions.

Tableau 10.2 Quelques indices utiles pour différencier la pseudodémence de la démence

Pseudodémence	Démence
La famille est consciente de l'existence et de la sévérité du problème.	La famille n'est pas consciente de l'existence et de la sévérité du problème.
L'apparition du problème peut être datée.	L'apparition du problème ne peut être datée avec précision.
Il y a une progression rapide des symptômes.	Les symptômes progressent lentement.
Il y a une histoire précédente de trouble affectif.	Il n'y a pas d'histoire précédente de trouble.
La personne se plaint de ses troubles cognitifs, qui sont souvent très détaillés.	La personne ne se plaint pas de ses troubles cognitifs, qui semblent très vagues.
La personne fait peu d'efforts pour accomplir la tâche proposée.	La personne fait beaucoup d'efforts pour accomplir la tâche proposée.
Les comportements de la personne ne sont pas conformes à la sévérité des déficits.	Les comportements sont conformes à la sévérité des déficits.
La personne répond fréquemment « Je ne sais pas ».	La personne répond de façon approximative.
La mémoire des faits récents et celle des faits anciens sont également perturbées.	La mémoire des faits récents est plus touchée que celle des faits anciens.
Certaines tâches sont bien accomplies, alors que d'autres ne le sont pas.	La performance est toujours pauvre dans les tâches de difficultés similaires.

Source: Adapté de C.E. Wells (1979).

Finalement, pour compléter le tableau des difficultés de diagnostic, notons que certains médicaments et certaines maladies produisent des symptômes analogues à ceux de la dépression ; de même, certains médicaments et certaines maladies prédisposent la personne âgée à la dépression. Certains symptômes somatiques tels que la fatigue, l'insomnie, la constipation et les troubles du sommeil peuvent être des manifestations d'une maladie (Ouslander, 1982) sans que la personne soit dépressive. Il existe donc un chevauchement entre les symptômes de dépression et les symptômes de maladie physique. En somme, les symptômes doivent être interprétés avec beaucoup de prudence. Il faut faire preuve de vigilance et éviter les conclusions hâtives qui amèneraient des erreurs de diagnostic, ou la recommandation inappropriée d'une intervention.

10.4 PRÉVALENCE DE LA DÉPRESSION

Il y a quelques années, certains auteurs avançaient que plus de la moitié des personnes âgées étaient dépressives (par exemple, Pfeiffer & Busse, 1973). Cette proportion fort élevée ne suscitait aucune surprise, car on présumait que le vieillissement était, selon l'expression de Cappeliez (1988), une expérience « intrinsèquement déprimante ». Cependant, cette estimation de la dépression découlait d'observations cliniques ou s'appuyait sur des études épidémiologiques comprenant très peu de personnes âgées (Leaf *et al.*, 1988). Ce n'est que plus récemment qu'on a entrepris des travaux pour faire la lumière sur la véritable prévalence de la dépression gériatrique. Dans l'ensemble, ces travaux tentent de répondre à deux questions fondamentales : Quelle est la prévalence de la dépression chez les personnes âgées ? » et « Ces personnes sont-elles effectivement plus à risque que les autres groupes d'âge ? »

Le tableau 10.3 résume quelques-uns de ces travaux. Mais, tout d'abord, Cappeliez (1988) rappelle que ceux-ci se distinguent, entre autres, par leur approche. La première approche conçoit la dépression selon un continuum de sévérité, alors que la seconde voit la dépression majeure comme une catégorie exclusive. Les travaux qui favorisent la première approche utilisent des échelles ou des inventaires de dépistage de la dépression, notamment le CES-D – *Center for Epidemiologic Studies-Depression Scale* – (Radloff, 1977), alors que les travaux qui adoptent la seconde approche s'appuient sur les entrevues cliniques structurées, qui sont basées, notamment, sur le DIS – *Diagnostic Interview Schedule* – (Robins *et al.*, 1981). Il faut savoir que les inventaires ou les échelles de dépression estiment la prévalence des *symptômes* dépressifs, alors que les entrevues cliniques structurées relèvent la présence du *syndrome* dépressif.

Cette distinction est fondamentale, car les résultats obtenus varient en fonction de la méthode privilégiée. Ainsi, de 3 % à 27 % de la population âgée, pour une approximation de 15 % (Blazer, 1989), manifestent des symptômes de dépression, alors que la prévalence de la dépression clinique dépasse rarement 8 %, pour une approximation de 5 % (Gurland & Cross, 1982). Des taux plus élevés sont cependant observés chez des sous-groupes de personnes âgées. Par exemple, Borson et ses collaborateurs (1986) observent une prévalence de 10 % de dépression majeure chez des personnes âgées souffrant de problèmes de santé chronique, alors que de 25 % à 80 % des personnes atteintes de démences cérébro-vasculaires (Cummings, 1988) et 65 % des personnes âgées placées dans un établissement (Soldatos, 1983) sont dépressives.

Une affirmation maintes fois entendue et entretenue est que les personnes âgées sont plus vulnérables à la dépression que les personnes plus jeunes, c'est-à-dire que la prévalence de ce trouble devrait être plus élevée chez les plus de

Tableau 10.3 Synthèse de quelques études épidémiologiques de la dépression

Auteurs	Année	Nombre de personnes âgées	Instrument de mesure utilisé	Résultats obtenus	
Berkman *et al.*	1986	2 806	CES-D	16,0 %	
Blazer & Williams	1980	997	OARS-*Depression*	15,0 %	État dysphorique
				4,0 %	Dépression majeure
Blazer *et al.*	1987	1 300	DIS/DSM-III	27,0 %	Symptômes dépressifs
				0,8 %	Dépression majeure
Borson *et al.*	1986	406	*Zung Self-Rating Depression*	24,0 %	Symptômes dépressifs
				10,0 %	Dépression majeure
Comstock & Helsing	1976	657	CES-D	3,9 %	
				3,0 %	
Eaton & Kessler	1981	344	CES-D	6,0 %	
Feinson & Thoits	1986	476	*Johns Hopkins Symptom Checklist*	5,1 %	
Frerichs *et al.*	1981	126	CES-D	17,0 %	
Griffiths *et al.*	1987	200	HDRS	13,0 %	Dépression + démence
				8,0 %	Dépression seulement
Murrel *et al.*	1983	2 517 (55 ans et plus)	CES-D	14,0 %	Hommes dysphoriques
				18,0 %	Femmes dysphoriques
Myers *et al.*	1984	611	DIS	0,5 %	Hommes/1,6 % femmes
	1984	923		0,3 %	Hommes/1,3 % femmes
	1984	576		0,1 %	Hommes/1,0 % femmes
Weissman & Myers	1978	111	RDC-SADS	8,1 %	
				5,4 %	Dépression majeure

65 ans. Cette allégation paraissait tellement aller de soi qu'elle ne fut, jusqu'à tout récemment, jamais remise en question. Mais qu'en est-il en réalité ? Frerichs et ses collaborateurs (1981), après avoir évalué, avec le CES-D, plus de 1 000 personnes âgées de plus de 25 ans, observent que 27 % des sujets âgés de 18 à 24 ans, comparativement à 17 % pour ceux âgés de 65 ans, présentent des symptômes dépressifs. Pour leur part, Eaton et Kessler (1981), dans leur étude comprenant près de 3 000 personnes de 25 à 75 ans, remarquent que 18 % des sujets de moins de 45 ans ont des symptômes dépressifs, comparativement à 6 % pour les personnes âgées évaluées avec le CES-D. Sauf quelques exceptions, des résultats semblables ont été obtenus dans d'autres travaux (par exemple, Comstock & Helsing, 1976 ; Weissman & Myers, 1978).

Le National Institute of Mental Health, aux États-Unis, a entrepris dans différentes régions du pays une vaste enquête épidémiologique (par exemple, Regier *et al.*, 1984) auprès de 9 000 personnes de plus de 18 ans à l'aide du DIS (Myers *et al.*, 1984). Comme on peut le remarquer en consultant les figures 10.1 et 10.2, le

Figure 10.1 Taux de prévalence de l'épisode de dépression majeure chez les hommes de trois communautés pour différentes cohortes

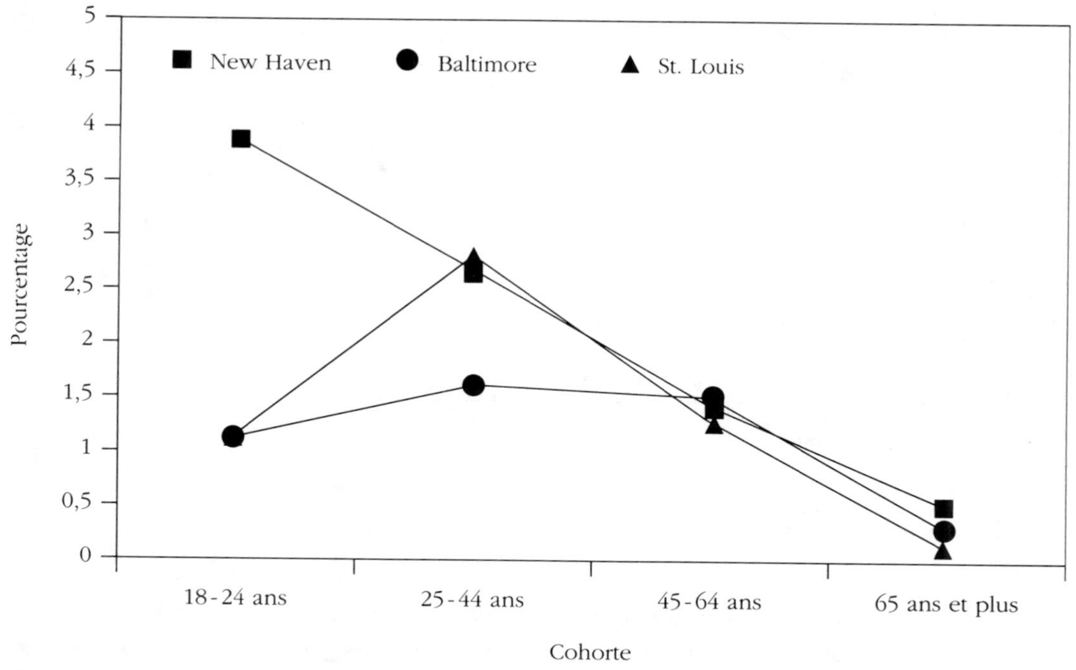

Source : Myers et ses collaborateurs (1984).

Figure 10.2 Taux de prévalence de l'épisode de dépression majeure chez les femmes de trois communautés pour différentes cohortes

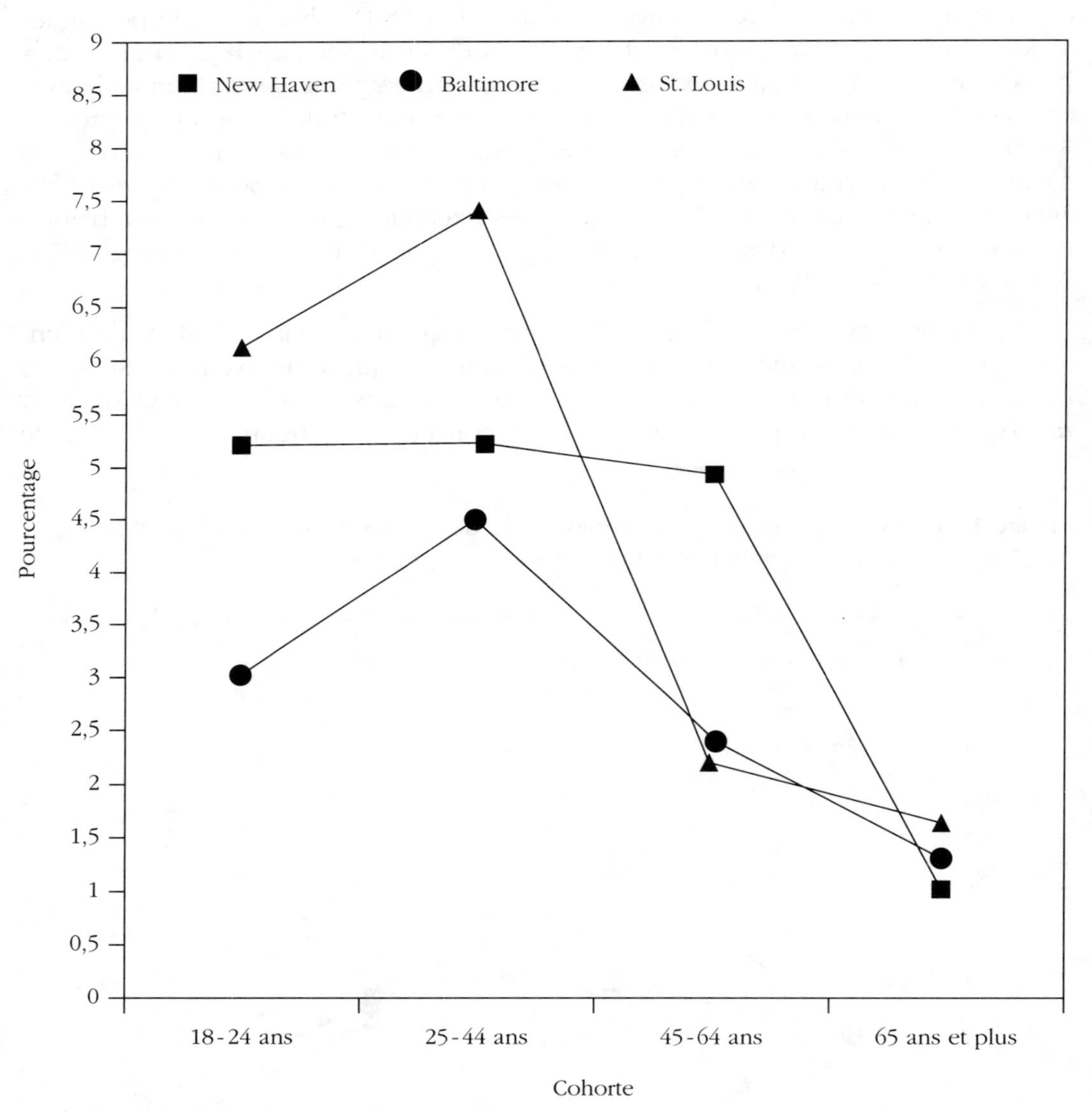

Source: Myers et ses collaborateurs (1984).

taux de prévalence de l'épisode dépressif majeur est plus élevé chez les groupes des 18-24 ans et des 25-45 ans, alors que la cohorte des 65 ans et plus obtient la prévalence la moins élevée.

L'ensemble de ces résultats, d'ailleurs très controversés (Blazer, 1989), remet en question la croyance voulant que la prévalence de la dépression soit plus élevée chez les personnes âgées (Cappeliez, 1993). Pour certains auteurs, il ne fait guère de doute que cette croyance populaire est un mythe (Feinson, 1985 ; Koenig, 1986). Cette opinion, qui ne paraît pas fondamentalement fausse à la lumière des résultats obtenus, doit cependant être nuancée. Il serait en effet plus sage, à ce moment-ci, de se limiter à dire que la relation entre l'âge et la dépression n'est pas encore très bien établie (Newman, 1989).

Différentes raisons peuvent expliquer pourquoi le pourcentage de dépression est moins élevé que prévu. Marguerite Kermis (1986), dans sa réplique à un rapport émanant d'un comité sénatorial américain qui reprenait l'allégation que la dépression gériatrique n'est pas un problème dominant, rappelle qu'il faut envisager plusieurs scénarios pouvant entraîner une sous-estimation du nombre de personnes âgées dépressives. Parmi ces scénarios, notons les suivants :

- les personnes qui sont dépressives sont en majorité placées dans un établissement et sont exclues des études ;
- elles refusent de participer à ces enquêtes en prétextant la maladie, le manque d'intérêt ou de temps ;
- elles réussissent à déjouer les enquêteurs en masquant, ou en niant, leur véritable condition ;
- la dépression chez les personnes âgées est confondue avec d'autres maladies mentales, notamment avec les troubles mentaux organiques.

Finalement, le scénario le plus évident serait que les personnes âgées, pour des raisons encore inconnues, courent moins le risque de devenir dépressives que les plus jeunes (Koenig, 1986). Certains auteurs, tels que Blazer (1989), reprennent l'hypothèse fort intéressante que la différence du taux de prévalence de la dépression entre les jeunes et les personnes plus âgées pourrait peut-être s'expliquer par un effet de cohorte ou de génération. Certaines données récentes laissent planer la possibilité que la cohorte de personnes âgées actuellement vivante soit relativement immunisée contre la dépression majeure et même contre le suicide. Klerman et ses collaborateurs (1985), dans une tentative visant à évaluer cette hypothèse, ont interrogé plus de 2 000 personnes. Les résultats obtenus appuient l'hypothèse d'un effet de génération en démontrant que les cohortes deviennent dépressives de plus en plus jeunes et en plus grand nombre. Avant de conclure définitivement à un effet de cohorte, on devra toutefois effectuer d'autres études.

Un autre aspect qui attire l'attention concerne les différences entre les hommes et les femmes âgés. En effet, le résultat le plus consistant des études épidémiologiques est de révéler qu'il existe deux fois plus de femmes dépressives que d'hommes dépressifs (Weissman & Klerman, 1977). Mais pour Gurland (1976), cette différence entre les sexes serait fortement liée à l'âge, le rapport de 2 contre 1 s'amenuisant graduellement avec l'âge, jusqu'à s'inverser à l'étape de la vieillesse. Jorm (1987), après avoir revu les études épidémiologiques, conclut, à l'instar de Gurland (1976), que la différence entre les hommes et les femmes est reliée à l'âge. Lorsque les individus sont très jeunes et très vieux, il ne semble pas y avoir de différence dans le taux de dépression, mais une différence existerait à l'âge adulte. À la lumière de certains résultats préliminaires, il semble que le taux de dépression chez les hommes reste, somme toute, assez stable, mais que chez la femme il tend à diminuer avec l'âge, surtout passé l'âge de 75 ans.

En somme, les récents travaux épidémiologiques jettent une lumière plus nuancée sur la prévalence de la dépression gériatrique, mais un ensemble d'interrogations persistent. Si nous avons longuement insisté sur les résultats des études épidémiologiques, c'est qu'ils illustrent très bien la difficulté de faire le dépistage de la dépression chez les personnes âgées. Quoi qu'il en soit, il demeure que même si la prévalence de la dépression est moins élevée qu'on ne l'avait prévu, la dépression gériatrique n'en est pas moins un problème de santé mentale sérieux qui touche un nombre toujours trop considérable de personnes âgées.

10.5 INSTRUMENTS DE MESURE

Plusieurs raisons justifient d'effectuer une évaluation précise de la dépression gériatrique. Premièrement, les études épidémiologiques rappellent que la dépression reste un problème de santé mentale important. Deuxièmement, il y a toujours le risque de confondre les symptômes dépressifs avec le vieillissement normal, la maladie physique ou la démence. Troisièmement, un dépistage imprécis prive les personnes âgées dépressives de soins appropriés.

L'intervenant qui désire évaluer la présence et la sévérité de la dépression dispose d'une variété d'instruments de mesure. Parmi les plus connus, mentionnons l'inventaire de dépression de Beck – *Beck Depression Inventory* (BDI) – (Beck *et al.*, 1979), l'échelle de dépression gériatrique – *Geriatric Depression Scale* (GDS) – (Yesavage *et al.*, 1983), l'échelle d'autoévaluation de la dépression – *Zung Self-Rating Depression Scale* (SDS) – (Zung, 1965), l'échelle de dépression du Centre d'études épidémiologiques – *Center for Epidemiologic Studies-Depression Scale* (CES-D) – (Radloff, 1977) et plusieurs autres. Toutefois, celui qui travaille auprès des personnes âgées bute contre le problème de choisir des instruments qui ont été mis au point pour une population adulte. L'intervenant francophone est aux prises avec un problème supplémentaire, soit celui de recourir à des instruments conçus pour une population anglophone (Vézina *et al.*, 1991). On ne saurait trop insister sur la nécessité de vérifier les qualités psychométriques de ces instruments avant de songer à les utiliser auprès de personnes âgées francophones. Parmi les très nombreuses échelles existantes, deux retiennent notre attention parce qu'elles ont été éprouvées auprès d'une population francophone : l'inventaire de dépression de Beck et l'échelle de dépression gériatrique. Il est opportun, ici, de souligner que ces échelles autoévaluatives, c'est-à-dire des échelles auxquelles le sujet répond par lui-même, ne doivent pas servir à établir formellement un diagnostic de dépression, ce que seule une évaluation clinique rigoureuse permet de faire.

Un des instruments d'autoévaluation les plus largement utilisés en recherche et en clinique est certainement le BDI (*Beck Depression Inventory*). Le BDI a été élaboré par Beck et ses collaborateurs de l'Université de la Pennsylvanie au début des années 1960 (Beck *et al.*, 1961) et a été révisé par la suite en 1979 (Beck *et al.*, 1979). Cet inventaire, qui a pour objectif de mesurer la sévérité de la dépression, contient 21 catégories de symptômes et d'attitudes dérivés d'entretiens cliniques avec des sujets dépressifs. Chacune de ces catégories contient quatre choix de réponses cotées entre 0 et 3. La sommation des réponses varie de 0 à 63 et plus le résultat est élevé, plus l'intensité de la dépression est sévère. Un résultat plus élevé que 10 suggère la présence de dépression.

Depuis la création du BDI, les propriétés psychométriques de ce dernier ont fait l'objet de nombreux travaux dont on trouve une recension complète dans Beck *et al.* (1988). Ce questionnaire a été, en outre, traduit et validé en français par Pichot et Lempérière (1964) ainsi que par Gauthier *et al.* (1982) pour la version originale, alors que la version révisée a été validée par Bourque et Beaudette (1982). Bien que le BDI, ou, en français, l'inventaire de dépression de Beck (Bourque & Beaudette, 1982), n'ait pas été conçu à l'origine pour les personnes âgées, des travaux réalisés par l'équipe de Dolores Gallagher, de Stanford, en Californie (Gallagher *et al.*, 1982 ; Gallagher *et al.*, 1983), démontrent que cet instrument possède les qualités psychométriques appropriées à cette population. Plus récemment, Vézina *et al.* (1991) ont vérifié différents indices de fidélité et de validité chez un groupe de 640 personnes âgées francophones. La consistance interne, le test moitié-moitié, la corrélation test-retest et l'analyse factorielle indiquent que cet instrument est également acceptable pour les personnes âgées d'expression française.

Malgré ces résultats concluants, Gallagher (1986) souligne certaines limites de cet instrument quant à son utilisation avec les personnes âgées. Il y a toujours la possibilité que l'évaluation des items somatiques (l'image corporelle, l'inhibition pour le travail, les troubles du sommeil, la fatigabilité, la perte d'appétit, la perte de poids, les préoccupations somatiques et, finalement, la perte de libido) effectuée à l'aide de ce questionnaire amène à considérer une personne âgée comme dépressive alors qu'elle ne l'est pas. De plus, le fait de demander aux personnes âgées, peut-être dépressives de surcroît, de choisir parmi quatre suggestions de réponses pourrait s'avérer une tâche astreignante.

Afin de contrer ces limitations, Yesavage et ses collaborateurs (1983) ont élaboré une échelle spécialement conçue pour une population âgée : le GDS (*Geriatric Depression Scale*). Une des préoccupations des auteurs a été de construire une échelle qui soit facile à administrer, qui demande peu d'efforts de la part de la personne âgée et qui soit exempte d'items somatiques. Cette échelle d'autoévaluation a été construite en deux phases. Dans un premier temps, 100 questions ont été sélectionnées et seules les 30 questions qui obtenaient la plus haute corrélation avec la dépression ont été conservées (Brink *et al.,* 1982). Dans un second temps, différentes qualités psychométriques ont été évaluées. Le GDS contient 30 questions ; 20 de ces questions indiquent la présence de dépression lorsque le sujet répond positivement (par exemple, « Avez-vous abandonné un grand nombre d'activités et d'intérêts ? ») et 10 questions indiquent la présence de dépression lorsque la réponse est négative (par exemple, « Êtes-vous fondamentalement satisfait de la vie que vous menez ? »). Le résultat qu'une personne âgée peut obtenir varie entre 0 et 30. Brink et ses collaborateurs (1982) suggèrent qu'un résultat égal ou supérieur à 11 est un indicateur de la présence de dépression.

Comme dans le cas précédent, cette échelle devait être validée pour une population francophone. Bourque et ses collaborateurs (1990) ont comblé cette lacune en traduisant l'échelle et en l'administrant à des personnes âgées originaires du Nouveau-Brunswick et du Québec. La consistance interne, la corrélation moitié-moitié et le test-retest de l'échelle de dépression gériatrique se comparent avantageusement aux résultats américains, ce qui confirme sa valeur auprès d'une population gériatrique.

10.6 CAUSES PROBABLES

Au cours des dernières années, un effort concret, mais encore trop modeste, a été déployé afin de déterminer quelles pouvaient être la ou les causes de la dépression chez les personnes âgées. La recherche des facteurs responsables de la dépression est importante, car elle pourrait faciliter le dépistage des personnes âgées à risque ainsi que favoriser la mise au point de traitements plus efficaces. De nombreuses pistes de recherche ont été explorées, offrant une réponse parcellaire à un problème éminemment complexe.

Il est difficile de passer sous silence les théories sur les facteurs biologiques de la dépression, en raison de leur influence actuelle sur le traitement de ce trouble.

Ces théories ont pris leur essor vers la fin des années 1950 après qu'on eut observé cliniquement que certains patients hypertendus et traités avec un antihypertenseur, la réserpine, devenaient dépressifs. Comme le mécanisme d'action de la réserpine est de détruire les substances chimiques assurant la liaison d'un neurone à un autre, soit les neurotransmetteurs, on a émis l'hypothèse que la dépression avait pour origine une déficience de ces substances dans le cerveau (Akiskal & McKinney, 1973). Plus spécifiquement, l'hypothèse émise implique une déficience de la noradrénaline. Cette première hypothèse a été, par la suite, étendue à la sérotonine et à la dopamine, cette dernière étant mieux connue pour le rôle qu'elle joue dans la schizophrénie (Veith & Raskind, 1988). Ces diverses hypothèses composent la **théorie des amines biogènes**.

Diverses sources confirment, indirectement, cette théorie. Premièrement, la concentration, dans l'urine et le liquide céphalo-rachidien, des résidus de ces neurotransmetteurs est anormalement basse. Cette faible concentration est un indice que les neurotransmetteurs ne sont pas disponibles en quantité suffisante. Deuxièmement, le rôle des antidépresseurs est d'augmenter, par différents mécanismes, la concentration synaptique des neurotransmetteurs, soit en favorisant la synthèse, donc la fabrication, de ces substances chimiques, soit en empêchant les enzymes, substances qui sont responsables de leur destruction, d'agir, soit encore en bloquant leur récaptation, c'est-à-dire leur retour dans le neurone d'origine. Troisième évidence, les drogues qui ont pour effet, comme la réserpine, de diminuer la concentration des neurotransmetteurs provoquent des symptômes dépressifs.

La théorie des amines biogènes est aussi utilisée pour expliquer la dépression chez les personnes âgées. Certains travaux ont démontré que plus la personne avançait en âge, plus sa capacité de fabriquer des neurotransmetteurs était diminuée. En outre, on a également observé que les enzymes chargés de la destruction des neurotransmetteurs, entre autres la monoamine oxydase (MAO), augmentaient avec l'âge. Ces changements liés au vieillissement, s'ils s'avéraient fondés, expliqueraient pourquoi certaines personnes âgées risquent de devenir dépressives.

Les deux dernières décennies ont été riches en travaux explorant la validité de cette théorie. Les résultats l'appuyant sont cependant conflictuels et contradictoires. Ainsi, la diminution des neurotransmetteurs n'a pas toujours été observée, et certains travaux ont dépisté non pas une diminution, mais plutôt une augmentation de la quantité de neurotransmetteurs chez les sujets dépressifs. En outre, l'hypothèse voulant que la quantité de neurotransmetteurs s'abaisse naturellement ou encore que l'enzyme MAO augmente avec l'âge n'a pu être clairement démontrée (Veith & Raskind, 1988). Il faut donc conclure que la relation entre les neurotransmetteurs, la dépression et le vieillissement, bien que séduisante, reste obscure. Actuellement, d'autres pistes sont explorées concernant, notamment, un changement hormonal, un mécanisme régissant la régulation du sommeil et une rupture de l'équilibre entre la noradrénaline et l'acétylcholine.

D'un point vue psychologique, les behavioristes, quant à eux, ont surtout mis l'accent sur les **renforcements** pour expliquer l'origine, le maintien et le traitement de la dépression. D'emblée, il faut déplorer que ces théories aient fait l'objet de très peu de travaux auprès des personnes âgées, sans les exclure cependant. Selon ces théories, la dépression est le fruit d'une fréquence réduite de comportements pouvant être positivement renforcés (Ferster, 1973; Lewinsohn, 1975). Les comportements qui ne sont plus renforcés s'estompent graduellement, ce qui expliquerait la passivité, le manque de motivation des personnes dépressives. Certaines situations rendraient les personnes âgées vulnérables à ce trouble de l'humeur. Ainsi, la mise à la retraite, l'apparition de la maladie, la diminution du revenu et la perte du conjoint priveraient la personne âgée de renforcements positifs. En s'engageant dans moins d'activités, cette dernière se prive d'occasions additionnelles de recevoir des gratifications. En outre, les personnes dépressives n'auraient pas les compétences sociales requises pour rechercher d'autres sources de renforcements (Lewinsohn, 1975). Dans certains cas, la personne dépressive peut recevoir des renforcements sociaux sous forme d'intérêt ou de soutien de la part d'amis ou de parents. Or, ces appuis, plutôt que de diminuer la dépression, peuvent la maintenir : c'est en étant dépressive que la personne âgée reçoit l'attention désirée. Toutefois, devant l'échec de son effort, le réseau se retire, ce qui a pour conséquence d'augmenter encore plus l'isolement, le sentiment d'incompétence, etc., de la personne âgée dépressive.

Un concept qui semble approprié pour comprendre la dépression chez les personnes âgées est celui qui a été élaboré par Seligman (1975) : la **résignation acquise**. Ce concept est issu d'expériences menées en laboratoire. Ce chercheur remarqua, accidentellement, que des chiens recevant une série de stimuli pénibles et qui ne pouvaient s'échapper de la cage où ils se trouvaient manifestaient de la passivité. Ce comportement était tellement bien appris que les chiens ne réagissaient plus, même lorsque, recevant les stimuli pénibles, ils avaient la possibilité de fuir la situation. Pour Seligman, la résignation survient lorsqu'on arrive à croire que la situation est indépendante de notre volonté. Une illustration de ce concept serait le fait de constater qu'une personne âgée devient dépressive à la suite de son placement dans un établissement. Une analyse de la situation permettrait peut-être de constater que la personne n'a pas décidé d'elle-même de quitter sa résidence, qu'elle n'a pas la possibilité d'établir son propre horaire, de choisir les activités auxquelles elle veut participer et qu'elle croit fermement que ses efforts pour changer la situation seraient vains.

D'autres postulent que la dépression est avant tout un **trouble de la pensée**. L'un de ces auteurs les plus influents, Aaron T. Beck (1967), conceptualise la dépression comme la conséquence de structures cognitives fautives ou inappropriées, dont, entre autres, l'apparition d'une triade cognitive et d'erreurs de logique (celles-ci seront abordées plus en profondeur à la section portant sur les traitements). Dans la triade cognitive, la personne en vient à se percevoir elle-même, ainsi que ses expériences et son avenir, de manière négative. La personne se perçoit comme déficiente quant aux qualités qu'elle valorise, par exemple l'indépendance et l'autonomie. De plus, elle est convaincue du bien-fondé de cette perception négative, et ce, même si aucun indice ne vient confirmer ses croyances. La personne dépressive fait également un certain nombre d'erreurs de logique, appelées distorsions cognitives, qui sont :

- l'inférence arbitraire, erreur consistant à tirer une conclusion en l'absence d'évidence ;
- l'abstraction sélective, qui consiste à mettre l'accent sur un détail et à ignorer l'ensemble du contexte ;
- la surgénéralisation, par laquelle une personne tire une conclusion générale sur la base d'un simple incident ;
- la magnification et la minimisation, qui consistent à exagérer ou à limiter la signification d'une information ;
- la personnalisation, par laquelle on établit une relation entre un événement extérieur et soi-même, alors qu'une telle relation n'existe pas ;
- la pensée absolue, qui se manifeste lorsque la personne dépressive évalue sans nuances ses expériences.

On a également soupçonné que certains événements de la vie des personnes âgées pouvaient être à l'origine de la dépression gériatrique. Comme nous l'avons mentionné dans l'introduction de ce chapitre, certains auteurs ont affirmé que la personne âgée était confrontée à des **événements stressants** dépressogènes. La perte du conjoint, la mise à la retraite et les changements sensoriels, qui ont déjà fait l'objet d'une analyse dans des chapitres précédents, sont des exemples classiques de situations difficiles. Il est pourtant bon de souligner, contrairement aux croyances populaires, qu'il n'est pas explicitement établi que les personnes âgées ont à faire face à un plus grand nombre de stresseurs ou d'événements de la vie. Lieberman (1983), dans une étude épidémiologique des événements de la vie, observe au contraire que les personnes âgées y sont moins exposées. Cependant, certains événements sont plus fréquents avec l'âge et sont associés à la dépression ; un de ces facteurs de stress est la maladie et les incapacités physiques en découlant.

Selon Turner et Noh (1988), le risque d'être cliniquement déprimé est trois fois plus élevé chez ceux qui ont une incapacité physique. Certains auteurs affirment que la maladie physique ou le traitement de ces maladies peuvent causer directement la dépression chez les personnes âgées. Dans une récente étude, Kinzie et ses collaborateurs (1986) notent que 52 % des personnes qui sont dépressives ont aussi une maladie physique. Ouslander (1982) a fait la nomenclature d'une longue série de troubles physiques et de médicaments dépressogènes. Il a dénombré au moins 22 médicaments et 44 maladies physiques associés à la dépression gériatrique. Parmi les médicaments qui peuvent causer la dépression, notons : les antihypertenseurs comme la réserpine (Serpasil®), le méthyldopa (Aldomet®) ; les bêta-bloquants comme le propranolol (Indéral®) ; les antiparkinsoniens comme le levodopa (Dopar®) ; les benzodiazépines comme le flurazépam (Dalmane®) ; les neuroleptiques comme l'halopéridol (Haldol®) ainsi que les stéroïdes comme les œtrogènes (Femest®) et les corticostéroïdes. Parmi les problèmes médicaux qui peuvent aussi causer des symptômes dépressifs, mentionnons, par exemple, les déficiences vitaminiques, la maladie de Parkinson, le cancer du pancréas, l'infarctus du myocarde, l'hyperthyroïdisme, l'hépatite. La cause peut aussi être indirecte : une maladie quelconque peut rendre une personne plus vulnérable à la dépression en diminuant sa résistance naturelle, en altérant son estime de soi, en restreignant ses activités ou en augmentant la probabilité que certains événements de la vie se produisent. Pour leur part, Gurland et ses collaborateurs (1988) rappellent que la maladie ou les incapacités peuvent être non seulement la cause, mais aussi la conséquence de la dépression. Il est en effet reconnu que la santé mentale influe sur la santé physique. Dès lors, la dépression devient une cause de maladie pour la personne âgée. La personne âgée dépressive, en raison de sa condition, est vulnérable à l'apparition de troubles physiques.

Il serait cependant erroné de croire que toutes les personnes âgées qui ont à faire face à ces diverses situations stressantes deviennent dépressives. Un coup d'œil sur le pourcentage de personnes âgées qui sont soumises à différentes formes de stresseurs révèle clairement que la majorité d'entre elles ne sont pas touchées. Assez récemment (Cappeliez, 1988), certains chercheurs ont commencé à s'intéresser à cette question et à scruter les explications possibles de ce constat. Il est important de répondre à cette question, car cela permettra de mieux déceler les personnes âgées à risque et d'améliorer les interventions offertes.

Parmi les nombreuses pistes de recherche explorées jusqu'à présent, deux sont prometteuses. Selon la première, les personnes âgées qui peuvent se fier sur un réseau de soutien sont moins vulnérables aux effets des événements stressants. Par exemple, Murphy (1982) observe que les personnes âgées dépressives ont moins de confidents. Phifer et Murrell (1986), après avoir interrogé plus de 1 200 personnes âgées de plus de 55 ans, à deux reprises, à l'aide du CES-D, observent qu'une faible santé physique et un bas niveau de soutien social contribuent à l'apparition de la dépression. La seconde piste de recherche concerne davantage les ressources personnelles. Ainsi, lorsque la personne est confrontée à un événement, elle évalue si celui-ci est menaçant pour son bien-être (Cohen & Lazarus, 1979). Cette évaluation subjective est souvent basée sur la perception du degré de contrôle que la personne croit avoir sur la situation. En outre, on croit de plus en plus que les personnes dépressives et non dépressives se distinguent par leur capacité à composer avec des situations potentiellement menaçantes (Vézina & Bourque, 1984). Cette piste de recherche concernant les ressources sociales et personnelles pourrait expliquer pourquoi deux personnes âgées confrontées à une même situation ne réagissent pas de la même façon, l'une devenant dépressive et l'autre pas.

10.7 TRAITEMENTS

Comme nous l'avons mentionné en début de chapitre, la dépression gériatrique n'est pas traitée, ou l'est rarement. Cependant, il existe différentes formes de traitements qui peuvent contribuer à améliorer la qualité de vie des personnes âgées dépressives. Vu qu'ils sont très nombreux, les principaux traitements pharmacologiques seront décrits sommairement. Les traitements psychologiques feront, par la suite, l'objet d'une présentation plus détaillée.

10.7.1 Pharmacothérapie

On distingue généralement trois groupes de médicaments antidépresseurs :

- les antidépressseurs tricycliques ;
- les antidépresseurs de seconde génération ;
- les inhibiteurs de la monoamine-oxydase (IMAO).

Il faut noter que chacune de ces catégories renferme plusieurs médicaments différents. Par exemple, Plante et Mallet (1991) dénombrent sept antidépresseurs tricycliques, quatre antidépresseurs de seconde génération et quatre IMAO. Le choix d'un antidépresseur particulier est basé sur une prise en compte de ses effets secondaires indésirables et de l'état de santé du patient, des autres médicaments qu'il consomme et de sa réaction antérieure à cet antidépresseur (Salzman & Nevis-Olesen, 1992).

Selon Plante et Mallet (1991), les antidépresseurs tricycliques constituent les médicaments les plus efficaces dans le traitement de la dépression. En fait, la proportion de sujets qui, dans diverses études, démontrent une amélioration importante à la suite du traitement avec ces médicaments varie entre 60 % et 95 % (Noll *et al.*, 1985). L'efficacité de ces médicaments auprès des personnes âgées a aussi été démontrée (Rockwell *et al.*, 1988). Cependant, certains effets secondaires des antidépresseurs tricycliques peuvent occasionner des problèmes importants pour des personnes âgées. Parmi ces effets, il y a :

- la sédation ;
- des problèmes cardio-vasculaires (par exemple, l'hypotension orthostatique ou une chute soudaine de la tension artérielle lorsque la personne se redresse sur sa chaise ou se lève rapidement) ;
- des effets anticholinergiques (par exemple, la sécheresse buccale et la constipation).

Les antidépresseurs de seconde génération correspondent à une classe de médicaments qui ont été mis au point plus récemment que les antidépresseurs tricycliques et les IMAO. Les résultats des recherches portant sur l'efficacité des antidépresseurs de seconde génération suggèrent que ces derniers sont aussi efficaces que les antidépresseurs tricycliques et supérieurs à un placebo (Noll *et al.*, 1985). Leur efficacité a également été démontrée auprès des personnes âgées (Rockwell *et al.*, 1988). Malgré ces résultats encourageants, Plante et Mallet (1991) notent que l'expérience clinique avec les antidépresseurs de seconde génération est limitée et que ces médicaments doivent être réservés aux cas réfractaires. En outre, les antidépresseurs de seconde génération peuvent présenter également des effets secondaires indésirables, entre autres :

- des réactions extrapyramidales (par exemple, l'akinésie ou une impossibilité pathologique de faire certains mouvements) ;
- des troubles sexuels (par exemple, le priapisme ou une érection persistante apparaissant sans excitation sexuelle) ;
- des convulsions.

Comme les antidépresseurs de seconde génération, les IMAO sont également réservés aux cas réfractaires au traitement traditionnel (Plante & Mallet, 1991). Bien qu'ils soient généralement considérés comme moins efficaces que les antidépresseurs tricycliques (Noll *et al.*, 1985), les IMAO sont néanmoins sécuritaires et efficaces dans le traitement des dépressifs âgés (Rockwell *et al.*, 1988). Des crises d'hypertension peuvent être provoquées chez une personne qui utilise des IMAO et qui consomme des aliments riches en tyramine comme les fromages vieillis et le vin rouge. Par conséquent, l'utilisation des IMAO impose des restrictions alimentaires. Les autres effets secondaires indésirables de ces médicaments sont semblables à ceux des antidépresseurs tricycliques et incluent l'hypotension orthostatique de même que la sédation et des effets anticholinergiques (Noll *et al.*, 1985).

En somme, il existe plusieurs médicaments efficaces pour traiter la dépression chez les personnes âgées. Un traitement pharmacologique de la dépression au sein de cette population peut cependant poser des problèmes importants. Les antidépresseurs comportent des effets secondaires qui sont désagréables et qui peuvent exacerber des problèmes de santé déjà existants. Certains de ces effets peuvent également contribuer à l'apparition de nouveaux problèmes de santé. Par exemple, l'hypotension orthostatique augmente le risque de chutes et donc de fractures chez les personnes âgées. Finalement, le risque d'une interaction médicamenteuse délétère chez les personnes âgées qui consomment déjà des médicaments doit aussi être pris en considération.

10.7.2 Psychothérapie

La psychothérapie présente des avantages considérables pour le traitement de la dépression gériatrique parce qu'elle n'a pas d'effets secondaires indésirables. Les traitements psychologiques de la dépression chez les personnes âgées suscitent beaucoup d'intérêt, surtout depuis le début des années 1980. Les recherches dans ce domaine ont permis de constater que la condition de près des trois quarts des personnes âgées dépressives s'améliore à la suite d'une intervention psychologique et qu'un sujet sur deux connaît une rémission complète des symptômes dépressifs à la fin du traitement (Cappeliez, 1991). Les thérapies cognitive et comportementale ont reçu une attention particulière de la part des chercheurs. Bien qu'ils soient très différents, les modèles théoriques sous-jacents à chacune de ces thérapies paraissent pertinents pour une clientèle âgée dépressive (Gallagher & Thompson, 1982).

La thérapie cognitive de la dépression élaborée par Beck, Rush, Shaw et Emery (1979) est basée sur le postulat que la dépression est le résultat d'un traitement fautif et négatif de la réalité (Beck, 1967). Par conséquent, la thérapie cognitive vise à amener le client à interpréter les situations de sa vie de façon plus réaliste. Dans le contexte de la thérapie cognitive, le client apprend à :

- déceler les situations qui suscitent chez lui des sentiments dépressifs ;
- déceler les pensées qui correspondent à son interprétation de ces situations ;
- examiner la validité de ces pensées ;
- substituer des interprétations plus réalistes à ses pensées qui sont excessivement négatives.

Tel que nous l'avons mentionné précédemment, les behavioristes ont mis l'accent sur les renforcements pour expliquer la dépression. Les théories comportementales de la dépression postulent essentiellement que celle-ci est le résultat d'un faible taux de renforcement positif et/ou d'un taux élevé d'expériences désagréables (Hoberman & Lewinsohn, 1985). La thérapie comportementale de la dépression mise au point par Lewinsohn, Sullivan et Grosscup (1980) vise à modifier la qualité et la quantité des rapports entre la personne dépressive et son environnement, en diminuant la fréquence des événements désagréables et en augmentant la fréquence de ceux qui sont agréables. Pour atteindre cet objectif, la thérapie comportementale de la dépression utilise un ensemble de stratégies, entre autres :

- l'observation des relations entre les événements et l'humeur à l'aide d'un graphique ;
- l'entraînement à la relaxation ;
- la gestion des événements désagréables ;
- la gestion du temps ;
- l'augmentation des activités agréables.

Il est important de noter qu'il existe plusieurs similitudes entre les thérapies cognitive et comportementale de la dépression. Une composante commune à ces deux thérapies est d'offrir au client une explication de la dépression. Cette composante ne se limite pas à transmettre des notions théoriques générales au client, mais elle consiste également à amener ce dernier à examiner la pertinence de l'explication par rapport à sa propre dépression. En outre, ces deux thérapies sont structurées, ce qui signifie que l'ensemble du traitement de même que chacune des sessions suivent un plan précis. Ces thérapies sont également limitées dans le temps, se donnant à raison de 15 à 25 sessions pour la thérapie cognitive (Beck *et al.*, 1979) et d'environ 12 sessions pour la thérapie comportementale (Hoberman & Lewinsohn, 1985). Cela permet d'échelonner le traitement sur une période relativement courte de quelques mois. Une autre similitude entre les deux thérapies concerne l'apprentissage d'habiletés spécifiques qui pourront être réutilisées pour faire face aux sentiments dépressifs après que la thérapie sera terminée. L'interprétation des relations entre les événements et l'humeur à partir d'un graphique est un exemple d'acquisition d'habileté dans le cadre de la thérapie comportementale. Finalement, chacune des deux thérapies emprunte des éléments qui sont typiques de l'autre. Par exemple, la thérapie cognitive utilise des techniques comportementales telles que l'enregistrement du niveau de plaisir dans les activités et l'assignation d'activités agréables.

L'efficacité des thérapies cognitive et comportementale dans le traitement des personnes âgées dépressives a fait l'objet d'une recherche menée par Thompson et ses collaborateurs (1987). Les sujets de cette recherche ont participé à l'une ou l'autre de trois formes de psychothérapie individuelle : cognitive, comportementale ou psychodynamique brève. Cette dernière forme de traitement vise à diminuer les symptômes dépresssifs, de même qu'à modifier la psychopathologie du client au moyen de diverses stratégies, dont l'interprétation et la confrontation des conflits sous-jacents (Rosenberg, 1985). Les résultats ont démontré que le degré d'amélioration obtenu avec l'une ou l'autre des formes de psychothérapie après six semaines de traitement est supérieur à celui obtenu en l'absence de traitement. Plus de la moitié des sujets (52%) ayant participé à une forme de psychothérapie n'étaient plus dépressifs à la fin du traitement et aucune différence importante n'a été détectée entre les différentes formes de psychothérapie quant à leur efficacité. Les données obtenues aux relances effectuées 12 et 24 mois après la fin du traitement ont confirmé le maintien des effets bénéfiques de la psychothérapie (Gallagher-Thompson *et al.*, 1990). Encore une fois, aucune différence n'a été observée entre les différentes formes de psychothérapie (Gallagher-Thompson *et al.*, 1990). Il semble donc que les thérapies cognitive et comportementale produisent une amélioration des symptômes dépressifs chez plusieurs personnes âgées et que cette amélioration se maintient jusqu'à deux ans après la fin de l'intervention.

Les résultats de Thompson et ses collaborateurs (1987) ainsi que de Gallagher-Thompson et ses collaborateurs (1990) révèlent que la thérapie psychodynamique brève est aussi efficace que les thérapies cognitive et comportementale dans le traitement de la dépression chez les personnes âgées. Bellack (1985), qui a déjà noté l'équivalence des différentes formes de psychothérapie dans le traitement de la dépression, a souligné la possibilité que toutes ces formes de traitement aboutissent au même résultat par les mêmes moyens. Cette explication implique que tous les traitements psychologiques possèdent une ou plusieurs composantes communes suffisantes pour produire une diminution des symptômes dépressifs. D'ailleurs, Gallagher-Thompson et ses collaborateurs (1990) ont observé que les participants à chacune des trois formes de psychothérapie employées dans leur recherche étaient encouragés à accroître leur contrôle sur leurs sentiments et leurs activités et à augmenter leur sentiment d'efficacité personnelle. Ces caractéristiques sont peut-être utiles à l'amélioration de la condition des personnes âgées dépressives dans le cadre d'une psychothérapie. En outre, il a été proposé qu'un rapport avec un thérapeute chaleureux et soutenant est un élément commun à plusieurs formes de psychothérapie et qu'un tel rapport peut contribuer à diminuer les symptômes dépressifs (Bellack, 1985).

Finalement, on peut se demander si la psychothérapie est plus ou moins efficace que la pharmacothérapie dans le traitement des personnes âgées dépressives. Les chercheurs qui ont comparé ces deux formes de traitements ont obtenu des résultats inconsistants. Certains ont noté que le taux de rémission dû aux antidépresseurs tricycliques était supérieur à celui produit par les psychothérapies psychodynamique et cognitive-comportementale de groupe (Jarvik *et al.*, 1982). D'autres n'ont observé aucune différence entre un antidépresseur tricyclique et la psychothérapie interpersonnelle quant au pourcentage d'amélioration entre le début et la fin du traitement (Sloane *et al.*, 1985). D'autres chercheurs, enfin, ont démontré que l'efficacité de la thérapie cognitive de groupe était supérieure à celle d'un antidépresseur de seconde génération (Beutler *et al.*, 1987). Il s'avère donc difficile de tirer des conclusions en ce qui concerne l'efficacité de la psychothérapie comparativement à celle de la pharmacothérapie dans le traitement de la dépression gériatrique. Néanmoins, l'état actuel des connaissances suggère que la psychothérapie peut être bénéfique à plusieurs personnes âgées dépressives, soit comme traitement unique ou comme complément à un traitement pharmacothérapeutique.

RÉSUMÉ

- La dépression gériatrique est un problème complexe et mal connu.
- Le dépistage tant clinique qu'épidémiologique pose de sérieuses difficultés.
- Plusieurs symptômes de la dépression peuvent être et sont confondus avec le vieillissement normal, la maladie ou la démence.
- Lorsque la dépression est dissimulée derrière d'autres symptômes, il s'agit d'une dépression masquée.
- Lorsque la dépression entraîne des troubles cognitifs sévères chez une personne non démente, il s'agit d'une pseudodémence dépressive.
- La dépression et la démence peuvent coexister.
- Approximativement 15 % des personnes âgées évaluées à l'aide d'échelles de dépression manifestent des symptômes de dépression, comparativement à 5 % pour les personnes âgées interrogées au moyen d'entrevues cliniques.
- Contrairement à la croyance populaire, la très grande majorité des personnes âgées ne sont pas dépressives.
- Le taux de prévalence de la dépression est plus élevé chez les adultes que chez les personnes âgées.
- En ce qui concerne la dépression, le rapport entre les hommes et les femmes tend à diminuer, même à s'inverser, avec l'âge.
- Il existe plusieurs instruments servant à mesurer la sévérité de la dépression, mais ceux-ci, à l'exception du questionnaire de dépression de Beck et de l'échelle de dépression gériatrique, n'ont pas été conçus pour les personnes âgées ni pour une population de langue française.
- Les causes de la dépression gériatrique ne sont pas encore connues. Plusieurs pistes sont cependant explorées.
- L'hypothèse biologique, soit la théorie des amines biogènes, explique la dépression par une faible concentration de certains neurotransmetteurs.

- La position behavioriste allègue que la dépression est le résultat d'une fréquence réduite de comportements pouvant être renforcés.
- La perspective cognitive stipule que des erreurs de logique contribuent à la dépression.
- Il existerait des événements dépressogènes. Parmi ceux-ci, la maladie physique est fortement associée à la dépression gériatrique.
- Face à des événements stressants, les personnes âgées qui ont des ressources sociales et personnelles sont moins vulnérables à la dépression.
- Les principaux médicaments antidépresseurs sont les antidépresseurs tricycliques, les antidépresseurs de seconde génération et les IMAO.
- Les antidépresseurs de seconde génération et les IMAO sont réservés aux cas réfractaires.
- Contrairement aux antidépresseurs, la psychothérapie ne comporte pas d'effets secondaires potentiellement indésirables.
- Près des trois quarts des personnes âgées dépressives voient leur état s'améliorer à la suite d'une intervention psychologique, et un sujet sur deux connaît une rémission complète des symptômes dépressifs à la fin du traitement.
- La thérapie cognitive de la dépression vise à amener le client à interpréter les situations de sa vie de façon plus réaliste.
- La thérapie comportementale de la dépression vise à modifier la qualité et la quantité des rapports entre la personne dépressive et son environnement, en diminuant la fréquence des événements désagréables et en augmentant la fréquence de ceux qui sont agréables.
- Les thérapies cognitive et comportementale de la dépression sont efficaces dans le traitement de la dépression gériatrique, mais la thérapie psychodynamique brève est tout aussi efficace.
- L'équivalence des différentes formes de psychothérapie dans le traitement de la dépression gériatrique vient peut-être du fait que ces formes de traitement ont des composantes communes et suffisantes pour produire une diminution des symptômes dépressifs.

LECTURES SUGGÉRÉES

Breslau, L.D., & Haug, M.R. (1983). *Depression and aging: Causes, care, and consequences.* New York: Springer Publishing Company.

Cappeliez, P., & Flynn, R.J. (1993). *Depression and the social environment: Research and prevention with neglected populations.* Montréal et Kingston: McGill-Queen's University Press.

De Leo, D., & Diekstra, R.F.W. (1990). *Depression and suicide in late life.* Toronto: Hogrefe and Huber Publishers.

Yost, E.B., Beutler, L.E., Corbishley, M.A., & Allender, J.R. (1989), *Thérapie cognitive de groupe: une approche de traitement pour personnes âgées dépressives.* Québec: Les Éditions Saint-Yves.

RÉFÉRENCES

Akiskal, H.S., & McKinney, W.T. (1973). Depressive disorders: Toward a unified hypothesis. *Science, 182,* 20-29.

American Psychiatric Association (1987). *Diagnostic and statistical manual of mental disorders* (3e éd., rév.). Washington, DC.

Beck, A.T. (1967). *Depression: Clinical, experimental, and theoretical aspects.* New York: Harper and Row.

Beck, A.T., Steer, R.A., & Garbin, M.G. (1988). Psychometric properties of the Beck Depression Inventory: Twenty-five years of evaluation. *Clinical Psychological Review, 8,* 77-100.

Beck, A.T., Rush, A.J., Shaw, B.F., & Emery, G. (1979). *Cognitive therapy of depression.* New York: The Guilford Press.

Beck, A.T., Ward, C., Mendelson, M., Mock, J., & Erbaugh, J. (1961). An inventory for measuring depression. *Archives of General Psychiatry, 4,* 561-571.

Bellack, A.S. (1985). Psychotherapy research in depression: An overview. Dans E.E. Beckham & W.R. Leber (dir.), *Handbook of depression: Treatment, assessment, and research* (p. 204-219). Homewood, IL: The Dorsey Press.

Berkman, L.F., Kerkman, C.S., Kasl, S., Freeman, D.H., Leo, L., Ostfeld, A.M., *et al.* (1986). Depressive symptoms in relation to physical health and functioning in the elderly. *American Journal of Epidemiology, 24,* 372-388.

Beutler, L.E., Scogin, F., Kirkish, P., Schretlen, D., Corbishley, A., Hamblin, D., Meredith, K., Potter, R., Bamford, C.R., & Levenson, A.I. (1987). Group cognitive therapy and alprazolam in the treatment of depression in older adults. *Journal of Consulting and Clinical Psychology, 55,* 450-556.

Blazer, D. (1989). The epidemiology of depression in late life. *Journal of Geriatric Psychiatry, 22*, 35-52.

Blazer, D.G., George, L.K., & Hughes, D.C. (1987). The epidemiology of depression in an elderly community population. *The Gerontologist, 27*, 281-287.

Blazer, D., & Williams, C.D. (1980). Epidemiology of dysphoria and depression in an elderly population. *American Journal of Psychiatry, 137*, 439-444.

Borson, S., Barnes, R.A., Kukull, W.A., *et al.* (1986). Symptomatic depression in elderly medical outpatients. I : Prevalence, demography, and health service utilization. *Journal of the American Geriatrics Society, 34*, 341-347.

Bourque, P., & Beaudette, D. (1982). Étude psychométrique du questionnaire de dépression de Beck auprès d'un échantillon d'étudiants universitaires francophones. *Revue canadienne des sciences du comportement, 14*, 211-218.

Bourque, P., Blanchard, L., & Vézina, J. (1990). Étude psychométrique de l'échelle de dépression gériatrique. *Revue canadienne du vieillissement, 9*, 348-355.

Brink, T.L., Yesavage, J.A., Owen, L., Heersema, P.H., Adey, M., & Rose, T.L. (1982). Screening tests for geriatric depression. *Clinical Gerontologist, 1*, 37-43.

Cappeliez, P. (1988). Quelques considérations sur la prévalence et l'étiologie des états dépressifs de la personne âgée. *Revue canadienne du vieillissement, 7*, 417-430.

Cappeliez, P. (1991). Interventions psychothérapeutiques auprès de personnes âgées déprimées. *Journal of Psychiatry and Neuroscience, 16*, 170-175.

Cappeliez, P. (1993). Depression in elderly persons : Prevalence, predictors, and psychological intervention. Dans P. Cappeliez & R.J. Flynn (dir.), Depression and the social environment : Research and interventions with neglected populations, 332-368, Montréal, McGill-Queen's University Press.

Charatan, F.B. (1985). Depression and the elderly : Diagnosis and treatment. *Psychiatric Annals, 15*, 313-316.

Cohen, D., & Eisdorfer, C. (1986). Depression. Dans E. Calkins, P.J. Davis & A.B. Ford (dir.), *The practice of geriatrics* (p. 194-205). Philadelphia : W.B. Saunders Company.

Cohen, F., & Lazarus, R.S. (1979). Coping with the stresses of illness. Dans G.C. Stone, F. Cohen & N.E. Miller (dir.), *Health psychology* (p. 217-254). San Francisco : Jossey-Bass.

Comstock, G.W., & Helsing, K. (1976). Symptoms of depression in two communities. *Psychological Medicine, 6*, 551-563.

Cummings, J.L. (1988). Depression in vascular dementia. *Hillside Journal of Clinical Psychiatry, 10*, 209-231.

Eaton, W.W., & Kessler, L.G. (1981). Rates of symptoms of depression in a national sample. *American Journal of Epidemiology, 114*, 528-538.

Epstein, L.J. (1976). Symposium on age differentiation in depressive illness : Depression in the elderly. *Journal of Gerontology, 31*, 278-282.

Feinberg, T., & Goodman, B. (1984). Affective illness, dementia, and pseudodementia. *Journal of Clinical Psychiatry, 45*, 99-103.

Feinson, M.C. (1985). Aging and mental health : Distinguishing myth from reality. *Research on Aging, 7*, 155-174.

Feinson, M., & Thoits, P.A. (1986). The distribution of distress among elders. *Journal of Gerontology, 41*, 225-233.

Ferster, C.B. (1973). A functional analysis of depression. *Journal of the American Geriatrics Society, 28*, 857-870.

Frerichs, R.R., Aneshensel, C.S., & Clark, V.A. (1981). Prevalence of depression in Los Angeles county. *American Journal of Epidemiology, 113*, 691-699.

Gallagher, D. (1986). The Beck Depression Inventory and older adults : Review of its development and utility. Dans T.L. Brink (dir.), *Clinical gerontology : A guide to assessment and intervention* (p. 149-163). New York : The Haworth Press.

Gallagher, D.E., & Thompson, L.W. (1982). Treatment of major depressive disorder in older adult outpatients with brief psychotherapies. *Psychotherapy : Theory, Research and Practice, 19*, 482-490.

Gallagher, D., Nies, G., & Thompson, L.W. (1982). Reliability of the Beck Depression Inventory with older adults. *Journal of Consulting and Clinical Psychology, 50*, 152-153.

Gallagher, D., Breckenridge, J.N., Steinmetz, J., & Thompson, L.W. (1983). The Beck Depression Inventory and research diagnostic criteria : Congruence in an older population. *Journal of Consulting and Clinical Psychology, 51*, 945-946.

Gallagher-Thompson, D., Hanley-Peterson, P., & Thompson, L.W. (1990). Maintenance of gains versus relapse following brief psychotherapy for depression. *Journal of Consulting and Clinical Psychology, 58*, 371-374.

Gauthier, J., Morin, C., Thériault, F., & Lawson, J.S. (1982). Adaptation française d'une mesure d'auto-évaluation de l'intensité de la dépression. *Revue québécoise de psychologie, 3*, 13-27.

Griffiths, R.A., Good, W.R., Watson, N.P., O'Donnell, H.F., Fell, P.J., & Shakespeare, J.M. (1987). Depression, dementia and disability in the elderly. *British Journal of Psychiatry, 150*, 482-493.

Gurland, B.J. (1976). The comprehensive frequency of depression in various adult age groups. *Journal of Gerontology, 31*, 283-292.

Gurland, B.J., & Cross, P.S. (1982). Epidemiology of psychopathology in old age : Some implications for clinical services. *Psychiatric Clinics of North America, 5*, 11-26.

Gurland, B.J., Wilder, D.E., & Berkman, C. (1988). Depression and disability in the elderly : Reciprocal relations and changes with age. *International Journal of Geriatric Psychiatry, 3*, 163-179.

Hoberman, H.M., & Lewinsohn, P.M. (1985). The behavioral treatment of depression. Dans E.E. Beckham & W.R. Leber (dir.), *Handbook of depression : Treatment, assessment, and research* (p. 39-81). Homewood, IL : The Dorsey Press.

Jarvik, L.F., Mintz, J., Steuer, J., & Gerner, R. (1982). Treating geriatric depression : A 26-week interim analysis. *Journal of the American Geriatrics Society, 30*, 713-717.

Jorm, A.F. (1987). Sex and age differences in depression : A quantitative synthesis of published research. *Australian and New Zealand Journal of Psychiatry, 21*, 46-53.

Kermis, M.D. (1986). The epidemiology of mental disorder in the elderly : A response to the senate/AARP report. *The Gerontologist, 26*, 482-487.

Kinzie, J.D., Lewinsohn, P., Maricle, R., & Teri, L. (1986). The relationship of depression to medical illness in an older community population. *Comprehensive Psychiatry, 27*, 241-246.

Klerman, G.L., Lavori, P.W., Rice, J., *et al.* (1985). Birth-cohort trends in rates of major depressive disorder among relatives of patients with affective disorder. *Archives of General Psychiatry, 42*, 689-693.

Koenig, H. (1986). Depression and dysphoria among the elderly : Dispelling a myth. *The Journal of Family Practice, 23*, 383-385.

Leaf, P.J., Berkman, C.S., Weissman, M.M., Holzer, C.E., Tischler, G.L., & Myers, J.K. (1988). The epidemiology of late-life depression. Dans J.A. Brody & G.L. Maddox (dir.), *Epidemiology and aging : An international perspective* (p. 117-133). New York : Springer Publishing Press.

Lévesque, L., Roux, C., & Lauzon, S. (1990). *Alzheimer : comprendre pour mieux aider.* Montréal : Éditions du renouveau pédagogique.

Lewinsohn, P.M. (1975). The behavioral study and treatment of depression. Dans M. Hersen, R.M. Essler & R.M. Miller (dir.), *Progress in behavior modification* (vol. 1). New York : Academic Press.

Lewinsohn, P.M., Sullivan, J.M., & Grosscup, S.J. (1980). Changing reinforcing events : An approach to the treatment of depression. *Psychotherapy : Theory, Research, and Practice, 47*, 322-334.

Lieberman, M.A. (1983). Social contexts of depression. Dans L.D. Breslau et M.R. Haug (dir.), *Depression and aging : Causes, care, and consequences* (p. 121-133). New York : Springer Publishing Company.

Murrell, S.A., Himmelfard, S., & Writht, K. (1983). Prevalence of depression and its correlates in older adults. *American Journal of Epidemiology, 117*, 173-185.

Murphy, E. (1982). Social origins of depression in old age. *British Journal of Psychiatry, 141*, 135-142.

Myers, J.K., Weissman, M.M., Tischler, M.D., *et al.* (1984). Six-month prevalence of psychiatric disorders in three communities. *Archives of General Psychiatry, 41*, 959-967.

Newman, J.P. (1989). Aging and depression. *Psychology and Aging, 4*, 150-165.

Noll, K.M., Davis, J.M., & DeLeon-Jones, F. (1985). Medication and somatic therapies in the treatment of depression. Dans E.E. Beckham & W.R. Leber (dir.), *Handbook of depression : Treatment, assessment, and research* (p. 39-81). Homewood, IL : The Dorsey Press.

Ouslander, J.G. (1982). Physical illness and depression in the elderly. *Journal of the American Geriatrics Society, 30*, 593-599.

Pfeiffer, E., & Busse, E.W. (1973). Mental disorders in later life affective disorders ; paranoid, neurotic, and situational reactions. Dans E.W. Busse & E. Pfeiffer (dir.), *Mental illness in later life*. Washington : American Psychiatric Association.

Phifer, J.F., & Murrell, S.A. (1986). Etiologic factors in the onset of depressive symptoms in older adults. *Journal of Abnormal Psychology, 95*, 282-291.

Pichot, P., & Lempérière, T. (1964). Analyse factorielle d'un questionnaire d'auto-évaluation des symptômes dépressifs. *Revue de psychologie appliquée, 14*, 15-29.

Plante, M.A., & Mallet, L. (1991). Antidépresseurs. Dans G. Barbeau, J. Guimond & L. Mallet (1991), *Médicaments et personnes âgées* (p. 311-327). Saint-Hyacinthe : Edisem.

Radloff, L. (1977). The CES-D scale : A self-report depression scale for research in the general population. *Applied Psychological Measurement, 1*, 385-406.

Regier, D.A., *et al.* (1984). The NIMH Epidemiologic Catchment Area program : Historical context, major objectives, and study population characteristics. *Archives of General Psychiatry, 41*, 934-941.

Robins, L.N., Helzer, J.E., Croughan, J., & Ratcliff, K.S. (1981). The NIMH diagnostic interview schedule : Its history, characteristics and validity. *Archives of General Psychiatry, 38*, 381-389.

Rockwell, E., Lam, R.W., & Zisook, S. (1988). Antidepressant drug studies in the elderly. *Psychiatric Clinics of North America, 11*, 215-233.

Rosenberg, S.E. (1985). Brief dynamic psychotherapy for depression. Dans E.E. Beckham & W.R. Leber (dir.), *Handbook of depression : Treatment, assessment, and research* (p. 100-123). Homewood, IL : The Dorsey Press.

Ruegg, R.G., Zisook, S., & Swerdlow, N.R. (1988). Depression in the aged : An overview. *Psychiatric Clinics of North America, 11*, 83-99.

Salzman, C., & Nevis-Olesen, J. (1992). Psychopharmacologic treatment. Dans J.E. Birren, R.B. Sloane & G.D. Cohen (dir.), *Handbook of mental health and aging* (2e éd., p. 721-762). San Diego : Academic Press.

Salzman, C., & Shader, R.I. (1979). Clinical evaluation of depression in the elderly. Dans A. Raskin et L.F. Jarvik (dir.), *Psychiatric symptoms and cognitive loss in the elderly : Evaluation and assessment techniques* (p. 39-72). Washington, DC : Hemisphere.

Seligman, M.E.P. (1975). *Helplessness : On depression development and death*. San Francisco : W.H. Freeman.

Sloane, B., Staples, F.R., & Schneider, L.S. (1985). Interpersonal therapy versus nortriptyline for depression in the elderly. Dans G.D. Burrows, T.R. Norman & L. Dennerstein (dir.), *Clinical and pharmacological studies in psychiatric disorders* (p. 344-346). Londres : John Libby.

Soldatos, C. (1983). Depression in the institutionalized elderly. Dans C.N. Stefanis (dir.), *Recent advances in depression* (p. 53-57). New York : Pergamon Press.

Teri, L., & Reifler, B.V. (1987). Depression and dementia. Dans L.L. Carstensen & B.A. Edelstein (dir.), *Handbook of clinical gerontology* (p. 112-119). Elmsford, NY : Pergamon Press.

Thompson, L.W., Gallagher, D., & Breckenridge, J.S. (1987). Comparative effectiveness of psychotherapies for depressed elders. *Journal of Consulting and Clinical Psychology, 55*, 385-390.

Turner, R.J., & Noh, S. (1988). Physical disability and depression. *Journal of Health Social Behavior, 29*, 23-37.

Veith, R.C., & Raskind, M.A. (1988). The neurobiology of aging : Does it predispose to depression ? *Neurobiology of Aging, 9*, 101-117.

Vézina, J. (1989). Préface. Dans E.B. Yost, L.E. Beutler, M.A. Corbishley & J.R. Allender (dir.), *Thérapie cognitive de groupe : une approche de traitement pour personnes âgées dépressives.* Québec : Les Éditions Saint-Yves.

Vézina, J., & Bourque, P. (1984). Les stratégies comportementales adoptées par les personnes âgées devant les sentiments dépressifs. *Revue canadienne du vieillissement, 4*, 161-169.

Vézina, J., Landreville, P., Bourque, P., & Blanchard, L. (1991). Questionnaire de dépression de Beck : étude psychométrique auprès d'une population âgée francophone. *Revue canadienne du vieillissement, 10*, 29-39.

Weissman, M.M., & Klerman, G.L. (1977). Sex differences and the epidemiology of depression. *Archives of General Psychiatry, 34*, 98-111.

Weissman, M.M., & Myers, J.K. (1978). Affective disorders in a US urban community. *Archives of General Psychiatry, 35*, 1304-1311.

Wells, C.E. (1979). Pseudodementia. *American Journal of Psychiatry, 136*, 895-900.

Yesavage, J.A., Brink, T.L., Rose, T.L., Lum, O., Huang, V., Adey, M., & Leirer, V.O. (1983). Development and validation of a geriatric depression screening scale : A preliminary report. *Journal of Psychiatric Research, 18*, 37-49.

Zung, W.W.K. (1965). A self-rating depression scale. *Archives of General Psychiatry, 12*, 63-70.

Chapitre 11

Suicide

11.1 INTRODUCTION

Lorsque vient le moment d'aborder le suicide gériatrique, les auteurs sont unanimes à dire qu'il s'agit d'un problème très sérieux. Paradoxalement, le suicide chez les personnes âgées ne suscite pas beaucoup d'intérêt de la part du public en général (Lapierre *et al.*, 1992 ; Moamai, 1988) en dépit de l'ampleur du phénomène, comme en témoigne la prochaine section. En effet, l'attention du public est avant tout dirigée vers le suicide des jeunes adultes (Lyons, 1984), qui est considéré comme une véritable tragédie, alors que le suicide s'avère plus acceptable lorsqu'il survient chez ceux dont la mort est prévisible (Pélicier, 1978).

Pour Jarvis et Boldt (1980), ce manque d'intérêt est manifestement le reflet du désintéressement d'une société qui n'accorde qu'une faible importance aux personnes qui n'appartiennent pas au monde du travail (Miller, 1979). Les chercheurs et les intervenants, qu'ils soient psychologues, gérontologues, suicidologues ou autres, ne sont pas à l'abri des critiques, puisque le suicide gériatrique ne semble pas être une de leurs priorités (Simon, 1989). Peu de travaux ont été réalisés sur le sujet à ce jour, ce qui nuit à la compréhension de ce phénomène complexe. Par conséquent, une partie substantielle des connaissances actuelles sur le suicide gériatrique est équivoque et mériterait d'être étayée davantage.

Quoi qu'il en soit, l'objectif poursuivi ici est de faire un bilan des connaissances, notamment à propos de la prévalence du suicide et des moyens utilisés, des facteurs précipitants, ainsi que des indices fournis par la personne âgée qui a l'intention de s'enlever la vie.

11.2 PRÉVALENCE DU SUICIDE CHEZ LES PERSONNES ÂGÉES

Le suicide est l'une des dix principales causes de décès dans les pays industrialisés (Wardle, 1989). Au Canada, le suicide occupe le cinquième rang après les maladies cardio-vasculaires, les cancers, les maladies respiratoires et les morts accidentelles (Santé et Bien-être social Canada, 1987). Ce résultat est d'autant plus bouleversant qu'il est en général accepté que les statistiques officielles sous-évaluent la prévalence du suicide (Charron, 1983 ; Lapierre *et al.*, 1992), spécialement chez les personnes âgées en général (Miller, 1978) et, parmi celles-ci, chez celles vivant dans un établissement (Jarvis & Boldt, 1980).

Quelques raisons ont été invoquées pour expliquer cette sous-évaluation. Lorsqu'il s'agit d'une personne âgée souffrant probablement d'une maladie physique, les médecins légistes et les coroners seraient moins enclins à ouvrir une enquête sur les causes du décès, concluant à tort qu'il s'agit d'une mort naturelle ; McIntosh et Hubbard (1988) en donnent pour preuve le fait que le nombre d'autopsies diminue avec l'âge des personnes en cause. En outre, on hésiterait à conclure au suicide afin de ne pas embarrasser la famille (Charron, 1983). Il est par ailleurs reconnu que certaines personnes âgées s'enlèvent délibérément la vie en adoptant des comportements préjudiciables à leur santé (Jarvis & Boldt, 1980) qui sont rarement attribués à la volonté de mourir. Dès lors, c'est avec beaucoup de prudence qu'il faut aborder la question de la prévalence du suicide chez les personnes âgées.

En 1985, les statistiques canadiennes établissaient respectivement à 16,2 et à 15,8 cas pour 100 000 habitants le taux de suicide chez les personnes âgées de 65 à 69 ans et chez celles âgées de plus de 70 ans (Santé et Bien-être social Canada, 1987). Ces taux sont légèrement inférieurs ou équivalents à ceux atteints par les autres groupes d'âge, en particulier chez les 20-24 ans (17,7) et chez les 55-59 ans (18,2). La figure 11.1 illustre les différents taux de suicide atteints par chacun des groupes d'âge pour les années 1965, 1975 et 1985. En comparant ces différents taux, il est permis de constater, entre autres :

- que, en 1965, le taux de suicide progressait en fonction de l'âge pour ensuite diminuer après 64 ans ;

Figure 11.1 Taux de suicide pour 100 000 habitants chez les différentes cohortes pour les années 1965, 1975 et 1985, au Canada

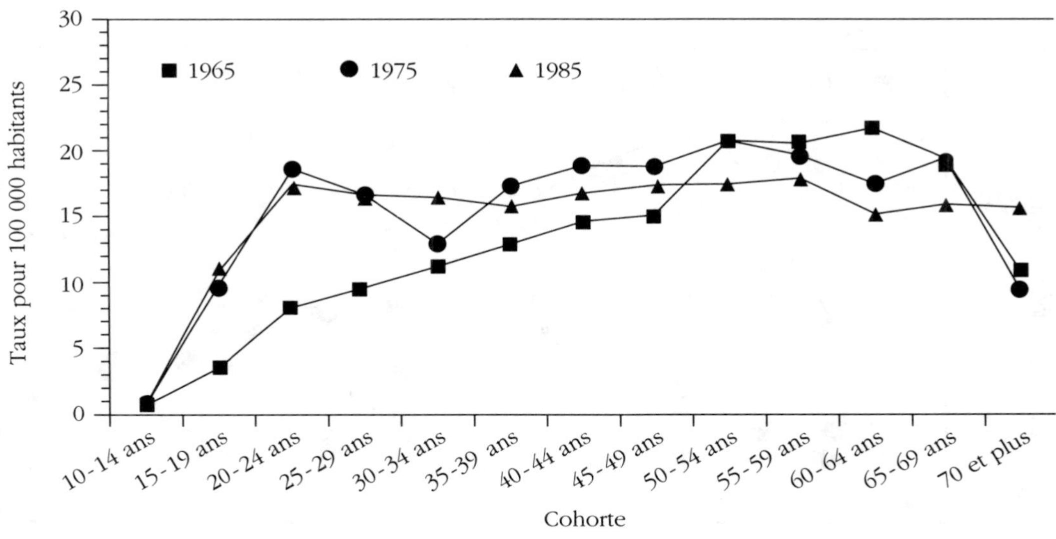

Source: Santé et Bien-être social Canada (1987), tableau A-16.

- que, par rapport à 1965 et à 1975, le taux de suicide chez le groupe des 65-69 ans a légèrement diminué en 1985;
- que, durant la même période, le taux de suicide chez les 70 ans et plus a augmenté substantiellement;
- que le groupe des 20-24 ans est celui qui a enregistré la progression la plus rapide dans les dernières années (Santé et Bien-être social Canada, 1987).

En reprenant le même exercice pour le Québec, et tel que l'illustre la figure 11.2, on peut facilement relever:

- qu'il y a eu une augmentation très appréciable du suicide dans l'ensemble de la population dans les dernières années;
- que les personnes âgées n'ont pas échappé à ce changement;
- que, en 1985, la courbe est bimodale avec deux cohortes particulièrement à risque, soit les 25-29 ans ainsi que les 50-54 ans.

Ainsi, au Québec, en 1985, le taux de suicide déclaré pour les 65-69 ans était de 18,2 pour 100 000 habitants, alors qu'il était d'environ 10 pour 100 000 habitants en 1965 et en 1975. Un des groupes d'âge chez qui la progression du suicide a été

Figure 11.2 Taux de suicide pour 100 000 habitants chez différentes cohortes pour les années 1965, 1975 et 1985, au Québec

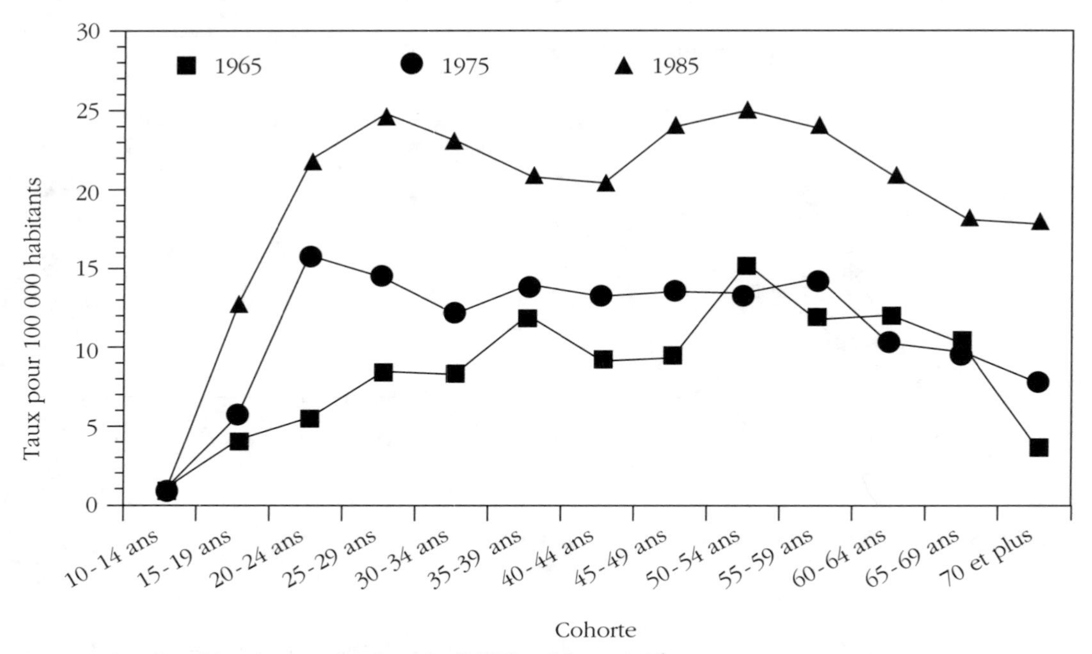

Source: Santé et Bien-être social Canada (1987), tableau A-16.

la plus rapide est celui des 70 ans et plus, le taux de suicide pour 100 000 habitants passant de 2,8 en 1965 à 7,4 en 1975, pour atteindre 17,8 en 1985.

Ces données canadiennes et québécoises diffèrent de celles des autres pays industrialisés, notamment les États-Unis, sur un point : les personnes âgées d'ici ne sont pas le groupe le plus à risque, selon les statistiques disponibles, même si leur taux de suicide est loin d'être négligeable. En effet, bien que les statistiques américaines démontrent également, dans les dernières années, une progression du taux de suicide chez les jeunes adultes et une diminution de celui enregistré chez les personnes âgées (McIntosh, 1985), ce sont toujours les personnes âgées qui, aux États-Unis, détiennent le plus haut taux de suicide.

L'utilisation des antidépresseurs, la plus grande accessibilité des services sociaux et de santé et une plus grande sécurité économique sont quelques-unes des raisons invoquées pour expliquer la diminution du taux de suicide chez les personnes âgées américaines au fil des années (McIntosh, 1984). Certains auteurs doutent cependant que cette diminution puisse s'expliquer par le recours aux centres de prévention du suicide, étant donné que les personnes âgées constituent moins de 2 % de leur clientèle (McIntosh, 1985).

Même s'il est toujours hasardeux de faire des projections, il est légitime de se demander si le taux de suicide chez les personnes âgées restera au niveau actuel à l'avenir. Une façon de répondre à cette question consiste à suivre une même cohorte à mesure qu'elle prend de l'âge. Solomon et Hellon (1980) ont été parmi les premiers à faire la lumière sur l'effet de cohorte. Les résultats de leur étude, qui ont été confirmés par d'autres (par exemple, Reed *et al*, 1985), laissent croire que le suicide chez les personnes âgées sera en recrudescence dans les prochaines années. Ces auteurs sont d'avis que les jeunes adultes d'aujourd'hui maintiendront leur taux élevé de suicide jusqu'à leur vieillesse. Blazer et ses collaborateurs (1986) renchérissent en rappelant que les jeunes adultes détiennent la prévalence la plus élevée de dépression. Ils ajoutent que l'espérance de vie accrue des futures personnes âgées fera en sorte qu'elles vivront davantage et plus longtemps des situations affligeantes, stressantes, par exemple le veuvage ou la maladie chronique, d'où le risque plus élevé de suicide.

Ce que les données précédentes ne dévoilent pas, cependant, c'est l'énorme différence qui existe entre les hommes et les femmes. Un examen de la figure 11.3 démontre très clairement qu'au Canada les hommes se suicident toujours en plus grand nombre que les femmes. On dénombre 25,9 cas pour 100 000 habitants chez les hommes âgés de 65 à 69 ans, comparativement à 8 cas pour 100 000 habitants pour les femmes du même âge, le rapport étant de 3 hommes pour 1 femme. Au Québec (voir figure 11.4), le taux de suicide chez les femmes de cet âge est de 13,1 pour 100 000 habitants, alors qu'il est presque le double chez les hommes, avec un taux de 24,6 pour 100 000 habitants.

Cette disparité entre les hommes et les femmes est encore plus marquée chez les personnes de 70 ans et plus. Au Canada (voir figure 11.3), les hommes ont un taux de suicide de 30,1 pour 100 000 habitants, comparativement à 6,2 pour les femmes, le rapport étant de 5 pour 1 ; au Québec, la différence est plus prononcée, le taux étant de 38,7 pour 100 000 habitants chez les hommes, comparativement à 4,7 pour les femmes, soit un rapport de 8 hommes pour 1 femme (voir figure 11.4).

Comment expliquer que les hommes âgés se suicident plus que les femmes âgées ? On ignore les véritables causes, mais certains auteurs suggèrent que, chez les hommes, l'estime de soi est plus altérée par la retraite, la perte du conjoint et la diminution de la santé que chez les femmes (Busse & Pfeiffer, 1969). Cet écart est également attribué aux **moyens utilisés** pour s'enlever la vie (Miller, 1978). Les hommes choisiraient des méthodes plus létales, alors que les femmes préféreraient des méthodes moins extrêmes. Mais qu'en est-il dans les faits ? En se basant sur les données recueillies par les coroners québécois en 1987 (Bureau du coroner, 1988), on constate (voir figure 11.5) que 36 % des hommes âgés qui ont choisi de s'enlever la vie ont utilisé les armes à feu, comparativement à 2 % pour les femmes âgées.

Figure 11.3 Taux de suicide pour 100 000 habitants chez les hommes et les femmes de différents groupes d'âge, au Canada, en 1985

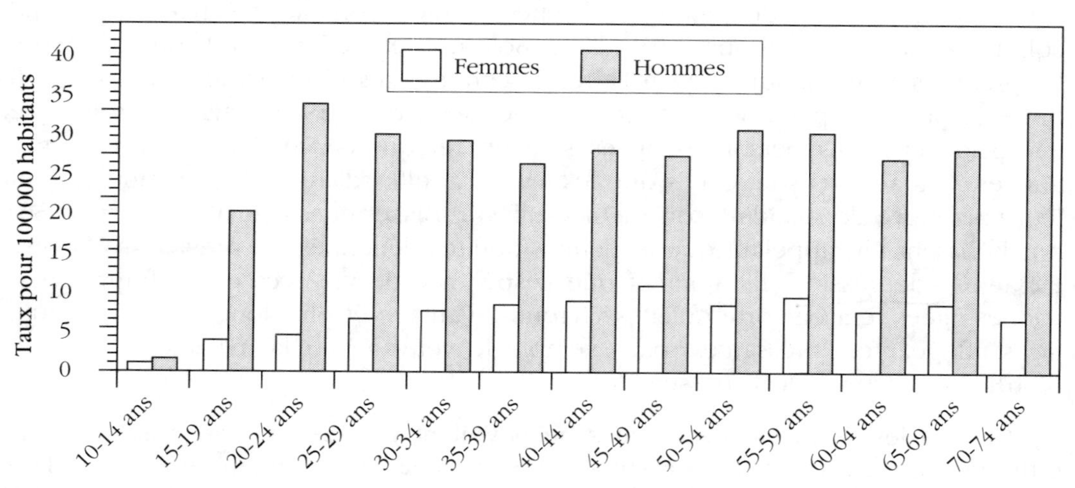

Source: Santé et Bien-être social Canada (1987), tableaux A-2 et A-3.

Figure 11.4 Taux de suicide pour 100 000 habitants chez les hommes et les femmes de différents groupes d'âge, au Québec, en 1985

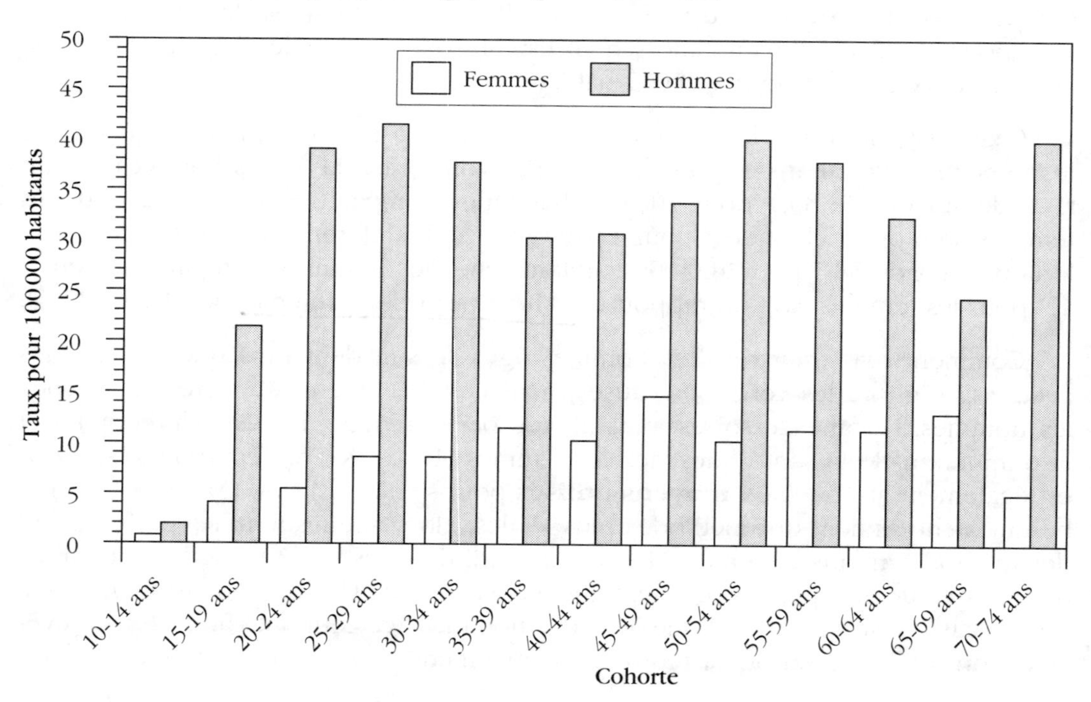

Source: Santé et Bien-être social Canada (1987), tableau A-17 et A-18.

Figure 11.5 Évaluation comparée des moyens utilisés par les hommes et les femmes âgés qui se sont suicidés au Québec, en 1987

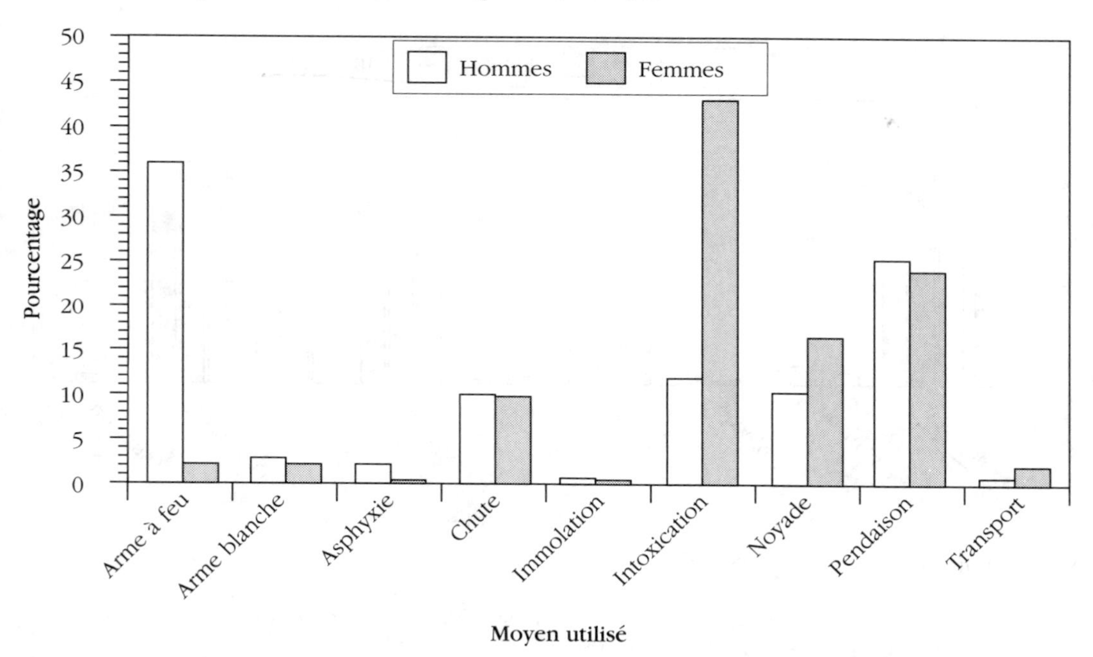

Source: Bureau du coroner (1988).

En contrepartie, 43 % des femmes âgées ont privilégié l'intoxication et 17 % la noyade, comparativement à 12 % et à 11 % pour les hommes âgés. Résultat assez surprenant, la pendaison est un moyen utilisé autant par les hommes âgés (25 %) que par les femmes âgées (24 %). Ce résultat peut être un indicateur du sérieux de l'intention des femmes âgées de s'enlever la vie.

Ces résultats sont suffisamment éloquents pour appuyer la thèse voulant que les moyens utilisés pour s'enlever volontairement la vie diffèrent entre les hommes et les femmes âgés.

Les données colligées par les coroners permettent également de comparer les moyens utilisés selon les groupes d'âge et le sexe. Les figures 11.6 et 11.7 illustrent les résultats obtenus. Chez les hommes (voir figure 11.6), l'intoxication est davantage favorisée par les 20-39 ans, alors que les personnes de plus de 60 ans ont plus souvent recours à la noyade, à la chute et, dans une moindre mesure, à l'arme à feu. Les femmes âgées (voir figure 11.7) privilégient l'intoxication, la noyade et la chute, alors que les 20-39 ans se distinguent par le recours plus fréquent à la pendaison et à l'arme à feu. Cette tendance des jeunes femmes à utiliser ces moyens radicaux est relativement récente (McIntosh & Santos, 1985-1986).

Figure 11.6 Évaluation comparée des moyens suicidaires pour trois groupes d'âge masculins, au Québec, en 1987

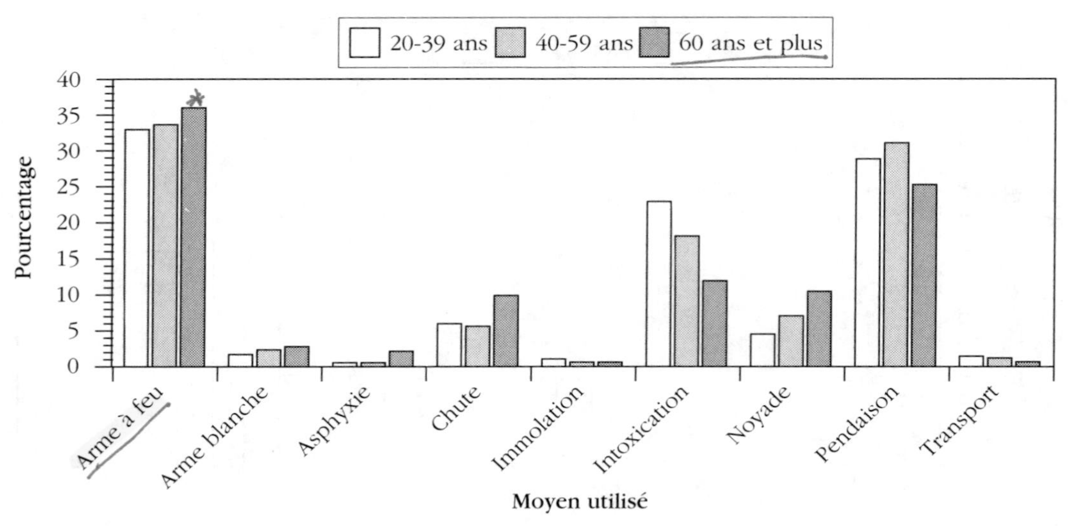

Source: Bureau du coroner (1988).

Figure 11.7 Évaluation comparée des moyens suicidaires pour trois groupes d'âge féminins, au Québec, en 1987

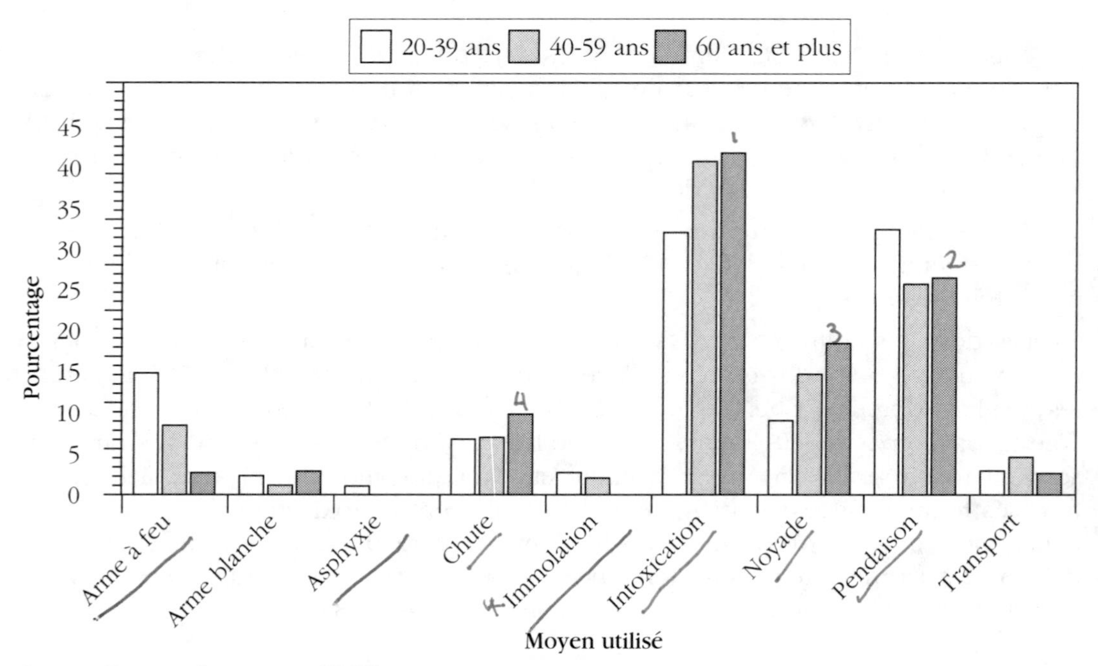

Source: Bureau du coroner (1988).

Outre les moyens précédents, certaines personnes âgées ont recours à des méthodes moins clairement identifiés au suicide, mais dont la finalité reste la même, soit d'en finir prématurément avec la vie. Ces personnes âgées s'engagent dans des **comportements autodestructeurs indirects** (Simon, 1989). La différence entre un comportement autodestructeur direct (le suicide) et un comportement autodestructeur indirect est que, dans le dernier cas, la conséquence n'est pas immédiate (Nelson & Farberow, 1980). Parmi les comportements autodestructeurs indirects, mentionnons, entre autres (McIntosh & Hubbard, 1988), les suivants :

- refuser la médication ;
- ne pas suivre ses traitements ;
- ignorer ou refuser des soins médicaux ;
- boire ou fumer contre l'avis du médecin ;
- refuser obstinément de s'alimenter, ou s'alimenter en quantité insuffisante.

Ces comportements préjudiciables à la santé peuvent être assimilés à de l'entêtement ou à un manque de collaboration. L'étude de Kastenbaum et Mishara (1971) illustre l'importance de ce problème chez les personnes placées dans un établissement, car, dans cette étude, 44 % des hommes et 22 % des femmes se trouvant dans cette situation s'étaient engagés dans de tels comportements.

Finalement, les données précédentes faisaient état des suicides réussis et rapportés de façon officielle. Le profil de la situation ne saurait toutefois être complet si l'on passait sous silence une autre facette importante du problème : les **tentatives de suicide**. Il est reconnu qu'il y a 1 suicide réussi pour 2 à 4 tentatives chez les personnes âgées, alors que le rapport est de 1 suicide réussi pour 10 et même 20 tentatives chez les jeunes adultes (McIntosh, 1985). Les femmes âgées font plus de tentatives que les hommes âgés. Le fait que les personnes âgées s'engagent dans un moins grand nombre de tentatives de suicide que les jeunes est une indication claire qu'elles sont moins ambivalentes quant à leur intention. La prochaine section aborde les raisons pouvant inciter les personnes âgées à se suicider.

11.3 FACTEURS CONTRIBUANT AU SUICIDE

Un thème récurrent en gérontologie est que la vieillesse est marquée par des pertes nombreuses. C'est à cette étape de l'existence que la personne prend sa retraite, perd des êtres qui lui sont chers, que le poids des années se fait sentir sur la santé, etc. Il ne fait aucun doute que certaines personnes sont vulnérables à l'apparition de ces situations. Mais pour Miller (1979), ce qui est important, ce n'est pas la perte comme telle, mais surtout son apparition imprévisible et son effet synergique, c'est-à-dire le fait que cette perte, par exemple, s'ajoute, dans un laps de temps très court, à d'autres problèmes. Certaines personnes âgées n'auraient plus la résistance nécessaire pour affronter adéquatement ces multiples problèmes.

Cependant, Lyons (1984) rappelle qu'un nombre important de personnes âgées vivent des problèmes et des pertes multiples sans pour autant vouloir s'enlever la vie. Selon Miller (1979), chaque individu possède un seuil de tolérance qui lui est propre et au-delà duquel la qualité de la vie n'est pas suffisante pour que subsiste le désir de vivre. Cette affirmation met en évidence le caractère singulier du suicide, chaque suicidé ayant ses motivations personnelles pour s'enlever la vie.

Une multitude de facteurs psychologiques, physiques, sociaux, culturels et économiques peuvent jouer un rôle dans la décision de la personne âgée de s'enlever la vie (Simon, 1989). Il est vraisemblable que le suicide dépende d'un ensemble de facteurs interreliés plutôt que d'un facteur isolé. Un fait est certain : comme en témoignent les tentatives de suicide, la personne âgée ne se suicide pas pour attirer l'attention ou dans l'intention de manipuler les autres. Lorsque sa décision est prise, les risques sont très élevés qu'elle passe « avec succès » à l'acte.

Certains auteurs attribuent la responsabilité du suicide à la société occidentale qui valorise la jeunesse, la beauté et la productivité, **ostracisant** d'une certaine façon les personnes âgées (Osgood, 1984). La société ne reconnaissant plus leurs habiletés ni leurs compétences acquises après plusieurs années de labeur, les personnes âgées se retrouvent sans rôle et sans statut. Par conséquent, elles perdent leur identité et ne se sentent plus intégrées dans une société qu'elles ont pourtant aidé à construire. D'où leur désespoir, leur découragement, l'affaiblissement de leur estime de soi et le suicide (Osgood, 1984).

Un agent suicidogène souvent mentionné dans les écrits est l'effet de la **retraite**, particulièrement chez les hommes. La mise à la retraite involontaire, la baisse de revenu, la perte de rôle, de statut et de prestige ainsi que l'isolement causé par la séparation des anciens collègues seraient les facteurs en cause (Lyons, 1984). La retraite peut être une explication pour certains hommes âgés qui valorisaient le travail et la productivité, pour ceux dont l'identification personnelle était en symbiose avec le travail, pour ceux qui étaient mal préparés à la retraite ou qui avaient à s'adapter à celle-ci en même temps qu'à d'autres événements de vie. Cependant, la retraite ne s'avère pas être le facteur le plus décisif pour la majorité des hommes. Ainsi, dans l'étude de Cattell (1988), moins de 8 % des hommes âgés ont mentionné la retraite comme raison de suicide.

Les **maladies chroniques** ou terminales ainsi que les incapacités physiques sont fortement associées au suicide chez les personnes âgées (Miller, 1979). Lyons (1984) cite l'étude réalisée par Dorpat et ses collaborateurs en 1968. Ces auteurs ont découvert que la maladie avait contribué au suicide dans près de 70 % des cas étudiés. Un résultat similaire a été obtenu dans l'étude de Cattell (1988) ainsi que dans celle de Jarvis et Boldt (1980).

La relation entre le suicide et la maladie est complexe et peut dépendre à la fois du caractère subjectif et du caractère objectif de la maladie. Le suicide devient alors pour certaines personnes âgées une façon d'éviter ou d'éliminer une douleur intolérable, la souffrance (Osgood, 1984), ou encore, une façon de ne pas devenir une source de fardeau pour les proches (Lyons, 1984) ou d'éviter le placement dans un établissement (Cattell, 1988). Il est fort probable qu'il existe une relation entre la réaction d'une personne à sa maladie, soit à ses incapacités ou aux médicaments, et le fait qu'elle devienne dépressive ou isolée socialement (Lyons, 1984).

Selon Trout (1980), l'**isolement social** serait d'ailleurs un facteur précipitant. Cet auteur fait valoir que plusieurs suicidés âgés vivaient seuls, n'avaient pas ou avaient très peu de contacts avec les autres membres de la famille et les amis, et ne faisaient pas partie d'organisations formelles ou informelles. Par exemple, Jarvis et Boldt (1980) observent que, parmi les hommes et les femmes âgés suicidés de leur étude, 42 % des hommes et 25 % des femmes vivaient seuls. Plusieurs situations peuvent être une source d'isolement social, dont, entre autres, la maladie et les limitations physiques, la peur d'être victime d'un crime, la mise à la retraite ainsi que la mort des amis ou du conjoint.

Dans son étude, Miller (1978) observe que les taux élevés de suicide se rencontrent respectivement chez les divorcés, chez les veufs et chez les personnes qui n'ont jamais été mariées. À ce propos, les veufs âgés sont reconnus comme un groupe particulièrement à risque (Osgood, 1982), surtout dans les premières années de veuvage. Bock et Webber (1972) estiment que le suicide chez les veufs âgés est sept fois plus élevé que chez les veuves âgées. Les veuves seraient moins à risque que les veufs, car elles auraient maintenu actif leur réseau social tout au long de leur vie (Berardo, 1970). Par conséquent, à la mort de leur conjoint, elles seraient moins isolées socialement.

Même s'il est hasardeux de présumer qu'il existe une relation causale entre le suicide et la **dépression**, un certain nombre de travaux indiquent qu'il y a une nette corrélation entre les deux phénomènes. Plusieurs auteurs sont même d'avis que la dépression est le facteur le plus important dans l'explication du suicide. Ainsi, dans l'étude de Malavaud et ses collaborateurs (1989), plus de la moitié des personnes âgées suicidées de l'agglomération toulousaine étaient dépressives, alors que 79 % des suicidés âgés souffraient de dépression, dans l'étude de Cattell (1988).

À la lumière de ces connaissances encore fragmentaires, trois facteurs, isolément ou conjointement, paraissent jouer un rôle prépondérant dans le suicide chez les personnes âgées : la **maladie**, la **dépression** et l'**isolement social**. Shulman (1978) modélise le suicide et la tentative de suicide chez les personnes âgées de la manière suivante : un événement de vie, qui isole une personne vulnérable à la suite de certaines situations passées, conduit la personne soit vers la maladie, soit vers la dépression, selon une certaine prédisposition. Shulman admet toutefois que la maladie et la dépression peuvent être interreliées. Dans le cas où la dépression n'est pas traitée, et en l'absence d'inhibition, de soutien social ou d'intervention, la personne risque de se suicider ou de tenter de le faire (voir figure 11.8). L'intérêt de ce modèle réside avant tout dans son caractère multifactoriel.

11.4 SIGNES PRÉCURSEURS

Il a été mentionné auparavant que les personnes âgées faisaient moins de tentatives de suicide que les jeunes adultes. Cette affirmation souligne la nécessité de reconnaître le plus rapidement possible la personne âgée qui a l'intention de s'enlever la vie, car la probabilité que l'on puisse intervenir une seconde fois est très faible. Ceux et celles qui sont en contact direct avec les personnes âgées ont un rôle très important à jouer dans l'identification de la personne âgée suicidaire (Osgood, 1984), même s'il est reconnu que les personnes âgées verbalisent moins leur intention suicidaire que les jeunes (Jarvis & Boldt, 1980). Parmi les professionnels qui doivent être sensibles à ces signes précurseurs, on trouve les médecins. Dans son étude, Miller (1978) observe que 76 % des hommes âgés qui se sont enlevé la vie avaient vu un médecin dans le mois précédent. Toutefois, il n'appartient pas seulement aux médecins d'être attentifs aux indices : toutes les personnes qui côtoient les personnes âgées suicidaires doivent être vigilantes.

Une personne âgée dépressive devrait faire l'objet d'une attention particulière. Par ailleurs, le chapitre précédent a suffisamment insisté sur la difficulté de faire le dépistage de la dépression pour nous convaincre de ne pas attendre la confirmation du diagnostic avant de poser les gestes nécessaires. Les membres de la famille et les professionnels devraient être attentifs aux symptômes de dépression, d'anxiété, d'agitation, de frustration et d'impatience. Osgood (1984) fournit une liste d'exemples constituant des indices verbaux et comportementaux qui devraient nous aider à mieux dépister une personne âgée ayant l'intention de se suicider. Il est entendu que cette liste n'est pas exhaustive.

Voici les indices verbaux directs fournis par Osgood :

- « Je vais me tuer. »
- « Je vais me suicider. »
- « Je vais mettre fin à tout ça. »
- « Je veux en finir, disparaître. »

Figure 11.8 Modèle du suicide chez les personnes âgées, selon Shulman

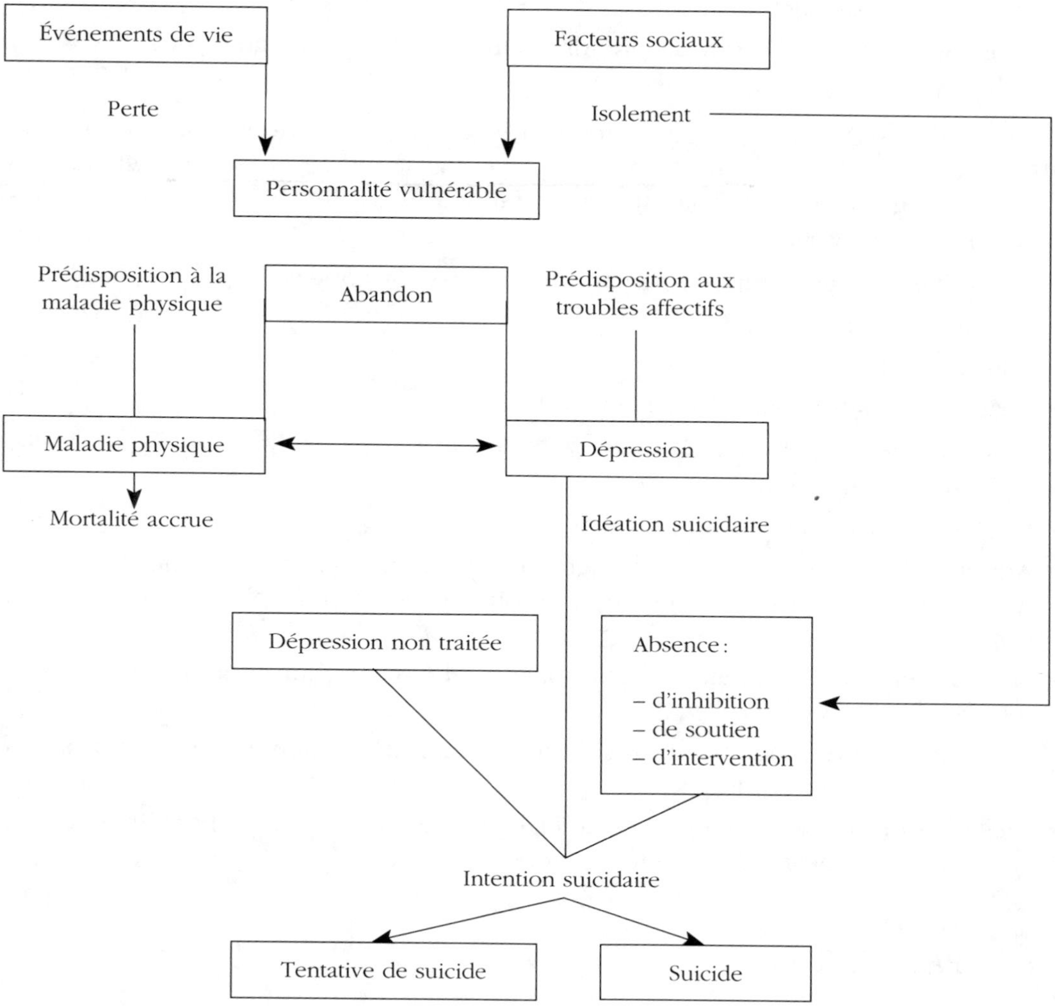

Événements de vie

Facteurs sociaux

Perte

Isolement

Personnalité vulnérable

Prédisposition à la maladie physique

Abandon

Prédisposition aux troubles affectifs

Maladie physique

Dépression

Mortalité accrue

Idéation suicidaire

Dépression non traitée

Absence :

– d'inhibition
– de soutien
– d'intervention

Intention suicidaire

Tentative de suicide

Suicide

Source: Shulman (1978).

Les indices verbaux indirects présentés par Osgood sont les suivants :

- « Je suis fatigué de la vie. »
- « Je suis fatigué de tout ça. »
- « Je n'ai pas de raison de continuer. »
- « Vous seriez mieux sans moi. »

- « Je me sens inutile. »
- « La vie n'a plus aucun sens. »
- « Vous n'aurez plus besoin de prendre soin de moi plus longtemps. »
- « Bientôt je ne serai plus ici. »

Les indices comportementaux peuvent aussi être directs ou indirects. Osgood (1984) rappelle que le signe le plus direct est la tentative de suicide, et que les personnes âgées qui ont déjà attenté à leur vie réussissent leur suicide dans les deux années suivantes.

Voici les indices comportementaux fournis par Osgood :

- Acheter une arme à feu.
- Entreposer des médicaments.
- Mettre ses affaires personnelles en ordre.
- Distribuer son argent ou ses effets personnels.
- Faire des arrangements funéraires.
- Faire son testament ou le modifier.
- Adopter des comportements étranges. Par exemple, sortir à une heure inhabituelle ou changer subitement de comportements, comme pleurer, projeter des objets.
- Se montrer soudainement intéressé par la religion ou, au contraire, perdre cet intérêt.
- Prendre un autre rendez-vous avec son médecin sans raison, peu de temps après un premier rendez-vous.
- Présenter des comportements préjudiciables à sa santé (refuser de s'alimenter, de suivre son régime médicamenteux, etc.).

11.5 PRÉVENTION

L'ampleur du phénomène du suicide gériatrique porte à réfléchir sur les moyens à utiliser pour prévenir le suicide dans la population âgée et pour traiter une personne âgée suicidaire. Il y a plusieurs raisons de croire que le suicide gériatrique peut être prévenu. Notons d'abord que les signes précurseurs du suicide sont observables et que la majorité des individus suicidaires communiquent leur intention de différentes façons et à plusieurs occasions avant de passer aux actes (McIntosh, 1988). Cependant, les connaissances dans le domaine de l'intervention face au suicide gériatrique sont peu développées. Cette situation est attribuable au fait que les travaux qui ont évalué l'efficacité d'une forme d'intervention particulière sont pratiquement inexistants. Dans ce domaine, la plupart des auteurs se sont limités à suggérer des lignes directrices très générales en vue de la prévention du suicide gériatrique. Ces suggestions sont certainement valables, mais il faut rappeler que les stratégies mises en lumière doivent faire l'objet d'études contrôlées avant de pouvoir être utilisées en toute confiance (Templer & Cappelletty, 1986). Malgré cette limitation importante, les suggestions qui ont été faites peuvent guider l'intervention à condition qu'elles soient pertinentes et réalistes.

La première catégorie de recommandations est du domaine de la prévention primaire, c'est-à-dire que ces recommandations visent le contrôle des facteurs qui peuvent mener au suicide chez les personnes âgées. Comme nous l'avons mentionné précédemment, des facteurs physiques, sociaux et économiques sont associés à un plus grand risque de suicide chez les personnes âgées. Les modes de prévention qui tiennent compte de ces facteurs peuvent prendre différentes formes. Par exemple, Lyons (1984) a proposé de donner des soins de santé adéquats à toutes les personnes âgées, d'assurer leur sécurité financière et d'éliminer la retraite obligatoire. Ces recommandations découlent de la détermination d'un certain nombre de facteurs de risque du suicide gériatrique.

Une autre catégorie de recommandations appartient au domaine de la prévention secondaire et tertiaire, c'est-à-dire la prévention auprès des individus âgés qui présentent un risque suicidaire élevé et auprès de ceux qui sont déjà suicidaires. Parmi les moyens désignés pour effectuer ces formes de prévention, mentionnons l'éducation, la mise sur pied de ressources spécialisées, le traitement de la dépression gériatrique et le traitement de l'idéation suicidaire. Selon McIntosh (1988), un programme d'éducation visant à prévenir le suicide chez les personnes âgées devrait inclure les éléments suivants :

- l'élimination des mythes entourant le suicide et les comportements suicidaires ;
- le dépistage des personnes âgées suicidaires ;
- l'apprentissage de techniques servant à établir et à maintenir un rapport avec ces personnes ;
- le développement des connaissances concernant l'existence de ressources communautaires.

Il est important de spécifier les individus et les groupes qui sont visés par un tel programme d'éducation. Parmi ceux-ci, on trouve les personnes âgées elles-mêmes, les membres de leur famille et leurs amis ainsi que les professionnels qui travaillent auprès d'une clientèle âgée (Osgood, 1992). Cette dernière catégorie est assez large et renferme, entre autres, les professionnels de la santé physique et mentale, comme les psychologues, les médecins et les infirmières, de même que le personnel des établissements et des centres pour personnes âgées, les bénévoles qui offrent des services à domicile comme la « popote roulante » et les directeurs de salons funéraires (McIntosh, 1988). Le médecin est particulièrement bien placé pour contribuer au dépistage des personnes à risque, étant donné que la majorité des hommes âgés qui se suicident ont consulté un médecin dans le mois précédent (Miller, 1978). Puisque le médecin représente souvent le dernier espoir de la personne âgée suicidaire, il est donc très important qu'il connaisse les facteurs de risque, les conditions prédisposantes et les signes avant-coureurs d'un suicide imminent (Richardson *et al.*, 1989). Cependant, comme il a été mentionné précédemment, la responsabilité de repérer les personnes âgées suicidaires ne revient pas exclusivement aux médecins, mais plutôt à toutes les personnes qui sont susceptibles de les côtoyer.

La mise sur pied de ressources spécialisées constitue une autre composante de la prévention du suicide gériatrique. Il a été proposé de mettre sur pied des centres de prévention du suicide réservés aux personnes âgées ainsi que des services d'aide téléphonique employant des personnes âgées comme personnes-ressources (McIntosh *et al.*, 1982). Une autre suggestion pour prévenir le suicide des personnes âgées consiste à prévenir et à traiter la dépression chez ces dernières. Des programmes éducatifs mettant l'accent sur le fait que la dépression gériatrique peut être traitée efficacement peuvent inciter les personnes âgées à recevoir des soins de santé mentale et ainsi contribuer à diminuer le taux de dépressions menant au suicide (Lyons, 1984). Richardson et ses collaborateurs (1989) ont recommandé aux médecins de demander directement à leurs patients âgés dépressifs s'ils ont des idées suicidaires. Il est ainsi possible de dépister les individus dont le potentiel suicidaire est élevé.

Toutefois, même s'il est possible de traiter efficacement la dépression gériatrique, il faut noter que des recherches sont nécessaires pour évaluer l'influence de la diminution des symptômes dépressifs sur la prévention du suicide à court et long terme (Templer & Cappelletty, 1986). Par ailleurs, si quelques auteurs ont affirmé que des personnes âgées suicidaires voyaient leur état s'améliorer au cours d'une psychothérapie (Brink, 1977 ; Mehta *et al.*, 1978), ces observations sont limitées à des histoires de cas.

En somme, plusieurs recommandations ont été formulées en vue de la prévention du suicide chez les personnes âgées. Cependant, il s'avère difficile de dresser le bilan de l'utilité des différentes formes de prévention parce que leur efficacité n'a pas été évaluée. Il est souhaitable que des efforts en ce sens soient déployés afin de déterminer quelles interventions sont les plus efficaces pour prévenir le suicide gériatrique.

RÉSUMÉ

- Le suicide chez les personnes âgées n'est pas une préoccupation sociale importante.
- Le suicide est la cinquième cause de décès au Canada après les maladies cardiovasculaires, les cancers, les maladies respiratoires et les morts accidentelles.
- Au Canada, en 1985, les taux de suicide chez les personnes âgées de 65 à 69 ans et chez celles âgées de plus de 70 ans s'établissaient à 16,2 et à 15,8 pour 100 000 habitants.
- On observe une progression rapide du suicide chez les 20-24 ans ainsi que chez les personnes de plus de 70 ans.
- Au Québec, en 1985, le taux de suicide déclaré pour les 65-69 ans était de 18,2 pour 100 000 habitants, alors qu'il était de 17,8 pour 100 000 habitants chez les 70 ans et plus.
- Les hommes se suicident toujours en plus grand nombre que les femmes.
- L'arme à feu est le moyen privilégié par les hommes âgés, alors que les femmes âgées ont le plus souvent recours à l'intoxication.
- Les personnes âgées peuvent s'engager dans des comportements préjudiciables à leur santé.
- Avec l'âge, il y a moins de tentatives de suicide, mais le taux de réussite est plus élevé.
- Une multitude de facteurs peuvent être à l'origine du suicide.
- La majorité des suicidés âgés ayant fait l'objet d'une étude étaient atteints d'une maladie ou d'une incapacité physique et vivaient seuls.
- Les veufs sont particulièrement à risque.
- Il faut être particulièrement attentif à certains indices verbaux et comportementaux qui peuvent laisser soupçonner qu'une personne a l'intention de se suicider.
- 75 % des personnes âgées qui se sont enlevé la vie ont visité leur médecin dans le mois précédant le passage à l'acte.
- La prévention primaire du suicide gériatrique vise le contrôle des facteurs de risque. Elle inclut des stratégies telles qu'assurer des soins de santé et la sécurité financière à toutes les personnes âgées, et éliminer la retraite obligatoire.
- La prévention secondaire et tertiaire correspond à la prévention auprès des individus âgés qui présentent un risque suicidaire élevé et auprès de ceux qui sont déjà suicidaires. Elle implique des stratégies telles que l'éducation, la mise sur

pied de ressources spécialisées, le traitement de la dépression gériatrique et le traitement de l'idéation suicidaire.

- L'éducation concernant le suicide chez les personnes âgées doit être offerte aux personnes âgées elles-mêmes, aux membres de leur famille et à leurs amis ainsi qu'aux professionnels qui travaillent auprès d'une clientèle âgée.
- L'efficacité de l'une ou l'autre des formes d'intervention visant à prévenir le suicide chez les personnes âgées ou à traiter les personnes âgées suicidaires n'a pas été démontrée.

LECTURES SUGGÉRÉES

Lapierre, S., Pronovost, J., Dubé, M., & Delisle, I. (1992). Facteurs de risque associés au suicide chez les personnes âgées vivant dans la communauté. *Santé mentale au Canada, 40*, 8-13.

Miller, M. (1979). *Suicide after sixty : The final alternative.* New York : Springer Publishing Company.

Osgood, N.J. (1984). *Suicide in the elderly.* Rockville, MD : Aspen Systems Corporation.

Osgood, N.J. (1992). *Suicide in later life : Recognizing the warning signs.* New York : Lexington Books.

RÉFÉRENCES

Berardo, F. (1970). Survivorship and social isolation : The case of the aged widower. *Family Coordinator, 19*, 11-25.

Blazer, D.G., Bachar, J.R., & Manton, K.G. (1986). Suicide in late life : Review and commentary. *Journal of the American Geriatrics Society, 34*, 519-525.

Bock, E., & Webber, I.L. (1972). Suicide among the elderly : Isolating widowhood and mitigating alternatives. *Journal of Marriage and the Family, 34*, 24-31.

Brink, T.L. (1977). Brief psychotherapy : A case report illustrating its potential effectiveness. *Journal of the American Geriatrics Society, 25*, 273-276.

Bureau du Coroner (1988). *Rapport annuel*, Québec.

Busse, E., & Pfeiffer, E. (1969). *Behavior and adaptation in late life.* Boston : Little, Brown.

Cattell, H.R. (1988). Elderly suicide in London : An analysis of coroners' inquests. *International Journal of Geriatric Psychiatry, 3*, 251-261.

Charron, M.-F. (1983). *Le suicide au Québec.* Québec : Ministère des Affaires sociales.

Jarvis, G.K., & Boldt, M. (1980). Suicide in the later years. *Essence, 4*, 145-158.

Kastenbaum, R., & Mishara, B.L. (1971). Premature death and self-injurious behavior in old age. *Geriatrics, 26*, 71-81.

Lapierre, S., Pronovost, J., Dubé, M., & Delisle, I. (1992). Facteurs de risque associés au suicide chez les personnes âgées vivant dans la communauté. *Santé mentale au Canada, 40*, 8-13.

Lyons, M.J. (1984). Suicide in later life : Some putative causes with implications for prevention. *Journal of Community Psychology, 12*, 379-388.

Malavaud, S., Rouge, D., Malavaud, B., Alingrin, D., Bras, M., & Arbus, L. (1989). Le suicide chez les personnes âgées de l'agglomération toulousaine : principales caractéristiques épidémiologiques. *La Revue de gériatrie, 14*, 25-28.

McIntosh, J.L. (1984). Components of the decline in elderly suicide : Suicide among the young-old and old-old by race and sex. *Death Education, 8* (supplément), 113-124.

McIntosh, J.L. (1985). Suicide among the elderly : Levels and trends. *American Journal of Orthopsychiatry, 55*, 288-293.

McIntosh, J.L. (1988). Suicide : Training and education needs with an emphasis on the elderly. *Gerontology and Geriatrics Education, 7*, 125-139.

McIntosh, J.L., & Hubbard, R.W. (1988). Indirect self-destructive behavior among the elderly : A review with case examples. *Journal of Gerontological Social Work, 13*, 37-48.

McIntosh, J.L., & Santos, J.F. (1985-1986). Methods of suicide by age : Sex and race differences among the young and old. *International Journal of Aging and Human Development, 22*, 123-139.

McIntosh, J.L., Hubbard, R.W., & Santos, J.F. (1982). Suicide among the elderly : A review of issues with case studies. *Journal of Gerontological Social Work, 4*, 63-74.

Mehta, D., Mathew, P., & Mehta, S. (1978). Suicide pact in a depressed elderly couple : Case report. *Journal of the American Geriatrics Society, 26*, 136-138.

Miller, M. (1978). Geriatric suicide : The Arizona study. *The Gerontologist, 18*, 488-495.

Miller, M. (1979). *Suicide after sixty : The final alternative.* New York : Springer Publishing Company.

Moamai, N. (1988). *Psycho-gériatrie : les problèmes psychiatriques du 3e âge.* Montréal : Les Éditions La Presse.

Nelson, F.L., & Farberow, N.L. (1980). Indirect self-destructive behavior in the elderly nursing home patient. *Journal of Gerontology, 35*, 949-957.

Osgood, N.J. (1982). Suicide in the elderly. Are we heeding the warnings ? *Postgraduate Medicine, 72*, 125-130.

Osgood, N.J. (1984). *Suicide in the elderly.* Rockville, MD : Aspen Systems Corporation.

Osgood, N.J. (1992). *Suicide in later life : Recognizing the warning signs.* New York : Lexington Books.

Pélicier, Y. (1978). Le suicide au cours du 3e âge. *L'Actualité en gérontologie, 15*, 54-64.

Pollinger Hass, A., & Hendin, H. (1983). Suicide among older people : Projections for the future. *Suicide and Life Threatening Behavior, 13*, 147-154.

Reed, J., Camus, J., & Last, J.M. (1985). Suicide in Canada : Birth-cohort analysis. *Canadian Journal of Public Health, 76*, 43-47.

Richardson, R., Lowenstein, S., & Weissberg, M. (1989). Coping with the suicidal elderly : A physician's guide. *Geriatrics, 44*, 43-51.

Santé et Bien-être social Canada (1987). *Le suicide au Canada : rapport du groupe d'étude national sur le suicide au Canada.* Ottawa : Ministère des Approvisionnements et Services Canada.

Shulman, K. (1978). Suicide and parasuicide in old age. *A Review of Age and Aging, 7*, 201-209.

Simon, R.I. (1989). Silent suicide in the elderly. *Bulletin of American Academy of Psychiatry and the Law, 17*, 83-95.

Solomon, M.I., & Hellon, C.P. (1980). Suicide and age in Alberta, Canada, 1951 to 1977. *Archives of General Psychiatry, 37*, 511-513.

Templer, D.I., & Cappelletty, G.G. (1986). Suicide in the elderly : Assessment and intervention. Dans T.L. Brink (dir.), *Clinical gerontology : A guide to assessment and intervention* (p. 475-487). New York : Haworth Press.

Trout, D.L. (1980). The role of social isolation in suicide. *Suicide and Life Threatening Behavior, 10*, 1023.

Wardle, L.D. (1989). Suicide among the elderly : A family perspective. Dans P. Laslett (dir.), *An aging world : Dilemmas and challenges for law and social policy* (p. 683-726). Oxford : Clarendon Press.

Wells, C.E. (1979). Pseudodementia. *American Journal of Psychiatry, 136*, 895-900.

Chapitre 12

Désordres cérébraux organiques

12.1 INTRODUCTION

Le cerveau humain contient environ 100 milliards de neurones, chacun disposant de 1 000 à 10 000 connexions, appelées **synapses**, avec d'autres neurones. Bien que le cerveau possède une grande capacité de réserve, si trop de neurones soutenant les fonctions cognitives supérieures (telles que la mémoire ou le langage) sont perdus pour une raison ou une autre, une incapacité importante, connue sous le nom de **démence**, peut en résulter.

Il est clair que la peur de la démence est largement répandue. En effet, après les réalisations de la vie adulte, personne ne reste neutre devant la perspective de perdre la capacité de reconnaître les êtres chers, d'avoir besoin de l'aide des autres pour les tâches les plus élémentaires de la vie et d'être confiné, en général, à une existence incohérente et végétative. Il n'y a pas de doute que, avec l'augmentation du nombre de personnes qui atteignent la vieillesse, les démences sont et continueront d'être une préoccupation majeure de santé publique dans les pays industrialisés. Les données de prévalence présentées plus loin documentent cette préoccupation. Toutefois, il est important de reconnaître que la peur de la démence peut, en elle-même, représenter un problème, parce qu'elle augmente le niveau d'anxiété parmi les personnes âgées. Sans minimiser les coûts réels de la démence sur les plans économique, social et personnel, on doit réaffirmer qu'environ 95 % des adultes de plus de 65 ans ne souffrent pas de démence.

Parmi les problèmes de santé mentale, il est classique de distinguer entre les troubles organiques et les troubles fonctionnels. Si l'on estime qu'une cause physiologique est à la base d'un certain désordre, on considérera celui-ci comme organique. Par contre, si la cause ou les causes du désordre semblent reliées à des influences psychologiques ou sociales, on aura tendance à qualifier ce dernier de fonctionnel. On remarquera qu'il s'agit, dans tous les cas, de causes *présumées*, et que la frontière entre les deux types de désordres est loin d'être étanche. Ainsi, plusieurs considèrent aujourd'hui que certaines formes de la schizophrénie et de la dépression, qui sont habituellement considérées comme des troubles fonctionnels, ont des bases biologiques. Par ailleurs, l'évolution de désordres considérés comme organiques est influencée par les facteurs de personnalité et des variables sociales. Sur le plan de l'intervention, il n'y a pas non plus de distinction précise entre les pathologies organiques et les pathologies fonctionnelles, puisque les désordres fonctionnels sont susceptibles d'interventions somatiques (par exemple, le traitement de la dépression sévère par la thérapie électroconvulsive) et que des modifications du comportement et du milieu peuvent faire partie des interventions dans les pathologies organiques (par exemple, la modification du comportement dans l'intervention auprès des personnes atteintes de démence).

Les pathologies organiques sont des problèmes qui touchent le fonctionnement du cerveau et qui se traduisent par une détérioration du fonctionnement intellectuel. On estime de 5 % à 8 % la proportion de personnes âgées de 65 ans et plus qui souffrent d'une pathologie organique chronique de degré modéré à sévère

(McEwan *et al.*, 1991). Une forte majorité des personnes atteintes de ces problèmes (70 %) se trouvent placées dans un établissement (hôpitaux, foyers, etc.).

On appelle **syndrome organique cérébral** un ensemble de symptômes psychologiques et comportementaux, sans référence à une étiologie particulière. Les manifestations classiques d'un syndrome organique cérébral, qui se présentent à des degrés divers et à des phases différentes du désordre selon les cas, sont les suivantes :

- trouble de la mémoire : enregistrement initial, rétention proprement dite et capacité de rappel volontaire de l'information ;
- trouble de l'intellect : compréhension, calcul, informations générales, capacité d'apprendre ;
- trouble du jugement : compréhension et capacité de jauger les options et de formuler des décisions, et de contrôler les actions ;
- trouble de l'orientation : orientation dans le temps, dans l'espace et par rapport aux personnes (identité des autres, identité personnelle) ;
- labilité et pauvreté des affects : réponses émotionnelles excessives, affects pauvres, inappropriés et labiles.

On doit distinguer entre les pathologies organiques aiguës, aussi appelées états délirants ou confusionnels aigus, et les pathologies organiques chroniques (démences). Il existe des démences sous-corticales (par exemple, la maladie de Parkinson) et des démences corticales (par exemple, la maladie d'Alzheimer), distinction sur laquelle nous reviendrons plus loin.

Établir un diagnostic précis dans les désordres de démence est difficile, car il n'y a souvent pas d'évidence neuropathologique claire avant l'autopsie (ou la biopsie, mais plus rarement). Dès lors, c'est un diagnostic global de démence, plutôt que de maladie spécifique, qui est formulé, sur la base des manifestations cliniques partagées par les démences.

12.2 SYNDROME CONFUSIONNEL (OU DELIRIUM)

12.2.1 Présentation clinique

L'obnubilation, la désorientation (temps, espace ou personne) et la désorganisation de la pensée ainsi que le trouble mnésique, avec un début rapide et des fluctuations, représentent les manifestations caractéristiques de l'état confusionnel (délirant) aigu. L'obnubilation de la conscience se rapporte au fait que, bien qu'en état d'éveil, la personne délirante manifeste une clarté de conscience réduite par rapport à l'environnement, ainsi qu'une perturbation de l'attention et de la mémoire immédiate et récente. Le tableau 12.1 présente les critères de diagnostic du syndrome confusionnel (delirium) selon le DSM-III-R, c'est-à-dire le *Diagnostic and Statistical Manual of Mental Disorders, III – Revised* (American Psychiatric Association, 1987), qui représente la référence contemporaine en nosologie psychiatrique.

Même si le tableau clinique du syndrome confusionnel tel qu'il est décrit dans le DSM-III-R s'applique quel que soit l'âge du patient, il est reconnu que certaines manifestations cliniques sont plus ou moins caractéristiques des patients âgés. Ainsi, les hallucinations se présentent à une moins grande fréquence et l'apathie paraît plus prononcée dans les états confusionnels aigus des personnes âgées (Lipowski, 1990).

Le syndrome confusionnel aigu est un problème clinique fréquemment rencontré en médecine gériatrique. En effet, il peut surgir comme signe premier d'une maladie physique aiguë, comme manifestation de l'aggravation d'une maladie physique chronique ou comme la conséquence d'une intoxication par les médicaments, même pris à des doses thérapeutiques.

Tableau 12.1 Critères de diagnostic du syndrome confusionnel (delirium) selon le DSM-III-R

A. Diminution de la capacité de maintenir l'attention envers les stimulations externes et de s'intéresser de façon appropriée à de nouvelles stimulations externes.
B. Désorganisation de la pensée (propos décousus, inappropriés ou incohérents).
C. Au moins deux des manifestations suivantes :
   1) obnubilation de la conscience ;
   2) anomalies de la perception : erreurs d'interprétation, illusions ou hallucinations ;
   3) perturbation du rythme veille/sommeil, avec insomnie ou somnolence diurne ;
   4) augmentation ou diminution de l'activité psychomotrice ;
   5) désorientation temporelle et spatiale, non-reconnaissance des personnes de l'entourage ;
   6) troubles mnésiques.
D. Évolution sur une courte période (de quelques heures à quelques jours) et fluctuations tout au long de la journée.
E. L'une ou l'autre des manifestations suivantes :
   1) mise en évidence d'un ou de plusieurs facteurs organiques spécifiques, jugés étiologiquement liés à la perturbation ;
   2) en l'absence de cette mise en évidence, présomption de l'existence d'un facteur organique si les troubles ne sont pas explicables par un trouble mental non organique.

Source: American Psychiatric Association (1987, 1989).

L'incidence et la prévalence de cette condition est difficile à évaluer. Lipowski (1990) estime que, parmi les patients âgés hospitalisés, 15 % présentent un syndrome confusionnel aigu lors de l'admission, et qu'entre 15 % et 20 % de ceux qui ne sont pas confus au moment de l'admission le deviennent pendant le séjour à l'hôpital.

12.2.2 Causes

L'état confusionnel aigu est une condition passagère attribuable au dérangement temporaire du fonctionnement des cellules cérébrales. Ainsi, toute atteinte cérébrale anoxique ou métabolique peut engendrer un état confusionnel. Une vaste gamme de facteurs organiques, agissant seuls ou en synergie, peuvent provoquer un syndrome confusionnel chez les personnes âgées, et surtout chez les personnes très âgées. Une infection du système urinaire, ou encore un médicament courant pris à dose thérapeutique, peut provoquer un syndrome confusionnel chez une personne âgée, alors que cet effet est rare chez une personne jeune. Il est clair que les personnes âgées présentent une vulnérabilité particulière.

Le tableau 12.2 dresse une liste des facteurs qui prédisposent la personne âgée au syndrome confusionnel aigu (Lipowski, 1990). L'avancement en âge s'accompagne d'une réduction de la résistance aux maladies et d'une plus grande vulnérabilité du cerveau aux agents pathogènes de différentes origines. La vulnérabilité de la personne âgée à l'état confusionnel aigu s'explique donc par le fait que les mécanismes homéostatiques et immunitaires sont généralement moins efficaces avec l'âge, et qu'ils sont dès lors plus facilement déséquilibrés par toute une série de

Tableau 12.2 Facteurs qui prédisposent la personne âgée au syndrome confusionnel aigu

1. Changements dans le cerveau, reliés au vieillissement
2. Maladie cérébrale, en particulier la maladie d'Alzheimer
3. Capacité réduite de régulation homéostatique et de résistance au stress
4. Modification des rythmes circadiens
5. Détérioration de la vision et de l'audition
6. Vulnérabilité accrue aux infections
7. Prévalence élevée des maladies chroniques et incidence élevée des maladies aiguës
8. Multiples maladies
9. Détérioration des mécanismes de distribution et de métabolisme des médicaments
10. Malnutrition

Source: Lipowski (1990).

Tableau 12.3 Facteurs organiques courants qui précipitent le syndrome confusionnel aigu

1. Intoxication par les médicaments, comme les diurétiques, les sédatifs, les agents contre l'hypertension ou l'arythmie cardiaque, le L-Dopa, les narcotiques, les agents anti-inflammatoires
2. Sevrage de l'alcool et des sédatifs hypnotiques
3. Troubles métaboliques, comme les troubles endocriniens, la carence alimentaire, l'hypothermie, le déséquilibre électrolytique
4. Troubles cardio-vasculaires, comme l'infarctus du myocarde, l'embolie pulmonaire, l'arythmie cardiaque
5. Troubles cérébro-vasculaires, comme la congestion cérébrale, l'hématome sous-dural, la démence artériopathique, l'hypotension orthostatique
6. Infections, notamment infections pulmonaire et urinaire, tuberculose, méningite, encéphalite
7. Néoplasme intracrânien ou systémique
8. Traumatisme : brûlures, chirurgie, traumatisme crânien
9. Épilepsie
10. Cancer

Source: Lipowski (1990).

stresseurs de nature physique, biologique ou psychosociale. Le tableau 12.3 présente les facteurs de nature organique les plus courants qui peuvent précipiter le syndrome confusionnel aigu. Typiquement, plusieurs facteurs sont concernés en même temps, et ils exercent une influence cumulativement négative sur le fonctionnement du cerveau.

À ces facteurs organiques qui prédisposent au syndrome confusionnel et le précipitent, il faut ajouter les facteurs de nature psychologique et sociale qui contribuent à l'apparition du désordre. Selon Lipowski (1990), ces facteurs incluent le stress, la privation de sommeil, l'immobilisation et la privation sensorielle (ou l'excès de stimulation).

12.2.3 Interventions

L'état confusionnel aigu est habituellement réversible après la détermination et la correction ou l'élimination des causes par une intervention appropriée. Toutefois, une action énergique est requise parce que les situations les plus sérieuses peuvent causer un dommage permanent au cerveau et, même, la mort de la personne. Il est important de poser un bon diagnostic et d'éviter de confondre l'état confusionnel avec la démence chronique, ce qui pourrait amener à une décision erronée de placement dans un établissement. Le traitement de l'état confusionnel aigu implique de remédier à la condition sous-jacente, tout en procurant la sédation (en rassurant calmement la personne, ou en utilisant des médicaments neuroleptiques comme l'halopéridol), une hydratation et une alimentation appropriées, ainsi qu'un environnement sécuritaire et attentif aux besoins du patient.

12.3 DÉMENCES

Il est possible de distinguer entre les démences sous-corticales et les démences corticales. Les démences sous-corticales impliquent la perte de cellules dans des structures sous-corticales, telles que les noyaux de la base, le thalamus et le tronc cérébral. Les manifestations cliniques de ces démences consistent dans l'interruption de fonctions fondamentales comme l'éveil, l'humeur, la motivation, le mouvement, et non le langage, l'apprentissage, la perception, qui sont des fonctions atteintes dans les démences corticales. Un exemple de démence sous-corticale est la maladie de Parkinson. Les symptômes moteurs de cette maladie sont les tremblements, la rigidité et la lenteur des mouvements, tandis que les symptômes cognitifs sont la perte de mémoire et les difficultés d'attention et de concentration, avec, toutefois, la préservation du langage. La dépression est une complication courante de la maladie de Parkinson. Cette maladie est attribuable à la perte de neurones situés principalement dans le **corps strié** (ganglions de la base). Cette région du cerveau est riche en neurones contenant de la dopamine, un des neurotransmetteurs cérébraux. La maladie de Huntington est un autre exemple de désordre du mouvement (chorée et ralentissement) dû à une pathologie sous-corticale ; elle a des manifestations analogues à celles de la maladie de Parkinson. Pour notre objectif, ici, nous considérerons en détail seulement les démences corticales (la démence vasculaire ou artériopathique et la maladie d'Alzheimer).

12.3.1 Présentation clinique

La présentation clinique et l'évolution de la démence sont très variables, selon les zones du cerveau les plus affectées. Mais le cours de la démence est typiquement le suivant. D'abord, la personne perd la mémoire, particulièrement celle des événements récents. La personne âgée peut oublier où les objets familiers ont été placés et elle ne paraît pas préoccupée par la perte de mémoire. La performance au travail et l'intérêt pour les activités quotidiennes, telles que la lecture, diminuent. Ensuite se produisent des détériorations dans la pensée abstraite et dans le jugement. La personne adopte des comportements inappropriés et manifeste des difficultés dans la communication de ses pensées. Le repli social, initialement dû à la gêne sociale, et plus tard, dans l'évolution du désordre, à la perte d'intérêt, est un symptôme commun. La personne devient désorientée dans l'espace et dans le temps. Plus tard, la désorientation s'étend aux personnes, même les plus chères, qui ne sont plus reconnues. Des souvenirs bien établis sont touchés : les noms, les endroits familiers, les dates de naissance, etc. La personne perd aussi le contrôle de ses impulsions. À un stade plus avancé, des soins très attentifs peuvent devenir nécessaires, car la personne éprouve des difficultés à s'alimenter, à s'habiller et à s'occuper de son hygiène personnelle. L'incontinence, les propos incohérents et les troubles du sommeil sont présents à un stade avancé de la maladie. Le souci de la sécurité de la personne démente implique une supervision vigilante. De nouveau, il faut noter que les patients déments ne manifestent pas tous ces symptômes de la même manière ni selon la même chronologie.

12.3.2 Diagnostic

Le tableau 12.4 présente les critères de diagnostic de la démence tels qu'ils sont formulés dans le DSM-III-R (American Psychiatric Association, 1987). Ces critères requièrent, d'une part, que la démence, définie comme une perte globale et progressive de la mémoire et d'autres fonctions intellectuelles chez un sujet adulte, ait un début graduel et une évolution progressive, et que, d'autre part, d'autres troubles psychiatriques, neurologiques et médicaux, qui peuvent potentiellement détériorer les fonctions cognitives, puissent être exclus.

Par ailleurs, plusieurs instruments ont été mis au point pour détecter la démence chez les personnes âgées dans la communauté (Tannenbaum *et al.*, 1990). L'évaluation neuropsychologique des démences sera abordée plus loin dans le contexte de la maladie d'Alzheimer.

12.3.3 Prévalence

Comme Jorm (1990) l'a fait remarquer, la grande diversité des méthodes d'évaluation rend difficile l'intégration des études de prévalence. Toutefois, on peut estimer que la démence de sévérité moyenne à grave (qui ne permet plus de vivre de façon indépendante) afflige de 4 % à 6 % des personnes âgées de plus de 65 ans, dans leur ensemble. Il n'y a pas de doute que le taux de prévalence augmente avec l'âge. Jorm et ses collaborateurs (1987) ont élaboré un modèle statistique de la prévalence selon l'âge, en utilisant les données de toutes les études publiées. L'application de ce modèle à la population canadienne fournit les estimations présentées au tableau 12.5.

Tableau 12.4 Critères de diagnostic de la démence selon le DSM-III-R

A. Altération de la mémoire à court terme (impossibilité d'apprendre de nouvelles informations) et de la mémoire à long terme (impossibilité de se souvenir des informations acquises antérieurement).

B. Au moins l'une des manifestations suivantes :
   1) altération de la pensée abstraite ;
   2) altération du jugement ;
   3) autres perturbations des fonctions supérieures telles qu'une aphasie (trouble du langage), une apraxie (incapacité de réaliser une activité motrice malgré une compréhension et des fonctions motrices intactes), une agnosie (impossibilité de reconnaître des objets malgré des fonctions sensorielles intactes) et des troubles des fonctions constructives, par exemple, l'incapacité de recopier une figure à trois dimensions ;
   4) altération de la personnalité, c'est-à-dire une modification ou une accentuation des traits prémorbides.

C. Détériorations (en A et B) influant de façon importante sur les activités professionnelles ou sociales, ou sur les relations avec les autres.

D. Trouble ne survenant pas de façon exclusive au cours de l'évolution d'un delirium.

E. L'une ou l'autre des manifestations suivantes :
   1) mise en évidence d'un ou de plusieurs facteurs organiques spécifiques jugés étiologiquement liés à la perturbation ;
   2) en l'absence d'une telle mise en évidence, présomption de l'existence d'un facteur organique à l'origine de ce syndrome si aucun trouble mental non organique ne peut expliquer les symptômes.

Source : American Psychiatric Association (1987, 1989).

Tableau 12.5 Nombre estimé des cas de démence au Canada par intervalles de 10 ans (1986-2006)

Groupe d'âge	Taux de prévalence (%)	Nombre de cas 1986	1996	2006
65-69 ans	1,4	12 765	15 597	17 205
70-74 ans	2,8	20 673	26 855	29 282
75-79 ans	5,6	28 580	38 942	48 944
80-84 ans	10,5	32 484	49 592	67 400
85-89 ans	20,8	31 643	51 273	75 858
90 ans et plus	38,6	29 194	49 138	85 499
Total des cas		155 339	231 397	324 188
Total de la population de 65 ans et plus		2 697,6	3 617,0	4 376,8
Total du taux de prévalence (%)		5,8	6,4	7,4

Source : McEwan et ses collaborateurs (1991).

Les vérifications anatomiques du diagnostic de sujets déments, effectuées à l'autopsie, suggèrent que près de la moitié des cas de démence sont de type Alzheimer. Le groupe des démences vasculaires représente de 15 % à 20 % des cas (Morris & Rubin, 1991). Les cas mixtes, où l'on trouve des lésions de type Alzheimer associées à des lésions vasculaires, représentent pour leur part 20 % des cas. Les 10 % des cas qui restent sont dus à des causes diverses, comme les infections du système nerveux central, les traumatismes crâniens ou des maladies rares comme la maladie de Creutzfeldt-Jabok (Epelbaum & Lamour, 1990).

Comme l'indique le tableau 12.5, on s'attend à ce que le nombre de personnes manifestant des problèmes de démence double de 1986 à 2006. On estime que de 30 % à 40 % des résidents des établissements de soins de longue durée présentent une démence de sévérité au moins modérée. Cela représente entre 60 900 et 81 200 des 203 000 personnes âgées qui résident dans des établissements de soins de longue durée au Canada (McEwan *et al.*, 1991). Ces chiffres suggèrent qu'approximativement la moitié des personnes manifestant des problèmes de démence sont actuellement placées dans un établissement.

L'augmentation de la durée moyenne de la vie dans les sociétés industrielles s'accompagne d'une augmentation du nombre de cas de démence. Plusieurs pays, comme le Canada, en raison d'un vieillissement rapide de leur population, vont voir les taux de démence augmenter à un rythme rapide dans leur population.

12.3.4 Épidémiologie

Les données portant sur les différences de populations en ce qui concerne la prévalence de la démence sont limitées. Quelques études ont observé une prévalence légèrement plus élevée chez les femmes que chez les hommes pour la maladie d'Alzheimer (Rocca *et al.*, 1986). Toutefois, dans l'état actuel des connaissances, il est prématuré de conclure à une **différence liée au sexe** dans la prévalence de la démence. Quant à la question des **différences raciales et ethniques**, bien que plusieurs études provenant des États-Unis suggèrent une plus grande prévalence de la maladie d'Alzheimer dans la communauté noire, on estime que cette plus grande prévalence est l'effet de différences prémorbides dans les niveaux d'éducation et de performance cognitive.

Les données disponibles en ce qui concerne les corrélats psychosociaux de la démence suggèrent une association plutôt faible entre la détérioration cognitive et le diagnostic de démence, d'une part, et un bas **statut socioéconomique**, d'autre part. Toutefois, on doit rester prudent dans l'interprétation de ce résultat. D'abord, un fonctionnement intellectuel faible tout au long de la vie tend à être associé à un niveau socioéconomique faible, ce qui pourrait expliquer l'association entre un déficit cognitif et un diagnostic de démence, d'une part, et un niveau socioéconomique peu élevé, d'autre part. Cette relation que l'on a établie entre un fonctionnement intellectuel faible et un niveau socioéconomique peu élevé prête elle-même à une série de critiques (par exemple, les biais dans l'évaluation et l'interprétation). Si l'on accepte l'hypothèse d'une association entre le niveau socioéconomique et la démence, il est probable que le niveau socioéconomique agisse comme une variable intermédiaire entre d'autres variables en cause dans l'étiologie de la démence. Par exemple, le niveau socioéconomique est associé à des styles de vie et à des situations d'occupation qui peuvent jouer un rôle dans l'étiologie de la démence. Par exemple, un niveau socioéconomique inférieur est associé à des taux plus élevés de pression artérielle et à une plus mauvaise gestion de l'hypertension, qui sont des facteurs de risque pour la démence vasculaire. Une autre possibilité est que le niveau socioéconomique inférieur soit associé à un milieu moins stimulant intellectuellement. Bien qu'il semble peu plausible, actuellement, que le manque de stimulations environnementales puisse être une cause des changements neuropathologiques observés dans les démences, la stimulation du milieu (ou son absence) pourrait contribuer à retarder (ou à accélérer) les effets cognitifs de ces changements.

Le grand public considère que le **stress** peut être une cause des démences. Toutefois, les données de recherches disponibles sur le rôle du stress dans la maladie d'Alzheimer sont généralement négatives (Jorm, 1990). Il n'y a pas de recherches démontrant actuellement que le stress joue un rôle dans les démences vasculaires. Toutefois, nos connaissances sont limitées par le manque de données longitudinales.

On sait peu de choses sur le rôle des **variables de personnalité**. Il reste possible que certaines dispositions de personnalité, qu'il reste à déterminer, influent sur les comportements et les préférences de styles de vie, lesquels, à leur tour, pourraient constituer des facteurs de risque pour les démences.

12.3.5 Démence artériopathique (ou vasculaire)

– Épidémiologie et présentation clinique

Le déclenchement de la maladie se produit entre 50 et 70 ans, en moyenne à l'âge de 66 ans. Les démences artériopathiques affectent tout autant les hommes que les femmes, ou peut-être, selon certaines études, légèrement plus les hommes que les femmes. Alors qu'autrefois on pensait que ces démences constituaient la forme la plus courante de syndrome organique chronique, on estime aujourd'hui qu'elles ne représentent qu'environ 20 % des démences (Morris & Rubin, 1991).

Les symptômes de la démence ont été décrits plus haut de manière générale. Les manifestations cliniques spécifiques dépendent de la localisation, du nombre et de l'étendue des infarctus cérébraux. Les symptômes précoces sont les étourdissements, les maux de tête, la diminution de la vigueur physique et mentale, et des plaintes somatiques indifférenciées. Ensuite, ce sont la mémoire, la pensée abstraite et le jugement qui sont affectés. Ainsi, pour les individus droitiers, un dommage plutôt localisé du côté de l'hémisphère gauche conduira à des déficits plus marqués dans le langage (aphasie) et dans la coordination des mouvements, et un dommage dans l'hémisphère droit se manifestera plutôt par des déficits dans les habiletés spatiales. En contraste avec la maladie d'Alzheimer, le cours de la démence artériopathique est caractérisé par un déclenchement abrupt, une détérioration par paliers et des fluctuations. La détérioration par paliers consiste dans le fait que toutes les fonctions ne sont pas nécessairement affectées selon la même progression, qu'il y a des fluctuations entre des améliorations spontanées et des détériorations. Par exemple, l'agitation sera prononcée, tandis que la perte de mémoire sera seulement minime. Les détériorations pourront aussi se stabiliser pour un temps. En contraste, dans la maladie d'Alzheimer, la progression des déficits est plus souvent linéaire. La dépression est une complication courante, dans 25 % à 30 % des cas. La personne démente peut manifester des symptômes psychotiques, avoir des idées délirantes, de persécution, et des hallucinations.

– Étiologie et interventions

En ce qui concerne l'étiologie, la démence artériopathique résulte de l'effet cumulatif de multiples infarctus cérébraux, dus à des occlusions vasculaires. Ces blocages du flux sanguin, eux-mêmes attribuables à l'artériosclérose (durcissement des artères) et à l'athérosclérose (rétrécissement des vaisseaux sanguins), entraînent une insuffisance d'apport d'oxygène et d'éléments nutritifs au cerveau, et, conséquemment, la mort des cellules. Il est à noter que, du point de vue de l'étiologie, l'accent est mis sur l'effet cumulatif des dommages cérébraux répétés.

Les facteurs de risque reconnus pour la congestion cérébrale sont considérés comme des facteurs de risque probables pour la démence vasculaire : l'âge et le sexe, la prédisposition familiale, le diabète, l'hypertension, la consommation de tabac (cigarettes) et d'alcool. L'âge avancé est le facteur de risque le plus important pour la démence vasculaire. Des études de prévalence montrent un taux plus élevé de démence vasculaire parmi les hommes, parce qu'un nombre plus élevé de cas d'hypertension se rencontrent dans ce groupe. Des évidences de recherche indiquent une prédisposition familiale pour la congestion cérébrale et aussi pour la démence vasculaire. L'hypertension est un facteur de risque sérieux pour la congestion cérébrale, et plusieurs recherches ont montré que l'hypertension était présente dans plus des deux tiers des cas de démence vasculaire (comparativement à seulement un quart des cas pour les sujets non déments). La part de l'hyperlipidémie, de la consommation de tabac (cigarettes) et d'alcool à titre de facteurs de risque pour la démence vasculaire n'est pas bien établie. Selon les connaissances actuelles, la démence vasculaire présente quelques facteurs de risque modifiables, et donc de plus grandes possibilités de prévention que la maladie d'Alzheimer.

Les interventions sont essentiellement de nature préventive. La prévention peut prendre les formes suivantes : le traitement de l'hypertension, le contrôle du diabète, le contrôle du poids, l'abstinence de tabac, la réduction des lipides et des triglycérides dans le régime alimentaire. La dépression, les convulsions et les symptômes psychotiques peuvent être traités séparément (voir section 12.3.7). D'autres types d'intervention, tels que les programmes de réhabilitation et l'orientation vers la réalité, seront présentés dans une section suivante (section 12.3.7).

12.3.6 Démence de type Alzheimer

– Épidémiologie et présentation clinique

Comme le relate Christen (1990) dans son évocation historique, Aloïs Alzheimer publia en 1907 les résultats, présentés initialement en 1906, d'une autopsie du cerveau d'une patiente décédée à l'âge de 51 ans d'« une maladie particulière du cortex cérébral ». Le cerveau de cette patiente présentait des dégénérescences neurofibrillaires (voir plus loin). Les recherches ultérieures d'Alzheimer mirent en évidence une autre caractéristique importante du désordre en question : les plaques séniles. À la suite des descriptions d'Alzheimer, la forme de démence présénile (c'est-à-dire celle qui se manifeste avant l'âge de 65 ans), qui se caractérise par l'accumulation de plaques séniles et de dégénérescences neurofibrillaires, fut appelée **maladie d'Alzheimer**. Il fallut attendre les découvertes des années 1960 et 1970 pour réaliser que la démence dont souffraient la majorité des personnes âgées était caractérisée par les signes neuropathologiques décrits par Alzheimer (Tomlinsen *et al.*, 1968, 1970). La maladie d'Alzheimer cessa alors d'être considérée comme une démence présénile, pour être perçue comme la catégorie majeure de démence dans la population âgée. Il existe donc maintenant un consensus pour utiliser le concept unitaire de **maladie d'Alzheimer**, quel que soit l'âge du déclenchement de la maladie, pour les cas qui sont confirmés par une évaluation neuropathologique. Le terme plus général de *démence de type Alzheimer* est utilisé pour désigner les cas où ces signes neuropathologiques sont douteux. Les auteurs contemporains partagent le point de vue selon lequel le concept de maladie d'Alzheimer est générique, laissant ouverte la possibilité que l'amélioration des connaissances conduise à l'adoption de distinctions entre sous-types en fonction de l'étiologie et du pronostic. Il faut noter que, à la suite du développement des critères du DSM-III-R, le nom d'Alzheimer a fait sa première apparition dans le système de diagnostic du DSM avec l'adoption du terme *démence dégénérative primaire de type Alzheimer* (DSM-III-R, APA, 1987, 1989).

Comme cela a été mentionné plus haut, on estime qu'au moins la moitié des cas de démence sénile appartiennent au groupe de démences connu sous le nom de maladie d'Alzheimer, ce qui représente environ 3 % de la population canadienne actuelle âgée de plus de 65 ans. L'incidence ne semble pas avoir augmenté dans le passé récent pour les divers groupes d'âge. L'augmentation du nombre de cas répertoriés est due au fait que l'augmentation de la longévité allonge la période de risque pour cette maladie. De plus, avec l'amélioration des connaissances parmi les cliniciens et avec les progrès de l'éducation, il y a eu une augmentation dans la détection des cas de maladie d'Alzheimer. Dans le passé, plusieurs cas de maladie d'Alzheimer étaient simplement considérés comme des cas de démence sénile.

En ce qui concerne la présentation clinique, la maladie d'Alzheimer est un désordre neurologique qui se manifeste par la détérioration progressive et irréversible des fonctions cognitives, telles que la mémoire et la pensée, et des fonctions motrices. Cette maladie a un début insidieux et une évolution variable selon les individus. Reisberg (1983) a élaboré un modèle de progression de la maladie d'Alzheimer selon trois phases, d'après des observations cliniques (voir tableau 12.6). La progression des symptômes du modèle de Reisberg – tout au moins celle

Tableau 12.6 Phases de la maladie d'Alzheimer selon Reisberg

Phase	Manifestations
1. Perte de mémoire	Difficulté à se souvenir des noms des personnes Oubli de l'emplacement des objets Augmentation de l'irritabilité et de la tension dans les relations
2. État confusionnel	Difficulté à se souvenir des rendez-vous, des adresses Problèmes de concentration Diminution de la mémoire des événements récents Sentiment de détresse
3. Démence	Impossibilité de prendre soin de soi-même (par exemple, la personne ne peut pas s'habiller) Déficits étendus à tous les domaines cognitifs et fonctionnels Manifestation possible de troubles psychiatriques graves

Source: Reisberg (1983).

des symptômes cognitifs – a reçu un appui empirique (Dyck & Dobbs, 1992). La première phase de la maladie se caractérise par une perte de mémoire progressive. Dans une deuxième phase, on trouve des symptômes de détérioration intellectuelle et de confusion (orientation, concentration, mémoire). Les déficits sont manifestes et la personne éprouve de la difficulté à travailler. L'étape suivante est caractérisée par l'agitation, les idées délirantes de préjudice ou de persécution, la confusion des identités dans les relations, ainsi que par l'incontinence et la perte des habiletés de communication. Les symptômes affectifs incluent l'humeur labile ou l'absence de tonalité émotive, et des changements de personnalité tels que la résurgence de traits prémorbides ou l'exagération de caractéristiques particulières. Plus tard dans la maladie se produit typiquement une perte de contrôle des émotions, caractérisée par une variabilité extrême de l'humeur ou une absence de réponse émotionnelle. Les problèmes de comportement alors observés sont l'agitation, l'errance, l'agressivité, le repli sur soi, l'anxiété et l'incontinence. Ces problèmes causent de sérieuses difficultés aux aidants naturels dans la famille, et leur aggravation précipite généralement l'hospitalisation (Deimling & Bass, 1986). Les problèmes de comportement, comme l'incontinence, l'agitation et l'errance, augmentent avec la sévérité des déficits cognitifs (Teri *et al.*, 1988). L'étude de l'évolution de la maladie indique que celle-ci progresse généralement sur une période de trois à dix ans. La personne atteinte meurt habituellement quelques années après l'apparition des premiers symptômes, mais, dans certains cas, elle peut survivre jusqu'à 20 ans. La moyenne de survie pour des patients âgés de 73 ans est de huit ans (Thomas *et al.*, 1989).

Les caractéristiques qui différencient la maladie d'Alzheimer de la démence artériopathique sont présentées au tableau 12.7.

Tableau 12.7 Caractéristiques différenciant la maladie d'Alzheimer de la démence artériopathique

Point de comparaison	Maladie d'Alzheimer	Démence artériopathique
Évolution	Progressive	Rapide
Détérioration intellectuelle	Plus prononcée	
Symptômes paranoïaques	Plus fréquents	
Autres symptômes plus fréquents		Maux de tête Convulsions Brusques manifestations émotionnelles
Fluctuations des symptômes		Plus prononcée

Le diagnostic de la maladie d'Alzheimer s'effectue de manière différentielle par l'élimination des autres affections qui se manifestent par des symptômes semblables. Le DSM-III-R (American Psychiatric Association, 1987, 1989) propose trois critères pour établir le diagnostic d'une démence dégénérative primaire de type Alzheimer :

- présence d'une démence (selon les critères présentés au tableau 12.4) ;
- début insidieux avec évolution généralement progressive vers la détérioration ;
- exclusion de toute autre cause de démence d'après l'histoire de la maladie, l'examen physique et les examens complémentaires.

Aux États-Unis, un groupe de travail formé de représentants du National Institute of Neurological and Communicative Disorders and Stroke (NINCDS) et de l'Alzheimer's Disease and Related Disorders Association (ADRDA), a élaboré des critères plus détaillés et plus fiables que ceux du DSM-III-R. Ces critères, présentés au tableau 12.8, proposent six degrés de certitude pour le diagnostic de la maladie d'Alzheimer, de *probable* à *certain* (McKahnn *et al.*, 1984). Un diagnostic précoce de la maladie d'Alzheimer repose sur une analyse systématique des symptômes révélateurs représentés par les troubles de mémoire et du comportement, sur la mise en évidence d'un déficit cognitif et sur l'utilisation de critères de diagnostic précis comme ceux du NINCDS-ADRDA (Derouesné, 1989).

La grande variabilité des déficits cognitifs et des troubles du comportement a amené les chercheurs à mettre au point des instruments pour faciliter la détermination de la sévérité des déficits et de l'incapacité fonctionnelle. À cette fin, Reisberg et ses collaborateurs (1985) ont décrit des phases évolutives en se basant sur les manifestations cliniques (voir tableau 12.9).

Certains instruments conviennent mieux au dépistage de la démence qu'à une analyse détaillée. Parmi les plus employés, on peut retenir le petit examen de l'état mental de Folstein et ses collaborateurs (1975) et le test d'état mental de Pfeiffer (1975). Le petit examen de l'état mental – *Mini Mental Status Examination* – (Folstein *et al.*, 1975) est pertinent en raison de sa grande sensibilité, malgré les difficultés d'interprétation d'un test positif. Il comporte 11 sous-sections et mesure la mémoire immédiate, la conscience, l'attention, le langage et la représentation spatiale. Le test d'état mental de Pfeiffer – *Short Portable Mental Status Questionnaire* – (Pfeiffer, 1975) peut aussi être employé dans l'investigation. Ce test évalue le degré de conscience et la mémoire à long terme.

L'évaluation neuropsychologique, quant à elle, repose sur une analyse fonctionnelle des différentes activités mentales et établit le profil des points forts et des points faibles en ce qui a trait aux fonctions cognitives supérieures. Les tests neuropsychologiques sont utiles pour déceler, analyser, quantifier et objectiver d'éven-

Tableau 12.8 Critères de diagnostic de la maladie d'Alzheimer (NINCDS-ADRDA)

A. Critères pour un diagnostic de maladie d'Alzheimer *probable* :
   1) un syndrome démentiel établi au moyen de l'examen clinique et objectivé par le petit examen de l'état mental de Folstein, l'échelle de démence de Blessed ou un examen similaire, et confirmé par des tests neuropsychologiques ;
   2) la présence de déficits dans au moins deux domaines du fonctionnement cognitif ;
   3) la détérioration progressive de la mémoire et des autres fonctions cognitives ;
   4) l'absence de trouble de la vigilance ;
   5) un déclenchement situé entre 40 et 90 ans, plus souvent après 65 ans ;
   6) l'absence de troubles systémiques ou d'autres maladies cérébrales qui pourraient rendre compte de déficits progressifs de la mémoire et des fonctions cognitives.

B. Éléments *étayant* un diagnostic de maladie d'Alzheimer :
   1) une détérioration progressive de fonctions cognitives, comme le langage (aphasie), les habiletés motrices (apraxie) ou la perception (agnosie) ;
   2) une détérioration des activités de la vie quotidienne et des comportements ;
   3) une histoire familiale de désordres similaires, particulièrement s'ils sont confirmés par une évaluation neuropathologique ;
   4) des résultats d'examens de laboratoire montrant :
      - un liquide céphalo-rachidien normal tel qu'il est évalué par les techniques usuelles ;
      - un profil normal ou un profil de changements non spécifiques, comme une augmentation des rythmes lents, à l'électroencéphalogramme ;
   5) l'évidence d'une atrophie cérébrale au scanner, avec progression documentée lors d'examens répétés.

C. Autres caractéristiques cliniques *compatibles* avec un diagnostic de maladie d'Alzheimer, après élimination des autres causes de démence :
   1) des plateaux dans l'évolution de la maladie ;
   2) des symptômes associés : dépression, insomnie, incontinence, idées délirantes, illusions, hallucinations, réactions de catastrophes verbales, émotionnelles ou physiques, désordres sexuels et perte de poids ;
   3) d'autres anormalités neurologiques chez certains patients, spécialement à un stade avancé : rigidité, myoclonie, ou troubles de la marche ;
   4) des crises d'épilepsie à un stade avancé ;
   5) un profil normal pour l'âge, au scanner.

D. Signes qui rendent le diagnostic de maladie d'Alzheimer *improbable* :
   1) un déclenchement soudain, apoplectiforme ;
   2) des déficits neurologiques focaux ; par exemple, hémiparésie, perte sensorielle, déficits du champ visuel et incoordination tôt dans l'évolution de la maladie ;
   3) des crises d'épilepsie ou des troubles de la marche au début de la maladie ou très tôt dans l'évolution de la maladie.

E. Critères pour un diagnostic de maladie d'Alzheimer *possible* :
   1) un syndrome démentiel en l'absence d'autres désordres neurologiques, psychiatriques ou systémiques suffisants pour expliquer la démence, et en présence de variations dans le déclenchement, la présentation initiale et l'évolution de la maladie ;
   2) un second désordre systémique ou cérébral capable de causer une démence, mais qui n'est pas considéré comme la cause de la démence ;
   3) un déficit cognitif grave et progressif, limité à une seule fonction, identifié en l'absence d'autres causes identifiables.

F. Critères pour un diagnostic *certain* de maladie d'Alzheimer :
   1) les critères cliniques pour un diagnostic de maladie d'Alzheimer probable ;
   2) les signes histopathologiques observés à la biopsie ou à l'autopsie.

Source : McKhann et ses collaborateurs (1984).

Tableau 12.9 Évaluation fonctionnelle de la DTA (démence de type Alzheimer)

Phase	Niveau de fonctionnement	Diagnostic clinique
1	Pas de détérioration	État d'un adulte normal
2	Difficulté subjective à trouver les mots (oublis bénins)	État d'un adulte âgé normal
3	Difficultés et déclins de performance dans les milieux de travail exigeants	Possibilité d'une DTA débutante
4	Assistance requise pour l'accomplissement de tâches complexes (par exemple, gestion des finances personnelles, planification d'un souper avec des invités)	DTA légère
5	Assistance requise pour choisir les vêtements appropriés	DTA moyenne
6a	Assistance requise pour s'habiller	DTA moyennement grave
6b	Assistance requise pour la toilette personnelle (bain)	
6c	Assistance requise pour la mécanique des besoins d'excrétion (actionner la chasse d'eau, se nettoyer...)	
6d	Incontinence urinaire	
6e	Incontinence fécale	
7a	Capacité verbale limitée à environ une demi-douzaine de mots intelligibles	DTA grave
7b	Vocabulaire intelligible limité à un mot	
7c	Perte de la capacité de se déplacer	
7d	Perte de la capacité de se tenir assis	
7e	Perte de la capacité de sourire	
7f	Perte de la conscience	

Source: Reisberg et ses collaborateurs (1985).

tuels déficits. Ils fournissent un diagnostic précoce et déterminent le niveau de détérioration atteint (Huff *et al.*, 1987 ; Poncet & Guinot, 1989). L'évaluation neuropsychologique doit mettre clairement en évidence les activités cognitives déficitaires en examinant les sphères comportementales, intellectuelles, mnémoniques, langagières et constructives (Ceccaldi *et al.*, 1991 ; Rosen, 1985). L'évaluation des fonctions cognitives peut se faire par différentes méthodes d'évaluation standardisées. Parmi celles-ci, on trouve les échelles globales d'évaluation, telle l'échelle hiérarchique de démence de Cole et ses collaborateurs (1983, 1987), ainsi que des échelles plus spécifiques, comme des tests mentaux, des batteries standardisées et des échelles comportementales (Signoret, 1989).

Le bilan neuropsychologique établi en vue d'un diagnostic de détérioration intellectuelle comprend un examen des fonctions linguistiques comme la compréhension, un examen des fonctions gnostiques au moyen d'épreuves d'identification d'objets, ainsi qu'un examen des fonctions praxiques et des capacités mnésiques (Ceccaldi *et al.*, 1991).

Dans l'ensemble, ces méthodes d'évaluation requièrent la présence d'un examinateur qualifié et nécessitent un temps de passation assez long. Les résultats de l'évaluation psychométrique doivent toujours être interprétés en parallèle avec les autres données cliniques et les informations fournies par la famille. La mise en place de stratégies de rééducation cognitive chez les patients atteints d'une démence d'Alzheimer requiert crucialement une description précise des capacités affectées et des capacités préservées du patient, basée sur une évaluation neuropsychologique détaillée (Van der Linden *et al.*, 1991).

– Altérations des structures cérébrales

Il n'existe actuellement aucun diagnostic spécifique de la maladie d'Alzheimer. L'autopsie permet toutefois d'évaluer la nature et l'étendue des atteintes aux structures cérébrales et de poser un diagnostic rétrospectif de la maladie. Les progrès récents de l'imagerie médicale (caméra à positrons, PET *scan*) ajoutent la possibilité d'examiner les altérations du métabolisme cérébral du vivant du sujet. Deux types d'altérations structurales peuvent être distingués : les changements microscopiques et les changements macroscopiques.

Les cerveaux des personnes atteintes de la maladie d'Alzheimer présentent des changements microscopiques caractéristiques (Blass *et al.*, 1991 ; Epelbaum & Lamour, 1990), particulièrement l'accumulation d'enchevêtrements neurofibrillaires et de plaques séniles. On trouve, disséminées à travers le cortex, des structures filamenteuses appelées **enchevêtrements neurofibrillaires**. Ces derniers sont formés de réseaux de fibrilles en dégénérescence, entortillées les unes sur les autres et formant des paires de filaments. Ces enchevêtrements s'accumulent à l'intérieur du corps cellulaire de certains neurones et en viennent à remplacer les composantes cellulaires neuronales normales.

Les **plaques séniles** sont des structures sphériques composées principalement de matériel protéique entouré de divers débris de neurones en décomposition. Une protéine anormale, l'amyloïde, a été extraite des préparations de noyaux de plaques séniles et des enchevêtrements neurofibrillaires (Selkoe, 1991). Les recherches sur la synthèse de l'amyloïde ont permis la découverte de la protéine qui est le précurseur de l'amyloïde (Glenner & Wong, 1984). L'étude de cette protéine est l'objet de recherches soutenues dans le champ de la biologie moléculaire de la maladie d'Alzheimer, surtout depuis qu'on a découvert que cette protéine est codée par un gène situé sur le chromosome 21 (Goldgaber *et al.*, 1987 ; Selkoe, 1991). Comme nous le verrons plus loin, d'autres recherches suggèrent que ce chromosome joue un rôle particulier dans l'étiologie de certaines formes de la maladie d'Alzheimer.

Toutefois, il est à noter que la plupart des personnes qui vivent jusqu'à 75 ans au moins présentent une certaine quantité de plaques séniles, d'enchevêtrements neurofibrillaires et d'atrophie corticale sans nécessairement souffrir de démence. La différence essentielle pourrait résider dans le fait que, chez les personnes atteintes de la maladie d'Alzheimer, ces modifications sont plus nombreuses et localisées dans plusieurs zones du cerveau qui jouent un rôle crucial dans le fonctionnement cognitif. Ainsi, on a relevé que, chez les personnes atteintes de la maladie d'Alzheimer, ces structures étaient plus abondantes dans l'**hippocampe** (structure cérébrale jouant un rôle dans les processus de mémoire) et dans certaines zones du tronc cérébral riches en acétylcholine (voir plus bas).

Les développements récents de l'imagerie médicale (caméra à positrons, PET *scan*) ont permis de mettre en évidence certaines altérations du métabolisme cérébral dans la maladie d'Alzheimer. Ainsi, il semble que le métabolisme du glucose et le flux sanguin sont altérés dans certaines zones particulières du cortex, comme les aires associatives pariéto-temporales, ce qui entraîne la mort de cellules (Epelbaum & Lamour, 1990).

Les principaux changements macroscopiques sont une augmentation de la taille des espaces liquidiens situés autour du cerveau et un accroissement du volume occupé par les ventricules cérébraux. Ces changements reflètent l'atrophie du cortex cérébral due à la perte des neurones. La perte des neurones et, plus particulièrement, la perte des synapses dans les aires associatives fronto-temporales et pariétales du cortex et dans l'hippocampe, sont directement reliées au syndrome clinique de la démence et proportionnelles à la sévérité de celle-ci (Katzman & Jackson, 1991).

– Facteurs de risque et hypothèses étiologiques

L'étude des facteurs de risque pour la maladie d'Alzheimer connaît une grande effervescence depuis une décennie. Le tableau 12.10 résume les connaissances actuelles sur les facteurs de risque les plus importants (Jorm, 1990 ; Katzman & Jackson, 1991). Des recherches supplémentaires sont nécessaires pour évaluer le rôle de facteurs de risque potentiels comme le sexe, la race, l'âge avancé des parents lors de la gestation, les maladies du cœur et des poumons, la consommation d'alcool, la sédentarité, la présence d'aluminium dans l'eau de boisson. D'autres facteurs, tels que l'ordre de la naissance, les affections thyroïdiennes, le diabète, l'arthrite, la consommation de tabac (cigarettes), de café et de thé, l'utili-

Tableau 12.10 Résumé des connaissances actuelles sur les facteurs de risque de la maladie d'Alzheimer

Situation	Facteurs	Remarque
Facteurs de risque confirmés	Âge avancé	
	Histoire familiale de démence	Facteur plus important pour les cas de déclenchement précoce
	Syndrome de Down	Facteur de risque exclusif à la neuropathologie d'Alzheimer
Facteurs de risque possibles	Traumatisme crânien	
	Histoire familiale de syndrome de Down	Facteur de risque pouvant être peu important
	Maladie cardiaque	Facteur de risque pour les patients plus âgés

Source: Adapté de Jorm (1990).

sation d'ustensiles de cuisine en aluminium, l'utilisation d'antiacides, ne semblent pas constituer des facteurs de risque plausibles, tout au moins dans l'état actuel des connaissances (Jorm, 1990).

L'âge s'accompagne d'un risque plus élevé, ce qui est reflété par une augmentation exponentielle de la prévalence avec l'âge (voir tableau 12.5; Jorm, 1990). En ce qui concerne les facteurs génétiques et familiaux, il est reconnu depuis plusieurs années que presque tous les individus affligés du **syndrome de Down**, une fois passé l'âge de 40 ans, présentent les caractéristiques neuropathologiques de la maladie d'Alzheimer (plaques séniles et entrecroisements neurofibrillaires). Cela ne signifie pas que ces personnes seront nécessairement affectées par la maladie d'Alzheimer. En effet, la relation entre les observations de signes neuropathologiques typiques de la maladie d'Alzheimer et la démence d'Alzheimer n'est pas absolue. Toutefois, le syndrome de Down chez un individu donné ou dans la parenté reste un facteur de risque pour la maladie d'Alzheimer (Jorm, 1990).

Dans leur ensemble, les études soutiennent qu'il existe une association entre la maladie d'Alzheimer et une **histoire familiale de démence**. Les données de recherche, bien qu'elles ne soient pas entièrement consistantes, suggèrent qu'une histoire familiale est un facteur plus important pour les cas à déclenchement précoce (avant 70 ans). Ces résultats ont suggéré la possibilité de considérer deux désordres différents, la maladie d'Alzheimer à début précoce et celle à début tardif.

Les mécanismes qui sous-tendent l'association entre l'histoire familiale de démence et la maladie d'Alzheimer sont un sujet de controverse. Plusieurs auteurs considèrent des mécanismes génétiques, tels que la transmission dominante autosomique, comme nous le verrons plus loin. Cependant, l'exposition à des facteurs environnementaux communs pourrait aussi être en cause, et certains rapports de recherche qui signalent une discordance pouvant atteindre 50 % entre jumeaux homozygotes soulèvent la possibilité que les facteurs génétiques ne puissent pas rendre compte complètement de l'étiologie de ces démences.

Un **traumatisme crânien** peut aussi être considéré comme un facteur de risque possible de la maladie d'Alzheimer (Graves *et al.*, 1990), bien que des études prospectives soient nécessaires pour qu'on en arrive à une conclusion plus ferme.

Une maladie cardiaque pourrait constituer un facteur de risque, tout au moins pour les patients qui présentent le désordre à un âge plus avancé (Aronson *et al.*, 1990). Toutefois, le rôle des facteurs cardio-vasculaires dans l'étiologie de la maladie d'Alzheimer reste controversé (Blass *et al.*, 1991).

Plusieurs hypothèses ont été proposées pour rendre compte de l'origine de ce désordre. Sept hypothèses majeures sont présentées ici, suivies d'une tentative d'intégration.

Certains résultats de recherche suggèrent une **étiologie génétique**, à tout le moins pour un sous-groupe de patients (Li *et al.*, 1991). La relation avec le syndrome de Down et une histoire familiale de syndrome de Down, qui est un désordre génétique (trisomie 21), a été mentionnée plus haut. L'hypothèse qu'une mutation de l'ADN dans une région particulière du chromosome 21 puisse constituer le défaut responsable de certaines formes héréditaires de la maladie a été avancée (St. George-Hyslop *et al.*, 1987). On a découvert que l'amyloïde qui se trouve dans les plaques séniles contient une protéine qui dérive d'un précurseur dont le gène a été localisé sur le chromosome 21 (Selkoe, 1991). Les découvertes voulant que des générations successives de certaines familles soient plus susceptibles que d'autres familles de développer la maladie et que des jumeaux homozygotes présentent un taux de concordance variant entre 50 % et 75 % selon les études (Katzman & Jackson, 1991 ; Li *et al.*, 1991) sont aussi considérées comme des résultats en faveur d'une étiologie génétique. Toutefois, les résultats ne sont pas concordants et les spécialistes admettent que, probablement, la maladie d'Alzheimer est génétiquement hétérogène (Selkoe, 1991 ; Li *et al.*, 1991). Ainsi, le chromosome 21 pourrait être en cause dans les formes de la maladie à déclenchement tardif (Schellenberg *et al.*, 1988).

Ces résultats ont généralement été interprétés comme un appui à l'hypothèse d'une **transmission dominante autosomique**. Cette hypothèse prédit que la maladie d'Alzheimer devrait être présente chez environ 50 % des parents de premier degré, pour autant qu'ils vivent suffisamment longtemps pendant la période de risque. Toutefois, le seul fait que le taux de concordance chez les jumeaux homozygotes n'atteint jamais 100 % indique que les influences génétiques ne peuvent rendre compte de manière complète de l'étiologie de la maladie d'Alzheimer, et que des facteurs métaboliques et environnementaux, ainsi que d'autres facteurs non génétiques, peuvent être en cause. La nature des interactions entre les mécanismes de vulnérabilité génétique et les facteurs de l'environnement reste à élucider (Li *et al.*, 1991).

L'hypothèse d'une exposition à une **substance toxique** a aussi été avancée. Ce sont surtout les sels d'aluminium qui retiennent l'attention des chercheurs, depuis que certaines recherches en ont trouvé en quantité anormale dans les cerveaux de patients décédés qui avaient été atteints de la maladie d'Alzheimer. Plus particulièrement, on a découvert que l'aluminium s'accumulait dans les neurones contenant des enchevêtrements neurofibrillaires, et dans les plaques séniles. Cependant, l'interprétation de ces résultats est un sujet de controverse (Hughes, 1989). En particulier, le mécanisme de pénétration de l'aluminium dans le cerveau reste à déterminer. Pour commencer, on estime que la quantité d'aluminium renfermée dans un régime alimentaire normal est faible. Par ailleurs, la barrière hématocérébrale constitue normalement un obstacle majeur au dépôt de l'aluminium dans le cerveau. Les mécanismes par lesquels l'aluminium exercerait son influence dévastatrice sur le cerveau seraient l'inhibition de certains processus enzymatiques et la dégradation du transport des protéines du corps de la cellule vers la terminaison de la cellule. Mais, à l'heure actuelle, on ne sait pas si ces processus représentent une des *causes* ou une des *conséquences* de la maladie. L'accumulation de l'aluminium elle-même pourrait constituer un effet, plutôt qu'une cause, de la maladie d'Alzheimer.

Les similitudes entre les maladies neurologiques dont l'étiologie infectieuse est connue – telles que la maladie de Creutzfeldt-Jakob, par exemple – et la maladie d'Alzheimer ont donné naissance à l'hypothèse voulant que la maladie d'Alzheimer soit due, elle aussi, à un **virus**. La maladie d'Alzheimer pourrait être causée par un virus à action lente, un virus contracté tôt dans la vie mais produisant son influence négative plus tard dans l'existence sur le fonctionnement du cerveau, en interaction avec d'autres changements physiologiques associés à l'âge. Le test ultime de cette théorie repose sur la démonstration de la possibilité de transmission entre humains, démonstration qui n'a pas encore été faite.

Une autre hypothèse étiologique de la maladie d'Alzheimer se centre sur les **radicaux libres**. Les radicaux libres sont des atomes ou des molécules qui possèdent un ou plusieurs électrons non appariés dans leur orbite extérieure, ce qui a des effets destructeurs sur les fonctions biologiques. On a avancé l'hypothèse que des réactions de radicaux libres seraient la cause du vieillissement parce qu'ils provoqueraient des dommages progressifs irréversibles. Cette même hypothèse a été avancée pour expliquer l'apparition de maladies associées à l'âge, telles que la maladie d'Alzheimer. En particulier, les radicaux libres seraient en cause dans la formation de l'amyloïde. Tandis que les hypothèses vont bon train concernant le rôle potentiel des radicaux libres (Henderson, 1988), nous ne disposons toujours que de peu de preuves de l'activité anormale de radicaux libres dans la maladie d'Alzheimer.

Selon certaines hypothèses, il y aurait une interaction entre le vieillissement et l'**environnement**. La maladie d'Alzheimer pourrait résulter de l'influence de certains facteurs de l'environnement associés à la perte des neurones qui se produit normalement avec le vieillissement. Des circonstances de l'environnement, telles que des traumatismes ou des infections, pourraient conduire à la perte de neurones dans certaines zones du système nerveux central, sans nécessairement produire des effets négatifs cliniquement importants au moment des incidents. Cependant, plus tard, en combinaison avec des pertes neuronales associées à l'âge, ces altérations pourraient produire des troubles neurologiques sérieux qui, chez certains individus, culmineraient dans les manifestations typiques de la maladie d'Alzheimer.

L'hypothèse d'un défaut du **système immunologique** trouve un appui dans le fait expérimental que la production d'amyloïdes paraît être liée à un processus immunologique. On estime qu'à mesure que le système immunologique décline, avec l'âge, la personne est de moins en moins apte à se défendre contre la maladie d'Alzheimer.

L'**hypothèse neurochimique** concernant la maladie d'Alzheimer a dominé les concepts étiologiques dans les 10 dernières années. Il faut rappeler que les neurotransmetteurs sont des agents biochimiques qui interviennent lors de la transmission des influx nerveux dans la synapse des neurones. Ainsi l'acétylcholine, la noradrénaline, la dopamine et la sérotonine sont des neurotransmetteurs. Dans le cadre de la maladie d'Alzheimer, c'est le système cholinergique (acétylcholine) qui a surtout retenu l'attention. Des recherches sur l'animal suggèrent que l'acétylcholine joue un rôle dans les processus de mémoire. Les neurones cholinergiques sont localisés dans le tronc cérébral, à partir duquel ils envoient des projections vers l'hippocampe et vers d'autres zones du cortex cérébral qui sont reconnues pour leur intervention dans les processus de mémoire. Plusieurs études appuient la notion d'un dérangement majeur du système cholinergique dans la maladie d'Alzheimer (Patel & Tariot, 1991). L'activité de la **choline acétyltransférase**, dans l'hippocampe et le cortex cérébral, est fortement réduite chez les patients Alzheimer (Patel & Tariot, 1991). La choline acétyltransférase est un enzyme responsable de la synthèse de l'acétylcholine à partir de ses précurseurs, la choline et l'acétyle coenzyme A. Puisque cet enzyme intervient dans la synthèse de l'acétylcholine, sa réduction est normalement suivie d'une réduction comparable des quantités d'acétylcholine disponibles pour la transmission synaptique. Ce désordre biochimique serait responsable des déficits cognitifs associés à la maladie d'Alzheimer, en particulier de la détérioration de la mémoire. Une perte importante de terminaisons nerveuses cholinergiques corticales, associée à une lésion des neurones cholinergiques des noyaux de la base, a été observée dans la maladie d'Alzheimer (Perry, 1986).

L'**hypothèse cholinergique** a mené à l'essai de plusieurs médicaments pour le traitement de la maladie d'Alzheimer (Patel & Tariot, 1991). Par exemple, on a suggéré d'augmenter la synthèse d'acétylcholine par l'apport d'un précurseur (par exemple, un supplément de lécithine dans le régime alimentaire, lécithine qui est métabolisée en choline dans le corps). On a aussi tenté de prolonger l'action de l'acétylcholine par le blocage de l'enzyme responsable de sa dégradation, l'acétylcholinestérase, en administrant de la physostigmine. Jusqu'à présent, les résultats de ces essais thérapeutiques n'ont pas été concluants, probablement à cause de la multiplicité des systèmes de neurotransmetteurs en jeu (Rascol & Montastruc, 1991). En effet, il faut noter que, même si la recherche continue de mettre l'accent sur la transmission cholinergique, d'autres neurotransmetteurs (par exemple, la noradrénaline, la sérotonine, la vasopressine) pourraient aussi intervenir dans l'étiologie de la maladie d'Alzheimer (Blass *et al.*, 1991 ; Bondareff *et al.*, 1987 ; D'Amato *et al.*, 1987).

En résumé, il est encore prématuré d'attribuer une cause unique à la maladie d'Alzheimer (Blass *et al.*, 1991). Selon les chercheurs, ce qu'on appelle aujourd'hui « maladie d'Alzheimer » représente vraisemblablement un groupe hétérogène de désordres qui devrait être approché selon une perspective multicausale. La figure 12.1 est une tentative d'intégration. Elle résume les relations dynamiques entre les différentes hypothèses contemporaines sur les causes de la maladie d'Alzheimer (Gauvreau, 1987 ; Selkoe, 1991). Ce modèle tient compte à la fois d'influences génétiques et environnementales. Selon l'hypothèse dont il relève, un ensemble de facteurs génétiques et environnementaux se combineraient aux effets du vieillissement pour diminuer la capacité des cellules corticales de maintenir l'homéostasie (Blass *et al.*, 1991). Toujours selon cette hypothèse, si tous les individus connaissent un vieillissement du cerveau dû aux gènes, certains gènes spécifiques, portés par certains individus, pourraient prédisposer à la maladie d'Alzheimer à partir des défauts localisés sur le chromosome 21. Ces défauts conduiraient à la surproduction de précurseurs de l'amyloïde et, par conséquent, à la surproduction d'amyloïde. L'amyloïde s'accumulerait alors dans les espaces extracellulaires du cerveau sous la forme de plaques séniles diffuses qui, progressivement, auraient des effets toxiques

Figure 12.1 Schéma étiologique de la maladie d'Alzheimer

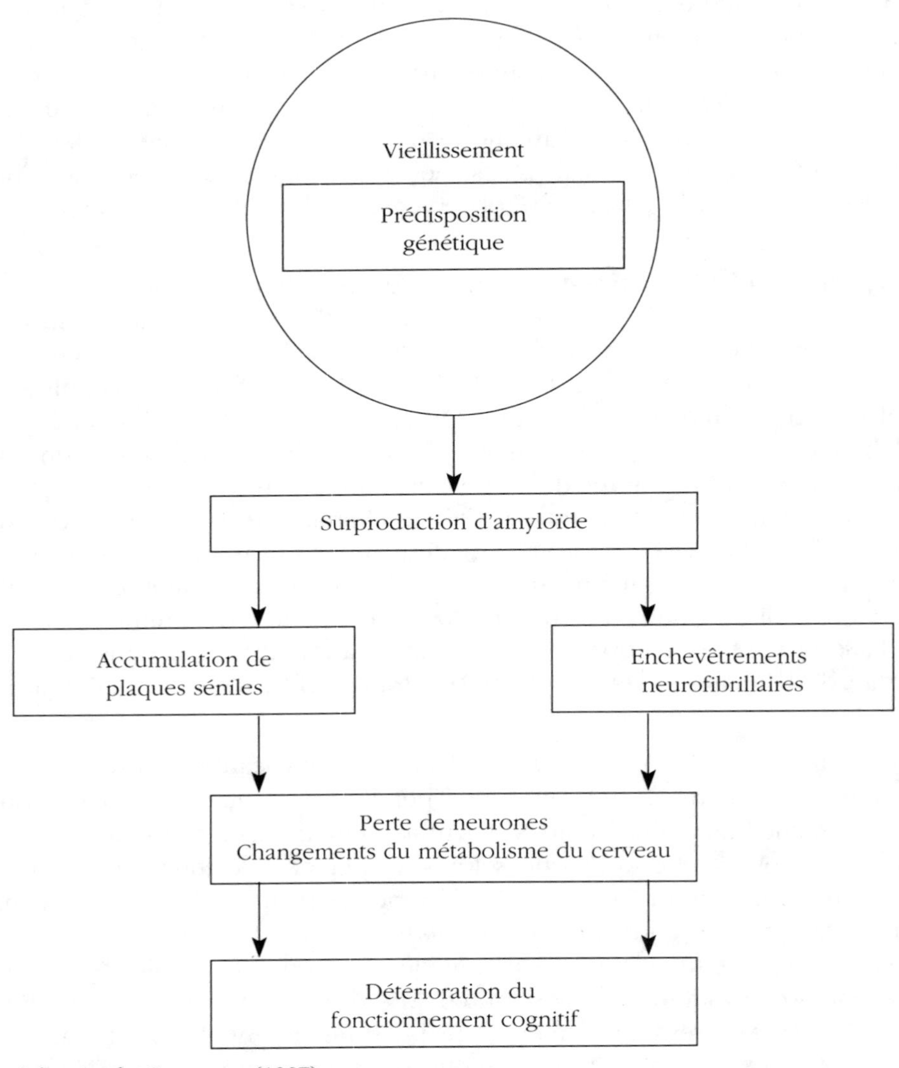

Source: Adaptée de Gauvreau (1987).

sur les dendrites et les axones avoisinants. Les neurones affectés produiraient les masses de filaments qui constituent les enchevêtrements neurofibrillaires. La perte des synapses et le déclin des niveaux d'acétylcholine et d'autres neurotransmetteurs se produiraient alors. D'autres facteurs de l'environnement, comme les agents infectieux, les toxines et les traumatismes crâniens, pourraient aussi jouer un rôle. Les facteurs génétiques et environnementaux, combinés aux effets normaux du vieillissement, conduiraient ainsi à la perte de neurones et à des changements dans le métabolisme du cerveau, dont les détériorations cognitives typiques de la démence seraient l'expression.

12.3.7 Interventions

Jusqu'à présent, les diverses théories étiologiques de la maladie d'Alzheimer n'ont conduit à aucun traitement spécifique efficace pour soigner l'ensemble de la pathologie. Dans ces circonstances, les interventions ont pour objectifs de réduire l'incapacité au minimum et d'aider le patient, les professionnels de la santé et les aidants naturels à composer avec la maladie en s'attaquant aux désordres comportementaux associés à la maladie. Le tableau 12.11 présente une liste des troubles comportementaux les plus communément associés à la démence (Rapp *et al.*, 1992). Nous présenterons ici les interventions pharmacologiques et psychologiques les plus représentatives des activités cliniques actuelles auprès des patients atteints de démence et de leur soutien familial.

En principe, les médicaments psychotropes peuvent contribuer au traitement des troubles comportementaux de la démence. Des programmes d'intervention pharmacologique ont été élaborés (Katzman & Jackson, 1991 ; Rapp *et al.*, 1992) ; ces programmes comportent des conseils spécifiques sur l'utilisation des neuroleptiques, qui constituent les médicaments les plus prescrits (Katzman & Jackson,

Tableau 12.11 Troubles comportementaux les plus communément associés à la démence

1. Agitation	10. Comportements alimentaires anormaux
2. Dépression	11. Incontinence
3. Idées délirantes	12. Hyperoralité et hypersexualité (syndrome de Kluver-Bucy)
4. Hallucinations	13. Anxiété, phobies, peurs
5. Illusions	14. Cris
6. Errance	15. Comportement exigeant ou critique
7. Rage, violence	16. Changement de personnalité
8. Troubles veille/sommeil	17. Désinhibition
9. Agitation vespérale (*sundowning*)	18. Comportements sexuels inadéquats
	19. Comportements compulsifs ou ritualisés

Source : Adapté de Rapp et ses collaborateurs (1992).

1991 ; Rapp *et al.*, 1992 ; Tune *et al.*, 1991). Une recension critique récente des études contrôlées, d'ailleurs peu nombreuses, a conclu que les neuroleptiques sont plus efficaces que le placebo, mais que cette supériorité est modeste et qu'aucun médicament n'apparaît meilleur qu'un autre (Schneider *et al.*, 1990). Comme le relèvent Rapp et ses collaborateurs (1992), il semble que l'agressivité, l'agitation, les idées délirantes et les hallucinations, ainsi que certaines formes de comportements sexuels inadéquats, répondent mieux au traitement par neuroleptiques que l'errance ou les vocalisations inappropriées.

La plupart des gens composent adéquatement avec un nombre relativement grand de demandes émanant de leur milieu physique et social. En contraste, pour les individus qui présentent une compétence cognitive réduite, tels que les patients atteints de démence, cette flexibilité est limitée, et les demandes du milieu assument un rôle plus important dans la détermination du bien-être psychologique (Lawton & Nahemow, 1973). Des procédures de modification de l'environnement visent à influer sur le comportement de l'individu en changeant l'environnement dans lequel ce comportement se produit naturellement. Avec les patients atteints de démence, l'objectif est d'aménager des environnements physiques et sociaux qui réduisent au minimum les conséquences négatives des déficits cognitifs et qui maximalisent l'utilisation des capacités résiduelles. Il semble que les personnes atteintes de démence fonctionnent au-dessous de leurs capacités réelles dans de nombreuses situations, simplement parce que l'environnement n'est pas organisé pour compenser les déficits et pour favoriser une utilisation optimale de leurs capacités restantes.

Des changements dans le milieu physique incluent l'utilisation d'éléments prothétiques qui compensent les déficits présents dans la démence. Certains changements visent à améliorer la sécurité de l'immeuble, des équipements et des outils. Des aides pour l'attention et la mémoire, tels que le codage par couleur des chambres et des objets personnels, sont utilisées. L'environnement physique peut aussi être modifié pour réduire l'isolement et la privation sensorielle : un réarrangement des meubles favorisant les interactions ainsi que des mesures prises pour que les patients utilisent différents espaces à différents moments de la journée sont des exemples de tels efforts. Les changements du milieu physique peuvent aller jusqu'à la conception originale d'un environnement de foyer ou de centre d'accueil intégré pour patients déments.

En plus de la restructuration physique de l'environnement, certains programmes d'intervention, comme les programmes d'activités-stimulation et la thérapie par le milieu, peuvent être mis sur pied pour améliorer le milieu social. Les programmes d'activités-stimulation visent à compenser la privation sensorielle et la monotonie de la vie dans un établissement en rendant le milieu plus stimulant, l'objectif étant d'augmenter l'éveil, la participation, l'orientation vers la réalité ainsi que les relations avec les pairs et avec le personnel. Les activités typiques accomplies en petit groupe incluent des exercices physiques, de l'activité musicale, de l'artisanat et des discussions. Pendant ces activités, on tente de stimuler les divers sens en fournissant, entre autres, des expériences gustatives (par exemple, des aliments préférés), des expériences tactiles (par exemple, des tissus, la stimulation par le toucher), des expériences visuelles (par exemple, des tableaux, des films), des expériences auditives (par exemple, la musique). La thérapie basée sur le milieu cherche à combattre la dépendance et à promouvoir le fonctionnement en modifiant les relations interpersonnelles ainsi que les attentes du personnel et des patients. La thérapie basée sur le milieu est une intervention intégrée auprès des patients. Par cette thérapie, le personnel encourage l'indépendance et les choix dans les limites des habiletés des patients.

La plupart des recherches portant sur les programmes d'activités-stimulation sont basées sur des rapports anecdotiques non contrôlés. Ces rapports mentionnent une amélioration du fonctionnement social et de la participation dans les activités (par exemple, Sulman & Wilkinson, 1989). Toutefois, parce que ces interventions sont offertes de concert avec d'autres programmes, tels que l'orientation vers la réalité ou la thérapie basée sur le milieu (par exemple, Salter & Salter, 1975 ; Katz, 1976), leur contribution propre est difficile à évaluer. Il existe aussi un certain appui empirique concernant l'efficacité des programmes de stimulation sensorielle en ce qui a trait à l'amélioration des comportements sociaux (Paire & Kamey, 1984). Ces programmes d'activités-stimulation incluent plusieurs activités diverses, ce qui rend difficile la détermination des composantes efficaces. En outre, il est difficile de déterminer si les bénéfices de ces interventions sont dus aux aspects spécifiques du programme ou à l'augmentation de l'attention apportée aux patients.

Bien que la majorité des études portant sur des patients déments soient de nature descriptive (par exemple, McGrowder-Lin & Bhatt, 1988 ; Ohta & Ohta, 1988 ; Peppard, 1985), il semble que ces interventions peuvent augmenter le nombre des comportements adaptés et diminuer le nombre des comportements pathologiques. Par exemple, Lawton et ses collaborateurs (1984) ont évalué l'influence exercée sur les patients par le fait d'aménager un établissement en créant un grand espace central entouré de chambres individuelles. Cet aménagement de l'espace visait à favoriser l'orientation et les interactions sociales. Cette structuration se traduisait aussi par des variations dans le décor des chambres, par le codage des lieux avec des couleurs différentes et par l'utilisation de grands panneaux d'orientation. Ces auteurs ont noté chez les patients une utilisation plus fréquente des espaces communs et des manifestations d'intérêt plus marquées pour le contact social. Dans le même ordre d'idées, Benson et ses collaborateurs (1987) ont mentionné les effets positifs sur la socialisation, l'hygiène et l'alimentation personnelles d'un aménagement spécialement conçu pour patients déments. Cependant, comme ces études sont à grande échelle, la recherche systématique est rendue difficile, pour des raisons économiques et administratives (Ohta & Ohta, 1988).

Dans la foulée des travaux originaux de Taulbee et Folsom (1966), et de Letcher et ses collaborateurs (1974), l'orientation vers la réalité est devenu un type d'intervention fréquemment utilisé pour améliorer le fonctionnement des personnes âgées souffrant de démence et hébergées dans un établissement. L'idée de base est qu'en ayant à utiliser les facultés intellectuelles nécessaires pour s'orienter dans le temps et dans l'espace, et pour reconnaître les personnes, la personne âgée souffrant de détérioration cognitive maintiendra un bon fonctionnement intellectuel. Les objectifs principaux de l'orientation vers la réalité sont de ralentir le déclin cognitif et comportemental, et de maintenir l'autonomie et la communication avec les autres personnes, en particulier avec le personnel soignant de l'établissement.

Bien que les interventions d'orientation vers la réalité connaissent de multiples variantes, on peut distinguer deux composantes majeures dans un programme d'orientation vers la réalité : l'approche globale (24 heures sur 24) et l'activité en groupe (Holden & Woods, 1982).

Dans l'intervention s'étendant sur 24 heures, le personnel de l'établissement présente, sur une base continue, des informations courantes au patient dans toutes les situations, lui fournissant un commentaire factuel sur ce qui est en train de se passer, lui rappelant le temps et le lieu, et l'identité des personnes présentes (Smith, 1990). Une rencontre typique avec un patient pourrait se produire de cette manière : « *Bonjour*, Monsieur *Lebrun*. Mon nom est *Jean*. Je suis votre infirmier pour aujourd'hui, *lundi*. Je suis dans *votre chambre* pour mesurer *votre pression*. S'il vous plaît, *donnez-moi votre bras*. » Des signaux, des rappels visuels, tels que des tableaux comportant des informations de base sur la date et le jour de la semaine, les lieux, les activités, sont aussi utilisés. Le personnel est encouragé à utiliser des phrases courtes, à stimuler les réponses, à fournir des indices pour faciliter le rappel, et à faire des commentaires sur les événements. En plus de ce programme continu, des réunions structurées en petits groupes peuvent être mises sur pied. Elles prennent la forme de sessions quotidiennes de 30 minutes, réunissant de trois à six patients avec un ou deux membres du personnel ; on y discute des événements courants en utilisant des indicateurs ou des tableaux comme aide-mémoire. Des versions personnalisées du programme d'orientation vers la réalité favorisent une intervention individualisée auprès du patient. Ces démarches impliquent l'adoption par le personnel soignant d'une attitude systématique et spécifique à l'égard d'un patient donné, en fonction de sa personnalité, de ses capacités cognitives restantes, de ses besoins, et ce, en vue de faciliter l'intervention relativement aux comportements problématiques, comme les plaintes ou l'isolement. L'orientation vers la réalité peut aussi requérir la participation des membres de la famille. Le personnel présente de l'information aux parents sur la nature de la confusion, sur la condition présente du patient et sur les stratégies d'intervention qui peuvent aider.

Plusieurs pensent que les effets positifs de l'orientation vers la réalité sont dus à la combinaison d'un réapprentissage d'informations de base, d'un sentiment de réassurance et du renforcement social. Toutefois, malgré sa popularité, ce type d'intervention bénéficie de peu d'appui empirique pour ce qui est de son efficacité (Aubin, 1985 ; Hussian, 1981). La plupart des recherches portant sur l'évaluation de l'orientation vers la réalité se présentent sous la forme d'études de cas uniques ou d'études non contrôlées (par exemple, Letcher *et al.*, 1974 ; Salter & Salter, 1975). Cette littérature de recherche suggère que l'orientation vers la réalité pourrait améliorer l'orientation verbale (par exemple, la connaissance d'objets et d'événements courants dans l'environnement [Hanley *et al.*, 1981 ; Johnson *et al.*, 1981]). Mais cette amélioration ne semble pas s'étendre au comportement social (en particulier, l'autonomie et la communication), aux soins personnels (se laver, s'alimenter) et aux autres fonctions cognitives. Les données sur le maintien des changements, une fois que l'entraînement a pris fin, ne sont pas encourageantes (par exemple, Hanley, 1984). Aucune conclusion claire n'a été tirée de la littérature de recherche en ce qui concerne les caractéristiques optimales de l'âge, du groupe diagnostiqué, du degré de détérioration cognitive et comportementale, et du milieu pour l'utilisation efficace de l'orientation vers la réalité.

La rétrospective de vie est un processus qui consiste à revenir sur les événements et les situations du passé personnel, avec l'intention de les réévaluer et de les comprendre. L'intérêt pour la rétrospective de vie a pour origine les travaux d'Erikson (1959, 1963) et de Butler (1963, 1974). Dans sa théorie des étapes de la vie, Erikson considère que la tâche psychologique principale de la dernière étape du développement humain, à l'âge adulte avancé, consiste à trouver la signification et le sens de sa vie telle qu'elle s'est déroulée. Dans la foulée d'Erikson, Butler a mis de l'avant le concept de rétrospective de vie, soulignant les possibilités d'adaptation psychologique, pour les personnes âgées, offertes par ce processus visant à élaborer la signification et l'acceptation de sa vie. Dans ce sens, la rétrospective de vie est envisagée comme un moyen qui aide la personne âgée à résoudre les conflits passés, à donner une signification à certains aspects de sa vie, à compenser les pertes et les affaiblissements qui accompagnent le vieillissement, et à aboutir à l'élaboration de caractéristiques personnelles positives, comme la sagesse et l'estime de soi.

Le travail de pionnier de Butler a déclenché un vaste courant d'intérêt pour l'étude et l'application de la thérapie de la rétrospective de vie, et ce, pour une variété de problèmes de l'âge adulte avancé, y compris le travail auprès des personnes souffrant de dépression et de démence. Bien que les recherches récentes aient souligné différents types de réminiscence, les applications pratiques de la thérapie de la réminiscence ne font habituellement pas ce genre de distinction et prônent un retour sur le passé, centré sur les expériences émotionnelles (pour une recension, voir Webster & Cappeliez, 1993). Pour les personnes âgées souffrant de détérioration cognitive, les bénéfices visés par les activités qui stimulent les souvenirs sont le soutien de l'estime de soi et de l'identité, la réduction de la détresse et la promotion de la socialisation.

La forme d'intervention typique utilisée avec des patients atteints de démence est constituée par des sessions brèves en petits groupes, d'environ 30 minutes, organisées autour d'un thème particulier (par exemple, des photos d'événements vécus en famille, des objets anciens familiers [Smith, 1990]). Bien sûr, le rythme est lent, et des indices et des répétitions sont fréquemment fournis. Le rôle du thérapeute est d'amorcer le souvenir par des questions, d'écouter, de faciliter la communication, et, généralement, d'adopter une attitude de soutien et de suspension du jugement quant au caractère véridique ou approprié des souvenirs (Baines *et al.*, 1987 ; Goldwasser *et al.*, 1987).

La recherche sur l'efficacité des interventions axées sur la rétrospective de vie se caractérise par le manque de définitions intégrées de la réminiscence, par l'incapacité de différencier les divers types de réminiscence, par l'utilisation de devis non contrôlés et d'une variété de procédures thérapeutiques, et par l'application de cette méthode à une variété de populations mal définies. En conséquence, les résultats des recherches empiriques sont difficiles à comparer et conduisent à des conclusions contradictoires (Thornton & Brotchie, 1987). Les études sur les utilisations non thérapeutiques des interventions de réminiscence effectuées auprès de personnes âgées en santé et vivant de façon autonome dans la société n'aboutissent pas à des conclusions claires sur l'utilité de la rétrospective de vie (par exemple, McMahon & Rhudick, 1967 ; Romaniuk & Romaniuk, 1981 ; Revere & Tobin, 1980-1981). Certaines études suggèrent que la réminiscence apporte quelques bénéfices sur le plan de la santé mentale, en aidant les individus à résoudre et à intégrer des expériences personnelles, tandis que d'autres ne mentionnent pas d'effet important. Il y a peu d'études fiables sur l'efficacité de ce type d'intervention pour des patients atteints de démence. Les données disponibles semblent toutefois indiquer certains bénéfices apportés par cette thérapie. Ainsi, lors d'études contrôlées menées auprès de sujets résidant dans un établissement et auprès de personnes âgées présentant des détériorations cognitives, la thérapie de la rétrospective de vie s'est montrée capable de diminuer les symptômes dépressifs (Goldwasser *et al.*, 1987) et de stimuler l'interaction sociale (Lappe, 1987 ; Schafer *et al.*, 1986), tout en ayant peu ou pas d'impact sur le fonctionnement cognitif et les fonctions reliées aux soins personnels (Baines *et al.*, 1987). La thérapie de la rétrospective de vie pourrait donc améliorer le moral des personnes âgées placées dans un établissement. Toutefois, plusieurs questions restent en suspens en ce qui concerne la nature et le maintien dans le temps de ces bénéfices, les stratégies et la forme d'intervention les plus appropriées, et les caractéristiques des personnes démentes (par exemple, le degré de détérioration cognitive, les caractéristiques prémorbides) les plus susceptibles de bénéficier des interventions.

Les principes de la théorie de la modification du comportement ont aussi été appliqués aux sujets atteints de démence. Selon le principe que le comportement est contrôlé par les contingences du milieu, la théorie comportementale vise à manipuler les variables du milieu qui contrôlent le comportement de manière à modifier la performance individuelle. Cette théorie reconnaît que, même si les capacités d'apprentissage sont altérées par la maladie, le milieu continue à exercer une influence importante sur les comportements. Certains comportements que l'on veut promouvoir chez le patient dément (par exemple, la continence, le comportement de s'alimenter) peuvent être pris comme cibles de l'intervention, tout comme les comportements que l'on souhaite diminuer, voire éliminer (par exemple, l'errance ou les comportements agressifs). L'utilité d'intervenir dans ces problèmes de comportement est renforcée par la constatation que ces derniers constituent la source principale du fardeau des aidants naturels (voir plus bas) et, par voie de conséquence, une des justifications les plus fréquentes du placement dans un établissement (Deimling & Bass, 1986).

Dans un programme d'intervention sur le comportement, on cherche à modifier la fréquence, l'intensité, la durée ou le lieu d'un ou plusieurs comportements problématiques, en variant systématiquement les stimuli antécédents et les conséquences (Rapp *et al.*, 1992). La modification du comportement commence par une analyse neuropsychologique détaillée des capacités cognitives préservées et des déficits cognitifs spécifiques du patient, suivie d'une observation du comportement cible, avec étude des composantes du comportement problème, des événements qui le précèdent et de ses conséquences. Plusieurs échelles d'évaluation des comportements, dont la validité et la sensibilité restent à déterminer, ont été proposées ces dernières années (Fisher & Carstensen, 1990). Dans la phase de traitement, les contingences qui contrôlent le comportement sont manipulées (renforcées ou retirées), de manière à augmenter ou à diminuer le comportement cible, selon le cas. De plus, le renforcement positif, tel que la nourriture, le contact social ou les félicitations, est utilisé comme récompense pour consolider le comportement désiré. La composante finale du programme consiste dans l'évaluation des résultats et l'ajustement des procédures.

Même si la modification du comportement a été largement utilisée auprès des patients atteints de démence, les études contrôlées portant sur l'efficacité de ce type d'intervention sont peu nombreuses. Selon certaines études de cas uniques, les techniques de modification du comportement sont habituellement couronnées de succès. Ces recherches indiquent que la simple incitation (*prompting*) et le renforcement du comportement obtiennent de bons résultats. Quelques études contrôlées soulignent l'efficacité des procédures de modification du comportement dans la réduction de certains comportements comme l'incontinence et l'errance (Carstensen & Fisher, 1991 ; Fisher & Carstensen, 1990). Comme le soulignent ces auteurs, nous manquons encore de méthodes pour déterminer les systèmes de renforcement les plus appropriés en fonction des caractéristiques du patient et, en particulier, en fonction du profil de ses capacités d'apprentissage préservées.

On estime que près de 30 % des patients Alzheimer manifestent aussi une dépression clinique selon les critères de diagnostic du DSM-III-R (American Psychiatric Association, 1987, 1989) et qu'une proportion plus importante encore de ces patients présentent des symptômes de dépression (Teri & Reifler, 1987). Lorsqu'une dépression et une maladie de type Alzheimer coexistent, des niveaux plus sévères de désordres comportementaux, mais des niveaux moins graves de dysfonctionnement cognitif, sont constatés, comparativement aux cas de démence de type Alzheimer où la dépression est absente (Teri & Wagner, 1992). Ces recherches indiquent clairement que la dépression constitue une source indépendante d'invalidité.

La dépression coexistant avec la démence peut aggraver l'incapacité fonctionnelle du patient Alzheimer (Pearson *et al.*, 1989). Comme nous le verrons plus bas, la présence de symptômes dépressifs chez le patient Alzheimer contribue à la dépression et au fardeau des aidants naturels. Une intervention visant à soulager la dépression peut donc s'avérer utile, non seulement pour réduire l'incapacité fonctionnelle des patients, mais aussi pour améliorer la qualité de vie des aidants naturels.

La pharmacothérapie basée sur les antidépresseurs pourrait être utile pour le traitement de la dépression dans la maladie d'Alzheimer (Reifler *et al.*, 1989). Jusqu'à présent, une seule étude contrôlée a évalué l'efficacité des antidépresseurs pour le traitement de la dépression chez des patients atteints de démence. Certains auteurs (Reifler *et al.*, 1989 ; Teri *et al.*, 1991) ont comparé l'efficacité de l'imipramine et d'un placebo. À l'issue d'un traitement de huit semaines, les deux interventions ont conduit à des résultats positifs significatifs et comparables dans les mesures de dépression comme dans les mesures de fonctionnement cognitif. Par ailleurs, les psychologues d'orientation comportementale et cognitive ont élaboré des stratégies d'intervention adaptées aux patients qui présentent des déficits cognitifs (Teri & Gallagher-Thompson, 1991). La thérapie cognitive, basée sur les travaux initiaux de Beck et ses collaborateurs (1979), peut être utilisée auprès de personnes souffrant de démence légère pendant la phase initiale de la maladie. Elle vise à aider les patients à contrôler leurs pensées négatives et à adopter des perspectives plus constructives sur les situations. La théorie comportementale, issue des travaux de Lewinsohn et ses collaborateurs (1984), peut être utilisée auprès de patients plus sévèrement atteints. Elle a pour objectifs d'augmenter le nombre des activités positives et de diminuer celui des activités négatives. Habituellement, l'intervention comportementale requiert la collaboration étroite de l'aidant naturel qui, instruit des principes de modification du comportement, coordonne les activités du patient et provoque sa participation. Les résultats préliminaires suggèrent que l'application de techniques comportementales par l'aidant naturel est associée à la réduction des symptômes dépressifs du patient (Teri & Wagner, 1992).

La progression de la démence nécessite à un certain moment les soins offerts par les établissements de soins de longue durée. Mais jusqu'à ce moment-là, le fardeau des soins incombe à la famille de la personne souffrant de démence. Les recherches de ces dernières années (Mohide & Streiner, 1993) indiquent que les taux de dépression parmi les personnes de la famille qui prennent soin des patients atteints de démence sont très élevés. Certaines études ont relevé chez ces personnes des taux de dépression allant jusqu'à 55 % (voir références dans Teri & Wagner, 1992 ; Mohide & Streiner, 1993 ; Cohen & Eisdorfer, 1988). Durant la dernière décennie, différentes agences et divers établissements ont essayé de répondre aux besoins des membres de la famille en fournissant un certain nombre de services : l'entraînement des personnes soignantes, les services de répit, les groupes de soutien mutuel, les groupes d'information et des services de visites à domicile.

RÉSUMÉ

- Parmi les désordres organiques cérébraux, il faut distinguer les syndromes confusionnels (ou delirium) et les démences.
- L'obnubilation, la désorientation, la désorganisation de la pensée et le trouble mnésique représentent les manifestations caractéristiques du syndrome confusionnel.
- Le syndrome confusionnel est l'indice d'un dérangement majeur du fonctionnement cérébral. Il est, chez la personne âgée, l'équivalent de la convulsion chez l'enfant.
- Les personnes âgées sont particulièrement vulnérables au syndrome confusionnel parce que le vieillissement s'accompagne d'une plus grande fragilité du cerveau par rapport aux effets perturbateurs des agents pathogènes d'origine organique ou psychosociale.

- Le syndrome confusionnel est normalement réversible, une fois que les facteurs qui l'ont provoqué ont été corrigés ou éliminés.
- La démence vasculaire ou artériopathique et la maladie d'Alzheimer représentent deux formes majeures de démence.
- La démence se caractérise comme une perte globale et progressive de la mémoire et des autres fonctions intellectuelles, comme le jugement et la pensée abstraite, au point que la personne démente est incapable de survivre de façon autonome et perd la capacité de communiquer avec autrui.
- La démence afflige de 4% à 6% des personnes âgées de 65 ans, et, parmi ce groupe atteint, au moins la moitié des personnes souffrent de la maladie d'Alzheimer.
- La démence artériopathique résulte de l'effet cumulatif de multiples infarctus cérébraux qui produisent des dommages cérébraux irréversibles.
- Les facteurs de risque pour la démence artériopathique sont les mêmes que ceux relatifs à la congestion cérébrale : âge, sexe masculin, prédisposition familiale, diabète, hypertension, consommation de tabac (cigarettes) et d'alcool.
- Les cerveaux des personnes atteintes de la maladie d'Alzheimer présentent des changements caractéristiques : enchevêtrements neurofibrillaires, plaques séniles, surproduction d'amyloïde. Ces modifications sont localisées dans des zones du cerveau qui jouent un rôle crucial dans le fonctionnement cognitif.
- L'âge est le facteur de risque le plus évident pour la maladie d'Alzheimer, dans la mesure où la prévalence de cette maladie augmente avec l'âge, grimpant de 1,4% pour le groupe des 65-69 ans à plus de 20% pour le groupe des 85-89 ans.
- Outre l'avancement en âge, le syndrome de Down et une histoire familiale de démence constituent deux autres facteurs de risque pour la maladie d'Alzheimer.
- La maladie d'Alzheimer regroupe probablement un ensemble hétérogène de désordres, et elle devrait être approchée selon une perspective multicausale.
- Une intégration des hypothèses proposées pour expliquer la maladie d'Alzheimer implique une diathèse constituée par une vulnérabilité génétique et les effets normaux du vieillissement biologique sur le fonctionnement du cerveau, conduisant aux manifestations neuropathologiques typiques de la maladie et à la détérioration du fonctionnement cognitif qui en découle.
- Aucun traitement spécifique et efficace n'est actuellement disponible pour la maladie d'Alzheimer. Les interventions pharmacologiques et psychologiques visent à aider le patient, les professionnels de la santé et les aidants naturels à composer avec la maladie.
- La structuration du milieu physique et social, l'orientation vers la réalité, la rétrospective de vie et la modification du comportement sont parmi les programmes

les plus fréquemment utilisés dans l'intervention psychologique auprès des patients déments. La dépression dans les états démentiels constitue aussi une cible des efforts thérapeutiques.

- Le soutien des aidants naturels est une composante importante des soins à apporter dans le traitement des personnes démentes.

LECTURES SUGGÉRÉES

Birren, J.E., Sloan, R.B., & Cohen, G.D. (dir.) [1992]. *Handbook of mental health and aging* (2e éd.). San Diego : Academic Press.

Carstensen, L.L., & Edelstein, B.A. (dir.) [1987]. *Handbook of clinical gerontology.* New York : Pergamon Press.

Habib, M., Joanette, Y., & Puel, M. (dir.) [1991]. *Démences et syndromes démentiels : approche neuropsychologique.* Paris : Masson.

Hébert, R. (dir.) [1990]. *Interdisciplinarité en gérontologie.* Saint-Hyacinthe, Québec : Edisem-Maloine.

Jorm, A.F. (1990). *The epidemiology of Alzheimer's disease.* London : Chapman and Hall.

Lipowski, Z.J. (1990). *Delirium : Acute confusional states.* New York : Oxford University Press.

Thomas, R., Pesce, A., & Cassuto, J.P. (1989). *Maladie d'Alzheimer.* Paris : Masson.

Wisocki, P.A. (dir.) [1991]. *Handbook of clinical behavior therapy with the elderly client.* New York : Plenum Press.

RÉFÉRENCES

Alzheimer, A. (1907). Uber eine eigenartige Erkrantung der Hirnrinde. *Allgemeine Zeitschrift von Psychiatrie, 64,* 146-148. Traduction française (P. North) publiée en 1989 dans *Alzheimer Actualités, 33* (6).

American Psychiatric Association (1980). *Diagnostic and statistical manual of mental disorders* (3e éd.). Washington, DC.

American Psychiatric Association (1987). *Diagnostic and statistical manual of mental disorders (DSM-III-R)* [3e éd., rév.]. Washington, DC.

American Psychiatric Association (1989). *DSM-III-R – Critères diagnostiques.* Traduction de l'anglais coordonnée par J.D. Guelfi. Paris : Masson.

Aronson, M.K., Ooi, W.L., Morgenstern, H., *et al.* (1990). Women, myocardial infarction, and dementia in the very old. *Neurology, 40,* 1102-1106.

Aubin, S. (1985). Étude sur l'efficacité des classes d'orientation vers la réalité sur l'amélioration de l'autonomie des personnes âgées confuses. *Revue de gériatrie, 10,* 215-221.

Baines, S., Saxby, P., & Ehlert, K. (1987). Reality orientation and reminiscence therapy : A controlled cross-over study of elderly confused people. *British Journal of Psychiatry, 151,* 222-231.

Barr, A., Benedict, R., Tune, L., & Brandt, J. (1992). Neuropsychological differentiation of Alzheimer's disease from vascular dementia. *International Journal of Geriatric Psychiatry, 7,* 621-627.

Beck, A.T., Rush, A.J., Shaw, B., & Emery, G. (1979). *Cognitive therapy of depression.* New York : Guilford Press.

Benson, D.M., Cameron, D., Humbach, E., Servino, L., & Gambert, S.R. (1987). Establishment and impact of a dementia unit within the nursing home. *Journal of the American Geriatrics Society, 35,* 319-323.

Blass, J.P., Ko, L., & Wisniewski, H.M. (1991). Pathology of Alzheimer's disease. *Psychiatric Clinics of North America, 14,* 397-420.

Bondareff, W., Mountjoy, C.Q., Roth, M., *et al.* (1987). Age and histopathologic heterogeneity in Alzheimer's disease. *Archives of General Psychiatry, 44,* 412-417.

Butler, R.N. (1963). The life review : An interpretation of reminiscence in the aged. *Psychiatry, 26,* 65-76.

Butler, R.N. (1974). Successful aging and the role of the life review. *Journal of the American Geriatrics Society, 22,* 529-535.

Carstensen, L.L., & Fisher, J.E. (1991). Treatment applications for psychological and behavioral problems of the elderly in nursing homes. Dans P.A. Wisocki (dir.), *Handbook of clinical behavior therapy with the elderly client.* New York : Plenum Press.

Ceccaldi, M., Balzamo, M., Fontaine, F.S., Royere, M.L., & Joanette, Y. (1991). Évaluation neuropsychologique des démences. Dans M. Habib, Y. Joanette & M.

Puel (dir.), *Démences et syndromes démentiels : approche neuropsychologique* (p. 203-212). Paris : Masson.

Christen, Y. (1990). À propos de la découverte d'Alzheimer. Dans R. Hébert (dir.), *Interdisciplinarité en gérontologie* (p. 147-152). Saint-Hyacinthe, Québec : Edisem-Maloine.

Cohen, D., & Eisdorfer, C. (1988). Depression in family members caring for a relative with Alzheimer's disease. *Journal of the American Geriatrics Society, 36*, 885-889.

Cole, M.G., & Dastoor, D.P. (1987). A new hierarchic approach to the measurement of dementia. *Psychosomatics, 28*, 298-304.

Cole, M.G., Dastoor, D.P., & Koszyaki, D. (1983). The hierarchic dementia scale. *Journal of Clinical Experimental Gerontology, 5*, 219-239.

D'Amato, R.J., Zweig, R.M., Whitehous, P.J., *et al.* (1987). Aminergic systems in Alzheimer's disease and Parkinson's disease. *Annals of Neurology, 22*, 229-236.

Deimling, G.T., & Bass, D.M. (1986). Symptoms of mental impairment among elderly adults and their effects on family caregivers. *Journal of Gerontology, 41*, 778-784.

Derouesné, C. (1989). Le diagnostic précoce de la maladie d'Alzheimer. *La Revue du praticien* (Paris), *38*, 457-461.

Dyck, P., & Dobbs, A. (1992, octobre). *Family members' reports of the progression of Alzheimer's disease symptoms.* Communication présentée au Congrès annuel de l'Association canadienne de gérontologie, Edmonton, Alberta.

Epelbaum, J., & Lamour, Y. (1990). La maladie d'Alzheimer. *La Recherche, 21*(218), 150-159.

Erikson, E.H. (1959). *Identity and the life cycle.* New York, NY : Norton.

Erikson, E.H. (1963). *Childhood and society* (2e éd.). New York, NY : Norton.

Fisher, J.E., & Carstensen, L.L. (1990). Behavior management of dementia. *Clinical Psychology Review, 10*, 611-629.

Folstein, M.F., Folstein, S.E., & McHugh, P.R. (1975). Mini mental status : A practical method of grading the cognitive state of patients for the clinician. *Journal of Psychiatric Research, 12*, 189-198.

Gauvreau, D. (1987). Le paradigme de la maladie d'Alzheimer. *Interface, sept.-oct.*, 16-21.

Glenner, G.G., & Wong, C.W. (1984). Alzheimer's disease : Initial report of the purification and characterization of a novel cerebrovascular amyloid protein. *Biochemical and Biophysical Research Communications, 120*, 885-890.

Goldgaber, D., Lerman, M.I., McBride, O.W., *et al.* (1987). Characterization and chromosomal localization of a cDNA encoding brain amyloid of Alzheimer's disease. *Science, 235*, 877-880.

Goldwasser, A., Auerbach, S.M., & Harkins, S.W. (1987). Cognitive, affective, and behavioral effects of reminiscence group therapy on demented elderly. *International Journal of Aging and Human Development, 25*, 209-222

Graves, A.B., White, E., Koepsell, T.D., *et al.* (1990). The association between head trauma and Alzheimer's disease. *American Journal of Epidemiology, 131*, 491.

Hanley, I.G. (1984). Theoretical and practical considerations in reality orientation therapy with the elderly. Dans I. Hanley & J. Hodge (dir.), *Psychological approaches to the care of the elderly* (p. 164-191). London : Croom Helm.

Hanley, I.G., McGuire, R.J., & Boyd, W.D. (1981). Reality orientation and dementia : A controlled trial of two approaches. *British Journal of Psychiatry, 138*, 10-14.

Henderson, A.S. (1988). The risk factors for Alzheimer's disease : A review and an hypothesis. *Acta Psychiatrica Scandinavica, 78*, 257-275.

Holden, U.P., & Woods, R.T. (1982). *Reality orientation : Psychological approaches to the « confused » elderly.* Edinburgh : Churchill Livingstone.

Huff, F.J., Becker, J.T., Belle, S.H., Nebes, R.D., Holland, A.L., & Boller, F. (1987). Cognitive deficits and clinical diagnosis of Alzheimer's disease. *Neurology, 37*, 1119-1124.

Hughes, J. (1989). Aluminum encephalopathy and Alzheimer's disease. *Lancet*, 307.

Hussian, R.A. (1981). *Geriatric psychology : A behavioral perspective.* New York : Van Nostrand-Reinhold.

Johnson, C.H., McLaren, S.M., & McPherson, F.M. (1981). The comparative effectiveness of three versions of « classroom » reality orientation. *Age and Ageing, 10*, 33-35.

Jorm, A.F. (1990). *The epidemiology of Alzheimer's disease.* London : Chapman and Hall.

Jorm, A.F., Korten, A.E., & Henderson, A.S. (1987). The prevalence of dementia : A quantitative integration of the literature. *Acta Psychiatrica Scandinavica, 76*, 465-479.

Katz, M.M. (1976). Behavioral change in the chronicity pattern of dementia in the institutional geriatric resident. *Journal of the American Geriatrics Society, 24*, 522-528.

Katzman, R., & Jackson, J.E. (1991). Alzheimer disease : Basic and clinical advances. *Journal of the American Geriatrics Society, 39*, 516-525.

Lappe, J.M. (1987). Reminiscing : The life review therapy. *Journal of Gerontological Nursing, 13*, 12-16.

Lawton, M.P., & Nahemow, L. (1973). Ecology and the aging process. Dans E. Eisdorfer & M.P. Lawton (dir.), *The psychology of adult development and aging*. Washington, DC : American Psychological Association.

Lawton, M.P., Moss, M.S., Fulcomer, M., & Kleban, M. (1984). Architecture for the mentally impaired elderly. *Environment and Behavior, 16*, 730-757.

Letcher, P.B., Peterson, L.P., & Scarborough, D. (1974). Reality orientation : A historic study of patient progress. *Hospital and Community Psychiatry, 25*, 11-13.

Lewinsohn, P.M., Antonuccio, D.O., Steinmetz, J.L., & Teri, L. (1984). *The coping with depression course*. Eugene, OR : Castalia Publishing.

Li, G., Silverman, J.M., & Mohs, R.C. (1991). Clinical genetic studies of Alzheimer's disease. *Psychiatric Clinics of North America, 14*, 267-285.

Lipowski, Z.J. (1990). *Delirium : Acute confusional states*. New York : Oxford University Press.

McEwan, K.L., Donnelly, M., Robertson, D., & Hertzman, C. (1991). *Troubles mentaux chez les personnes âgées au Canada : considérations d'ordre démographique et épidémiologique*. Ottawa : Ministre des Approvisionnements et Services Canada.

McGrowder-Lin, R., & Bhatt, A. (1988). A wanderer's lounge program for nursing home residents with Alzheimer's disease. *The Gerontologist, 28*, 607-609.

McKahnn, G., Drachman, D., Folstein, M., Katzman, R., Price, D., & Stadlan, E.M. (1984). Clinical diagnosis of Alzheimer's disease : Report of the NINCDS-ADRDA Work Group under the auspices of the Department of Health and Human Services Task Force on Alzheimer's Disease. *Neurology, 34*, 939-944.

McMahon, A.W., & Rhudick, T.J. (1967). Reminiscing in the aged : An adaptational response. Dans S. Levin & R.U. Kahana (dir.), *Psychodynamic studies on aging : Creativity, reminiscing, and dying*. New York : International Universities Press.

Maloney, C.C., & Daily, T. (1986). An eclectic group program for nursing home residents with dementia. *Physical and Occupational Therapy in Geriatrics, 4*, 55-80.

Mohide, E.A., & Streiner, D.L. (1993). Depression in caregivers of impaired elderly family members. Dans P. Cappeliez & R.J. Flynn (dir.), *Depression and the social environment: Research and intervention with neglected populations* (p. 289-331). Montréal et Kingston : McGill-Queen's University Press.

Morris, J.C., & Rubin, E.H. (1991). Clinical diagnosis and course of Alzheimer's disease. *Psychiatric Clinics of North America, 14*, 223-236.

Ohta, R.J., & Ohta, B.M. (1988). Special units for Alzheimer's disease patients : A critical look. *The Gerontologist, 28*, 801-808.

Paire, J.A., & Kamey, R.J. (1984). The effectiveness of sensory stimulation for geropsychiatric in-patients. *American Journal of Occupational Therapy, 38*, 505-509.

Patel, S., & Tariot, P.N. (1991). Pharmacologic models of Alzheimer's disease. *Psychiatric Clinics of North America, 14*, 287-308.

Pearson, J.L., Teri, L., Reifler, B.V., & Raskind, M.A. (1989). Functional status and cognitive impairment in Alzheimer's patients with and without depression. *Journal of the American Geriatrics Society, 37*, 1117-1121.

Peppard, N.R. (1985). Special nursing home units for residents with primary degenerative dementia : Alzheimer's disease. *Journal of Gerontological Social Work, 9*, 5-13.

Perry, E.K. (1986). The cholinergic hypothesis – ten years on. *British Medical Bulletin, 42*, 63-69.

Pfeiffer, E. (1975). A Short Portable Mental Status Questionnaire for the assessment of organic brain deficits in elderly patients. *Journal of the American Geriatrics Society, 22*, 433-441.

Poncet, M., & Guinot, H. (1989). Aspects cliniques et évolution de la maladie d'Alzheimer. *La Revue du praticien, 39*, 462-465.

Rapp, M.S., Flint, A.J., Herrmann, N., & Proulx, G.-B. (1992). Behavioural disturbances in the demented elderly : Phenomenology, pharmacotherapy and behavioural management. *Canadian Journal of Psychiatry, 37*, 651-657.

Rascol, O., & Montastruc, J.L. (1991). Neurochimie et neuropharmacologie de la maladie d'Alzheimer. Dans M. Habib, Y. Joanette et M. Puel (dir.), *Démences et syndromes démentiels : approche neuropsychologique* (p. 263-269). Paris : Masson.

Reifler, B.V., Teri, L., Raskind, M., Veith, R., Barnes, R., White, E., & McLean, P. (1989). Double-blind trial of imipramine in Alzheimer's disease patients with and without depression. *American Journal of Psychiatry, 146*, 45-49.

Reisberg, B. (1983). The evolution of senility. Dans B. Reisberg (dir.), *A guide to Alzheimer's disease* (p. 81-99). New York : Collier Macmillan.

Reisberg, B., Ferris, S.H., & Franssen, E. (1985). An ordinal functional assessment tool for Alzheimer's type dementia. *Hospital and Community Psychiatry, 36*, 593-595.

Revere, V., & Tobin, S. (1980-1981). Myth and reality : The older person's relationship to his past. *International Journal of Aging and Human Development, 12*, 15-25.

Rocca, W.A., Amaducci, L.A., & Schoenberg, B.S. (1986). Epidemiology of clinically diagnosed Alzheimer's disease. *Annals of Neurology, 19*, 415-424.

Romaniuk, M., & Romaniuk, J.G. (1981). Looking back : An experimental analysis of reminiscence functions and triggers. *Experimental Aging Research, 7*, 477-489.

Rosen, W.G. (1985). Clinical and neuropsychological assessment of Alzheimer's disease. *Archives de neurologie, 38*, 51-63.

Salter, C.L., & Salter, C.A. (1975). Effects of an individualized activity programme on elderly patients. *The Gerontologist, 15*, 404-406.

Schafer, D.E., Berghorn, F.J., Holmes, D.S., & Quadagno, J.S. (1986). The effects of reminiscing on the perceived control and social relations of institutionalized elderly. *Activities, Adaptation and Aging, 8*, 95-110.

Schellenberg, G.D., Bird, T.D., Wijsman, E.M., Moore, D.K., Boehnke, M., Bryant, E.M., Lampe, T.H., Nochlin, D., Sumi, S.M., Deeb, S.S., Beyrecther, K., & Martin, G.M. (1988). Absence of linkage of chromosome 21q21 marking to familial Alzheimer's disease. *Science, 241*, 1507-1510.

Schneider, L.S., Pollock, V.E., & Lyness, S.A. (1990). A meta-analysis of controlled trials of neuroleptic treatment in dementia. *Journal of the American Geriatrics Society, 38*, 553-563.

Selkoe, D.J. (1991). Amyloid protein and Alzheimer's disease. *Scientific American* (novembre), 68-78.

Signoret, J.-L. (1989). Évaluation neuropsychologique. *La Revue du praticien, 39*, 483-485.

Smith, B. (1990). Role of orientation therapy and reminiscence therapy. Dans R.C. Hamdy, J.M. Turnbull, L.D. Norman & M.M. Lancaster (dir.), *Alzheimer's disease : A handbook for caregivers* (p. 180-187). Saint Louis, MO : C.V. Mosby.

St. George-Hyslop, P.H., Tanzi, R.E., Polinsky, R.J., Haines, J.L., Nee, L., Watkins, P.C., Myers, R.H., Feldman, R.G., Pollen, D., Drachman, D., Growton, J., Bruni, A., Foncin, J.F., Salmon, D., Frommelt, P., Amaducci, L., Sorbi, S., Placentini, S., Steward, J.D., Hobbs, W.J., Conneally, P.M., & Gusella, J.F. (1987). The genetic defect causing familial Alzheimer's disease maps on chromosone 21. *Science, 235*, 981-990.

Sulman, J., & Wilkinson, S. (1989). An activity group for long-stay elderly patients in an acute care hospital : Program evaluation. *Canadian Journal on Aging, 8*, 34-50.

Tannenbaum, T.N., Baumgarten, M., & Laforest, S. (1990). Recension critique d'instruments pour détecter la démence chez les personnes âgées dans la communauté. Dans R. Hébert (dir.), *Interdisciplinarité en gérontologie.* Saint-Hyacinthe, Québec : Edisem.

Taulbee, L.A., & Folsom, J.C. (1966). Reality orientation for geriatric patients. *Hospital and Community Psychiatry, 17*, 133-135.

Teri, L., & Gallagher-Thompson, D. (1991). Cognitive-Behavioral interventions for treatment of depression in Alzheimer's patients. *The Gerontologist, 31*, 413-416.

Teri, L., & Reifler, B.V. (1987). Depression and dementia. Dans L.L. Carstensen & B.A. Edelstein (dir.), *Handbook of clinical gerontology* (p. 112-119). New York : Pergamon Press.

Teri, L., & Wagner, A. (1992). Alzheimer's disease and depression. *Journal of Consulting and Clinical Psychology, 60*, 379-391.

Teri, L., Larson, E.B., & Reifler, B.V. (1988). Behavioral disturbance in dementia of the Alzheimer's type. *Journal of the American Geriatrics Society, 36*, 1-6.

Teri, L., Reifler, B.V., Raskind, M., Veith, R.C., Barnes, R., White, E., & McLean, P. (1991). Imipramine in the treatment of depressed Alzheimer's patients : Impact on cognition. *Journal of Gerontology, 46*, 372-377.

Thomas, R., Pesce, A., & Cassuto, J.P. (1989). *Maladie d'Alzheimer.* Paris : Masson.

Thornton, S., & Brotchie, J. (1987). Reminiscence : A critical review of the empirical literature. *British Journal of Clinical Psychology, 26*, 93-111.

Tomlinsen, B.F., Blessed, G., Roth, M. (1968). Observations on the brain of non-demented old people. *Journal of Neurological Science, 7*, 331.

Tomlinsen, B.F., Blessed, G., Roth, M. (1970). Observations on the brain of demented old people. *Journal of Neurological Science, 11*, 205.

Tune, L.E., Steele, C., & Cooper, T. (1991). Neuroleptic drugs in the management of behavioral symptoms of Alzheimer's disease. *Psychiatric Clinics of North America, 14*, 353-373.

Van der Linden, M., Ansay, C., Calicis, F., Jacquemin, A., Schils, J.P., Seron, X., & Wyns, C. (1991). Prise en charge des déficits cognitifs dans la démence d'Alzheimer. Dans M. Habib, Y. Joanette & M. Puel (dir.), *Démences et syndromes démentiels : approche neuropsychologique* (p. 253-262). Paris : Masson.

Webster, J.D., & Cappeliez, P. (1993). Reminiscence and autobiographical memory : Complementary contexts for cognitive aging research. *Developmental Review, 13*, 54-91.

Index des auteurs

* Note : l'astérisque (*) indique que l'auteur est cité sous la mention « *et al.* ».

D

G

H

I

J

K

L

M

Q

R

S

U

V

W

Index des sujets

F

G

H

I

J

K

L

M

MEMBRE DU GROUPE SCABRINI

Québec, Canada
2000